Fiona McIntosh a grandi au Royaume-Uni, mais elle a quitté Londres pour voyager. Elle s'est retrouvée en Australie où elle est tombée amoureuse du pays et d'une personne en particulier. Elle se consacre désormais à l'écriture à plein-temps. Avec son mari et ses fils adolescents, Fiona partage son temps entre la vie citadine en Australie du Sud et la nature en Tasmanie. Enfin, elle avoue une obsession pour le chocolat dont elle recherche les meilleurs produits à travers le monde. Elle accorde actuellement ce titre au macaron au chocolat qu'elle goûta à Paris et dont elle ne s'est pas encore remise…

Du même auteur, aux éditions Bragelonne,
en grand format :

Le Dernier Souffle :
1. *Le Don*
2. *Le Sang*
3. *L'Âme*

La Trilogie Valisar :
1. *L'Exil*
2. *Le Tyran*
3. *La Colère*

Percheron :
1. *Odalisque*
2. *Émissaire*
3. *Déesse*

Chez Milady, en poche :

Le Dernier Souffle :
1. *Le Don*
2. *Le Sang*
3. *L'Âme*

Chez Castelmore :

L'Appel du destin

CE LIVRE EST ÉGALEMENT DISPONIBLE
AU FORMAT NUMÉRIQUE

www.milady.fr

Fiona McIntosh

Le Don

Le Dernier Souffle – 1

Traduit de l'anglais (Australie) par Frédéric Le Berre

Bragelonne

Milady est un label des éditions Bragelonne

Cet ouvrage a été originellement publié en France par Bragelonne

Titre original : *Myrren's Gift*

ISBN : 978-2-8112-0182-1

Bragelonne – Milady
60-62, rue d'Hauteville – 75010 Paris

E-mail : info@milady.fr
Site Internet : www.milady.fr

Prologue

Le coup allait être mortel. Il le sut à la seconde même où il capta la lueur menaçante de la lame à l'entame du mouvement ; et il l'accepta.

Fergys Thirsk, le fils chéri du royaume de Morgravia, entama la dernière partie de son chemin vers la mort par une petite aube grise, dont les lueurs pâles éclairaient à peine le ciel d'hiver. Il contempla sa fin inéluctable avec le courage dont il avait fait preuve tout au long de sa vie de général de la légion.

C'était l'idée du roi que d'attaquer sous le couvert de la nuit le détachement de Briavel rassemblé de l'autre côté de la colline. Pour sa part, Fergys n'aimait pas trop l'idée d'enfreindre la trêve nocturne traditionnelle au cours de laquelle les hommes se regroupaient autour des feux, certains pour chanter et d'autres pour se demander s'il leur serait donné de vivre un jour encore. Mais le roi avait une idée fixe : mettre à profit cette nuit sombre où les nuages cachaient la lune pour prendre l'ennemi à revers et par surprise. Le fleuve Tague, qui marquait la frontière entre les royaumes de Morgravia et de Briavel, des montagnes au nord jusqu'aux plaines du centre, avait déjà charrié le sang des deux armées au cours de cette journée. Fergys était réticent à l'idée de renvoyer au combat ses hommes épuisés ; mais le roi ne voulait pas en démordre et Thirsk avait relevé le défi.

Il n'avait vu nul mauvais présage au moment de lancer l'attaque à la tête de ses troupes ; il n'appréciait pas le plan, c'était tout. Fergys était un homme d'honneur et de tradition. La guerre avait un code qu'il préférait voir respecter.

Néanmoins, il s'était battu aussi férocement qu'à l'ordinaire, mais l'irruption de Magnus – son ami et son roi – au cœur de la mêlée l'avait perturbé. Il ne voulait pas le voir ainsi exposé. Sans réfléchir plus avant, il s'était débarrassé de trois ennemis sur sa route, pour venir aux côtés de son souverain afin de le protéger.

Par-dessus les cris et le fracas des armes, il avait fait part de ses réserves à son plus vieux et plus cher ami.

— Tu crois que ce manteau blanc est suffisamment discret ?

Magnus ignora le sarcasme, poussant l'audace ou l'inconscience jusqu'à pratiquer l'ironie à son tour.

— Il fallait bien que Valor sache que j'étais là le jour où son armée a été vaincue.

C'était pourtant un geste bien téméraire, bien plus dangereux qu'il ne l'avait pensé. Ils combattaient sur la rive de Briavel et, une fois la surprise passée, les deux armées s'étaient lancées à corps perdu dans un massacre sanglant. Les hommes de Valor n'étaient pas des pleutres et grand était leur désir de repousser les troupes de Morgravia.

Fergys avait repéré l'étendard de Briavel – indiquant que Valor lui aussi était au cœur de la bataille – et il se souvenait maintenant, en ces instants où son sang et sa vie s'échappaient de lui, combien il avait craint pour les deux rois.

Établie sur la hauteur, l'armée de Briavel avait l'avantage du terrain et Fergys avait décidé de sonner la retraite. Ses troupes avaient déjà infligé de lourdes pertes à l'ennemi ; inutile qu'un des deux monarques meure ce jour-là. Il savait que plus tard dans la journée, au cours de l'assaut qui surviendrait inévitablement, l'armée de Morgravia l'emporterait une nouvelle fois. Il avait donc donné l'ordre du repli et tous ses hommes avaient obéi.

Tous, sauf un.

Et c'était précisément celui que Fergys Thirsk avait juré de protéger, fût-ce au péril de sa vie.

Comme tous les généraux de la famille Thirsk avant lui, Fergys avait eu longue vie ; son seul regret au seuil de la mort était donc de n'avoir pas les siens autour de lui. Fergys n'était pas le moins du monde habitué à la défaite, mais Shar apparemment avait décidé d'exiger beaucoup de lui aujourd'hui. Son dieu voulait sa vie et Fergys l'avait donnée sans la moindre hésitation.

Jusqu'à ce jour, il avait livré d'innombrables batailles sans jamais récolter plus qu'une ou deux blessures superficielles. Rien n'avait laissé présager que celle-ci devait être différente ; du moins, jusqu'à ce qu'il voie le danger, qu'il entende le guerrier de Briavel pousser son cri, et qu'il s'interpose délibérément pour recevoir la lame fatale. Le corps de Fergys était l'ultime rempart protégeant son roi de la mort ; il s'était jeté sans même réfléchir. L'épée avait touché. Le destin l'avait très précisément fait passer sous la cuirasse.

Il avait poussé un cri ; la douleur lui déchirait le ventre. Mais il n'avait pas succombé, trop occupé à affronter les soldats ennemis pour protéger la vie de son roi. Ce n'est qu'après que Fergys Thirsk était tombé à terre ; pas encore mort, mais assurément en partance pour le plus long des voyages.

Pendant qu'on l'emportait à toute allure de l'autre côté du Tague, il hurlait encore ses ordres à ses capitaines. Lorsqu'il fut certain que toute l'armée de Morgravia s'était bien repliée, il se laissa aller sur la toile qui le porterait jusqu'au camp. Le trajet lui parut durer un temps infini ; sa vie défilait devant lui.

Finalement, il n'avait guère de raisons de se plaindre.

Déjà, il était aimé, ce qui en soi devait suffire au bonheur d'un homme, songeait-il ; mais il y avait tellement plus encore. Il imposait le respect – un respect qu'il avait conquis et qu'il méritait – et il marchait aux côtés d'un roi qui était son ami. Plus qu'un ami même… un frère de sang.

En ces instants, ce frère marchait à ses côtés, en état de choc, donnant des ordres pour qu'on prenne soin de lui et marmottant sans fin que tout était de sa faute ; son imprudence et sa stupidité allaient causer la perte du grand général. Tout cela ne servait à rien. Fergys tenta de le lui dire, mais sa voix était trop faible pour couvrir les bruits de la retraite. S'il avait pu parler, il aurait fait taire son frère de sang en lui rappelant que les bergers de Shar avaient parlé et qu'il devait s'en aller, que ça lui plaise ou non. Sans regrets. Avec le sentiment d'avoir tout accompli.

Au passage de la civière, les hommes inclinaient la tête. Fergys aurait voulu pouvoir, d'une manière ou d'une autre, remercier chacun d'eux. La légion engendrait des soldats exceptionnels, loyaux jusqu'à la mort à l'homme qui les commandait. Un instant, il se demanda comment ils recevraient le nouveau général, implorant muettement leur indulgence. *Donnez sa chance au garçon. Il sera tout ce que je suis et même mieux encore.* Du fond du cœur, il espérait que cette pensée devienne réalité.

Il pensait maintenant à son fils – le futur général, sérieux et élevé dans le respect de la tradition. Sorti du même moule que lui, avait-on coutume de dire, en particulier pour l'apparence physique. Un Thirsk, un homme simple, solide et sans peur, qui déjà montrait toutes les aptitudes d'un chef. Dans la légion de Morgravia, il était de coutume que le commandement passe du père au fils, mais Fergys s'interrogeait ; l'usage serait-il maintenu ? Son fils était si jeune encore. Aurait-il le temps de permettre à son héritier de perpétuer la tradition des Thirsk ou une autre famille allait-elle revendiquer le droit de conduire les armées ? Cela faisait deux siècles que les Thirsk commandaient la légion ; et c'était une tâche immense pour une famille que de donner au monde à chaque génération un guerrier accompli doté d'une grande intelligence.

Les porteurs approchaient de la tente où l'agonisant savait qu'il entrerait dans son denier repos. Une fois allongé là, il allait falloir qu'il accorde ses ultimes forces et toute son attention à son roi. Il aurait voulu du temps encore pour songer à sa femme défunte, la belle Helyna, dont le caractère se retrouvait chez leur fils. Pour la beauté, seule leur fille en avait hérité. Fergys ne put retenir une grimace – de regret et de chagrin plus que de douleur. Sa fille était si petite encore... trop petite pour perdre ses deux parents.

Il se demandait ce qu'il allait advenir des siens. L'argent n'était pas un problème ; la maison Thirsk était la plus riche du royaume, à l'exception peut-être des Donal de Felrawthy. Il allait devoir s'en remettre à Magnus, mais il savait pouvoir compter sur lui. Plus que tout, c'est de temps dont sa famille allait avoir besoin désormais – du temps pour grandir. Une paix allait devoir être conclue avec Briavel, jusqu'à ce que le jeune Thirsk ait l'âge d'aller à la guerre. Et si cette période de trêve avait un coût, il espérait que sa vie serait un prix suffisant.

On l'allongea sur sa couche ; le roi avait insisté pour qu'on l'installe dans la tente royale. Des médecins se précipitèrent à son chevet ; il les ignora, sachant très bien que tout cela finirait par des hochements de tête silencieux et des mines graves. Fergys referma les yeux pour oublier la frénésie autour de lui et replonger dans ses pensées.

La haine ancestrale ; comme elle lui semblait vaine en cet instant. Valor de Briavel était un bon roi. Il avait une fille et il était peu probable qu'il ait un fils désormais. Il n'avait jamais voulu se remarier après la mort de sa femme ; à ce qu'on disait, leur amour était béni de Shar. Et puis, il était sans doute trop vieux aujourd'hui, à soixante-dix ans, pour se risquer à élever un héritier. Lui aussi avait besoin de temps et de quiétude pour que la princesse de Briavel grandisse et se forme à sa charge. En un sens, la guerre n'était qu'une tradition comme une autre. Leurs aïeux s'étaient battus les uns contre les autres lorsqu'ils ne représentaient guère plus que des clans. À l'origine, il s'agissait essentiellement de préserver l'équilibre entre deux factions antagonistes ; mais quand les deux familles les plus puissantes eurent établi leurs royaumes, la guerre devint un moyen de conquérir terres et pouvoirs. Au fil des siècles, aucune ne fut en position de prétendre dominer la région, si bien que leur inimitié dégénéra en vaines querelles pour des questions de droits de passage, de routes commerciales et autres peccadilles ; lorsque Magnus et Valor héritèrent chacun de sa couronne respective, personne ne savait plus exactement pourquoi les deux royaumes se battaient.

Fergys eut en soupir. En vérité, il estimait plutôt Valor et se lamentait que les deux rois ne puissent être bons voisins. Unie et pacifiée, la région serait richissime et ne craindrait pratiquement aucun ennemi. Il ne pourrait malheureusement pas voir ce rêve se réaliser.

— Parle-moi, l'implora le roi Magnus d'une voix étranglée par le remords.

— Fais partir les médecins, Magnus. Nous savons tous que c'est fini.

Le roi baissa la tête en signe de triste soumission, puis donna ses ordres.

Tous sortirent, à l'exception de son ami. Fergys ne voulut aucun adieu éploré de ses capitaines ; il n'aurait pas davantage supporté leur sympathie que leur désespoir. Sonnés par la pensée que leur général ne verrait pas le soleil se coucher, ils défilèrent devant lui en silence.

Fergys demanda qu'on laisse ouvert le rideau de la tente, de façon à voir, au loin sur la lande, la fumée des feux du camp de l'armée de Briavel, là où des hommes et des bêtes mourraient encore aujourd'hui si le combat venait à reprendre. Au fond de lui, il savait que les deux armées étaient exsangues et épuisées ; tous les hommes étaient prêts à accepter le verdict de cette énième bataille entre les vieux ennemis pour s'en retourner dans leurs villes et leurs villages. Bien sûr, bon nombre ne rentreraient jamais chez eux ; pour la plupart, leurs veuves et leurs mères, leurs sœurs et leurs promises étaient en Briavel.

Et pourtant, alors que la mort resserrait sur lui son étreinte pour l'ultime baiser, Fergys savait comme beaucoup que dans les tavernes de Briavel, on jurerait plus tard que c'était le royaume de Morgravia qui avait ce jour enregistré les plus lourdes pertes.

Les yeux fatigués du général revinrent se poser sur son ami.

— C'est fini pour eux, dit finalement le roi Magnus de Morgravia.

Fergys tenta de hocher la tête, soulagé que Magnus soit parvenu à s'arracher à sa torpeur ; il fallait maintenant qu'ils parlent et le temps leur était compté.

— Attention, Valor tentera encore quelque chose, prévint Fergys. Il voudra sauver la face.

Magnus soupira.

— Et nous le laisserons faire ?

— C'est ce que tu as toujours fait dans le passé. Retire tous les hommes et fais en sorte qu'il apprenne la nouvelle de ma blessure et de ma mort, répondit Fergys, l'échine traversée de grands élancements douloureux.

» Ce sera un grand moment pour eux et nous pourrons rentrer chez nous.

En disant cela, il n'ignorait pas qu'il ferait son retour sur ses terres roulé dans un linceul noir, tiré par son cheval.

La bataille était gagnée. Comme d'habitude sous le commandement des généraux Thirsk, Morgravia l'avait emporté. Bien sûr, tel n'avait pas toujours été le cas. Au cours des siècles passés, Briavel avait parfois triomphé. La haine entre les deux royaumes était un long chapelet d'histoires aux reflets rouge sang.

— Je me demande pourquoi je l'épargne. Tu crois que c'est par faiblesse ?

Fergys voulut dire au roi que ce n'était pas par faiblesse mais par compassion que Morgravia résisterait à la tentation de mener un massacre aujourd'hui. À cause de la compassion et du fait que c'était la première fois que Magnus voyait mourir son meilleur ami, la bataille était soudain passée au second rang des préoccupations du roi. Et si la compassion était une faiblesse, alors Fergys n'en aimait que plus son ami – et ses contradictions qui le faisaient condamner à mort sans sourciller un criminel de Morgravia tandis qu'il épargnait la vie de ses ennemis sur le champ de bataille. C'était ce mélange d'impulsivité et d'honneur, de flexibilité et d'entêtement, qui avait attaché Fergys à Magnus depuis l'enfance.

Fergys sentit que son souffle s'amenuisait. Souvent, en tenant la main des mourants, il avait constaté ce phénomène lorsque leurs paroles devenaient inaudibles. Et maintenant, c'était son tour ; la mort se faisait pressante. Elle allait pourtant devoir patienter.

Il avait encore des choses à dire, même si chaque mot devenait une torture.

— S'il y a la moindre faiblesse ici, alors elle est de notre fait à tous les deux, répondit Fergys.

» Et puis sans elle, Briavel et Morgravia n'auraient plus le plaisir d'envoyer régulièrement la fine fleur de leur jeunesse s'étriper sur la lande, montée sur de superbes destriers.

Magnus hocha la tête. Fergys Thirsk ne partait jamais de gaîté de cœur au combat ; il vénérait bien trop la paix et le caractère sacré de la vie, en particulier celle des hommes de Morgravia. Néanmoins, jamais dans son histoire Morgravia n'avait eu plus redoutable chef de guerre. Il était une légende pour tous ses hommes.

L'esprit embrumé par la douleur, il observait son roi et ami effondré devant lui, notant pour la première fois les fils gris qui désormais parsemaient ses cheveux. Naguère brillants et uniformément bruns, ils encadraient un visage expressif à la mâchoire carrée, où deux yeux pétillaient d'intelligence. La haute stature de Magnus donnait soudain l'impression d'être tassée, comme si sa grande carcasse devenait trop lourde. Ils vieillissaient tous deux.

Le général fut secoué d'un rire douloureux ; lui ne vieillirait plus très longtemps. Sous le regard interrogateur de son ami, il haussa les épaules, lançant du même coup une nouvelle vague de douleur dans son corps à l'agonie.

— Nous nous sommes toujours efforcés de rire de tout, Magnus.

— Mais cela ne me fait pas rire, Fergys. Pas du tout.

Le roi eut un nouveau soupir.

Fergys pouvait entendre le chagrin dans ce souffle. Ils étaient amis depuis l'enfance ; leurs pères les avaient fait grandir ensemble, mais l'amitié était venue naturellement. Fergys avait vénéré l'héritier, puis le roi. Pour Magnus, Fergys était un frère qu'il chérissait comme un autre lui-même, dont il avait écouté les conseils avisés tout au long de son règne. Ensemble, ils formaient un tandem aussi rusé qu'intelligent.

— Que dois-je faire maintenant ? demanda le roi dans un murmure.

Puisant dans ses ultimes réserves, Fergys étreignit la main de son ami.

— Je crois que tu ne devrais pas souhaiter la mort du roi Valor de Briavel plus que la mienne. Morgravia n'a plus rien à craindre de lui pour au moins les dix années à venir. Fais qu'il en soit ainsi, Magnus. Ouvre des pourparlers. Il n'est plus nécessaire que des jeunes gens aient encore à mourir aujourd'hui.

— C'est ce que je veux. Je ne désire sûrement pas prolonger cette bataille, tu le sais bien, et si je n'avais pas été aussi stupide, tu ne serais…

Fergys interrompit le flot de culpabilité du roi par une violente quinte de toux ; du sang se répandit sur sa chemise. La mort s'impatientait. Magnus s'empressa de lui passer des linges propres, mais le général repoussa sa main.

— Ma mort doit suffire. Elle sera considérée comme un coup majeur porté à Morgravia. Valor est fier, mais il n'est pas stupide. Faute d'héritier mâle, c'est sa fille qui sera reine un jour. Elle aura alors besoin d'une armée et Briavel a besoin de la paix pour la mettre sur pied. Mais eux comme nous serions bien avisés de mettre nos querelles de côté. La menace au nord est bien réelle et elle pèse sur nos deux royaumes. Un jour, nous pourrions bien avoir besoin les uns des autres.

Fergys parlait de Cailech, le roi autoproclamé de Ceux des Montagnes. Au début, Cailech n'avait rien été de plus que le tout jeune chef d'une horde de montagnards rustauds qui s'éloignaient rarement de leurs hautes terres au-delà des monts au nord et au nord-est. Pendant des siècles, les siens s'étaient battus entre eux, confinés dans les Razors, comme on appelait leurs immenses territoires. Une quinzaine d'années auparavant, ce tout jeune guerrier de dix-huit printemps à peine avait imposé par la force son autorité à toutes les tribus pour les unifier. Depuis des années, Fergys avait la conviction que ce n'était qu'une question de temps avant que Cailech se sente suffisamment fort pour tourner son regard au-delà des montagnes, en direction des plaines fertiles de Morgravia et de Briavel.

— Je vais poursuivre le renforcement de la légion au nord, dit le roi, comme s'il avait lu dans ses pensées.

— Cela m'aidera à reposer en paix.

Tous deux entendaient la respiration du mourant devenir saccadée.

Magnus devait produire un immense effort sur lui-même pour refouler l'émotion qui l'étreignait.

— Et pour toi, ô mon ami, que puis-je faire avant que nous soyons séparés ?

Pour la dernière fois, leurs mains se saisirent à la manière de la légion.

— Un pacte par le sang.

Le roi haussa un sourcil. Il se souvenait de la première fois qu'ils avaient mêlé leur sang. Alors qu'ils n'étaient encore que des enfants, on les avait autorisés à assister au rituel entre les anciens ducs de Felrawthy et d'Argorn, représentant les deux duchés les plus puissants du royaume. Les deux garçons avaient suivi la cérémonie les yeux écarquillés, impressionnés par la solennité et la profondeur du serment entre les participants. C'est Magnus qui avait suggéré qu'ils le fassent à leur tour. « Nous nous engageons l'un envers l'autre, avait-il dit à Fergys. Tu m'aimeras toujours comme ton roi et moi je t'aimerai comme mon général. Mais par-dessus tout, nous serons frères de sang. » Chacun avait ensuite trouvé le courage de s'entailler la main pour la plaquer contre celle de son ami, comme ils avaient vu les nobles le faire. Ils n'avaient pas dix ans alors.

Une nouvelle toux violente déchira la poitrine de Fergys. Son trépas n'était plus qu'une question de minutes.

— Dis-moi, Fergys ! demanda Magnus d'une voix pleine d'angoisse.

» Demande. Je ferai tout ce que tu voudras.

Fergys hocha la tête, épuisé.

— Les enfants. Mon fils, Wyl. Il doit quitter Argorn immédiatement. Il est général de la légion et il ne le sait pas encore. Il doit finir sa formation au palais.

Une toux encore. Ses narines se pinçaient.

— Que Gueryn l'accompagne. Qu'ils restent ensemble. Il n'y a pas meilleur professeur que lui, poursuivit le général.

— Excepté celui qui le quitte aujourd'hui, souffla Magnus d'un ton sinistre. Et Ylena ?

— Veille à ce qu'elle fasse un mariage qui la rende heureuse. C'est tout ce que je souhaite.

Les yeux de Fergys se portèrent sur la table basse où une dague était posée.

Magnus alla la chercher, sans un mot. Il se rassit à côté de son ami, puis passa la lame à l'intérieur de sa main, avant de faire de même dans celle de Fergys. Ils joignirent leurs paumes, mêlant leur sang.

D'une voix douce qui n'était guère qu'un souffle, le roi fit sa promesse.

— Ylena ne manquera de rien et ton fils sera mon fils, Fergys.

— Un frère pour ton fils Celimus, coassa Fergys d'un filet de voix devenu sifflant.

— Ils seront frères de sang, tout comme nous le sommes, dit le roi en fermant les yeux pour que les larmes ne coulent pas.

Sa main serra encore plus fort celle de son ami, de son frère.

— Va, Fergys. Inutile de souffrir encore. Que ton âme voyage en paix.

La tête de Fergys partait sur le côté. Un voile descendait sur ses yeux.

— Frères de sang..., murmura-t-il dans son dernier souffle.

Le roi Magnus de Morgravia sentit la pression de la main de son ami se relâcher ; la mort était venue le chercher.

— Nos fils ne feront qu'un, approuva-t-il solennellement.

Chapitre premier

Gueryn porta son regard sur le profil altier du jeune garçon qui chevauchait tranquillement à sa gauche et ressentit une nouvelle pointe au cœur pour Wyl Thirsk, désormais général de la légion de Morgravia. Aussi regrettable qu'inattendue, la mort de son père avait pris tout le monde au dépourvu. Qui aurait pu penser qu'il pourrait mourir d'autre chose que de vieillesse ? Son fils était bien trop jeune encore pour une telle charge, un tel fardeau. Et pourtant, il n'avait pas le choix ; la coutume l'exigeait. Gueryn remercia les étoiles d'avoir donné assez de bon sens au roi pour nommer un commandant intérimaire, jusqu'à ce que le garçon atteigne un âge où ses hommes le respecteraient. Le nom de Thirsk était chargé de gloire, mais aucun soldat n'accepterait de suivre au combat un gamin de quatorze ans.

Heureusement, de nombreuses années s'écouleraient avant qu'il y ait de nouveau la guerre. D'après les nouvelles qui filtraient de la capitale, Morgravia avait cette fois infligé des pertes terribles à la jeunesse de Briavel. Gueryn en avait la certitude, la paix allait durer… au moins le temps voulu pour que Wyl devienne cet homme plein de vigueur qu'il promettait d'être un jour.

Gueryn détailla l'adolescent, avec sa chevelure couleur de feu et sa silhouette toute en puissance. *Comme il aurait besoin en ces instants des conseils de son père*, songeait l'ancien capitaine.

Wyl avait accueilli la nouvelle de la mort de son père avec un stoïcisme qui avait empli Gueryn de fierté, consolant sa jeune sœur devant toute la maison réunie. Plus tard, une fois les portes fermées, il s'était laissé aller, les épaules secouées de sanglots, contre la poitrine du vieil homme qui lui enseignait. Le garçon idolâtrait littéralement son père, ce dont nul n'aurait pu lui tenir rigueur ; la plupart des hommes de Morgravia partageaient sa ferveur. Mais pour Wyl, cette disparition était d'autant plus cruelle que le père et le fils étaient séparés depuis déjà bien des lunes.

À neuf ans, Ylena était encore à l'âge où le cours des idées peut être détourné par les attentions d'une nourrice aimante, quelques poupées ou, mieux encore, par le chaton que Gueryn avait eu la présence d'esprit de prendre au marché dès qu'il avait su la nouvelle. Wyl, lui, ne parvenait pas à oublier. Profond et complexe par nature, il ne pouvait qu'être amené à se renfermer un peu plus dans l'épreuve. Gueryn voyait déjà les stigmates du chagrin à l'œuvre et se demandait s'il était bien avisé d'envoyer si tôt le garçon à la capitale.

Malgré les fréquentes absences du chef de la maison, la vie au sein de la famille Thirsk en ses terres d'Argorn avait toujours été plaisante. Plusieurs années auparavant, Gueryn avait accepté la mission en apparence ridiculement facile d'éduquer le jeune Thirsk. Lorsqu'il avait lu la supplique dans le regard métallique du général Fergys Thirsk, lui, son brillant capitaine dont l'esprit avait le tranchant de la meilleure des lames, avait compris qu'il ne pourrait se dérober. Avec une pointe de nostalgie, il avait quitté sa légion bien-aimée pour venir vivre dans les collines d'Argorn, dans la partie méridionale de Morgravia.

Il était devenu le compagnon, le précepteur, l'instructeur militaire et le meilleur ami de Wyl. L'enfant adorait son père, mais celui-ci était le plus souvent retenu à la capitale. Gueryn comblait les manques dus à l'absence. Pas étonnant donc que le maître et l'élève aient noué des liens aussi profonds.

—Arrête de me regarder comme ça, Gueryn ! Je peux presque humer l'odeur de ton anxiété.

— Comment te sens-tu ? dit le vieux soldat, répondant à la réprimande par une question.

Wyl pivota résolument sur sa selle pour faire face à son ami. Un rouge subitement monté à ses joues trahissait par avance la teneur des paroles qu'il s'apprêtait à prononcer.

— Je vais très bien.

— Wyl, s'il y a une personne au monde à qui tu dois l'honnêteté, c'est moi.

Le garçon se détourna et ils continuèrent à chevaucher en direction de la grande cité de Pearlis. Gueryn se tint silencieux, certain que la patience était la meilleure des clés. Cela ne faisait que quelques jours que Wyl avait perdu son père. La blessure était encore à vif, mais le garçon ne pouvait rien lui cacher.

— J'aimerais ne pas avoir à y aller...

Wyl s'était enfin livré et le vieux soldat sentit la tension dans tout son corps se relâcher quelque peu. Maintenant ils allaient pouvoir parler et Gueryn allait enfin pouvoir faire son possible pour rassurer l'adolescent sur le monde étrange, foisonnant et inquiétant qu'il allait découvrir.

— ... mais telle a été la dernière volonté de mon père, ajouta-t-il en prenant sur lui pour ne pas soupirer.

— Le roi a promis de te faire venir à Pearlis et il a de bonnes raisons pour cela. Magnus sait bien que tu n'es pas encore prêt pour tenir ce qui sera ton rôle. Mais Pearlis est le seul endroit où tu peux à la fois apprendre ce que tu dois savoir et faire bonne impression sur ceux que tu commanderas un jour.

Gueryn avait parlé avec douceur, mais ses mots implacables avaient sonné comme des sentences. Wyl accusa le coup.

— Tu ne peux pas imprimer ta marque depuis le cocon douillet d'Argorn, ajouta-t-il le cœur déchiré de n'avoir pas eu quelques mois, pas même quelques semaines, pour aider le garçon à se faire à l'idée qu'il n'avait plus de parents.

Gueryn évoqua le souvenir de la mère de Wyl. Menue et gracile, elle avait aimé à corps perdu le rugueux Fergys Thirsk, avec une ardeur dont personne n'aurait cru capable une personne aussi douce et aimable. Sept ans auparavant, elle avait succombé au terme d'un combat farouche à la violente épidémie de consomption qui avait balayé le sud de Morgravia. Sans la fatigue qu'elle endurait depuis la difficile mise au monde d'Ylena, elle aurait sans doute survécu. La maladie avait fait des ravages dans la maison, épargnant fort heureusement les enfants.

Même s'il n'en montrait jamais rien, Wyl souffrait à sa manière de la disparition de sa mère. Gueryn savait très bien que sous ses airs bravaches d'adolescent, Wyl adorait la douceur des femmes, qui le lui rendaient bien. Dans la maison Thirsk en Argorn, toutes lui témoignaient une affection débordante; et souvent échangeaient quelques murmures attristés devant sa mine sombre.

Au physique, Wyl n'était assurément pas ce qu'on appelle un « joli garçon » ; sa masse de cheveux d'un orange flamboyant ne faisait rien pour améliorer la lourdeur de ses traits massifs. Tous ceux qui avaient connu son grand-père étaient frappés de sa ressemblance presque surnaturelle avec cet aïeul dont la disgrâce était aussi légendaire que la bravoure. À dire vrai, Fergys Thirsk le roux n'était pas lui non plus un modèle de beauté, d'où chez lui cet étonnement perpétuellement émerveillé que sa sublime femme l'ait accepté pour époux. Beaucoup auraient pu croire qu'il s'agissait d'une union arrangée, mais Helyna de Ramon l'aimait sincèrement et elle n'avait vu aucune objection à unir son destin à celui de cet homme avare de mots et au physique quelconque, mais qui marchait aux côtés d'un roi.

Dans l'entourage royal, les langues vipérines avaient laissé entendre qu'elle l'épousait pour ses relations, mais elle avait prouvé à tous que les attraits chamarrés de la Cour ne l'intéressaient guère. Helyna Thirsk n'avait ni ambition ni goût pour l'intrigue. Son unique vanité était l'amour des beaux atours que Fergys lui offrait à profusion, n'ayant rien d'autre disait-il à quoi dépenser son argent.

Wyl sortit de ses pensées.

— Gueryn, que sait-on de ce Celimus ?

Exactement la question qu'il attendait.

— Je ne le connais pas du tout. Il doit avoir un an ou deux de plus que toi et d'après ce que j'ai entendu dire, il est plutôt impressionné d'être l'héritier.

— Je vois, lâcha Wyl. Dis-moi franchement tout ce que tu sais d'autre sur lui.

Gueryn approuva du chef. Il estimait ne pas devoir laisser Wyl descendre dans l'arène sans savoir où il allait.

— Le roi espère toujours façonner son fils à l'image du monarque que Morgravia attend, mais je dois dire que Magnus n'a jamais été un père exceptionnel. Il n'y a guère d'affection entre eux.

— Pourquoi cela ?

— Je ne sais rien de plus que ce que ton père m'en a dit. D'après lui, le mariage entre le roi Magnus et la princesse Adana était une alliance politique et ces deux-là se sont détestés dès le premier jour. J'ai rencontré Adana en deux occasions et il n'est pas exagéré de dire qu'elle était belle à couper le souffle, mais hautaine. Ton père disait qu'elle était déçue et en colère du mari qu'on lui avait choisi, mais aussi désespérée de sa nouvelle patrie. Elle n'avait jamais désiré venir en Morgravia, une terre de paysans selon elle.

— Elle a vraiment dit ça ? s'exclama le garçon, les yeux arrondis d'incrédulité.

— Et bien d'autres choses encore…

— D'où venait-elle ?

— De Parrgamyn – et si mes leçons de géographie ont été profitables tu dois te rappeler où c'est.

Sous l'effet du ton professoral, Wyl eut une grimace. Il savait exactement où se trouvait Parrgamyn, loin au nord-ouest de Morgravia, dans les eaux chaudes à deux cents miles nautiques environ à l'ouest de l'île de Cipres.

— Une terre exotique.

— Tout à fait. Ce qui explique le teint de Celimus.

— Elle devait donc adorer le dieu zerque, présuma le jeune garçon.

Gueryn confirma d'un hochement de tête et Wyl l'invita à poursuivre son exposé, heureux soudain d'oublier son chagrin en se concentrant sur autre chose.

— Quoi d'autre ?

— C'est une longue histoire mais pour faire bref elle haïssait le roi. Elle reprochait à son père l'avarice qui l'avait fait la marier à ce qu'elle considérait comme un vieillard. Et elle a dressé le jeune Celimus contre son père.

— Elle n'a pas vécu longtemps, si je me souviens bien.

— Exact, confirma le capitaine, mais c'est surtout la cause de son trépas qui a achevé de dresser un mur entre le père et son fils. Ton père était aux côtés du roi lorsque l'accident de chasse est survenu et il a confirmé qu'il n'était dû qu'à la fatalité. Toujours est-il qu'Adana est morte la gorge transpercée d'une flèche.

— Une flèche du roi ? demanda Wyl incrédule. Mon père ne m'a jamais rien dit à ce sujet.

— C'était une flèche à ses couleurs et qui ne pouvait provenir que de son carquois.

— Qu'a-t-il bien pu se passer ?

Gueryn eut un haussement d'épaules.

— Qui sait ? Ton père m'a dit que la reine chevauchait là où elle n'aurait pas dû et que Magnus a manqué son tir. Bien sûr, certains ont murmuré que son coup était aussi précis qu'à l'ordinaire. En tout cas, on a beaucoup parlé.

— Et Celimus n'a jamais pardonné à son père ?

— C'est le moins qu'on puisse dire. Celimus adorait sa mère autant que son père la méprisait. Toutefois, ce malheur qui vous a tous deux frappés à un jeune âge devrait vous rapprocher et t'être utile. D'après ce qu'on m'a dit, il est lui aussi extrêmement doué dans l'art du combat. À pied ou à cheval, à l'épée ou à mains nues, il n'a pas de rival à sa mesure parmi ses pairs. Il est vraiment très fort.

— Meilleur que moi ?

Un sourire fleurit sur le visage de Gueryn.

— Nous verrons cela. Je ne connais personne qui montre autant d'aptitude au combat à ton âge – à part moi quand j'étais jeune bien sûr.

Wyl sourit à son tour.

— Mais je voudrais t'inviter à la prudence, Wyl. Il n'est peut-être pas utile de botter le jeune prince et sans doute bien plus avisé de laisser le premier rôle au futur roi.

Wyl maintint fermement son regard sur son mentor.

— Je comprends.

— Parfait. Sur ces questions, le bon sens est la meilleure des protections.

— Parce que j'ai besoin d'être protégé ? s'inquiéta le garçon.

Gueryn regretta de ne pouvoir retirer ses paroles. Le moment était bien mal choisi, mais il ne biaisait jamais avec son protégé.

— Je ne sais pas. On te fait venir à Pearlis pour que tu y apprennes les devoirs de ta charge et que tu puisses un jour suivre la voie glorieuse de ton père. Pearlis est ta ville désormais, tu comprends ? Si Argorn reste un lieu de villégiature où tu pourras te reposer à l'occasion, c'est au palais de Stoneheart que se trouve maintenant ton foyer.

Doucement, le chagrin envahissait les traits du garçon. Ces derniers mots étaient durs à entendre, mais il fallait qu'ils soient dits. Et acceptés.

— Il y a je crois une autre raison pour laquelle le roi tient tant à ta venue. C'est le caractère capricieux de son fils.

— Ah ?

— Oui, Celimus a besoin de quelqu'un à ses côtés pour apprendre à se maîtriser. Le roi a appris que tu faisais montre de la même réserve que ton père et je crois savoir que cela lui plaît. Il espère que Celimus et toi deviendrez aussi bons amis que Fergys et lui l'étaient.

Gueryn marqua une pause dans l'attente d'un commentaire qui ne vint pas.

— Cela dit, l'amitié ne se commande pas, alors restons ouverts et voyons comment tout cela va évoluer. En tout cas, je serai tout le temps avec toi.

Wyl se mordit les lèvres et hocha la tête d'un air pénétré.

— Eh bien alors ne traînons pas !

Le vieux soldat acquiesça à son tour et éperonna sa monture pour suivre le garçon qui s'était lancé au galop.

Wyl se souvenait de son arrivée à Pearlis comme si elle avait eu lieu la veille. Cela faisait maintenant trois lunes que son père était mort et s'il commençait à s'habituer à la vie au palais et à son nouveau rôle, il détestait toujours autant sa nouvelle existence. N'eût été son sens du devoir, il se serait enfui.

Il grimaça lorsqu'un Gueryn exaspéré lui porta un coup sur le poignet.

— Tu n'es pas concentré, Wyl. Sur le champ de bataille, cela t'aurait coûté une main.

Alors que le vieux maître d'armes portait délibérément la même attaque, Wyl contra cette fois-ci avec ardeur, faisant claquer son épée de bois sur les protections de son adversaire.

— C'est mieux, commenta Gueryn, soulagé. Encore une fois !

Du coin de l'œil, Wyl aperçut le prince Celimus qui rejoignait la bande de flagorneurs dont il aimait à s'entourer.

Il redoubla d'efforts et Gueryn eut la sagesse de taire ses critiques.

Enfin! songea-t-il néanmoins lorsque l'intensité de la passe d'armes atteignit celle d'un vrai combat. Il nota avec satisfaction que le garçon se relâchait quelque peu, signe qu'il ne prêtait plus attention aux spectateurs, entièrement concentré sur sa défense. Gueryn haussa encore le niveau de son escrime avec une série aussi rapide qu'effrayante de coups d'estoc et de taille à laquelle aurait succombé plus d'un soldat aguerri. Alors un garçon de quatorze ans… Un lourd silence s'abattit sur la cour. Élèves et maîtres suspendirent leurs leçons pour suivre ce qui ressemblait maintenant à un « combat à mort ».

En nage dans la fraîcheur du petit matin, Wyl recula, feinta, se décala sur la gauche, para avant de revenir dans l'axe pour feinter encore. D'un coup, il vit l'ouverture et frappa de toutes ses forces. La seconde suivante, il s'accroupit avec légèreté pour éviter la riposte normalement « mortelle » qu'il avait parfaitement anticipée, puis lança vers le haut un coup terrible à deux mains. Gueryn eut la surprise de se retrouver par terre sur le dos, le cœur dans la bouche, la pointe d'une épée de bois posée sur la gorge.

Une lueur meurtrière brûlait dans les yeux du garçon ; sur le champ de bataille, Gueryn serait en train de rendre son dernier souffle. Le vieux soldat comprit que le garçon l'avait véritablement surclassé, malgré le handicap de taille et de force, uniquement poussé par la rage. Il se dit qu'il lui faudrait lui en reparler, lui expliquer qu'on ne se bat bien que parfaitement lucide. Au combat, seuls comptent l'entraînement et l'intuition, jamais l'émotion. La colère ne marche qu'une seule fois. Gueryn savait que lorsque se succèdent les vagues d'assaut, il faut garder la tête froide pour survivre.

Il rendit son regard à Wyl, obligeant le garçon à rompre. Alentour, on applaudissait et clamait des vivats. Wyl se ressaisit avant d'aider Gueryn à se remettre sur pied. Il glissa un œil du côté du prince qui affichait un air narquois, certain que Celimus n'allait pas manquer pareille occasion de l'humilier devant tout le monde.

Sur ce chapitre, l'héritier au trône était totalement prévisible.

— Tu saurais faire ça avec une véritable épée, Wyl ? demanda-t-il, la mine angélique.

Gueryn intervint, d'un ton joyeux et faussement enjoué. Il s'époussetait d'une main et de l'autre tapotait amicalement l'épaule de Wyl.

— Oh, c'est que je ne tiendrais pas à l'affronter avec une lame d'acier, dit-il en espérant ainsi détourner l'attention.

— Vraiment ? demanda Celimus avec un large sourire d'où toute franchise était absente. Eh bien moi si ! Qu'en dis-tu, Wyl ?

Gueryn retint son souffle. C'était la provocation la plus directe à laquelle Wyl ait jamais été confronté. Pourtant, depuis leur arrivée, Celimus n'avait cessé d'asticoter le garçon.

Wyl maintenait un regard froid sur le prince. La main de Gueryn serrait son épaule à la broyer. Aucun garçon n'était autorisé à utiliser autre chose qu'une épée de bois ou une arme émoussée et cette règle valait d'autant plus lorsqu'il s'agissait de Celimus.

La mort dans l'âme, Wyl détourna ses yeux du regard plein de défi.

— Je ne suis pas autorisé à vous combattre, Votre Majesté.

— Ah oui, c'est vrai, dit le prince comme s'il se rappelait subitement les règles en usage au palais. Et d'ailleurs tu ferais bien de ne pas l'oublier, *général.*

Celimus avait mis dans ce dernier mot tout le sarcasme dont il était capable.

Wyl n'avait jamais ressenti une telle vague de haine monter en lui. Insouciante jusqu'à récemment, la vie ne lui avait jamais appris qu'il pouvait détester quelqu'un. Autour de lui, tout le monde l'aimait. Et maintenant, chaque seconde de chaque instant était un véritable supplice. Celimus le harcelait, faisant feu de tout bois pour se montrer cruel. Lorsqu'il ne le blessait pas par des mots, lui ou ses acolytes plaçaient sur sa route quelque chausse-trappe – des rats morts dans son lit, des cafards dans son eau ou de la boue dans ses bottes. Les plats qu'on lui servait étaient infects et ses affaires disparaissaient régulièrement. Chaque jour, Celimus parvenait à alourdir l'affliction pesant sur ses épaules. Ce n'étaient certes que des enfantillages aussi bêtes que méchants, mais ils démolissaient Wyl et sapaient sa volonté.

Un page arriva sur ces entrefaites.

— Wyl Thirsk.

— Ici, répondit Gueryn trop heureux de cette diversion.

Le messager s'adressa à Wyl avec la plus grande déférence.

— On vous demande dans les appartements du roi, général. Immédiatement.

Wyl se tourna vers le prince toujours narquois, qu'il salua exactement comme l'exigeait le protocole.

— Avec votre permission, Votre Majesté, je vais me retirer.

Le prince donna son assentiment d'un hochement de tête. Braqués sur Wyl, ses yeux brun-vert frangés de longs cils soyeux observaient tout. Tout en Celimus respirait la grâce et la beauté. Même à quinze ans, un âge où les garçons ne sont pas à l'aise dans leur corps, il paraissait être une statue vivante, exempte du moindre défaut et sculptée dans le plus pur des marbres.

Celimus incarnait tout ce que Wyl n'était pas et ce constat était cruel pour un garçon destiné à devenir un meneur d'hommes. Celimus était grand avec de larges épaules. Puissantes et fortes, ses mains n'en restaient pas moins fines et adroites. Il se mouvait avec grâce et même son escrime était marquée du sceau de l'élégance. Chacune de ses qualités était faite pour éveiller l'intérêt ; ensemble, elles composaient un portrait fait pour marquer les esprits. Il lui restait encore à entrer dans l'âge adulte, mais le garçon qu'il était laissait entrevoir l'homme exceptionnel qu'il deviendrait assurément. Jusqu'à sa voix qui avait déjà ces chaudes sonorités dont Wyl rêvait, lui dont le timbre connaissait encore les errements de la mue – comme de juste aux pires instants.

Il est parfait, songea Wyl avec amertume, maudissant sa petite taille, ses cheveux roux, sa peau blanche quand elle n'était pas écarlate, ses taches de son et son visage dénué de tout charme remarquable. Il fit un effort sur lui-même pour dissimuler son désespoir tandis que le prince, sur un ultime sourire goguenard, donnait à sa coterie le signal du départ. Les hommes présents le saluèrent poliment, mais leurs yeux étaient emplis de détestation. Celimus avait beau être un garçon superbe, sur lequel se pâmaient déjà toutes les jeunes filles de la Cour, il n'en était pas moins unanimement exécré dans tout le palais. En cela, il était le digne fils de sa défunte mère. Alors que tout le monde révérait le roi, le prince ne pouvait, lui, compter sur aucun soutien autre que celui de son cercle de flatteurs.

— Que Shar nous protège lorsqu'il montera sur le trône ! dit quelqu'un.

Et nombreux furent ceux qui approuvèrent.

Wyl s'éloigna, le cœur empli de crainte. Le roi Magnus le faisait certainement mander pour l'interroger sur sa loyauté. Personne ou presque ne pouvait ignorer que Celimus et lui ne s'entendaient pas.

— Dépêche-toi, Wyl, le pressa Gueryn.

Guidés par le page, ils cheminèrent à travers la gigantesque construction, empruntant des raccourcis à travers des cours fermées et autres atriums baignés de soleil. En route, tandis que le guide trépignait d'impatience, ils prirent quelques secondes pour se rincer les mains et le visage dans un baquet d'eau opportunément tiré d'un puits.

Jusqu'alors, pas plus Wyl que Gueryn n'avaient pris la mesure de la beauté du palais de Stoneheart. Pour eux, ce n'était qu'une inexpugnable forteresse, avec de solides murailles grises, des cours poussiéreuses, des écuries et un mess toujours empli de bruit et de fumée. Des chiens, des chevaux, des soldats et des serviteurs couraient en tous sens dans ce petit univers enclos à l'intérieur des remparts. Cet autre visage de Stoneheart, plus serein et tranquille, était aussi étonnant qu'attirant. Wyl avait l'impression d'être un intrus dans un monde inviolé.

Subitement, la pierre sombre devenait belle dans les espaces pleins de lumière et élégamment agencés, sertis au cœur du château. Pour la première fois, Wyl comprit que Stoneheart était plus qu'une place forte – un véritable palais, aux lignes pures et éthérées. Les murs n'étaient pas lourdement chargés ; une simple tapisserie suffisait à souligner subtilement les proportions d'une vaste salle. Sobre et pratique, le mobilier était le plus souvent en lomash, ce bois sombre qui abondait en Morgravia. Manifestement, Adana n'avait pas imprimé sa marque en ces lieux et rien n'indiquait qu'une reine d'origine aussi lointaine ait vécu ici, ne fût-ce qu'une courte vie. Wyl se demandait si Celimus imposerait son style plus flamboyant sur Stoneheart une fois monté sur le trône.

Coudes au corps derrière le page par les couloirs et escaliers, Wyl eut le temps d'apercevoir du coin de l'œil des sculptures représentant les Grandes Bêtes. D'après les croyances, tout Morgravian était à la naissance voué à l'une d'elles et ce choix lui était révélé au cours de son premier pèlerinage à la cathédrale de Pearlis. Dans ce glorieux édifice, chacun des piliers de la grande nef figurait l'une de ces créatures magiques. Lorsqu'il se rendait à la cathédrale, Wyl admirait toujours le lion ailé, sa créature. Ici, dans les galeries du palais, il distinguait aussi l'ours griffu, l'aigle magnifique, le serpent qui paraissait sortir de la roche en courbes sinueuses et le paon superbe comme un diamant. Enfin, comme ils approchaient des appartements du roi, il vit le colossal dragon guerrier, l'emblème des monarques de Morgravia. Émerveillé, Wyl ne pouvait en détacher ses yeux. Puis il pensa au phénix, la créature de son père, et un sourire fugace passa sur son visage. Il y avait une symétrie entre le dragon et le phénix ; pas étonnant que les Magnus et Fergys aient éprouvé l'un pour l'autre une telle estime.

— Attendez ici ! ordonna le page alors qu'ils arrivaient en haut d'une seconde volée de marches.

— Où sommes-nous ? s'enquit Gueryn.

— Dans l'antichambre du cabinet de travail du roi. Veuillez vous asseoir.

De la main, le garçon désigna deux banquettes taillées à même la pierre des murs d'un petit renfoncement ouvert sur l'extérieur. Inondé de lumière, ce recoin charmant était tout empli de l'odeur des arbres en fleurs. Ils s'avancèrent et restèrent bouche bée devant le spectacle qui s'offrait à eux. En contrebas, ils découvraient un exquis petit verger à la beauté saisissante.

Arrivé silencieusement dans leur dos, un homme d'âge respectable les surprit dans leur contemplation méditative.

— Difficile de s'arracher d'un tel spectacle, n'est-ce pas ?

Sa voix était chaude et amicale. Gueryn supposa qu'il devait être un secrétaire du roi.

— Vous devez être Wyl Thirsk, poursuivit le nouvel arrivant en s'adressant au garçon.

Wyl acquiesça.

— Votre père était un grand homme, digne du plus grand respect. Il nous manque beaucoup.

— Merci, répondit Wyl, incertain sur ce qu'il pouvait bien dire d'autre en cette circonstance.

Comme il aurait voulu qu'on cesse de lui rappeler l'horrible événement pour lui permettre de faire son deuil en paix. Bien sûr, l'homme ne pensait pas à mal. C'était la première fois qu'ils se rencontraient et quoi de plus normal qu'il évoque sa prestigieuse lignée.

Le vieux capitaine s'éclaircit la voix.

— Et moi je suis son aide de camp…

— Ah oui, Gueryn Le Gant, c'est bien ça ? répondit l'homme d'un ton affable et plein d'autorité à la fois. Soyez les bienvenus tous les deux. Puis-je vous proposer quelque chose à boire ? J'ai cru comprendre qu'on avait interrompu votre entraînement.

— Non merci, déclina poliment Gueryn.

— Au fait, je suis Orto, le secrétaire du roi, indiqua leur hôte. Le roi a demandé un entretien privé avec le garçon, aussi vous demanderai-je de bien vouloir rester ici, Gueryn. Asseyez-vous, je vous en prie, je viendrai bientôt chercher Wyl.

Il les quitta sur un ultime sourire, pour reparaître quelques instants plus tard.

— Wyl, vous pouvez laisser votre arme et votre ceinture auprès de Gueryn. Ensuite, si vous voulez bien me suivre…

Wyl suivit scrupuleusement les instructions avant d'emboîter le pas à Orto, non sans un dernier regard en direction de son mentor et ami.

De lourdes portes de chêne ornées de la couronne royale de Morgravia s'ouvrirent devant eux et ils s'engagèrent dans un passage en ogive dont la pierre angulaire s'ornait d'un dragon guerrier crachant une langue de feu. Ils pénétraient dans l'antre d'un roi. Son roi…

De vastes fenêtres s'ouvraient tout le long de l'immense pièce dans laquelle on le fit entrer. À chaque extrémité, il y avait une cheminée ornée du royal emblème.

Comme il avait perdu tout sens de l'orientation pendant le trajet dans les méandres du palais, Wyl se demandait sur quoi ces fenêtres pouvaient bien donner. Les bruits de propos échangés et du crissement d'une plume sur un parchemin le sortirent de ses pensées.

— J'espère que c'est le dernier, disait une voix bourrue.

— C'est le cas, Sire.

Quelques secondes plus tard, le deuxième homme passa devant eux, les bras chargés de rouleaux et documents.

— Ah, Orto, vous avez amené le garçon ! Qu'il approche, qu'il approche.

Wyl s'avança dans le bureau pour se tenir devant l'homme qu'il n'avait eu l'occasion d'apercevoir qu'une seule fois, très brièvement ; l'homme pour la vie duquel son père était mort. Presque immédiatement après son arrivée à Stoneheart, Magnus avait dû partir au nord, à Felrawthy, de sorte que c'était la première fois qu'ils se voyaient de nouveau. Wyl nota que le roi était grand mais voûté et qu'il semblait avoir encore vieilli. Il remarqua également qu'hormis une haute silhouette, le père et le fils n'avaient pas grand-chose en commun. En sortant de la pièce, Orto rappela à Wyl d'une discrète poussée dans le dos qu'il était en présence de son souverain. Wyl fit une profonde révérence.

— Tu ressembles à ton père, mon garçon.

C'était dit comme un compliment, mais Wyl aimait tellement peu ses traits qu'il s'assombrissait dès qu'on les évoquait.

— Il m'a toujours dit que je ressemblais plutôt à mon grand-père.

Magnus sourit.

— C'est sûrement vrai, mon garçon. Mais tu me rappelles le Fergys que j'ai connu lorsque nous n'étions encore que des garnements, ici même dans ce château.

Wyl sentait combien le roi était sincère ; il savait à quel point ils avaient été amis. Pour Magnus, la perte de son père avait dû être comme le serait pour lui celle de Gueryn. Une douleur au-delà des mots.

— Il me manque, Sire.

Le roi porta sur lui un regard empreint de douceur.

— À moi aussi, Wyl. Et si profondément que je me surprends parfois à lui parler.

Absolument sans ruse, Magnus disait vrai. Wyl songea qu'au moral aussi il différait de son fils.

— Alors Wyl, reprit le roi en s'asseyant et en invitant son hôte à faire de même. Raconte-moi un peu comment on te reçoit à Pearlis ? J'imagine que tu as la nostalgie de ta glorieuse Argorn. Ton père l'avait toujours.

— C'est exact, Sire, mais… je m'habitue.

Les yeux de Magnus ne quittaient pas le jeune garçon devant lui, notant combien il était, à l'instar de son père, d'une prudence extrême – et probablement tout aussi inflexible envers lui-même en cas d'erreur, à en juger par la ligne volontaire de son menton.

— J'ai aperçu ta sœur dans le château. Quel joli petit brin de fille nous avons là. J'espère qu'elle se plaît ici.

— Je crois qu'Ylena se plairait n'importe où du moment qu'elle a ses poupées et ses beaux habits. D'ailleurs, j'en profite, Sire, pour vous remercier des bontés que vous montrez à son égard. Elle est ravissante, c'est vrai. C'est elle qui a eu de la chance et pris du côté de notre mère.

À sa grande stupéfaction, Magnus éclata de rire.

— Ne te sous-estime donc pas ainsi, Wyl.

— Sire, je laisse ce soin à d'autres.

— Ah…

Orto reparut, porteur d'un plateau avec deux coupes d'un vin rouge rubis.

— Tu ne diras rien à ce bon vieux Gueryn, dit le roi en clignant de l'œil. Il pourrait s'imaginer que je te corromps.

Wyl ne pouvait pas s'empêcher d'apprécier l'homme assis en face de lui. Il aurait voulu rester sur le qui-vive – après tout, n'était-il pas le père de Celimus ? – mais comment ne pas goûter sa compagnie ?

— À la tienne, jeune Wyl, dit le roi en levant son verre.

— Et que Shar vous accorde grande longévité, répliqua Wyl.

L'implicite du message n'échappa pas à Magnus.

— Alors, cela n'a pas été trop dur de te faire une place ici ?

— Oh, pas plus qu'à l'ordinaire, Sire.

Wyl pouvait sentir le regard du roi peser sur lui.

— Parle-moi un peu de Celimus.

— Mais que pourrais-je vous dire que vous ne sachiez déjà, Votre Majesté ?

Le roi marqua une petite pause que Wyl interpréta comme une hésitation.

— Dis-moi quels sont les points positifs que tu as pu relever chez lui.

Cette fois, Wyl se sentait vraiment coincé.

— Je ne comprends pas.

— Mais si, tu comprends très bien, répondit Magnus d'une voix douce. Je vois beaucoup plus de choses qu'on ne le pense. Celimus n'est pas exempt de défauts, loin de là. Bien sûr, extérieurement il est absolument remarquable. Sans forfanterie, je crois qu'il deviendra l'un des hommes les plus brillants que Morgravia ait jamais eus. Paix à l'âme de sa mère, ajouta encore Magnus, plus par réflexe que par piété.

» Je ne sais pas si c'est parce qu'il a perdu trop tôt sa mère, ou parce qu'il n'a ni frère ni sœur... ou simplement parce que je suis un père affligeant. Toujours est-il que la beauté intérieure de Celimus est loin d'être remarquable. Pour tout dire, il porte en lui, je le sens, comme une part d'ombre qui me tourmente.

Wyl hocha doucement la tête, ne sachant quoi répondre à un roi lui faisant une telle confidence sur son propre fils.

— J'ai entendu dire que vous étiez ennemis, est-ce vrai ?

Wyl demeura pétrifié sous le feu des yeux bleus de Magnus. En ces instants d'absolue sincérité, il n'avait aucun désir de mentir à son souverain ; il se résolut à la diplomatie.

— Le mot est un peu fort, Sire. Je suis morgravian et en tant que tel prêt à mourir pour mon pays et mon roi. Je ne saurais être son ennemi.

Wyl était horrifié à l'idée qu'on puisse en juger autrement. Magnus eut un sourire.

— Décidément tout le portrait de ton père. Tu es prêt à mourir pour ton roi, c'est entendu, mais qu'en serait-il pour le roi Celimus ?

La lumière se fit soudain dans l'esprit de Wyl.

— Manifestement, vous souhaitez que je fasse quelque chose pour vous, Sire, dit-il ravi de pouvoir parler aussi franchement à un personnage aussi puissant.

Le roi poussa un profond soupir.

— C'est exact, Wyl, et ça ne va pas être facile. Toute ma vie, j'ai accordé ma confiance à ton père et maintenant je fais confiance à son fils. Juste avant qu'il meure, nous avons mêlé notre sang et fait un serment. Au seuil de la mort, il a exprimé le vœu que je te fasse venir à Pearlis pour faire de toi un général. Tu es un Thirsk et la tête de la légion te revient de droit. Mais nous avons souhaité que nos deux fils deviennent frères de sang.

Wyl tombait des nues. Peu à peu, il sentait un froid immense monter en lui.

— J'ai donné ma parole à ton père – mon meilleur ami, mon frère de sang. Je lui ai promis que son fils deviendrait mon fils.

Magnus marqua une nouvelle pause. Médusé, Wyl ne disait rien. Déjà son esprit essayait de deviner ce que le roi pouvait bien attendre de lui.

— Puis-je compter sur ta loyauté, mon garçon ?

Wyl se jeta au sol et, à genoux devant le roi, posa une main sur son cœur.

— Oui, Sire, jamais vous n'aurez à en douter.

— Bien, dit Magnus en hochant la tête. Comme à ton père avant toi, je te confère le titre de champion du roi. Cette décision prend effet immédiatement et crois bien que je n'agis pas à la légère. Tu méprises mon fils.

D'une main impérieuse, Magnus fit taire l'objection que Wyl n'allait pas manquer de formuler.

—Je le sais et d'ailleurs Celimus ne t'a guère donné de raisons de penser autrement. Je ne t'en tiens donc pas rigueur. En revanche, à partir de maintenant, mais surtout dès lors qu'il sera sur le trône, tu le protégeras au péril de ta vie, tout comme ton père m'a protégé au prix de la sienne.

»Dès cet instant, tu vas devenir l'ombre du prince. Connaissant le goût de mon fils pour les jeux cruels, je ne doute pas un instant que cela t'amènera à assister à de fort désagréables activités. Ensemble, nous allons nous efforcer de changer cela. Deviens son ami, Wyl, influence-le. Tout ce qui faisait de ton père un homme unique est présent en toi – je le sais, je le vois. Tu as toutes les qualités qui font les vrais chefs et je veux que tu fasses tout ton possible pour en imprégner Celimus.

Le garçon tenta d'intervenir.

—Il n'y a pas de mais, mon garçon, c'est un ordre. Tu es déjà général de la légion et champion du roi. Un jour, tu agiras pour le compte de Celimus, tu obéiras à ses ordres. Dans les années qui viennent, tu vas te lier d'amitié avec le prince et je prie pour que l'exemple de ton humilité, de ta compréhension du bien et du mal, de ton courage et de ton sens du commandement l'aide à perdre ses défauts. Je sais que je te confie une charge écrasante, Wyl, mais tel est désormais ton devoir. Ton devoir envers moi...

Les yeux de Magnus flamboyaient littéralement quand il saisit le poignet de Wyl.

—Jure, Wyl! Fais ce pacte avec moi.

Comme dans un songe, Wyl posa une main sur son cœur et promit de devenir le «sang» de Celimus. Son univers tout entier basculait à cet instant.

Magnus lâcha le poignet du garçon pour tirer sa dague. L'acier jeta une lueur blanche à l'instant où le roi traça sur sa paume un épais sillon rouge. Sans la moindre hésitation, Wyl offrit sa main à la lame. Le poignard mordit profondément dans la peau tendre. Wyl n'émit pas le moindre son, mais il se dit que Magnus avait délibérément appuyé pour laisser une marque indélébile – une cicatrice qui lui rappellerait éternellement sa promesse.

— Tu protégeras Celimus en donnant ta vie s'il le faut. Plutôt que de t'épargner, tu préféreras mourir de sa main.

Ils joignirent leurs mains et leurs sangs se mêlèrent.

— J'en fais le serment !

— Lui et toi allez être comme une seule personne, une seule vie.

Wyl déglutit en silence.

— Comme si mon sang courait dans ses veines. J'en fais le serment, mon roi.

Chapitre 2

Fondamentalement, c'était à cause de ses yeux qu'ils la pourchassaient. Il faut dire que les yeux de Myrren avaient quelque chose d'ensorcelant, l'un d'un gris profond et l'autre vert pailleté d'or. Pris séparément, chacun d'eux était magnifique, mais ensemble ils composaient un regard impossible à soutenir. Pas étonnant donc que ses parents aient fui la ville de Pearlis pour le hameau de Baelup au sud-ouest, sitôt que ces couleurs étranges avaient remplacé le bleu de la petite enfance dans les prunelles de leur fille unique. Là, ils avaient pu l'élever dans un relatif anonymat.

Tous deux savaient ce qu'une telle bizarrerie représentait aux yeux des Traqueurs, toujours à l'affût. Heureusement, tout le monde en ville avait rapidement oublié le départ précipité de la famille, et les habitants de Baelup, connus pour leur tolérance, les avaient fort bien accueillis. Le père de Myrren, avec son physique massif et plantureux, était précisément l'homme dont la petite communauté dépourvue de médecin avait besoin, et sa mère, une érudite patiente et pédagogue, était une vraie bénédiction pour les enfants du village.

Pas le moins du monde superstitieux, contrairement à leurs cousins de la ville, les gens de Baelup avaient spontanément adopté la petite Myrren, son doux sourire et ses yeux inquiétants.

Aussi, lorsque les Traqueurs de sorcières vinrent frapper à la porte quelque dix-neuf années plus tard, le coup fut si rude que le cœur du vieux médecin ne résista pas. Il s'écroula sans vie à leurs pieds.

Désemparée tandis que son mari rendait son dernier souffle, la mère de Myrren ne put rien faire d'autre que les maudire d'avoir jamais vu le jour. L'âme déchirée, elle se laissa tomber au sol tandis qu'on emmenait sa petite fille, désormais devenue une magnifique jeune femme.

Les Traqueurs égrenèrent leur litanie d'accusations sans queue ni tête. Tout désormais, de la plus petite épidémie au sud jusqu'aux cors aux pieds du roi, était imputé aux actes maléfiques de Myrren. Ils n'autorisèrent aucun adieu et emmenèrent la jeune femme vers la ville.

Le roi Magnus entendit le premier coup lugubre du glas de la cathédrale et la première chose qui lui vint à l'esprit fut une pensée amère. Pearlis aimait toujours autant voir les sorcières monter au bûcher. Rien ne tirait les habitants de la ville de chez eux aussi vite que les tintements sourds de la cloche annonçant qu'on avait débusqué une sorcière et qu'elle allait être condamnée à mort pour ses péchés. Cela faisait plus de dix ans que ce bourdon n'avait pas résonné. D'après la tradition, il mettait les fiancées du diable au supplice.

Tout d'abord, la cloche sonnait six fois toutes les six heures pendant six jours, pour annoncer qu'une sorcière avait été trouvée. Le 6 était le chiffre du diable. Une fois le procès commencé, le rythme passait à une sonnerie toutes les six heures, pendant toute la durée des audiences.

En vérité, sous le règne de Magnus, rares étaient ceux qui croyaient encore à la sorcellerie. Pourtant, les représentants de la vieille noblesse de Morgravia, en particulier tous ceux dont les aïeuls avaient été séduits par les zerques, et qui eux-mêmes avaient succombé au charme de la reine Adana, restaient suspicieux envers quiconque montrait la moindre disposition ou le plus petit signe d'un don. Naguère, sous les rois de Morgravia, il avait été de tradition d'avoir une sorcière au château – une vieille bique inoffensive en général, qui passait son temps à préparer des tisanes et qu'on sortait pour les naissances, les mariages et les enterrements. De temps à autre, elle lançait aussi quelques prévisions ou prophéties.

C'est cent cinquante ans environ avant que Magnus monte sur le trône que se manifestèrent les premiers signes du déclin des sorcières. Selon les livres d'histoire, son ancêtre le roi Bordyn avait une prophétesse qui lisait l'avenir dans le sang. Après la mort accidentelle de deux héritiers et de sa première épouse, Bordyn s'était opposé non seulement aux pratiques abjectes de sa prêtresse, mais aussi à ses prédictions funestes pour Morgravia. Lorsque la tragédie frappa encore deux fois la même année, tout d'abord avec la mort de sa deuxième femme puis la déroute de sa légion face à la garde de Briavel, le roi Bordyn déclara que les sorcières étaient des filles du démon. Marquée au fer, la prophétesse fut torturée et brûlée pour que Morgravia soit lavée de ses maléfices. C'était la première fois dans l'histoire du royaume qu'une personne était jugée et condamnée pour ses liens avec la magie. Étrangement, après cette exécution, la vie de Bordyn prit meilleure tournure. Il vécut encore de longues années, prit une troisième épouse et engendra un fils qui lui survécut pour monter sur le trône à son tour.

Au cours de cette période calme et prospère, l'idée que les sorcières étaient néfastes fit son chemin dans la société. D'innombrables innocents qui pratiquaient sans se cacher les arts de la guérison furent traqués sans pitié. À cette époque, un prédicateur du nom de Dramdon zerque appela la venue d'un Nouvel Ordre, prétendant que le dieu Shar lui-même était contre la sorcellerie puisqu'elle mettait en cause la foi dans son omnipotence. Orateur charismatique et esprit brillant, zerque sut gagner à sa cause les nobles, qui embrassèrent la nouvelle religion et son appel à la destruction de tous ceux montrant le plus petit talent pour la magie.

C'est zerque lui-même qui parla de « l'odeur des sorcières », affirmant que quiconque dégageait le plus petit effluve de magie devait être arrêté pour se voir offrir la possibilité de confesser ses crimes. Brandissant bien haut l'étendard de Shar, il exhorta les habitants de Morgravia – puis ceux de Briavel – à le rejoindre dans son combat contre les sorcières et magiciens. Son influence grandit et s'étendit au-delà de Morgravia et de Briavel, par-delà les mers, jusqu'à Parrgamyn à l'ouest, où l'on embrassa avec ferveur le Nouvel Ordre. Bien des années plus tard, c'est cette forme particulièrement enflammée de la religion que la reine Adana et sa suite rapportèrent à Morgravia, transformant Pearlis en bastion zerque.

Chose étonnante, ce furent les zones rurales qui s'élevèrent à cette occasion contre l'exaltation des zerques, affirmant qu'ils foulaient au pied les préceptes de bienveillance de Shar bien plus que n'importe quel enchanteur. Le peuple des campagnes ignorait purement et simplement les commandements du Nouvel Ordre et les hameaux devinrent des sanctuaires pour tous les adeptes de la magie.

Désormais, sous le règne d'un roi éclairé – pas du tout disposé à laisser dire que les zerques traqueurs de sorcières reprenaient pied dans son royaume –, les occasions de persécuter sorcières et magiciens étaient bien rares. Dès la mort de la reine Adana, la dernière alliée du Nouvel Ordre, Magnus avait saisi sa chance de bannir la pratique de la persécution. C'était son épouse, froide et cruelle, qui avait fait revenir les zerques à Morgravia, elle qui les avait encouragés à la suivre vers ce royaume de « paysans » depuis ses terres du nord-ouest où la vie des humbles ne valait strictement rien. Le propre père d'Adana avait voulu cette union pour ouvrir une voie marchande dans les terres « barbares » et commercer avec les royaumes de la péninsule orientale.

Magnus avait été séduit par la beauté et l'allure de la jeune femme de vingt et un ans. Un seul coup d'œil à la sublime

Adana et le désir avait effacé en lui toute prudence. Il avait accepté immédiatement l'idée du mariage, mais quelques jours à peine après la cérémonie il avait pris conscience de l'énormité de sa décision. Entre ces deux instants, Fergys Thirsk, son ami et conseiller, s'était opposé avec détermination à cette union, soulignant l'immense écart culturel entre eux, pour ne rien dire de la différence d'âge de près de trente ans. Il ne voyait pas comment Magnus et Adana pourraient surmonter de tels obstacles.

Mais Magnus avait résisté, l'esprit empli du souvenir de la jeune beauté noire.

— Je la veux !

— Elle est bien jeune, Sire, et la quarantaine est déjà loin derrière vous.

Piqué au vif par la remarque cinglante mais ô combien fondée, le roi avait répliqué durement.

— Tu peux parler, Thirsk ! Est-ce que ce n'est pas toi qui courtises Helyna de Ramon qui est tout juste femme ?

Magnus se souvenait des mots de son ami comme s'ils avaient été prononcés la veille et non pas des années auparavant. Et depuis lors, il ne s'était pas écoulé une journée sans qu'il regrette de n'avoir pas suivi ses sages conseils, au lieu de faire ce que lui dictait son seul désir.

La dot promise fut versée, mais le royaume de Morgravia était déjà riche. En revanche, les zerques, qui n'étaient pas prévus dans la corbeille nuptiale, arrivèrent dans le sillage d'Adana, s'insinuant partout et répandant leur message de peur et de haine. À dire vrai, la foi était déjà bien implantée à Morgravia, mais les prêtres d'Adana apportèrent un nouveau souffle fanatique.

La mésentente entre Magnus et Adana était permanente, jusque dans la chambre royale. Elle méprisait son mari au point de ne pas supporter qu'il la touche. Dès leur nuit de noces, le roi comprit que la seule flamme qui brûlait en elle était celle du dédain et qu'elle n'avait de désir que pour le pouvoir.

Il ne lui donna rien. Elle ne lui offrit que sa raillerie.

« Vieillard, jamais tes mains hideuses et ta peau ridée ne pourront me séduire », lui avait-elle jeté à la face le premier soir.

Par deux fois, il l'avait possédée de force ; et par deux fois, il avait regretté amèrement d'avoir cédé à l'exaspération. C'était à se demander par quel mystère Celimus avait bien pu venir au monde. En fait, le prince avait été conçu dans la rage, l'épouvante et la brutalité lorsque Magnus viola Adana pour la seconde fois. Ils ne furent jamais plus ensuite en contact physique, excepté lorsqu'il devait lui donner le bras en certaines occasions.

Personne plus que le roi ne remercia Shar silencieusement pour la mort prématurée, et pour le moins suspecte, de la reine. Alors que tout Morgravia était sous le choc, Magnus affichait la contenance du deuil, tout en se réjouissant intérieurement. Il éprouvait un intense sentiment de soulagement dont il ne fit part qu'à Fergys Thirsk ; jamais son ami ne lui rappela sa mise en garde.

À peine le corps d'Adana fut-il au tombeau que Magnus entreprit la destruction systématique de l'église zerque. À lui seul, il pouvait se vanter d'avoir détruit un ordre qui avait mis des siècles à se constituer. Pour autant, il avait fait des concessions – comme on en fait inévitablement pour réformer – et accordé une période de transition aux nobles attachés à l'ancienne foi.

Magnus avait donc consenti le maintien des jugements traditionnels, mais uniquement contre les hommes et les femmes dont la culpabilité était dûment établie. Depuis la mort d'Adana, seules deux sorcières avaient été jugées et une seule condamnée au bûcher. Plus par désir d'apaisement que par volonté de persécuter les sorcières, il avait aussi autorisé un certain Lymbert, investi des pouvoirs de juge, à écumer le royaume avec ses trois Traqueurs.

—Cela tiendra les traditionalistes et fanatiques tranquilles, Fergys, avait dit le roi à son ami. On les laisse croire que la lutte contre les agissements du démon est toujours d'actualité et pendant ce temps-là on démantèle l'organisation qui pendant des décennies a fait régner la peur et la haine en Morgravia.

Malgré la fierté qu'il éprouvait devant la détermination de Magnus, Fergys Thirsk n'approuvait pas totalement la nouvelle tournure des événements.

—Et après ?

—Après, nous laisserons à une nouvelle génération le soin de terminer ce que nous avons commencé, avait alors affirmé Magnus avec conviction. Une nouvelle génération qui n'aura pas connu la terreur imposée par les Traqueurs zerques et qui ne leur accordera aucune confiance.

Fergys avait admis que mieux valait quelques morts le cas échéant plutôt que les atroces persécutions infligées auparavant aux sorciers supposés, le plus souvent des innocents affectés d'un pied-bot ou d'un palais fendu. La nomination d'un confesseur et l'adoption d'une loi donnant au roi le dernier mot dans toutes les affaires constituaient un compromis acceptable pour les « Années d'abolition », telles que Magnus les avait appelées. Mais Fergys ne pouvait se défaire de l'idée que faire des concessions à ceux pour qui un adepte des plantes ou un infirme était un être suspect pouvait fort bien pousser les fanatiques à entretenir leur ferveur en secret. Il lui restait à espérer que Magnus saurait freiner le rythme des procès jusqu'à ce que la pratique de la traque des sorcières disparaisse d'elle-même.

Pendant ce temps, le confesseur Lymbert avait suivi sa voie tout en prudence, n'outrepassant jamais l'autorité du roi, si bien que sa charge existait toujours, des années après la dissolution de l'ordre zerque. Magnus regrettait cet état de fait et il s'était promis à lui-même d'abolir la charge de confesseur. Mais la guerre contre Briavel l'avait occupé ailleurs, puis la mort de son ami avait tant affecté sa santé qu'il avait négligé les affaires du royaume pendant un certain temps. Lymbert avait survécu et, par malheur, ses Traqueurs avaient débusqué Myrren.

Magnus abhorrait le son du glas et il savait en l'entendant ce matin-là que les Traqueurs n'auraient de cesse qu'ils n'aient obtenu un jugement et une condamnation à mort. Il avait espéré que la jeune Myrren et sa famille avaient eu la sagesse de fuir leur village, avant de comprendre ensuite que Lord Rokan était bien trop roublard pour laisser faire pareille chose. C'était un noblaillon de moindre importance, avec bien trop de vices au goût de Magnus, mais doté de solides relations au sein de la noblesse. Lord Bench lui-même, l'un des hommes les plus influents du royaume, était un parent éloigné et Rokan ne manquait pas d'user de cet entregent pour son intérêt.

Magnus avait reconstitué toute l'histoire, quand bien même Rokan n'en avait raconté que la moitié. Sans l'ombre d'un doute, Rokan avait fait des avances à Myrren, puis décidé de se venger devant son refus. Depuis longtemps Rokan était connu pour ses frasques et infidélités ; cette fois encore, il avait voulu mettre une jeunette dans son lit. C'était vraiment une tragédie que Rokan ait traversé ce hameau précisément.

Le problème pour Magnus était que l'accusation était fondée aux yeux des Traqueurs comme de tous ceux pour qui était suspecte la plus petite difformité physique chez un homme, une femme ou un enfant. Depuis cent ans et plus, les zerques rabâchaient que tous ceux nés coiffés, ou avec plus ou moins de dix doigts aux mains ou aux pieds ou, pire encore, avec des yeux vairons, appartenaient sans conteste aux légions démoniaques.

Magnus avait beau avoir muselé le pouvoir de l'ordre zerque, il ne pouvait contrôler l'esprit et le cœur de son peuple. Dans son royaume, nombreux étaient ceux qui faisaient encore le signe contre le mauvais œil des sorciers ou qui portaient certaines couleurs certains jours. Certes, cela pouvait passer pour de la superstition sans conséquence, mais il savait avec quelle facilité elle pouvait se transformer soudain en terreur folle et assoiffée de sang. Au fond de son cœur, il espérait que les vrais magiciens – si tant est que de telles personnes existent – auraient toujours la sagesse de se tenir dans l'ombre.

Pour Myrren, c'était trop tard ; sorcière ou pas, son cas était déjà en place publique. Intimement, Magnus ne croyait pas qu'elle soit coupable de ce qu'on lui reprochait, mais il se gardait bien d'exprimer le fond de sa pensée. Son opinion ne comptait pas car la loi – sa loi – prévoyait spécifiquement un procès dans ces circonstances. Et la justice de Morgravia n'était pas réputée pour sa clémence envers tous ceux convaincus de sorcellerie. Pire que tout, il savait quelle ignoble satisfaction certains – au premier rang desquels Lord Rokan – allaient éprouver à la voir torturer et il ne pouvait plus rien faire pour l'empêcher.

Les éléments à charge réunis par Lord Rokan étaient convaincants ; la loi malheureusement était de son côté. Lorsqu'il avait sollicité une audience et montré sa détermination à obtenir un procès, Magnus s'était senti les mains liées. Des yeux dépareillés constituaient la pire marque diabolique qu'une personne pouvait montrer en Morgravia. Cela seul suffisait à condamner Myrren. Il éprouvait de la pitié pour elle, mais il était trop tard pour la sauver. Au moment où il aurait encore pu intervenir, son attention était tout entière accaparée par les errements de son fils Celimus. Le prince accumulait les incartades et il n'avait que seize ans. Que Shar leur vienne en aide lorsqu'il atteindrait un âge où le courroux et la stature de son père ne l'intimideraient plus. Magnus enrageait d'autant plus qu'il venait d'apprendre que ses jours étaient comptés. Son corps le trahissait et il était hanté par l'idée de n'avoir pas le temps de métamorphoser Celimus en héritier responsable, de faire que sorte des ruines de son mariage un véritable roi.

Lorsque Rokan s'était présenté devant lui pour demander formellement la mort de la jeune femme, Magnus ruminait sa colère. Celimus ne s'était pas retiré, comme l'aurait voulu l'étiquette, écoutant au contraire Rokan avec un sourire mielleux de plus en plus marqué et poussant l'outrecuidance jusqu'à intervenir dans la conversation.

— Mais bien sûr, père, avait-il raillé. Un procès en sorcellerie, c'est exactement ce qu'il vous faut pour détourner l'attention des agissements de votre héritier indocile et donner à tous un vrai sujet de discussion.

Son sourire moqueur était un défi lancé au roi. Ce fut la goutte d'eau qui fit déborder le vase, portant Magnus au comble de la fureur.

Magnus connaissait son fils – un jeune homme sans cœur à qui ses parents paraissaient n'avoir légué qu'un narcissisme prononcé et un penchant pour la cruauté. Alors que l'heure de sa mort approchait, le roi de Morgravia comprenait que s'il avait seulement su montrer plus d'affection et d'amour, s'il avait su être un meilleur père – ne serait-ce qu'un père accessible, capable d'orienter son fils dans ses premières années –, les choses seraient différentes aujourd'hui. Au lieu de cela, il avait devant lui un être tout d'intelligence et de calcul, absolument dénué de sentiment. Une combinaison effrayante chez quelqu'un promis au trône. L'incident du jour n'était que le dernier avatar d'une longue liste de caprices qui avait conduit Magnus à désespérer de son fils, et même à le haïr.

Rokan avait poursuivi sa diatribe pendant que Celimus le toisait. Amer et plein de ressentiment, le roi avait donné son accord, simplement pour que ces deux hommes exécrables disparaissent de sa vue. S'il avait seulement pu se douter qu'il régnerait encore six années sans succomber à la maladie, jamais il n'aurait toléré qu'on fasse souffrir Myrren de Baelup.

Chapitre 3

Celimus était contrarié. À grands pas colériques, il arpentait la cour dans l'attente du page qu'il avait mandé chercher Wyl Thirsk. Le prince adorait tourmenter Wyl, mais ce troll au poil de carotte ne lui donnait pas encore tout le plaisir qu'il escomptait en tirer. Un jour il serait roi, mais d'ici là il voulait le voir ramper devant lui. Après tout, ce Wyl était le fils de Fergys Thirsk, un homme qu'il avait haï dès qu'il avait été en âge de comprendre la force du lien unissant Magnus à son général. Sans ce glorieux soldat perpétuellement là, peut-être son père aurait-il prêté plus d'attention à son unique héritier.

Désormais, dans le cœur de Celimus, il n'y avait plus que du mépris pour le roi.

C'est douze ans plus tôt que la rupture avait été définitivement consommée, lorsque sa mère était morte. D'après certains murmures entendus à la cour, son trépas n'était peut-être pas l'accident qu'il paraissait être. Malgré tous leurs efforts, ses nourrices ne pouvaient empêcher le petit garçon de quatre ans qu'il était alors, déjà vif et éveillé, d'entendre ce ragot énorme qui se racontait. À cette époque-là, il admirait son père, mais il adorait sa mère dix fois plus. S'il avait bien perçu la distance et la froideur qu'elle manifestait à l'égard du royaume de Morgravia et de son peuple – et de son roi pardessus tout –, Celimus avait aussi senti que cette réserve ne s'appliquait pas à lui. En fait, Adana aimait intensément son fils. Indiscutablement, il était la chair de sa chair. Celimus n'avait rien de la blondeur de son père, mais au contraire le teint foncé et les cheveux noirs de sa mère. Du bout des lèvres, elle admettait qu'il tenait de Magnus sa haute taille, mais c'était tout. D'ailleurs, les hommes doivent être grands, estimait-elle, et les rois plus que quiconque. Elle savait au plus profond d'elle-même que Celimus deviendrait un homme splendide ; c'était déjà un enfant exceptionnel. Et puis, il avait cet esprit brillant et délié qu'elle aimait tant. Adana avait mis à profit les toutes premières années pour le monter contre son père – le *paysan* comme elle l'appelait –, mais sans réel succès. Le petit garçon recherchait toujours l'attention de Magnus qui pourtant, notait-elle avec satisfaction, paraissait n'avoir jamais ni le temps ni l'envie de s'occuper de lui. Plus que tout, Adana haïssait le général aux cheveux roux et elle utilisait sa présence pour dresser Celimus contre le roi.

— Tu vois, il aime ce Thirsk plus que nous, mon enfant. Regarde comme ils parlent ensemble. Toujours à s'échanger des secrets. Toujours à comploter.

Celimus n'avait pas compris ce mot d'adulte, mais il avait saisi le sens global. Adana répétait sans cesse que Thirsk emplissait ses coffres aux dépens du roi. Elle s'était bruyamment esclaffée devant la créature timide et effacée que Thirsk avait finalement épousée.

— Une paysanne pour un paysan !

Pour sa part, Celimus la trouvait plutôt jolie, Helyna Thirsk, mais il n'était qu'un garçonnet de quatre ans et sa mère devait savoir mieux que lui. Lorsque parut le premier enfant chez les Thirsk, Adana persifla contre sa chevelure flamboyante, une marque indiscutable de sorcellerie. Magnus avait entendu la remarque insidieuse et Celimus s'était dit que jamais son père n'avait été aussi près de la frapper. Après ce jour, ses parents n'avaient quasiment plus échangé un mot. En fait, ils n'avaient jamais été une famille, qui mange ensemble ou passe simplement du temps ensemble. Magnus était un père absent, qui préférait et de loin son cabinet de travail, ses soldats et la chasse sous toutes ses formes.

Ses nourrices avaient beau déployer des trésors de diplomatie pour lui expliquer que Sa Majesté avait bien trop à faire pour s'occuper de lui, Celimus comprenait parfaitement que son père l'évitait. Il voyait d'autres nobles qui trouvaient du temps à consacrer aux leurs ; et les mots de sa mère prenaient des accents de vérité. Son père ne l'aimait pas. Il les détestait tous les deux et évitait délibérément tout contact avec sa femme et son fils.

Ça faisait mal. Et Adana s'ingéniait à souffler sur la douleur de son petit garçon. Peu à peu, ses manigances portèrent leurs fruits. Tout d'abord, Celimus cessa de demander son père avant d'aller au lit, ou de réclamer une sortie à cheval avec le roi à l'occasion. Puis son détachement devint plus manifeste. Un soir, alors que Magnus avait prévenu qu'il serait là pour le dîner, Celimus était parti se coucher, prétextant un mal de ventre. Adana, qui savait à quoi s'en tenir, se réjouissait de voir son fils fuir son père.

Après la querelle agressive entre ses parents, Celimus se sentit obligé de rejeter son père, avec le sentiment d'agir pour le meilleur. La brusque éruption de colère chez cet homme qui était un géant à ses yeux l'avait effrayé. Alors même que Magnus avait retenu son geste, sa mère s'était laissée tomber au sol comme s'il l'avait vraiment frappée. Hurlant comme une possédée, elle s'était roulée sur les dalles de pierre, puis éloignée de cet homme honni sur une ultime imprécation.

— Plutôt mourir que d'être touchée par toi, espèce de porc !

Celimus s'en souvenait comme si c'était hier. Ainsi que de la riposte glaciale et prophétique de son père.

— Ça pourrait bien finir par arriver.

Le jeune prince n'avait pas été le seul à entendre cet échange plein de fiel ; aussi, lorsque survint l'accident de chasse peu de temps après, la cause paraissait entendue aux yeux du plus grand nombre. Pourtant, tous ceux qui connaissaient Magnus rejetaient avec force cette idée. C'était impensable. Tous ceux qui le connaissaient vraiment savaient néanmoins qu'il était plus que capable d'un tel geste. Crime ou accident, aujourd'hui encore, Celimus demeurait incapable de trancher. C'était une question qu'on n'abordait jamais. Au fil des ans, ce mystère irrésolu avait été enfoui aussi profondément que le tombeau où gisait la victime.

Mais Celimus n'avait jamais oublié. Dans le fond de son cœur, ce souvenir était devenu une boule de haine noire qu'il avait juré de cracher un jour à la face du pourceau qui lui tenait lieu de père. Il avait été témoin des menaces à Adana et, le jour même de sa mort, il avait fait le vœu de faire payer Magnus. Il entreprit donc de bannir autant que possible tout contact et toute marque d'affection envers le roi, même en public ; en tant qu'enfant, il ne pouvait guère faire plus. Avec, au cœur, l'image sans cesse ravivée de sa mère, il adopta une attitude glaciale et se détacha de son père. Par contrecoup, mais aussi sur les recommandations de Fergys, Magnus s'efforça à ce moment-là de se rapprocher de son fils. Mais il était trop tard.

Trop tard pour que le père donne de l'amour à son fils. Trop tard pour que le fils puisse s'en réjouir, ou même simplement l'accepter. Comme souvent les enfants, Celimus se faisait des idées fausses, associant l'omniprésent Fergys Thirsk à la mort suspecte de sa mère. Au fil des ans, son ressentiment contre le meilleur ami de son père n'avait fait qu'empirer. Lorsque la nouvelle du trépas du général était parvenue à Stoneheart, Celimus s'en était réjoui. Il s'était pris à espérer que la douleur pourrait noyer le cœur de son père et le faire mourir de chagrin et de solitude. Et voici maintenant qu'il lui fallait frayer avec le rejeton Thirsk, un garçon qui montrait en tous points les mêmes traits que feu son père.

C'était l'occasion de planter un nouveau fer dans le flanc de son père. Oh, comme Magnus aimait le jeune Wyl ! Celimus le savait bien. Pensait-on qu'il était idiot au point de ne pas voir la face de paysan de son père s'éclairer chaque fois qu'il apercevait le troll rouquin ? Le prince se souciait bien peu de conquérir l'affection de son père, mais plutôt mourir que de laisser le vieil homme s'enticher de quelqu'un. *Tu ne le mérites pas!* avait-il pensé bien souvent, en rage devant le tableau de Magnus et Wyl Thirsk réunis. *Je ne te laisserai pas ce plaisir. Pas question qu'un peu de chaleur réchauffe tes vieux jours. Tu m'en as toujours privé et tu as tué l'unique personne au monde qui m'ait jamais aimé. Je vais te faire subir le même sort en détruisant ce Wyl Thirsk dont tu fais ton petit chien*, s'était-il promis tout en offrant un sourire cauteleux au vieux monarque.

Délibérément, Celimus n'avait laissé aucune chance au jeune garçon. Dès son arrivée à Stoneheart, le prince avait entamé une campagne de destruction, avec la ferme intention de le briser pour le renvoyer en Argorn. Pour l'heure, sa volonté de se montrer digne de son père donnait à Wyl la force de supporter toutes les cruautés. Celimus ne goûtait pas non plus la flamme de défi qui brûlait dans le regard de Wyl, et qui persistait même quand il semblait se soumettre à son suzerain. Souvent il marmonnait pour lui-même : « Je voudrais t'arracher les yeux, Wyl, pour faire disparaître ce regard insolent de ta face de crétin. Un de ces jours, je crois que je vais le faire. Te crever les yeux, te détruire, souiller la jolie petite Ylena… »

La sonnerie du glas le tira de ses pensées et un sourire sauvage apparut sur son visage. Un ou deux jours auparavant, il avait noté le changement de timbre. Une enquête discrète lui avait appris que cet après-midi était le moment idéal pour agir. Il ne pouvait qu'imaginer, à partir de ce que lui avait raconté sa mère, toute la férocité des tortures qu'on infligeait aux sorcières. Il se réjouissait à l'avance d'assister à une telle séance. Imprégné des paroles de sa bigote de mère, Celimus estimait qu'il fallait traquer et éradiquer tous les adeptes de la magie – non pas d'ailleurs qu'il crût le moins du monde à ces sornettes. À la vérité, les questions de sorcellerie ne le préoccupaient absolument pas. Aucun sorcier ne lui avait jamais fait quoi que ce soit et il appartenait à une génération qui ne croyait plus à leur existence. Néanmoins, l'idée qu'on puisse par la torture arracher des aveux à une personne censée détenir un pouvoir l'intéressait au plus haut point. De la même manière que le fascinaient les cris de détresse des créatures sans défense qu'il tourmentait ; les chats et les chiens du château par exemple. Enfant, il s'était délecté de leurs gémissements plaintifs. Il se demandait si quiconque pouvait imaginer le nombre de cadavres qu'il avait ensevelis dans les tas de fumier autour de Stoneheart.

Bien sûr, il allait lui falloir se glisser dans les entrailles du donjon, mais il espérait que personne n'aurait le front de demander à un prince royal de s'en aller – plus maintenant qu'il était presque un homme et d'une taille à regarder les autres de haut. Décidément, cet après-midi promettait bien des plaisirs, à commencer par le fait de faire subir à ce gamin de Wyl une expérience suffisamment atroce pour montrer le général de la légion de Morgravia sous son vrai jour.

« Je vais t'emmener là-bas, Wyl Thirsk. Je vais t'écraser comme un fruit pourri, puis rendre ton nom infect, murmurait Celimus sans se rendre compte que sa voix gagnait du volume au point d'être audible à la ronde. Ensuite, quand je serai roi, j'ordonnerai qu'aucun Thirsk ne soit plus jamais général... »

Sa diatribe fut interrompue par l'arrivée du page hors d'haleine.

— Alors ? demanda le prince.

Tout suant de sa course et de la nervosité qu'il éprouvait toujours en présence de l'héritier du trône, le garçon bégaya que Wyl Thirsk était introuvable dans Stoneheart.

Avant que Celimus explose, le page ajouta une information, des trémolos dans la voix.

—Mais je crois savoir où il pourrait être allé, seigneur.

Celimus se pencha sur le jouvenceau mort de peur.

—Peu m'importe, sombre crétin. Je t'ai demandé de me le ramener, et vite !

Les yeux rivés au sol, le page reculait.

—Et ne reviens pas sans lui ou je te coupe la tête !

Le jeune homme s'enfuit.

Cet après-midi-là, Wyl n'était pas bien loin ; il s'était simplement éloigné en compagnie d'Alyd Donal. Quelques mois après son entretien avec le roi, la chance avait souri à Wyl avec l'arrivée au château d'un garçon de son âge. Lui aussi venait d'une famille unie et, comme tous deux se sentaient pareillement seuls et isolés, ils devinrent les meilleurs amis du monde. Inséparables.

Wyl savait que Gueryn avait fait tout ce qui était en son pouvoir pour favoriser cette amitié, allant jusqu'à inviter Alyd à suivre son enseignement. Hélas, au grand regret du vieux capitaine, Wyl devait désormais passer de grands moments loin de ses cours d'entraînement, auprès de Celimus.

Le jeune général avait tenu la promesse faite à son roi, réservant le plus clair de son temps au prince, mais cela n'avait en rien changé les sentiments qu'ils nourrissaient l'un pour l'autre. Toutefois, Wyl avait développé la faculté d'accepter son sort. Il ne prenait jamais part aux méfaits qu'ourdissait chaque jour le créatif Celimus, mais, telle une ombre, il n'était jamais loin. Wyl observait et protégeait Celimus chaque fois qu'il le pouvait, le prévenant de la découverte imminente de son dernier stratagème ou détournant l'attention alentour pour lui éviter d'être pris sur le fait. Tout cela n'était pas sans risque. De toute évidence, le prince n'avait nullement conscience du pacte passé avec son père. Pour autant, Wyl n'avait pas promis d'apprécier l'héritier, ni même de le respecter, et il ne parvenait pas à effacer totalement le mépris qu'il ressentait en permanence. Son ami Alyd l'avait prévenu d'ailleurs à ce sujet.

— Fais attention, Wyl. Un jour, il pourrait bien te le faire payer.

— Tu parles, je lui ai tant de fois sauvé la mise.

— Mais il ne te doit rien pour autant ! N'oublie pas quelle est ta place ici, ni que c'est avec le roi que tu as passé un pacte et avec lui seul. Un jour, Celimus sera roi... Que feras-tu alors ?

Wyl ne savait que répondre à cette question. L'idée que Celimus pourrait un jour diriger Morgravia lui nouait déjà bien trop souvent les tripes. En son for intérieur, il se demandait s'il serait jamais en mesure de ployer un genou devant lui et de lui jurer fidélité en toute sincérité.

Il savait combien il paraissait hideux aux yeux magnifiques de l'héritier du trône. Celimus prenait un plaisir immense à lui rappeler sa laideur. Wyl n'avait d'autre choix que d'accepter de bonne grâce les moqueries ; sur ce point au moins, il pouvait être sûr que le prince lui parlait avec honnêteté. Pour autant, les paroles faisaient mal. Chaque fois, c'était Alyd qui l'aidait à retrouver son sens de l'humour. Lorsqu'ils avaient l'occasion de passer du temps ensemble, les éclats de rire venaient bien vite.

Au plus profond de lui, Wyl était certain que Shar lui avait envoyé un ange aux cheveux d'or, car avant l'arrivée d'Alyd il ne riait jamais dans sa triste existence à Stoneheart. Avec son esprit aiguisé et son air engageant, Alyd paraissait être le double naturel d'un Wyl à la fois distant et brutalement direct ; là où l'un parlait droit et tout d'une pièce, l'autre savait enjoliver et mettre de la couleur. Alyd Donal n'était pas là depuis longtemps, mais son imagination et sa science du conte étaient déjà légendaires. Dans sa bouche, un événement aussi anodin que la fois où Lord Berry s'était assoupi pendant un conseil, pour se réveiller avec la perruque de travers sur le crâne, avait pris des proportions gigantesques et absolument homériques.

Wyl adorait Alyd pour son sens de l'amitié et sa capacité à le faire rire, mais aussi pour l'intérêt qu'il marquait à Ylena. Il ne trouvait jamais à redire lorsqu'elle passait les voir, et il paraissait éprouver autant de plaisir à la distraire qu'elle à leur tenir compagnie. Au fil des semaines, alors que s'épanouissait en elle la beauté blonde de sa mère, les deux garçons eux aussi avaient gagné en taille et en force. Aux yeux de Gueryn, il était clair que Wyl ne serait jamais spécialement grand, mais il savait qu'il aurait dans les années à venir une puissance et une présence physiques capables d'impressionner ses hommes. Pour les deux garçons, le vieux maître d'armes avait mis au point un entraînement quotidien, dont les résultats transparaissaient déjà sur leur musculature.

— Tu seras mon second, je te le promets, déclara Wyl avec solennité alors qu'ils étaient à croquer des pommes au bord du lac au pied de Stoneheart.

C'était un après-midi de liberté. Le temps était frais et vif, mais le soleil brillait et les deux n'avaient rien de mieux à faire qu'observer les nuages en rêvassant de leur vie future dans la légion, allongés sur le dos, loin de la vie du château.

— Comment peux-tu être sûr qu'ils te laisseront choisir ?

Wyl renifla avec dédain et répondit avec une petite pointe d'arrogance dont il n'était pas coutumier.

— Qui ça « ils » ? C'est moi qui déciderai. Je suis le général de la légion de Morgravia.

— Tu n'en as que le titre.

Wyl ignora la remarque.

— Dans quelques années, c'est moi qui mènerai notre armée. Mon père était le chef incontesté et je le serai moi aussi. Mes lieutenants et capitaines seront tous des hommes de confiance.

—Et qu'est-ce que tu…, commença Alyd avant de s'interrompre tandis qu'un page à bout de souffle jaillissait par-dessus le talus.

—Quoi encore, grogna Wyl. Oh, Jon !

Un sourire fleurit sur le visage du jeune page ; il était manifestement rassuré.

—Il faut que vous veniez, messire Thirsk. Il vous a fait appeler.

Wyl se leva, avec une grimace résignée.

—Le prince ?

Jon hocha la tête, toujours à la recherche de son souffle.

—Je vous ai cherché partout. Il n'est pas de bonne humeur.

—Génial… Exactement comme on l'aime, renchérit Alyd en se levant à son tour. Au fait, comment nous as-tu débusqués ici ?

Les yeux de Jon papillotèrent nerveusement.

—Votre sœur, messire Thirsk. Je suis désolé, mais il fallait absolument que je vous trouve.

—C'est rien. N'y pense plus.

—On la découpera à l'épée plus tard, le rassura Alyd.

Les yeux de Jon s'écarquillèrent.

—Ne t'inquiète pas, Jon, il fait son malin. Comme s'il pouvait faire le moindre mal à celle qu'il aime.

Cette fois-ci, c'est Alyd qui avait l'air stupéfait. Il balança son trognon à son ami, le poussa en arrière et ils roulèrent en bas du talus, le pauvre page courant derrière eux.

—Comment oses-tu ? s'emporta Alyd, ne sachant s'il devait rire ou se fâcher.

—Même un aveugle le verrait !

—Mais elle n'a même pas onze ans.

—Oui, mais quand tu en auras vingt, elle en aura seize. Allez, ne nie pas, Alyd Donal, tu rêves de ma petite sœur chérie. Mais j'approuve ton choix, on peut dire que tu as de la chance.

—Je ne veux plus en parler. La discussion est close.

Wyl avait noté le rouge subitement monté aux joues de son ami ; il savait donc à quoi s'en tenir. Puis il se rappela la présence du pauvre Jon, tremblant d'angoisse à ses côtés.

—J'arrive, Jon, je te suis. À plus tard, Alyd, ne t'attire pas d'ennuis en mon absence.

—Et toi, surveille tes arrières. Il n'y a rien de bon à attendre de lui.

Au moment de ses seize ans, Celimus avait vu sa stature se transformer radicalement, si bien que Wyl avait maintenant l'impression que le prince le toisait littéralement, réduisant à néant sa propre poussée de croissance. Pire encore, Celimus s'était étoffé et montrait désormais une silhouette à couper le souffle. Magnifique à l'extérieur, gâté à l'intérieur.

—Ne me fais jamais attendre comme ça, Thirsk.

—Toutes mes excuses, Votre Majesté, répondit Wyl sur le ton de politesse qu'il utilisait systématiquement. Vous m'avez fait demander ?

Wyl s'empressait de passer à autre chose, sachant d'expérience que la voie classique de la querelle et de l'insulte ne menait nulle part.

—Tu as de la chance que je sois de bonne humeur aujourd'hui.

—Je m'en réjouis, Majesté. Comment puis-je l'améliorer encore ? demanda-t-il en ricanant presque de sa tartuferie.

Alyd lui avait enseigné l'art de s'exprimer sur un mode aimable en apparence tout en signifiant exactement l'inverse. Avec Celimus, trop imbu de lui-même pour relever, cette tactique fonctionnait à merveille. Alyd serait fier de son élève.

—Toi, retourne vaquer à tes occupations ! ordonna Celimus au page.

Jon déguerpit, trop heureux de fuir les aboiements du prince. Celimus braqua le vert doré de son regard sur le garçon dont le roi son père l'avait supplié de se faire un ami. Il renifla ostensiblement et Wyl se demanda quelle mauvaiseté pouvait bien se tramer.

—Allez suis-moi, ordonna Celimus. J'ai quelque chose à te montrer.

—Où va-t-on ?

—C'est une surprise…

Depuis peu, les écorchures et hématomes de Myrren faisaient moins mal. Elle frissonnait, assise au fond du cachot de Stoneheart où ils l'avaient jetée des jours auparavant. La faim qui lui taraudait les entrailles l'avait plongée dans une profonde hébétude. Elle avait refusé la nourriture outrageusement salée qu'on lui avait lancée, sachant qu'on ne lui donnerait pas d'eau ensuite, une fois sa gorge en feu. Après plusieurs jours de ce traitement, la soif rendait fou n'importe qui. C'est ce qui était arrivé à une pauvre âme en perdition, quelques cellules plus loin. Elle était l'unique proie de la place forte amenée par les Traqueurs ; elle savait donc qu'elle était destinée à servir de morceau de choix.

Ils la préparaient pour le « procès », au cours duquel on lui extorquerait sa confession sous la torture. Myrren entendait sonner le glas et, par instants, elle était tentée de se coucher sur les dalles de pierre pour ramper comme le font, apparemment, les sorcières. À coup sûr, ils arriveraient en courant, tout excités à l'idée d'avoir vaincu sa volonté. Combien de souffrances cela lui épargnerait, songeait-elle amèrement. Qu'elle avoue et tout serait fini. De toute façon, ils allaient la tuer. Alors pourquoi souffrir inutilement ?

Une petite voix l'implorait d'abandonner. D'un côté comme de l'autre, la mort venait à elle, mais sous deux visages bien différents : une fin horrible sur le bûcher après des jours d'agonie, ou une mort rapide et indolore. Elle imaginait qu'après des aveux rapides, on lui trancherait simplement la gorge. Les flammes l'effrayaient bien plus que la torture, dont finalement elle avait du mal à se faire une idée. En revanche, elle anticipait très nettement le feu mordant sa chair lorsqu'elle serait jetée impuissante et hurlante dans le brasier.

Tout procès en sorcellerie comportait trois étapes, lui avait expliqué un homme de haute taille et au haut nez crochu qui s'était présenté sous le nom de confesseur Lymbert. Myrren avait presque défailli en reconnaissant son nom. Pour sa part, Lymbert préférait parler de « degrés ». Ce mot le faisait sourire chaque fois qu'il le prononçait.

Myrren avait déjà subi ce que Lymbert qualifiait donc de premier degré. D'abord violée par l'un des assistants du confesseur, qui avait déchiré sa virginité, elle avait ensuite été dénudée, attachée et flagellée devant un groupe d'hommes cagoulés. Les derniers zerques qui, à l'évidence, mettaient bien plus d'ardeur à regarder et tourmenter son corps nu qu'à lui arracher autre chose que des cris de détresse.

Myrren avait toujours cru que le roi Magnus ne soutenait pas ces fanatiques, qu'il les avait écrasés et avait détruit leur ordre. Ses parents ne partageaient pas son optimisme ; bien souvent, ils l'avaient mise en garde.

— C'est à cause de tes yeux, ma chérie, lui disait gentiment son père. Les fanatiques ne verront jamais ta beauté, ni n'entendront jamais l'intelligence de tes paroles. Tout ce qu'ils verront, ce seront tes yeux vairons et alors ressurgiront les vieilles superstitions.

Depuis l'âge de sa première conversation, elle savait qu'elle était différente et que ses parents la protégeaient. Un jour, sa mère lui avait avoué qu'ils vivaient dans la crainte perpétuelle. Elle aussi avait parlé de ses yeux et des vieilles peurs.

— Eh bien vous n'avez qu'à me les arracher, avait une fois lancé Myrren à ses parents sous le coup de la colère.

Son intention n'était pas de les choquer ; elle en avait juste assez des sempiternelles précautions pour éviter que des étrangers ne la regardent de face, ou des écharpes et des châles dont sa mère lui enveloppait le visage dès qu'elle sortait.

Les choses ne changeraient jamais. La peur était ancienne et si les gens de Morgravia étaient plus ouverts, voire tolérants à l'égard de la magie, la hantise de la sorcellerie demeurait. Myrren aurait aimé avoir le pouvoir de changer la couleur de ses yeux. Elle connaissait les Traqueurs et leur ombre planerait à jamais sur sa vie. Elle se souvenait de la sensation qu'elle avait éprouvée après avoir si sèchement remis le noble à sa place. Immédiatement, elle avait eu le sentiment que cela pourrait lui attirer des ennuis. C'est qu'elle n'avait vraiment pas apprécié que sa main s'égare sous ses jupes. Son haleine avinée la rendait malade et son désir vicieux et malsain l'avait emplie de dégoût. Elle n'avait pas su dissimuler ; elle en payait maintenant le prix.

C'est pour cette raison qu'elle n'allait pas leur donner la plus petite satisfaction.

Après les deux premiers coups de fouet, qui lui avaient arraché une plainte, elle avait donc obstinément serré les dents aussi fort qu'elle le pouvait, et plus aucun son n'avait franchi ses lèvres. Elle n'allait rien leur donner ; pas même un gémissement.

Pendant qu'on la martyrisait, une autre femme, bien plus âgée, qui subissait le même traitement pour avoir assassiné son mari, avait hurlé sans discontinuer, implorant la pitié de ses bourreaux. Personne n'avait prêté attention aux brûlures et marques de coups qui constellaient son corps, pas plus qu'à ses bras et jambes brisés bien des fois et aujourd'hui tout tordus. De toute évidence, elle avait été sa vie durant victime d'un mari violent. Nul ne s'en souciait. Elle avait trouvé le courage de le tuer ; elle allait maintenant le payer de sa vie. Finalement, ils avaient cessé de les fouetter. Couchées sur des barriques, les deux femmes s'efforçaient de faire entrer tout l'air possible dans leurs poumons, afin de maîtriser leurs membres et leurs nerfs agités de spasmes. La douleur sur le dos zébré et sanguinolent de Myrren était si intense, si extrême, qu'elle devint une part intégrante d'elle-même. Peu à peu, elle parvint à l'absorber, puis à l'isoler dans un coin. Ensuite, ils la retournèrent et l'attachèrent à un poteau. Elle se souvenait avoir ignoré le message de douleur en provenance de son dos lorsqu'il avait frotté contre le bois rugueux. Ainsi, les hommes avaient encore joui du spectacle de son corps toujours nu vu sous un autre angle, mais surtout elle avait pu assister à ce que l'on faisait subir à sa sœur d'infortune.

De toute évidence, ils avaient décidé de la garder pour plus tard. Après une si longue période de pénurie, une sorcière était un mets rare qu'il convenait de déguster lentement. L'âme déchirée, Myrren avait vu les bourreaux enlever l'autre femme de son tonneau.

— Les brodequins ! avait ordonné Lymbert, une trace d'ennui dans la voix.

Myrren avait fermé les yeux. Avec un vif plaisir non dissimulé, Lymbert lui avait fait plus tôt les honneurs de sa chambre des horreurs ; elle savait ce qui allait se passer.

Pantelante et effrayée, la pauvre femme avait été traînée jusqu'à un banc où on l'avait assise.

— Attachez-lui les mains.

La voix de Lymbert était sèche et impérieuse, celle de la suppliciée, misérable et implorante.

— Je vous en supplie, seigneur…

Myrren avait fermé les yeux de toutes ses forces et tenté de ne pas entendre les bruits autour. En vain. Elle savait qu'il n'y avait plus aucune pitié à attendre. Pas pour une meurtrière qui refusait d'admettre avoir agi de sang-froid.

Les pieds de la femme furent glissés dans des dispositifs de bois et de fer munis de grandes roues de serrage. Jusqu'alors, son esprit errait encore dans les limbes de la douleur ; elle n'avait pas encore compris que ce qui s'annonçait était pire que le fouet. Quelques tours à peine de l'infernale machine suffirent à broyer les os d'une de ses chevilles. À cet instant, elle admit en hurlant tout ce qu'on voulait lui faire dire, reconnaissant avoir prémédité le crime pour lequel elle n'éprouvait aucun remords. Myrren voyait combien la quête de la vérité n'était pas la passion première de Lymbert. Arracher la vérité à des voleurs, des bandits ou des assassins ordinaires n'était pas ce qu'il considérait comme sa mission sacrée. Il n'avait qu'une hâte : se débarrasser au plus vite de la vieille pour s'adonner enfin à ce qui l'intéressait, l'éradication des magiciens et des sorcières, tous ceux qu'il tenait pour la malédiction de ce monde. Un jour, le père de Myrren lui avait fait part d'une rumeur selon laquelle la fille unique des grands-parents de Lymbert, des zerques fervents, avait été assassinée près de quarante ans plus tôt par une prétendue sorcière. Dès l'enfance, le confesseur Lymbert avait donc grandi dans la haine de tous ceux qui pouvaient commercer avec la magie, jusqu'aux simples guérisseurs dont le savoir-faire ne pouvait découler que d'une alliance avec le diable. Inquiets pour leur fille, les parents de Myrren s'étaient efforcés de recueillir tout ce qui se disait sur lui. Lymbert avait la réputation d'être si inflexible qu'il n'amenait jamais personne au procès sans avoir une conviction absolue. Myrren savait que, pour n'importe qui, un simple coup d'œil à ses yeux suffisait pour se forger une inébranlable certitude.

Et maintenant, Myrren ouvrait bien grands ses yeux étranges, refoulant les larmes qui étaient montées à l'évocation de la vieille femme. Elle revoyait encore Lymbert tourner la tête vers elle et lui sourire alors que la pauvre suppliciée apposait sa marque au bas de ses aveux. Ensuite, d'un geste, il l'avait envoyée à son sort, la mort au bout d'une corde sûrement. Le message transmis par le sourire glacial du confesseur était sans la moindre ambiguïté – il lui réservait un bien pire traitement. On avait emmené la vieille et plus personne n'en avait jamais entendu parler ; elle avait certainement été exécutée et enterrée dans l'heure.

L'assistant de Lymbert, celui-là même qui l'avait violée, avait ensuite détaché Myrren, lui soufflant son haleine fétide au visage tandis qu'il lui décrivait les obscénités qu'il entendait encore lui faire subir. Une fois les liens tranchés, il l'avait intentionnellement laissée s'effondrer au sol, pour la remettre debout en la tirant sauvagement par les cheveux. Pour autant, elle n'avait donné à aucun des tortionnaires présents la satisfaction qu'ils espéraient tant.

— Ramenez-la dans sa cellule. La sorcière Myrren de Baelup subira le deuxième degré dans trois jours.

Lymbert avait parlé pour tous, d'un ton égal, pas le moins du monde ému par son courage. Il s'adressa ensuite à elle directement, avec un petit sourire amusé.

— Voilà qui devrait vous laisser le temps, ma chère, de panser vos blessures… et de délier un peu votre langue.

Assise au fond de sa cellule, elle attendait l'étape suivante, lorsque Lymbert et ses hommes viendraient pour la « vraie » séance de torture. Myrren ne savait plus si c'était le jour ou la nuit. Son cachot était minuscule et dépourvu de fenêtre ; aucun air n'y circulait, à l'exception des miasmes en provenance du couloir. Elle était allongée sur la pierre, toujours nue, avec pour tout vêtement un morceau de couverture grouillant de vermine. C'était tout ce qu'elle avait, aussi s'était-elle roulée dedans du mieux qu'elle pouvait, le dos tourné à la porte.

Elle pensait à ses parents, mais sans plus verser la moindre larme ; c'était comme si elle avait déjà pleuré toute l'eau de son corps. Puis la pensée de son petit chien noir lui vint et elle pleura encore. C'était un cadeau qu'ils lui avaient fait, un adorable chiot qui lui avait procuré une joie immense. Elle l'avait appelé Filou. Il était abandonné aujourd'hui, sûrement ; elle n'imaginait pas que sa pauvre mère soit en mesure de s'occuper de lui.

— Oh, comme j'aimerais pouvoir me battre ! murmura-t-elle. Au moins, si j'étais une sorcière, je me vengerais.

Un flot de larmes monta à ses yeux et, avec elles, une petite voix.

Ne crains rien, mon enfant. Tu n'es pas une sorcière, mais tu auras ta vengeance.

— Qui parle ? demanda-t-elle subitement terrifiée, le cou tendu dans le noir.

Je suis Elysius, répondit l'homme dans son esprit.

Quelques heures plus tard, Myrren était épuisée, mais en paix. À son immense étonnement, elle parvenait à envisager avec sérénité l'inévitable monstruosité qui l'attendait. Elysius lui avait expliqué beaucoup de choses ; maintenant, elle comprenait. Il l'avait exhortée à être courageuse et elle savait qu'elle n'avait d'autre choix que de se montrer brave.

Incessamment, Lymbert et ses bourreaux allaient venir la chercher. Le confesseur lui avait fait porter des vêtements, insistant bien pour qu'elle les porte. Ce n'étaient qu'une vulgaire pièce d'étoffe brute avec un trou pour la tête et une bande de tissu en guise de ceinture. Myrren s'interrogeait : Lymbert éprouvait-il subitement un peu de compassion, au point de lui autoriser un semblant de dignité ? Jusqu'à présent, rien dans son attitude ne permettait de penser qu'il possédât la plus petite once d'empathie pour ses victimes. Elle écarta cette idée. Une fois vêtue, elle se sentit mieux. Sous le coup d'une inspiration subite, elle saisit la cuiller rouillée fichée dans l'infâme pitance qu'on lui avait servie, pour graver un message dans la pierre suintante de sa cellule. À l'orée de ses derniers instants de vie, elle avait ainsi le sentiment de jeter un défi à la face de Stoneheart.

Depuis que la voix lui avait parlé, elle ressentait comme un étrange engourdissement dans tout son corps. En silence, pour elle-même, elle se répétait les paroles d'Elysius.

Ils vont te faire du mal, ma toute petite, mais la douleur sera atténuée. Je ne peux rien faire pour te sauver, mais je vais te donner le moyen de venger ta mort. Écoute-moi bien, je vais t'offrir le don – et il lui avait ensuite tout expliqué.

Pourquoi ne puis-je utiliser ce don pour me sauver ? avait-elle demandé au gouffre de vide ouvert dans son esprit.

Parce qu'ils vont te brûler, mon enfant. Ça ne marchera pas. Et il lui avait dit pourquoi.

À mesure que la compréhension se faisait jour en elle, Myrren avait dû museler l'élan d'espoir qui s'était levé. Ensuite, Elysius avait parlé encore, pour lui dire des choses intimes. Elle avait entendu ses mots et ses explications ; elle savait maintenant qui elle était vraiment. Malgré le choc d'une telle annonce, elle ne l'en avait que plus aimé. Désormais, la révélation était enfouie au plus profond de son cœur. Elle entendait ne pas raviver ce bonheur intense, au risque que les horreurs d'ici n'en ternissent l'éclat.

Myrren de Baelup n'était pas une sorcière, mais elle avait un don à offrir. Un don qui lâcherait sur le monde un pouvoir immense que seul apaiserait l'accomplissement de sa vraie vengeance.

Et maintenant, avec calme et détachement, elle examinait quelles allaient être les tortures à venir. D'abord, Lymbert choisirait probablement les tréteaux – son œil s'était allumé lorsqu'il lui en avait vanté les mérites – puis certainement la machine à broyer les pouces, qu'il avait presque caressée avec amour.

En cela, Myrren se trompait.

Lorsqu'ils la traînèrent dans la salle de torture, elle découvrit qu'il lui avait réservé une atrocité d'un raffinement bien supérieur. Une foule plus importante était présente, parmi laquelle l'ignoble Lord Rokan, à coup sûr convié pour jouir du résultat de sa bassesse. Partout, des hommes au visage découvert, tous venus assister à son martyre et à sa confession.

Wyl se tenait raide comme un piquet aux côtés de Celimus. Autour d'eux, les hommes parlaient avec excitation ; certains plaisantaient et quelques éclats de voix se faisaient entendre çà et là. Le prince se joignit à la conversation animée, tandis que Wyl promenait un regard inquiet tout en faisant des efforts désespérés pour dissimuler la nervosité que lui inspiraient les lieux.

Celimus l'avait pris par surprise. À ce qu'il comprenait, il avait été conduit ici pour assister à un spectacle rebutant ; lui aussi avait entendu le glas et, fort de l'enseignement de Gueryn, il savait ce que cela signifiait. En revanche, ce qu'il n'avait pas encore perçu, c'est qu'il était là pour voir une sorcière passée à la question. Alors qu'un murmure traversait la foule, Wyl pensait encore que Celimus, avec son esprit tordu, l'avait amené voir l'interrogatoire d'un quelconque voleur.

Bien sûr, il s'interrogeait sur cette foule si nombreuse, mais une sourde angoisse l'empêchait de mettre en perspective tous les éléments. Lorsque parut un homme appelé Lymbert, accompagné de la sorcière Myrren, il comprit enfin.

Un lourd silence s'abattit sur la pièce, tandis que Wyl retenait sa respiration. Une jeune femme d'une incroyable beauté levait son visage magnifique vers les hommes rassemblés. Le regard insoutenable de ses yeux étranges semblait les défier un par un. Tous déglutirent péniblement avant de baisser piteusement les yeux. Une bien maigre victoire, que Wyl applaudit néanmoins, espérant de tout son cœur que son geste renforcerait sa détermination à mourir bravement.

Des mains brutales arrachèrent son maigre vêtement et l'apparente générosité de Lymbert se révéla sous son vrai jour. Il ne l'avait habillée que pour mieux mettre en scène le spectacle de son supplice, pour frapper les esprits par sa nudité subitement exposée. Wyl ne savait rien de cette stratégie, mais il haït Lymbert à l'instant où il le vit passer une langue gourmande sur ses lèvres devant le tableau de ce corps livré et comme violé par tous ces yeux.

Les lambeaux ne parvenaient plus à dissimuler le corps de Myrren, tout juste épanoui dans la féminité. Maintenant, les hommes présents ne fixaient plus le sol, mais sa peau nue exposée à leurs basses envies.

Un sinistre grincement se fit entendre et Wyl, comme toute l'assistance, leva la tête au plafond ; on descendait une étrange machine accrochée à des chaînes. Bien vite, Wyl reporta son attention sur Myrren, notant avec satisfaction qu'elle n'offrait pas à Lymbert le plaisir de sa peur. Elle ignorait purement et simplement le confesseur et ses instruments de mort, fixant au contraire Wyl et nul autre.

Il ne put s'empêcher de se demander ce qu'elle pouvait bien penser de lui, avec sa masse de cheveux rouges et son visage grêlé de son, sur lequel – il le savait – se lisait le plus grand désespoir. Ses yeux, dépourvus de tout éclat particulier, étaient rivés au sien. Il ne regardait pas son corps nu, mais plongeait dans son regard sidérant. Il vit l'expression sur le visage de Myrren s'adoucir et même une ombre de sourire passer fugacement. Pétrifié jusqu'à la moelle par la jeune femme, il ne parvint même pas à lui sourire en retour.

Lymbert déclama quelques phrases pompeuses, saluées de hochements de têtes et même d'approbations bruyantes de la part de Lord Rokan, l'accusateur, mais ni Wyl ni Myrren n'y prêtèrent attention. Manifestement, elle avait surmonté la gêne de sa nudité ; une grimace sur son visage trahit néanmoins la douleur lorsque ses mains furent liées dans son dos.

Un clerc fut amené pour l'absoudre de ses péchés. Wyl vit son réflexe de frayeur lorsque ses yeux croisèrent ceux de Myrren. Néanmoins, il exhortait les bergers de Shar à prendre soin de son âme et de cela Wyl lui savait gré.

— Merci, murmura Myrren au prêtre courbé en avant pour ses prières.

Puis son regard revint se poser sur Wyl avant de dériver vers Celimus à ses côtés. Lorsqu'elle le vit, elle ne put retenir un tressaillement. Les bourreaux pensèrent sûrement que c'était parce qu'ils testaient la solidité des nœuds, mais Wyl était certain qu'elle avait été frappée par la beauté du prince ; à cet instant, sa haine pour lui gravit un nouveau degré.

Celimus, qui précisément se repaissait sans pudeur de la nudité de Myrren, murmura une obscénité à l'intention de son souffre-douleur. Wyl rougit violemment et ne put retenir une moue de dégoût. Pour enfoncer le clou, Celimus partit d'un rire sonore, que Rokan à ses côtés jugea utile d'imiter.

À voix suffisamment haute pour couvrir la prière, Celimus fit savoir à la ronde que ce procès était son idée. Les courtisans hochèrent la tête en grimaçant avec onction.

— Et c'est moi qui ai découvert la sorcière, mon prince, ajouta Lord Rokan avide d'être loué lui aussi.

Wyl vit Celimus braquer un regard dépourvu d'aménité sur le nobliau. Rokan parut alors trouver plus judicieux de se taire pour laisser au jeune héritier le plaisir de goûter pleinement son heure de gloire.

— As-tu quelque chose à déclarer ?

La voix de Lymbert avait explosé soudain par-dessus les murmures. Le prêtre avait fini son oraison sans que Wyl ait rien remarqué.

Myrren prit une profonde inspiration et laissa courir son regard autour d'elle.

— Oui, j'ai une question. Qui est cette personne ?

Lymbert fit un pas sur le côté pour regarder l'assemblée, manifestement pris au dépourvu.

— Qui ?

Myrren fixait Celimus.

— Toi.

Wyl n'avait pas besoin de voir pour savoir. Il sentait à côté de lui l'aura de triomphe émanant du prince et il imaginait très bien le sourire satisfait sur son visage. Doucement, le poinçon de la rancœur s'enfonçait en lui. Pourquoi avait-il fallu qu'elle le choisisse ? Il baissa les yeux au sol tandis que Celimus s'avançait, tout de grâce et d'arrogance.

— Gente dame, dit-il en accentuant les mots pour que chacun saisisse bien l'ironie et l'insulte, je suis le prince Celimus.

Wyl reporta son regard sur elle. Impossible de dire si elle était le moins du monde surprise d'une compagnie aussi choisie pour assister à son calvaire ; son visage restait de marbre et sa voix aussi ferme qu'avant.

— Ah ! Je comprends maintenant pourquoi ce pourceau de Lord Rokan s'est efforcé de gonfler son ego et son petit membre amorphe à mes dépens.

Certains s'étranglèrent, d'autres rirent. Wyl apprécia tout particulièrement la mine soudain empourprée du petit hobereau qui avait brisé la vie de Myrren. La jeune femme poursuivit tout en faisant courir son extraordinaire regard sur l'assistance.

— Mais quel intérêt peut bien avoir le prince héritier à se prêter à cette… mascarade ? Car c'est bien de ça qu'il s'agit, Majesté.

Celimus eut un sourire et Wyl se demanda à cet instant si le cœur de Myrren s'emballait comme celui de tant de jeunes filles de la noblesse de Pearlis.

— Outre l'intérêt pour le petit membre amorphe de Lord Rokan, gente dame, je suis ici pour parfaire l'éducation d'un jeune garçon.

Wyl sentit la main de Celimus lui empoigner le bras. Il résista, mais le prince le tenait fermement.

— Ce galopin n'a encore jamais eu l'occasion de voir une sorcière soumise à la question. Comme il prendra bientôt la tête de notre grande légion et qu'il sera en outre mon champion quand je serai roi, j'ai pensé qu'il était de mon devoir de l'instruire dans les usages de Stoneheart. C'est qu'il est encore mal dégrossi. Ce n'est qu'un petit gars de la campagne, voyez-vous.

Cette fois-ci, Wyl s'arracha à l'étreinte du prince en ruant furieusement, de façon que Myrren comprenne bien qu'il n'était pas là de son plein gré. Mais il ne dit rien, implorant muettement la jeune femme de comprendre.

Elle hocha la tête à l'intention de Celimus, mais ses yeux ne quittaient plus Wyl.

— Merci, dit-elle, et il sut qu'elle avait compris.

» Maintenant, fais ce que tu veux, Lymbert. Tu n'obtiendras rien de moi !

— Rétive avec ça, s'exclama Celimus en passant sa langue sur ses lèvres. Quel dommage qu'il faille la briser. Moi, je l'aurais mise dans mon lit et obligée à ouvrir la bouche avec une autre forme de torture.

Autour, tous s'esclaffèrent bruyamment, en particulier Lord Rokan, désireux de redorer son blason après les railleries de Myrren.

Incapable d'arrêter l'effroyable processus, Wyl vit avec horreur le confesseur s'avancer. Une flamme cruelle brillait dans ses yeux.

— Myrren de Baelup, permets-moi de te présenter mon instrument préféré, l'Ange Noir. Avec ta permission, je vais prendre quelques instants pour t'en décrire le fonctionnement.

Lymbert était tout sucre et tout miel, heureux de pouvoir ainsi montrer l'abomination qu'il avait mise au point.

— Tes mains ont été attachées dans ton dos pour une bonne raison, poursuivit-il. Tu vois, mon assistant les lie maintenant à mon Ange et, lorsque je leur en donnerai l'ordre, les trois hommes que tu vois là… (Lymbert les désignait du doigt. Silencieusement, Wyl félicita Myrren de refuser de les regarder.)… Ces trois hommes, disais-je, te hisseront à l'aide de cette poulie jusqu'à ce que tu voles tel un ange, les bras étirés derrière toi comme des ailes. À ce stade, Myrren, nous aurons tous le plaisir d'entendre tes bras se disloquer. C'est pour moi une musique à nulle autre pareille.

Lymbert était au comble de la jubilation.

— Mais ce n'est pas tout. As-tu vu ces poids de cinquante kilos attachés à tes pieds ? Ah, si seulement tu voulais t'en donner la peine, tu verrais par toi-même qu'ils vont faire leur possible pour empêcher mon Ange de t'emmener vers le ciel, ce qui, bien évidemment, étirera d'autant tes articulations. Oh, quelle glorieuse agonie…

» Incidemment, nous avons décidé d'abroger le deuxième degré, un peu fastidieux, pour passer directement au troisième. Cela nous évitera bien des cris inutiles. J'espère que cette décision t'est agréable.

Lymbert rit avec bonhomie, bientôt imité par tous. Seul Wyl ne se joignit pas à l'hilarité.

Myrren détourna la tête.

— Encore une chose Myrren, reprit-il. Quelle indélicatesse de ma part, j'allais presque oublier. Pour faire bonne mesure, je me suis dit qu'on pourrait ajouter ce que j'appelle la « chute de l'Ange Noir ». Mais peut-être ne sais-tu pas ce que c'est ? Sans me vanter, je crois que c'est la souffrance la plus raffinée qu'on puisse infliger sans faire couler de sang. En fait, il suffira de lâcher la corde de mon Ange – juste un instant –, ce qui te fera tomber du ciel. Mais, et c'est là tout le génie, mes assistants interrompront la chute juste avant le sol et tu ressentiras une douleur dans tes membres martyrisés que tu ne peux même pas concevoir. Maintenant, sois une bonne fille et avoue après le premier vol et la première chute, car tu dois savoir que la loi m'en autorise encore trois autres après. À la quatrième chute, la souffrance est infiniment plus grande. Pour ma part, je crois que mieux vaut mourir dans les flammes que disloquée au bout d'une corde. Ce n'est pas ton avis ?

Cette fois-ci, Wyl faillit applaudir lorsqu'elle cracha au visage du confesseur, mais il retint son geste lorsqu'elle tourna le dos à ses bourreaux en un ultime geste de défi. Un instant de triomphe, mais un instant seulement.

— Hissez la sorcière et voyons l'Ange Noir voler !

Les bourreaux tirèrent sur la corde.

Les épaules de Myrren cédèrent presque instantanément. En entendant l'horrible craquement, Wyl sentit le contenu de son estomac remonter dans sa gorge. Une seconde plus tard, son repas du midi se répandait sur ses bottes. Personne n'y prêta attention, à l'exception de Celimus qui le repoussa pour n'être pas aspergé.

Le prince riait cependant et Wyl comprit qu'il se réjouissait de le voir si faible devant le spectacle d'une femme à l'agonie.

— Je pense que tu apprécies ma surprise, général, glissa-t-il à l'intention exclusive de Wyl.

Voilà, c'était ça qu'il avait voulu : obliger son futur champion à s'abaisser lui-même. Certes, d'autres spectateurs détournaient la tête devant l'horreur des membres déboîtés, mais seule lui importait l'humiliation de Wyl.

Dans la salle de torture, personne n'entendit Myrren émettre le moindre son.

Cet après-midi-là, ils hissèrent à plusieurs reprises Myrren pour la laisser tomber, l'adjurant chaque fois d'avouer son état de sorcière, et échouant chaque fois. À divers moments, elle parut inconsciente, sans doute sous le coup de l'insupportable douleur. Wyl ne comprenait pas comment elle pouvait résister ; lui-même était à l'agonie de ce qu'on lui infligeait. Il savait que bien des hommes présents étaient stupéfaits du courage dont elle faisait preuve. Personne ne pouvait même imaginer l'indicible tourment.

Chaque fois, avec maîtrise et détachement, Lymbert la ranimait à grand renfort de sels puissants et d'eau froide. Pour autant, ses lèvres restaient scellées hermétiquement, alors même que tout son corps se relâchait. Wyl se dit qu'elle souriait peut-être des conséquences inattendues de l'abandon de ses muscles. Au début, la salle sentait la sueur et le désir des hommes ; à présent, elle avait l'odeur d'une fosse d'aisances. D'ailleurs, quelques habitués des lieux tenaient des linges parfumés devant leur nez.

Conscient qu'on lui faisait subir une mise à l'épreuve, et par ailleurs glacé d'horreur face au calvaire de la jeune femme, Wyl se tenait immobile, pareil à quelque statue de Stoneheart. Il était parvenu à contenir sa deuxième vague de nausée et de panique, ravalant sa bile amère. Maintenant, il se sentait de taille à maîtriser sa peur et à être digne d'elle ; plus question qu'il capitule.

Wyl voyait clair dans le jeu de Celimus. Le prince l'avait amené ici pour l'humilier et rappeler l'enfant qu'il était, lui, le prétendant au titre de son père. Eh bien, il allait faire en sorte que Celimus ne l'emporte pas. Négligeant ses bottes souillées, il redressa la tête, fixant bravement son regard sur les yeux clos de Myrren. L'inébranlable détermination qu'il sentait monter en lui venait directement de son exemple à elle. De sa volonté inflexible de ne rien dire.

Lymbert fit hisser sa victime plus haut encore, pour que les poids attachés étirent davantage ses jambes et ses bras écartelés. Il sourit en entendant céder les chevilles et les coudes. Toutes ses articulations étaient désormais démises ; le corps de Myrren avait dû être allongé de plusieurs centimètres.

Nue, brisée et probablement mourante, elle restait fidèle à sa parole. Wyl se promit d'être digne d'elle en ne manquant jamais au nom des Thirsk. Il n'était pas un lâche et, malgré l'intense barbarie de la scène qu'on l'obligeait à voir, jamais plus il ne se laisserait aller.

Comme les yeux de Myrren s'ouvraient une nouvelle fois sous l'effet de l'eau glacée, il lui parut qu'ils cherchaient les siens ; à cet instant, il se sentit lié à elle. Ensemble, unis par leur désespoir, ils allaient surmonter cette épreuve.

Peut-être se faisait-il une idée d'enfant, mais il avait la certitude que, d'une manière ou d'une autre, elle savait qu'il se montrait fort pour elle. Sa mort était proche – nul n'en pouvait plus douter – mais il se promit de l'accompagner des yeux à chaque seconde jusqu'à la fin, sans jamais plus détourner la tête.

Regarde-moi et moi seul, Myrren. Mais elle referma une nouvelle fois ses yeux épuisés. Il souhaita qu'elle fût morte, mais il sut tout de suite qu'il n'en était rien. Elle sombrait pour la énième fois, au plus profond de son agonie. La fine structure de ses os délicats paraissait sur le point de crever sa peau étirée.

Les quatre chutes avaient été appliquées. À l'évidence rendu à moitié fou par son désir de triompher d'elle, de la dompter, Lymbert lui hurlait maintenant d'avouer. Comprenant qu'elle allait réussir l'impossible exploit, il chercha des yeux autour de lui pour se ruer vers l'un des braseros. Il lui fallait un aveu à n'importe quel prix. Le confesseur ne pouvait pas échouer, surtout pas en présence du futur roi. Manifestement, Lymbert avait été pris de court par la royale présence. Jamais sans doute n'avait-il eu pareil public et, ayant deviné le goût de la cruauté chez Celimus, il entendait bien démontrer l'étendue de ses talents.

Wyl le vit avec horreur enfiler un gant pour se saisir d'une paire de pinces chauffées à blanc. Arracher la chair de ses victimes n'était sans doute pas son activité favorite, mais tous comprenaient parfaitement qu'il n'avait plus d'autre issue pour emporter ce duel où s'affrontaient deux volontés. Lymbert avait expliqué que nul ne pouvait résister à son Ange Noir et à ses chutes ; et pourtant, après quatre fois, Myrren demeurait invaincue.

Wyl sentit monter en lui la fierté et la colère. Malgré son âge, il n'était pas n'importe qui ici. *Fais quelque chose*, hurla-t-il silencieusement pour lui-même.

Alors qu'il approchait les tenailles de la peau blanche de Myrren, de nouveau sans connaissance, Lymbert fut stoppé par un ordre sans appel. Un silence s'abattit. Le confesseur tourna sur lui-même, cherchant de ses yeux de dément qui avait pu oser. Son visage n'était plus qu'un masque de fureur.

— Posez immédiatement ces pinces, répéta Wyl. Elle a assez souffert par votre main maintenant qu'elle a survécu aux quatre chutes.

— Mais au nom de Shar qui es-tu donc pour me donner des ordres ? aboya Lymbert qui s'efforçait toujours de reprendre ses esprits.

La rage de Wyl se concentra intégralement sur cet homme. L'éclair blanc qui le traversait lui donnait l'impression subitement d'être plus grand et plus fort qu'il n'était. Même sa voix paraissait plus grave face au confesseur.

— Je suis Wyl Thirsk, un nom que vous seriez avisé de ne pas oublier, confesseur. Il appartient à quelqu'un qui a l'oreille du roi et qui va lui rendre compte de tout ce qu'il a vu ici aujourd'hui. En particulier, les manquements à la loi si vous ne mettez pas immédiatement un terme à cet interrogatoire. Notre roi ne vous autoriserait certainement pas à outrepasser les limites légales. Ce procès est terminé. Laissez-la mourir.

Celimus s'interposa, son éternel sourire aux lèvres, tout prêt à autoriser la reprise du châtiment, mais un petit quelque chose d'inquiétant dans les yeux de Wyl l'arrêta.

— Votre Majesté, reprit Wyl. Avec tout le respect que je vous dois, je crois que ce serait une atteinte à votre honneur que d'être témoin d'une forfaiture. En tant que votre protecteur, j'insiste pour qu'on vous fasse partir sans délai.

Comme Wyl l'avait prévu, Celimus était totalement sidéré. Tous les regards s'étaient portés sur le prince. S'il restait, il passerait inévitablement pour le voyeur sadique que Wyl avait fort subtilement dépeint. Celimus ne pouvait pas se le permettre.

— Bien sûr, tu as raison. Merci, Thirsk. Je n'avais pas imaginé que cela pourrait être aussi horrible, mentit-il avec à l'œil une lueur meurtrière.

» Lymbert, faites comme il dit. Décrochez-la. Au fait, j'en profite pour vous présenter le général Thirsk, chef de la légion de Morgravia.

— Mais… ce n'est qu'un gosse, Sire, cracha Lymbert.

— Jeune certainement, contra Wyl, prenant Celimus de vitesse. Mais mon nom signifie beaucoup, alors que tout le monde oubliera le vôtre. À moins que le titre de « boucher itinérant » devienne glorieux. Faites comme l'ordonne votre prince. Décrochez-la !

C'était un ordre bien audacieux dans la bouche du jeune garçon aux cheveux roux. Les hommes présents échangeaient des murmures, mais aucun n'osait s'opposer à lui ouvertement ; de toute évidence, il accompagnait le prince.

Les bourreaux descendaient Myrren. Celimus traversa la foule des courtisans vers la sortie, non sans avoir au préalable glissé une promesse à Wyl.

— Je saurai m'en souvenir.

Wyl s'y était préparé. Il soupira et évacua la menace de son esprit ; la jeune femme avait besoin de lui. Il suivit le prince des yeux jusqu'à ce qu'il fût sorti puis, au grand écœurement de Lymbert, demanda un verre d'eau. Un genou à terre, il souleva doucement la tête de la jeune femme et laissa couler quelques gouttes dans sa bouche. Ses cils s'animèrent et elle ouvrit les paupières. L'ébauche d'un sourire apparut, qui illumina ses yeux aux couleurs différentes.

— Je m'appelle Wyl.

C'est tout ce qu'il parvint à dire.

— Je sais.

Sa voix éraillée franchissait péniblement ses lèvres en sang d'avoir été trop mordues.

— Wyl, reprit-elle. Pour prix de ta gentillesse, je vais te faire un don. Ainsi je serai vengée.

Sa voix n'était plus qu'un infime soupir.

Que pourrais-tu bien me donner? pensa-t-il comme les yeux de Myrren se refermaient.

— Elle est pour les flammes maintenant, grogna l'un des bourreaux.

Wyl ne pouvait plus rien faire. Il les laissa emporter son corps tout désarticulé.

— Quand? demanda-t-il à Lymbert sans autre formule de politesse.

— L'heure n'est pas encore venue, répondit le confesseur en esquissant de nouveau son petit sourire.

Chapitre 4

En une longue file ininterrompue, les habitants de Pearlis sortaient de la ville pour se répandre autour du Poteau des Sorcières sur la colline, là où il était d'usage de les brûler. Certains se souvenaient encore du dernier bûcher, mais la plupart n'avaient aucune idée de l'horreur à laquelle ils allaient assister. Dans le royaume, les exécutions publiques étaient généralement rapides. Rude et habitué à la guerre depuis bien des générations, le peuple de Morgravia n'avait nul besoin de mise en scène. Tout noble condamné à mort avait la tête tranchée d'un rapide coup d'épée ; ceux de condition inférieure subissaient la hache. Pour tout crime jusqu'au meurtre prémédité ou la trahison, c'était la corde. Pour ces cas-là, le roi préférait d'ailleurs la pendaison par chute du corps et rupture des vertèbres ; méthode brutale, mais expéditive. Il estimait que la mort n'avait rien d'un spectacle. Toutefois, les occasions de voir brûler une sorcière étaient si rares qu'elles en devenaient malheureusement un véritable divertissement pour la foule.

Au temps de leur splendeur, les zerques avaient toujours encouragé une atmosphère de fête pour ces événements ; aujourd'hui, si la célébration de la mort avait été bannie, le lustre et la pompe demeuraient. Les Traqueurs de sorcières de Lymbert jouaient délibérément des superstitions populaires, multipliant les signes cabalistiques en tête du cortège. Bien des badauds saisissaient alors que ces petits gestes qu'ils accomplissaient par réflexe – tels que croiser l'index et le majeur lorsqu'ils rencontraient quelqu'un dans un escalier – étaient en fait des survivances d'une ancienne pratique censée empêcher le diable de pénétrer le corps si d'aventure une sorcière se trouvait dans les parages.

C'est la curiosité et elle seule qui poussait la majorité des gens de Morgravia à venir voir une « vraie » sorcière ; mais à Pearlis, parmi les vieilles familles les plus riches, on éprouvait encore une véritable haine pour la magie. Lymbert comptait sur ces gens-là pour gagner la foule à sa cause et convaincre chacun que Myrren était une menace. Il allait souffler sur les braises de la peur jusqu'à ce qu'elles deviennent un désir ardent de voir souffrir la sorcière dans les flammes.

D'aussi loin qu'il se souvenait, Wyl ne s'était jamais senti aussi abattu que ce jour-là. Avec la mort de sa mère, puis plus récemment celle de son père, le chagrin et la solitude étaient devenus ses éternels compagnons. Mais les derniers événements avec cette jeune femme, Myrren, avaient fait naître en lui un sentiment de rage et de colère dont il ne se serait jamais cru capable. Et comme toujours, Celimus était au cœur du problème. Sans les manigances du prince, Wyl n'aurait peut-être pas été la plus avisée des personnes à l'égard de Myrren.

Alyd s'approcha de lui. Visiblement, la nouvelle de son éclat dans la salle des tortures se répandait bien vite.

—As-tu bien réfléchi ? demanda-t-il avec prudence, sachant de quelle résolution butée son ami pouvait parfois faire preuve.

—Il aurait fallu que tu sois là pour comprendre ce que je fais.

Le regard d'Alyd s'étrécit.

—Mais tu fais quoi exactement ?

—Tu ne peux pas comprendre.

—Mais pourquoi ?

Wyl haussa les épaules. En lui, la rage devenait une inébranlable résolution. Gueryn lui avait toujours enseigné de bien tenir sa fureur pour ne la lâcher qu'après l'avoir domptée. À cet instant, il sentait qu'elle était pleinement apprivoisée. C'est d'une petite voix sourde qu'il répondit à son ami.

— C'est dur à expliquer.

Autour d'eux, on jouait des coudes. Au loin, Wyl aperçut Gueryn qui marchait dans leur direction. Alyd le vit aussi et il se dit qu'il ne lui restait guère de temps ; Wyl ne dirait rien en présence de son mentor.

— Dis-moi vite, je t'en prie.

— Je dois le partager avec elle, énonça Wyl en passant une main incertaine dans ses cheveux de feu.

— Partager quoi ?

— L'instant de sa mort. Je ne sais pas comment le dire mieux que ça.

Tous deux regardaient le vieux capitaine qui avançait, à quelques mètres d'eux seulement.

— Pourquoi ? Tu ne peux plus rien pour elle maintenant !

— Elle a besoin de moi.

Wyl ne put rien dire d'autre. Gueryn était à leurs côtés.

— Qu'est-ce qui se passe exactement, Wyl ?

Sa voix était dénuée de toute émotion, ce qui n'était pas bon signe. Les choses étaient généralement plus simples lorsque Gueryn était amené à hausser le ton.

Wyl raconta l'histoire le plus simplement possible, en se tenant aux faits d'une manière toute militaire. Comme on le lui avait appris.

— Celimus m'a obligé à l'accompagner pour voir une femme accusée d'être une sorcière soumise à la torture.

Gueryn eut un soupir.

— Je vois.

— Elle n'a pas avoué. Elle n'a même pas émis la moindre

protestation. Le confesseur Lymbert l'a passée directement au troisième degré. Ils l'ont attachée sur un instrument appelé l'Ange Noir et lui ont infligé quatre chutes.

Voyant l'incompréhension sur le visage d'Alyd, Wyl devina l'inévitable question qui lui brûlait les lèvres. Gueryn, qui sûrement l'avait vue lui aussi, prit les devants.

— Une seule fois dans ma vie, j'ai eu à voir une telle chose. J'aurais préféré être là pour t'épargner ça.

Wyl fixa le sol.

— J'ai survécu. Mais elle ne survivra pas, qu'elle soit coupable ou non.

— J'ai entendu dire que tu l'avais aidée.

— Une simple gorgée d'eau.

Wyl haussa les épaules. Gueryn hocha la tête. La scène lui avait été rapportée par l'un des hommes présents.

— Un geste plein de noblesse de ta part, mon garçon. Mais pourquoi venir ici maintenant ?

Wyl ne dit rien. C'est Alyd qui expliqua.

— Il dit qu'il veut partager l'instant de sa mort avec elle.

Le jeune garçon tourna bien vite un regard implorant et désolé vers son ami, mais c'était inutile ; Wyl lui pardonnait toujours.

Leur attention fut subitement attirée vers l'attroupement qui approchait.

— La voilà ! cria Wyl en s'élançant.

Gueryn lui saisit le bras pour le retenir.

— Laisse, mon garçon. Moi aussi j'ai ressenti la même chose en voyant une femme souffrir. J'avais le sentiment de devoir faire quelque chose pour l'aider, mais c'est inutile. Ils la brûleront quoi que tu fasses.

Wyl leva sur lui un regard parfaitement froid.

— Je sais.

L'expression sur son visage, pleine de gravité et de détermination, était exactement celle qu'avait son père après avoir pris une importante décision. De toute évidence, rien ne le ferait renoncer.

— Il faut juste qu'elle sache, à l'instant où elle mourra, qu'il y a une personne présente qui désapprouve ce qu'on lui fait subir.

Les mots du garçon sonnaient comme une accusation. Gueryn lâcha son bras. Alyd et lui regardèrent Wyl s'approcher de la charrette pour appeler la pauvre silhouette effondrée qu'elle transportait.

— Je croyais qu'on montrait les sorcières en ville, s'étonna Alyd.

— Normalement oui, mais pas si elles ont survécu à l'Ange Noir. Après quatre chutes, personnes ne peut résister.

— Ah oui... C'est lorsqu'on déboîte toutes les articulations du corps, demanda Alyd, incapable de contenir sa macabre curiosité.

Gueryn répondit machinalement, tout occupé à suivre Wyl des yeux.

— Après ce qu'ils ont fait subir à cette pauvre fille, je serais étonné qu'elle puisse encore mentir sur le bûcher. Allez viens ! Puisque Wyl est résolu, mieux vaut qu'on soit à ses côtés. J'ai bien peur qu'il commette une erreur.

Wyl était déjà à quelques pas devant. Aussi ses deux amis n'entendirent-ils pas l'échange entre Wyl et le confesseur.

— Tu es venu faire tes adieux ? demanda Lymbert.

— Je suis venu m'assurer que vous traitiez cette femme avec tout le respect qu'elle mérite.

— Respect ! Une sorcière ?

Lymbert paraissait amusé.

— Rien n'est moins sûr, Lymbert. Vos immondes tortures ne lui ont rien arraché.

— Fais attention à ce que tu dis, garçon. Je sais qui tu es, mais ta position ne te permet pas d'interférer dans les affaires qui me concernent.

— Peut-être en est-il ainsi, confesseur, répliqua Wyl en insistant sur le titre. Mais officiellement, les hommes de cette escorte sont sous mes ordres et je pourrais tout aussi bien mettre un terme à ces affaires.

Wyl savait que le regard de Lymbert sur lui était un concentré de haine, même si le confesseur avait la sagesse de n'en rien laisser paraître.

— Faites bien attention, confesseur, faites les choses correctement. Où est la samarra qu'elle doit porter ?

— Dis donc, pour quelqu'un d'aussi délicat, tu en connais un rayon en matière de procès en sorcellerie.

La pique ne porta pas ; les railleries de Celimus lui avaient appris à encaisser les insultes. Au contraire, il riposta.

— C'est que je suis fils de noble. J'ai reçu une excellente éducation.

En cet instant, Wyl paraissait plus mature.

Lymbert ordonna à l'un de ses hommes d'aller chercher la samarra. Il l'emportait partout avec lui dans ses pérégrinations à travers le royaume, mais rares étaient ceux qui l'avaient vue. D'après la loi, une sorcière devait toujours monter au bûcher vêtue d'une samarra, la tunique rituelle censée capturer les émanations maléfiques de la chair brûlée. Le vêtement était décoré de flammes et de diables dansants, ainsi que de l'étoile d'argent zerque, le symbole de pureté opposé au mal et à la débauche. Un seul tailleur la fabriquait et il ne travaillait que sur instruction royale. Autrefois, on conférait puissance et pouvoirs à cet oripeau, de sorte qu'aucun autre tailleur n'était autorisé à le toucher. Lymbert repensa que c'était la première fois qu'il avait l'occasion de l'utiliser et calcula avec effroi combien il lui faudrait dépenser pour la remplacer. Il s'éloigna du jeune « général » pour attendre le retour de son homme.

— Myrren…, appela doucement Wyl en marchant à côté de la charrette, bien conscient qu'il n'avait que quelques instants.

Une mince fente apparut entre ses paupières. Ses lèvres craquelées articulèrent son nom. Myrren tenta de dire quelque chose, mais il n'entendit rien. Il sourit, s'efforçant de lui faire comprendre qu'il la soutenait sans savoir quoi dire. Il n'existait aucun mot de réconfort à la mesure de ce qu'elle avait enduré ; et qu'elle endurerait encore avant de rencontrer son dieu.

Avec une infinie tendresse, Wyl prit sa main, élevant une prière muette à Shar pour qu'il hâte sa fin et envoie ses bergers recueillir son âme endolorie. Puis les gardes le poussèrent : la charrette était parvenue au sommet. Un poteau, plus grand que le plus grand des hommes, était fiché en terre et entouré de balles de paille. L'air de cet après-midi était vif et limpide ; quelques nuages musardaient au ciel. La brise ébouriffait les têtes et les plus avisés des spectateurs avaient pris soin de ne pas se poster sous le vent pour échapper à la fumée.

— Général, vous permettez ? déclama Lymbert avec une politesse affectée qui n'était rien d'autre qu'une insulte. C'est que nous avons une sorcière à brûler.

Le confesseur jeta la samarra richement brodée à la jeune fille.

Elle ne pouvait plus se tenir debout. Sans égard pour sa souffrance, les bourreaux lui passèrent la tunique afin de couvrir sa nudité, avant de l'attraper par ses membres disloqués pour la jeter au pied du poteau.

— Inutile de l'attacher, confesseur. Elle est incapable de bouger toute seule, dit l'un d'eux.

Quelques-uns parmi les plus proches osèrent un ricanement. Lymbert leur sourit avec indulgence, comme un prêtre salue ses ouailles. Grimpé sur un ballot, il entama la litanie des méfaits dont Myrren s'était censément rendue coupable.

Gueryn eut un grognement.

— À ce que je vois, ils ont vraiment décidé de ne rien lui faciliter.

— C'est-à-dire ? demanda Wyl.

— La paille est humide, de façon que le feu dure longtemps.

Wyl ne répondit rien, mais son expression s'assombrit encore ; sa main serrait de plus en plus fort le petit sac qu'il emportait.

Après les accusations, Lymbert ne put faire autrement qu'admettre que l'accusée n'avait pas avoué être une sorcière.

— Toutefois, vous avez tous vu ses yeux – aussi dissemblables qu'on puisse imaginer.

Sur un signe, l'un des assistants releva les paupières de Myrren ; les personnes les plus avancées regardèrent comme on le leur demandait, multipliant les signes de protection.

— J'ajouterai, poursuivit Lymbert, que le simple fait qu'elle ait survécu à quatre chutes de l'Ange Noir est un signe indiscutable de son commerce avec les puissances maléfiques.

Le glas retentit de nouveau. Une nouvelle volée pour annoncer que le bûcher allait être allumé.

Myrren n'avait pas bougé depuis qu'on l'avait envoyée au milieu des fagots et Lymbert en éprouvait de l'humeur. Ce n'était pas ce qu'il avait voulu pour son spectacle. Le peuple de Pearlis attendait depuis longtemps de voir une sorcière parmi les flammes ; pas question qu'elle mette tout par terre. Le confesseur avait remarqué qu'aucun noble ne figurait dans la foule, hormis le petit rouquin et ses deux acolytes. Même Lord Rokan était absent. Lymbert était très irrité de se donner tout ce mal pour le bas peuple uniquement. Au fond de lui, une petite voix lui soufflait que cette engeance était la seule qu'il pouvait impressionner par ses rodomontades et ses accusations ; mais il refusait de l'entendre.

— Inutile de brûler notre habit de cérémonie, dit-il dans un gloussement, invitant tous ceux autour de lui à l'imiter.

Comme les moutons dans le pré, ils le suivirent, oubliant totalement qu'ils s'exposaient ainsi aux émanations maléfiques. Contrairement à leurs aïeux qui croyaient sincèrement à la puissance de la magie, les spectateurs du jour étaient surtout poussés par la curiosité. Quelques vieux dans la foule firent des gestes de protection, mais personne n'écouta leurs protestations.

On retira donc la samarra qui couvrait la jeune femme. Son corps nu était de nouveau visible de tous.

Voilà qui devrait donner un peu de piment, pensa Lymbert, satisfait de l'effet que produisait sur les hommes ce corps brisé et pourtant encore étrangement désirable. Mais il était surtout satisfait que le jeune rouquin n'ait pas osé protester, même s'il s'en était d'abord étonné. L'attention du garçon paraissait tout accaparée par un sac qu'il portait. Lymbert haussa les épaules.

—Qu'on la brûle ! ordonna-t-il.

Et la voix maudite s'éleva de nouveau.

—Attendez ! s'interposa Wyl.

Gueryn et Alyd, qui l'encadraient, en restèrent médusés. Wyl s'avança.

—Myrren de Baelup n'a pas avoué être une sorcière, poursuivit Wyl. Elle n'est donc qu'accusée et condamnée. Elle mourra dans les flammes, c'est dit, mais elle mourra avec la même dignité qu'elle a montrée au cours des ordalies.

Wyl tira une grande chemise de son sac.

—Comme il vous plaira, général Thirsk, cracha le confesseur entre ses dents serrées.

Au moins, sa précieuse samarra serait épargnée.

Une troupe de cavaliers appartenant à la garde privée du roi fonça sur eux. Au centre, reconnaissables entre toutes, il y avait les silhouettes de Magnus et de Celimus. Voilà donc pourquoi Lymbert avait accepté aussi vite. Surpris de voir leur souverain faire irruption, les hommes saluèrent immédiatement en s'inclinant profondément, tandis que les femmes faisaient la révérence. Magnus ne dit rien, mais sa mine était sévère, sa bouche hermétiquement serrée.

Mon roi, si vous n'êtes pas d'accord, faites cesser cette horreur! implora Wyl silencieusement. Mais Magnus n'eut qu'un hochement de tête avant de poursuivre à bride abattue accompagné de ses hommes. Celimus remâchait sa colère. L'expression sur son visage était sombre, mais il trouva le moyen d'expédier en passant un rictus à l'intention de Wyl. Manifestement, il n'avait pas été autorisé à assister à l'exécution et c'était l'unique consolation de Wyl dans cette bien triste journée. Magnus aurait peut-être pu accorder sa grâce. C'était ce que tout le monde pouvait souhaiter. L'enthousiasme de tous ces gens devant une telle abomination dépassait l'entendement de Wyl.

Cela lui fit penser que dans le royaume de Morgravia, on se moquait volontiers de Ceux des Montagnes, en les accusant de n'être que des barbares. Souvent, son père l'avait mis en garde contre cette étiquette qu'on accolait sans même y réfléchir.

C'est nous qui sommes les barbares, songea Wyl. *Persécuter ainsi une femme sans défense. Des paysans, oui! comme le disait Adana*. Il observa les gens de Pearlis autour de lui, venus passer un bon moment. Il nota tout de même avec satisfaction qu'aucun noble n'était présent. Pour la plupart, c'étaient des jeunes gens qui n'avaient jamais vu quelqu'un brûler; Wyl trouva la force d'excuser leur curiosité.

L'arrivée de Magnus avait brisé le charme. Soudain, les gens échangeaient des regards gênés et Lymbert commençait à se dire qu'il perdait le contrôle. Il grimaça de rage en voyant Wyl, gonflé par l'attitude du roi, monter sur la paille pour couvrir Myrren de sa chemise.

Wyl murmura quelque chose à son oreille. Elle l'entendit et leva son visage vers la seule personne qui lui avait montré un peu de compassion.

—Mon chien Filou. Promets-moi de t'occuper de lui, coassa-t-elle d'une voix brisée.

—Je te le promets, répondit Wyl, sidéré qu'en cet instant elle manifeste du souci pour une bête.

Elle lui sourit en retour et son corps fracassé parut se détendre quelque peu.

—Adieu, Wyl. Ne crains pas ce que je vais te donner.

Wyl hocha la tête, en se demandant bien pourquoi il devrait craindre un chien. Il rejoignit ses compagnons, avec le sentiment qu'il avait fait tout ce qu'il pouvait pour la jeune femme.

Entre ses dents, Gueryn marmonna son approbation à Wyl.

—Bravo, mon garçon. Je vois que tu as un coup d'avance sur le confesseur.

—Elle a assez souffert comme ça, répondit Wyl.

—De quoi parlez-vous tous les deux ? demanda Alyd, totalement fasciné par les torches qu'on allumait.

—Tu vas voir, répondit Gueryn.

Les torches furent mises au contact du petit bois qui prit immédiatement. Le sourire de Lymbert s'agrandit ; il savait que la paille humide brûlerait longtemps. Son but était de faire en sorte que la fumée dessèche lentement la gorge et les poumons de Myrren, bien avant que son corps se consume.

Wyl observa l'infâme confesseur se faire servir un verre de vin tiré d'un flacon de grès, avant d'émettre un petit commentaire satisfait.

—C'est que ça donne soif ces bûchers...

Mais à l'instant où Lymbert allait rejeter la tête en arrière pour boire, son attention fut attirée par un subit embrasement autour de Myrren.

Une flammèche avait atterri sur la chemise dont Wyl l'avait recouverte et, instantanément, elle s'était enflammée. Le corps envahi par le feu, Myrren tentait de s'asseoir. En vain. Wyl contemplait Lymbert qui, maintenant qu'il avait compris que la chemise était imbibée d'huile, le cherchait des yeux – lui, ce maudit gamin. Wyl détourna son regard ; ses yeux étaient uniquement pour Myrren désormais. Ses cheveux magnifiques s'enflammaient et se consumaient tandis que d'autres flammes déjà léchaient son joli minois. Au cœur de ce brasier, tout ce que Wyl voyait était les yeux de Myrren, ces yeux étranges aux couleurs différentes qui s'accrochaient à présent aux siens. Elle tremblait sous le feu incandescent qui dévorait sa chair. Son visage n'avait plus de traits, ses dents saillaient dans un atroce sourire d'agonie, mais ses yeux ne quittaient pas les siens, en un ultime baiser de mort.

Wyl entendit une nouvelle fois ses mots résonner dans son esprit. *Ne crains pas ce que je vais te donner.*

Puis Myrren laissa finalement jaillir sa colère et son désespoir dans un long cri, que Lymbert savoura en connaisseur.

En entendant ce hurlement glaçant à l'instant de sa mort, Wyl Thirsk, général de la légion de Morgravia, sentit une vague étrange le traverser. Une sensation ni douloureuse, ni agréable, mais d'une intensité incroyable et qui le dévorait littéralement. Puis il eut l'impression suraiguë d'un déchirement en lui, accompagné de la certitude de ne plus pouvoir respirer. En fait, l'air ne parvenait plus à entrer en lui. Wyl ferma les yeux, découvrant ses dents en un affreux rictus ; le monde alentour n'existait plus, tout entier disparu dans ce cri perçant qui le vrillait. Lorsque la voix se tut, d'un coup, Wyl perdit connaissance, sombrant dans un puits de ténèbres. Quelques-uns le virent s'écrouler au sol ; Lymbert était de ceux-là.

— Un vrai général, lâcha-t-il animé du seul désir d'avoir le dernier mot. Imaginez-le un peu sur le champ de bataille.

Un boucher de Pearlis qui se tenait là enchaîna à son tour.

— Aucune résistance. Il faudrait que je l'emmène aux abattoirs pour l'endurcir un peu.

Gueryn et Alyd s'empressèrent de porter Wyl, toujours inanimé, loin de la foule et de la fumée. En état de choc, Gueryn ordonna à Alyd d'aller chercher de l'eau, immédiatement. Le jeune homme ne perdit pas une seconde.

—Wyl, mon garçon. Wyl ! Reviens, s'il te plaît, reviens.

En soulevant les paupières de Wyl, le vieux soldat vit que les pupilles étaient si dilatées que la couleur de l'iris ne se voyait plus ; une bouffée d'angoisse l'étreignit.

Gueryn chercha Alyd du regard. Ses yeux tombèrent sur un gosse atrocement sale et maigre. L'odeur qu'il dégageait prenait à la gorge, mais dans la main qu'il tendait se trouvait une gourde d'eau.

—Elle est fraîche et bonne. Et propre. Je l'ai tirée du puits il n'y a pas une heure.

Gueryn musela ses doutes pour accepter l'eau. Il aspergea le visage et les cheveux de Wyl, puis s'efforça de desserrer ses dents pour le faire boire.

—Il va s'en sortir, n'est-ce pas ? demanda le garçon, à l'évidence très inquiet.

Gueryn ne répondit pas, tout entier concentré sur les grommellements qu'émettait Wyl en reprenant conscience.

—Ah, mon garçon, tu m'as fait peur.

Les yeux de Wyl papillotèrent avant de s'ouvrir en grand. Ce que Gueryn vit à cet instant l'horrifia. L'épouvante montait en lui ; il se laissa tomber lourdement au sol.

Wyl secoua la tête pour chasser l'étourdissement.

—Quoi ? Qu'est-ce qu'il y a ?

—Regarde-moi, Wyl, demanda Gueryn d'une voix blanche.

Aucun doute malheureusement, dans le regard fiévreux face à lui brûlait bien une flamme ensorcelante. C'étaient deux yeux magnifiques, mais dissemblables l'un de l'autre – l'un d'un gris doux et profond et l'autre vert émeraude tout pailleté d'or.

Wyl refermait les yeux à la seconde où déboulait Alyd à ses côtés, poussant le garçon dont l'eau avait servi à ranimer son ami.

—Aide-moi à l'emmener d'ici ! ordonna Gueryn, encore trop secoué par ce qu'il avait vu pour donner plus d'explications.

Chapitre 5

Alyd Donal ne parvenait pas à effacer le sourire qui ornait son visage. Celui-ci ne l'avait plus quitté depuis que la jeune Ylena Thirsk, du haut de ses seize ans, avait accepté sa demande en mariage. Il avait été patient. Les six dernières années qu'il venait de passer loin des siens à Felrawthy avaient certainement été adoucies par l'amitié indéfectible qui l'unissait à Wyl Thirsk, mais plus encore par l'amour qu'il éprouvait pour Ylena. Depuis le jour où son ami aux cheveux de feu l'avait présenté à son exquise sœur, aucune fille n'avait plus compté pour lui. Le besoin qu'il avait immédiatement éprouvé de protéger cette douce créature l'avait surpris ; il n'avait d'ordinaire rien d'un champion. Avec son intrépide frère à ses côtés – et par-dessus tout la protection du roi –, elle n'avait nul besoin de son épée ; et pourtant, même à douze ans, lorsqu'elle n'était encore qu'une jeune fille effacée, Ylena recherchait sa compagnie. C'était comme si déjà pour elle aussi il n'y avait eu personne d'autre. Malgré tout cela, les larmes qui avaient inondé ses yeux à l'instant où elle avait hoché la tête pour un petit « oui » timide en réponse à sa demande avait fait naître en lui une vague de bonheur telle qu'il ne pouvait imaginer vie plus heureuse. La magnifique jeune femme qu'était devenue Ylena serait la plus belle des mariées. Ne voulant pas attendre un jour de plus que nécessaire, ils avaient fixé une date qui ne laissait guère de temps pour les formalités d'usage, pour ne rien dire des préparatifs habituels inhérents à un mariage noble.

En tant que chef de la famille Thirsk, Wyl n'avait vu aucune objection à donner son accord ; à dire vrai, il se demandait pourquoi ils avaient attendu si longtemps. Par courtoisie, Alyd avait également fait part de ses projets à Gueryn, qui s'en était montré ravi. Enfin, le messager de la famille d'Alyd, en provenance de Felrawthy, avait apporté la nouvelle du consentement. Le duc et la duchesse se réjouissaient d'apprendre que la promise de leur plus jeune fils était si proche de la famille royale et qu'en outre elle était issue d'une lignée de Morgravia des plus loyales.

Avec Wyl à ses côtés, Alyd avait sollicité une audience auprès du roi. Il seyait en effet que le souverain donne son accord à cette union, le défunt père d'Ylena ayant confié à Magnus la charge de lui trouver un beau parti. Les Donal de Felrawthy étaient une vieille dynastie, à l'irréprochable fidélité au trône. Aucun doute, le roi ne pourrait que consentir à cette alliance entre l'unique fille de son meilleur ami et le fils d'un de ses ducs les plus dévoués.

Magnus, qui accusait le poids des ans, accueillit deux des jeunes gens qu'il préférait dans tout Stoneheart en souriant d'indulgence devant la nervosité d'Alyd. Moins rompu que son ami Wyl aux entretiens avec le roi, ce dernier débita sa demande sans même reprendre son souffle.

Autour d'un verre de vin et de quelques biscuits, les trois hommes conversèrent dans le jardin privé du roi. Vieux guerrier et féroce chasseur en son temps, Magnus montrait ce jour-là une vraie tendresse de père pour ses jeunes protégés. Au cours de ces dernières années de paix, qui lui avaient permis de rester le plus clair de son temps à Pearlis, le jardin n'avait cessé d'embellir grâce à ses soins attentionnés. C'était un trésor qu'il léguerait à la postérité. Il laissait le reste des immenses terrains de Stoneheart aux bons soins de ses jardiniers, mais ce carré emmuré était tout à lui ; son jardin secret. Les deux jeunes soldats ne tarissaient pas d'éloges, tandis que le roi parlait fièrement de ses derniers succès horticoles.

— Vous imaginez ça un peu ? Une nifella bleue qui ne pousse normalement qu'aux confins du nord du royaume.

Les deux garçons sourirent en hochant la tête. Tout cela ne signifiait pas grand-chose pour eux, mais le fait que le roi soit parvenu à faire croître cette plante sous un climat plus doux déconcertait littéralement les spécialistes.

Magnus sourit par-dessus son verre.

— Ah, mes jeunes amis, comme je vous envie.

— Votre Majesté ? s'enquit Alyd.

— Mais oui, regardez-vous un peu. Deux magnifiques spécimens de Morgravians, précisa-t-il, en coulant un regard appuyé à son jeune général qu'il savait peu sûr de lui sur la question de l'apparence.

» J'envie votre jeunesse et votre énergie.

Les lèvres de Wyl se redressèrent d'un côté. À cet instant, Magnus s'aperçut que le garçon en Wyl n'existait plus ; la douceur un peu ronde d'autrefois avait cédé la place à des angles plus durs. Devant lui, il y avait maintenant un homme fait – et qui plus est, un homme qui lui rappelait son vieil ami. Les muscles saillants sur son corps massif et les cheveux couleur de feu étaient désormais sa signature, et non plus sa malédiction. Par plaisanterie, les soldats disaient que le général n'avait nul besoin d'un étendard sur le champ de bataille – il suffisait de se rallier à son panache roux. Son teint s'était hâlé et les taches de rousseur s'étaient estompées également sous l'effet de la maturité. Il n'était pas devenu bien grand, mais Fergys Thirsk ne l'était pas non plus ; et tous deux étaient de formidables guerriers. Hormis son propre fils, songeait Magnus, personne à Stoneheart ne pouvait rivaliser au combat avec Wyl Thirsk.

Il avait prouvé sa valeur et gagné dans les faits son droit au titre de général de la légion. Honnête et droit, et incontestablement courageux, Wyl avait au fil des dernières années acquis le respect de son armée. Il était certes encore bien jeune, mais le gros de l'armée ne l'était-il pas aussi ? Magnus savait que tous les soldats frais émoulus ne demandaient qu'à mettre leurs pas dans ceux de Wyl.

L'antagonisme persistant entre Wyl et Celimus était vraiment un crève-cœur. Malgré l'attitude toujours polie et irréprochable du jeune Thirsk et sa détermination à tenir la parole qu'il avait donnée, Magnus voyait clair ; ces deux-là ne s'aimaient pas. Et sur ce chapitre, personne ne pouvait être meilleur juge que lui. Enfin, aussi longtemps que Wyl Thirsk protégerait fidèlement l'héritier, cela suffirait. Magnus cernait parfaitement la loyauté passionnée qui animait Wyl ; il n'avait même pas à se demander si le jeune homme ferait un jour passer ses doutes bien compréhensibles sur Celimus avant l'intérêt du royaume de Morgravia.

Il ne s'écoulerait plus très longtemps avant que sa théorie soit soumise à l'épreuve des faits. Magnus sentait son heure approcher et accueillait tranquillement cette perspective. Il était fatigué ; et bien seul également. Sa femme était morte depuis longtemps – que Shar l'envoie pourrir en enfer –, son ami de toujours mort lui aussi et son fils unique n'était guère plus qu'un étranger pour lui. Oui, l'heure approchait de remettre le royaume de Morgravia à la nouvelle génération et de céder les rênes à Celimus. Peut-être allait-il se révéler dans ses nouvelles fonctions. Qui pouvait savoir ? En tout cas, le roi et le général allaient devoir travailler ensemble, comme cela avait toujours été par le passé.

Morgravia et Briavel ne restaient jamais plus de dix ans sans partir en guerre l'un contre l'autre. Magnus hocha la tête pour lui-même ; ce bon vieux Valor devait sérieusement grincer sur son cheval lui aussi. Sans doute valait-il mieux qu'ils passent la main tous les deux à leurs enfants ; à ceci près que Briavel n'avait qu'une héritière à mettre sur le trône, et faible du cœur et guère solide avec ça. Il n'avait vu la princesse qu'en une seule occasion, à un mariage royal bien des années auparavant dans la lointaine Tallinor, lorsque le roi Gyl avait épousé une « bergère » sans titre ni fortune, la resplendissante Lauryn Gynt. Tous les royaumes voisins s'étaient sentis obligés de faire le déplacement.

Magnus détestait voyager hors de Morgravia, mais Fergys l'avait aimablement consolé en lui rappelant que le père de Gyl, le vieux roi Lorys, s'était allié à Morgravia des lunes auparavant et avait naguère été le souverain d'un vaste royaume. Lui faire affront en dédaignant ses épousailles ne serait pas très politique. Magnus s'était laissé convaincre et, en compagnie de Fergys, avait entrepris l'interminable chevauchée.

À cette occasion, il avait d'ailleurs emmené Celimus avec lui – au grand étonnement de ses nourrices. En fait, toujours sur les conseils de Fergys, Magnus voulait passer du temps avec son fils pour apprendre à mieux le connaître. Sans mère pour l'aimer, le garçon avait besoin de la force et de la protection d'un père pour le rassurer et le guider. Fergys avait souligné que ce voyage était l'occasion de forger de nouveaux liens. D'une manière très embarrassante, Celimus avait trouvé le moyen d'agresser Briavel, juste après que Magnus eut précisément présenté ses respects à son monarque. Avec raideur, les deux rois s'étaient froidement salués d'un signe de tête quand la jeune fille de Valor était soudain devenue presque hystérique.

Certes, Celimus avait montré un air foncièrement coupable et les restes de la poupée détruite jonchaient le marbre de la salle de réception ; pour autant, le raffut qui avait suivi excédait de bien loin la gravité du méfait. Ce n'était qu'une poupée après tout et les cris d'orfraie de la petite avaient manifestement embarrassé son père. Magnus se rappelait encore comment la fillette aux joues rondes et cheveux noirs avait été prestement emportée par sa femme de chambre, pour ne plus reparaître. Il avait eu un hochement de tête plein de contrition. Décidément, l'héritière de Briavel n'était pas faite pour Celimus alors, et il savait qu'elle n'était pas davantage faite pour l'homme vaniteux et parfois cruel qu'il était devenu. Il se demandait bien ce qu'il adviendrait de Morgravia et de Briavel sous la houlette de ces deux-là.

Au fond, ce qui l'inquiétait le plus, c'était la menace venant du nord. En mourant, Fergys l'avait supplié de faire attention au roi des Montagnes. La légion savait avec certitude – et l'avait signalé en maintes occasions – que les hommes de Cailech franchissaient bien souvent la frontière. Adroits et rusés, ils ne traînaient pas, faisant des raids éclairs en Morgravia pour commercer. Magnus se souvenait de la mise en garde de Fergys : « Il commerce pour l'instant, mais un jour, Magnus, il amènera une armée avec lui. Il nous teste. Nous ne devons jamais le laisser croire qu'il est à l'abri. »

Magnus se demandait si Cailech et les siens avaient déjà mené le même genre d'expéditions en Briavel ; oui, sans aucun doute. Il se dit que la meilleure chose serait que les deux héritiers des trônes du sud se marient. Unir les royaumes, fusionner les armées et défier Cailech.

Il rit silencieusement à la pensée étonnante d'un Morgravia et un Briavel en bons termes. C'est à cet instant qu'il se rendit compte qu'il était absorbé dans ses pensées depuis un long moment et que la politesse seule maintenait les deux jeunes gens attentifs.

— Veuillez m'excuser, dit-il doucement.

— C'est inutile, Sire, répondit Wyl en s'enfonçant dans les coussins derrière lui. Votre jardin est un tel havre de paix que je me laisserais volontiers aller aussi.

Il sourit et le roi lui rendit son sourire. Magnus était profondément heureux de voir Wyl aussi à l'aise. À une certaine époque, il s'était fait du souci pour lui. Cette affaire de la sorcière brûlée quelques années auparavant était certes de l'histoire ancienne, mais il regrettait toujours ce qu'on avait fait subir à cette pauvre fille. Il avait détesté la vision de son pauvre corps martyrisé attaché au poteau. *La sorcellerie,* pensa-t-il, *un tissu d'idioties et rien d'autre.* Il se félicitait d'avoir débarrassé le royaume du confesseur. Il avait personnellement chassé Lymbert le lendemain de l'exécution ; et avec lui le dernier bastion de la ferveur zerque. Cela faisait six ans maintenant qu'on ne traquait plus les sorcières et, d'ici peu, la plupart des derniers croyants auraient disparu et avec eux leur fanatisme. La bataille serait enfin gagnée et l'ordre zerque n'aurait plus aucune influence dans le royaume. Cette perspective était un soulagement pour lui ; Magnus n'aurait plus le temps désormais de mener une autre bataille. Il regrettait qu'une jeune femme ait dû mourir pour lui rappeler sa promesse de débarrasser sa terre des zerques, et que d'autres – à commencer par son général – aient eu à en souffrir.

Gueryn était encore en état de choc lorsqu'il s'était entretenu avec Magnus pour lui décrire l'étrange phénomène qui avait touché Wyl pendant l'exécution, en particulier le changement de couleur de ses yeux. Aujourd'hui, ils avaient repris la teinte bleu foncé dont Fergys avait héritée lui aussi. Le roi n'avait pas cru Gueryn et aujourd'hui encore il restait persuadé que tout cela n'avait été qu'une illusion. Lorsque Wyl avait pleinement recouvré connaissance, en présence du propre médecin du roi, il était toujours le même – inquiet de l'image qu'il donnait auprès des autres, mais sans excès finalement compte tenu des événements.

Deux yeux bien pareils qui, à cet instant, regardaient Magnus avec une petite lueur d'ironie.

— Encore dans vos pensées, Sire.

Le roi se reprit, cligna de l'œil à l'intention de Wyl, avant de tourner son attention sur l'autre visiteur.

— Ah, Alyd, quelle négligence de ma part. Tu vois ce que la vieillesse fait de moi, alors ne perds pas de temps. Épouse la sœur de Wyl sans tarder, tu as ma bénédiction. Que l'amour et la joie t'accompagnent tout au long de ta vie...

Magnus laissa filer quelques secondes avant de poursuivre.

— ... et dans ton lit conjugal.

Alyd gloussa à la remarque du roi.

— Alors, reprit Magnus, comptes-tu épouser la belle Ylena au temps des nouvelles feuilles ?

Alyd s'éclaircit la voix tandis que le rose lui montait aux joues. Tout comme celui de Wyl, son visage avait gagné en maturité. S'il n'avait pris l'habitude de les porter courts, ses cheveux lui tomberaient certainement encore dans les yeux. Sa nouvelle allure lui allait bien, surtout avec le collier de barbe qui avait désormais sa préférence. Magnus songea que bien des demoiselles à Stoneheart allaient avoir le cœur brisé à l'annonce de ce mariage.

— Votre Majesté, je ne peux plus attendre. Nous nous marierons dès la fin du tournoi royal.

— Si tôt ! s'exclama le roi manifestement surpris.

— J'ai bien tenté de les dissuader, mais impossible de leur faire changer d'avis à ces deux-là, intervint Wyl. Ylena est bien décidée elle aussi à l'épouser dans le mois.

— Eh bien qu'il en soit ainsi. Et au fait, bonne chance pour le tournoi.

Le roi se leva, dominant Wyl d'une tête malgré ses épaules voûtées. Il tapota amicalement l'épaule d'Alyd.

— Alyd, prends bien garde à ta jolie figure si tu dois aller à l'autel quelques jours après.

— Merci, Sire, mais il ne m'arrivera rien. Ylena et moi vieillirons et deviendrons gros ensemble.

Leurs rires pleins de bonne humeur furent interrompus par l'irruption de Celimus.

— Ah, père. Je pensais bien vous trouver ici.

Wyl et Alyd saluèrent courtoisement le prince, non sans une certaine raideur.

—Mais peut-être que j'interromps une réunion privée ? demanda Celimus, dissimulant son mépris derrière son sourire éclatant.

—Non, fils. Alyd ici présent vient juste d'obtenir ma permission d'épouser sa belle Ylena. Nous discutions de la date de la cérémonie.

—Félicitations, Alyd, déclama Celimus sans perdre son sourire. J'ai moi-même toujours espéré pouvoir goûter un jour aux lèvres délicieuses d'Ylena Thirsk.

Alyd sentit Wyl se raidir à côté de lui. Il mordait toujours aussi vite aux appâts que le prince lui lançait. Quand donc apprendrait-il à l'ignorer ?

Wyl répondit du ton piquant qu'il avait coutume d'employer.

—La liste des jeunes beautés brûlant d'attirer votre attention est si longue, mon prince, que je n'imagine pas qu'il vous en coûte de renoncer à elle.

—Vous avez raison, ce n'est pas une bien grande perte finalement, n'est-ce pas ? répondit le prince, tout heureux de voir Wyl bouillir d'indignation.

» Et vous, général, que dites-vous de ce mariage ? poursuivit Celimus. Ce doit être un grand bonheur de vous débarrasser de votre sœur pour la mettre dans le lit du fils d'un très riche duc.

—En effet, mon prince.

Wyl avait été incapable de trouver mieux à répondre dans les limites de la décence.

—Et quand cet heureux événement doit-il avoir lieu ? insista Celimus en se servant un verre de vin.

C'est Alyd qui intervint, habitué à la tournure glaciale que prenait toute conversation entre le prince et le général.

—Juste après le tournoi royal. Votre père a donné sa bénédiction. Vous recevrez bientôt votre invitation, mon prince.

Ayant dit, Alyd offrit son plus magnifique sourire.

Wyl eut un soupir. Malgré son charme ravageur, Alyd n'arrivait pas à la cheville de Celimus ; loin de là. Le prince de Morgravia était devenu un homme d'une beauté irréelle qui éclipsait jusqu'au magnifique jeune homme qu'il était quelques années auparavant. Plus grand que son père, large d'épaules et la taille bien prise, il lui suffisait de paraître dans une salle pleine de monde pour que tombe le silence. Telle était sa puissance de séduction.

— Alors il va falloir que je songe à quelque chose à offrir à la sœur de notre très estimé général, répondit le prince en vidant son verre.

Magnus décida de mettre un terme à cette épineuse conversation.

— Tu voulais me parler, mon fils ? Donne-moi un instant pour saluer mes hôtes et je suis à toi.

— Inutile, Sire. Ces deux excellents soldats sont concernés et leur opinion est la bienvenue.

— Tiens ? s'étonna le roi en se demandant quelle malfaisance pouvait bien encore se tramer.

— Oui, il s'agit du tournoi. J'aimerais proposer de nouvelles dispositions autorisant l'emploi d'armes véritables.

Le roi secoua négativement la tête et esquissa un mouvement pour s'en aller.

— Tu connais ma position sur la question. Je ne risquerai pas la vie de l'héritier.

— Majesté !

Un instant, Celimus perdit sa suffisance coutumière et le ton qui l'accompagnait. Il y avait comme une supplique dans sa voix.

— C'est précisément parce que je serai roi de Morgravia un jour que je vous le demande, père, insista-t-il. Nous ne sommes plus des garçons qui s'entraînent. Nous sommes des soldats désormais. Thirsk ici présent peut couper un homme en deux les yeux fermés. À part moi bien sûr..., ajouta-t-il en retrouvant son ton normal. L'heure n'est plus aux jeux d'enfants, père. Nous sommes des hommes bien entraînés. Permettez-nous de nous battre comme des hommes parce que nous sommes des hommes. Peut-être aurez-vous besoin de nous sur le champ de bataille plus tôt que vous le pensez. Et à cet instant, il nous faudra bien mourir comme des hommes par l'épée.

Wyl emboîta le pas du prince. Ce serait là l'une des rares occasions qu'il aurait jamais en tant que général d'être d'accord avec Celimus.

— Votre Majesté, le prince Celimus dit vrai. Ce tournoi est une démonstration, mais permettez à tous d'éprouver véritablement ce que l'on ressent dans un combat face à face.

Magnus était coincé. En vérité, il ne savait même pas pourquoi il s'était opposé avec autant d'acharnement à l'utilisation d'armes réelles; une petite voix intérieure lui soufflait toutefois que c'était parce qu'il avait toujours craint que Wyl et Celimus, même adolescents, ne se battent jusqu'à une issue tragique. Et maintenant ils étaient là devant lui, vigoureux et pleins d'une énergie débordante.

En l'obligeant à combattre avec une épée de bois, il tournait Celimus en ridicule.

Il hocha la tête en signe d'acquiescement. Les trois jeunes hommes devant lui parvenaient à peine à contenir la joie que leur procurait son consentement.

Le tournoi annuel royal était un événement majeur au royaume de Morgravia et l'on venait de très loin pour prendre part aux festivités. Autour des aires où s'affrontaient les hommes d'armes poussaient de véritables villages regroupant troubadours itinérants et marchands de produits venus de loin. Des files ininterrompues de roulottes de voyageurs nomades, de carrioles d'artisans et de gens des campagnes à pied s'étiraient aux portes de Pearlis. Partout, des jongleurs, bateleurs et musiciens animaient ces marées humaines ; il y avait même un cirque.

La population de la partie nord de la ville, là où se déroulait le tournoi, avait doublé en deux jours, puis quadruplé en quatre. L'excitation montait dans la ville et les tavernes faisaient leurs meilleures recettes de l'année.

Fort de sa longue expérience, Magnus veillait à ce que les habitants de Pearlis n'abusent pas honteusement des visiteurs les plus pauvres, venus s'offrir une journée de bon temps à la ville pour oublier leur labeur exténuant dans les champs. Il avait donc promulgué des édits demandant qu'on accorde des prix spéciaux pour l'hébergement des hommes et des bêtes, mais aussi dans les cantines et aux puits. Par l'intermédiaire de Wyl, il avait fait constituer des patrouilles spéciales qui passaient au hasard dans les tavernes pour s'assurer que la bière n'était pas trop coupée d'eau et que la nourriture restait honnête. Wyl avait nommé Alyd au commandement de cette troupe, sachant que la bonne mine et les manières affables de son ami sauraient calmer la rancœur des taverniers frustrés.

Les casques et cuirasses, les seuls éléments d'armure que portaient les soldats de Morgravia, rutilaient comme des soleils. Les chevaux étaient brossés jusqu'à rendre leur robe luisante et les armes étaient affûtées et huilées de façon qu'elles fassent jaillir des étincelles au moindre choc. La perspective des affrontements à armes réelles faisait passer un frisson de fièvre sur la ville. Jamais à l'entraînement du matin n'avait-on vu pareille intensité.

Wyl devait en permanence rappeler ses hommes à la modération.

— Tout doux, messieurs ! Ce ne sera qu'une démonstration. Il y aura des dames de la cour et des invités de tout le royaume. Inutile que les femmes s'évanouissent parce que des combattants trop zélés se seront tailladé le cuir.

Il avait encore quelques conseils à formuler concernant les autres arts de combat.

— Parfaitement, messieurs, il en sera ainsi et c'est tout ! attaqua-t-il pour couvrir les murmures indignés. Quant aux lutteurs, n'oubliez pas de vous huiler cette année. On m'a dit que les femmes adoraient ça – tout comme le capitaine Donal apparemment..., ajouta-t-il encore.

Ses hommes hurlaient de joie en chahutant un pauvre Alyd qui ne pouvait néanmoins s'empêcher de sourire.

Wyl fit rompre les rangs, puis s'approcha de son ami.

— J'aurais aimé te prendre comme partenaire pour la démonstration de combat, mais je crains que quelqu'un d'autre ne m'ait déjà réservé.

— Ah ? s'étonna Alyd en cherchant à toute vitesse de qui il pouvait bien s'agir. Laisse-moi deviner. Le prince ?

— Exact.

— Je suppose donc qu'il envisage de te blesser. Quelle meilleure occasion qu'un combat d'entraînement au cours de notre tournoi ?

— Il faudrait qu'il parvienne d'abord à traverser ma garde.

— Je l'ai bien observé, Wyl. Il est bon.

Wyl haussa les épaules.

— Mais peut-être pas assez bon quand même. Nous verrons dans quelques jours.

Alyd partit d'un rire joyeux.

— Exactement ! Et puis nous fêterons ça quelques jours après.

Son œil pétillait d'avance, mais Wyl ne partagea pas sa joie.

— Il faut que je te dise autre chose. Celimus veut faire plus que m'humilier. Il veut m'atteindre autrement que physiquement. Il veut combattre pour le baiser d'une pure.

— Et alors ? interrogea Alyd perplexe. Je crois que j'en ferais autant à sa place.

— Hmm. Et quelle pure va-t-il choisir d'après toi ?

La compréhension foudroya littéralement Alyd.

— Ylena, murmura-t-il d'une voix blanche.

— Exact encore.

— Je ne le laisserai pas faire ! déclara Alyd en secouant sauvagement la tête. Je ne le laisserai pas poser ses lèvres sur celles de ma promise.

Wyl eut une grimace peinée puis, d'un coup d'œil à la ronde, s'assura que personne ne les entendait.

— C'est pire que ça. Il veut rétablir l'ancienne forme de cette coutume, ce qu'on appelait le sang d'une pure. Bien pire qu'un baiser.

Wyl lui-même venait tout juste d'être informé de la sombre tournure des événements ; il était précisément en route pour demander audience au roi.

— Il veut mettre Ylena dans son lit avant toi, précisa-t-il.

— Alors il devra me tuer d'abord, répliqua Alyd d'une voix glacée.

— Non, dit Wyl. Il devra me tuer moi.

Lorsque Wyl se présenta au secrétaire du roi, Orto lui dit que le souverain était souffrant. Apparemment, Magnus était bien plus fragile que Wyl n'avait été amené à le penser jusqu'alors. On l'autorisa tout de même à le voir mais « quelques instants seulement », comme le recommanda le médecin avant de quitter la pièce.

— Bonjour, mon cher Wyl. Je pensais bien te revoir avant longtemps, dit le vieil homme.

Wyl était trop perturbé par ce qu'il voyait pour saisir le message implicite derrière les mots.

— Que vous arrive-t-il, Sire ?

Installé dans une montagne de coussins que son valet avait particulièrement veillé à rendre confortables, le roi ne pouvait pour autant dissimuler son visage exsangue et creusé.

— Tu ne devines pas ?

Wyl ne s'attendait pas à ça. Subitement, les raisons mêmes de sa venue perdirent tout leur sens. Il était évident que le vieux roi ne tiendrait pas jusqu'au tournoi ; et encore moins jusqu'au mariage d'Ylena.

Magnus respecta le silence de son visiteur pendant quelques longues secondes douloureuses, puis aborda ce qui devait être dit.

— Je me meurs, Wyl.

Le roi saisit la main du jeune homme qui s'apprêtait à protester.

— S'il te plaît… Assieds-toi avec moi quelques instants. J'ai des choses à te dire.

Magnus bougea un peu pour que Wyl puisse tirer un siège auprès du lit. Les mots du roi tournaient sans fin dans son esprit. *Je me meurs.*

— Demande-moi quelque chose d'intelligent… Le genre de question que ton père poserait.

Wyl n'avait pas la tête à jouer aux devinettes, mais il ne pouvait se soustraire. Il prit une seconde pour réfléchir.

— Je crois que mon père voudrait savoir de combien de temps vous pensez que nous disposons encore.

Magnus applaudit.

— Très bien, Wyl, excellent. C'est exactement ce que Fergys aurait demandé. Pas de compassion inutile, pas de dissertation sur ce qui ne peut être changé. Il aurait mis de côté ses sentiments personnels pour se concentrer sur le travail à faire ; en l'occurrence, tout ce qu'il faut mettre en place avant que je m'en aille.

D'un hochement de tête, Wyl signifia qu'il comprenait.

— Et quand cela doit-il arriver d'après vous ?

— Eh bien, d'après mes médecins, j'aurai de la chance si je vois la prochaine pleine lune.

Wyl avait la sensation que quelqu'un lui plongeait un

couteau dans les entrailles – et que cette personne était Celimus. Le vieil homme ne pouvait pas mourir maintenant ; c'était trop tôt.

—Votre fils est-il au courant ?

—Encore une bonne question. Non, je n'ai pas revu Celimus depuis l'autre jour dans mon jardin, où vous étiez Alyd et toi – et pourtant j'ai vu bien du monde depuis. Étonnant, tu ne trouves pas ? demanda le roi avec une surprise exagérément feinte.

Wyl ne savait que répondre.

—Je ne peux pas imaginer nos vies sans vous, Sire.

La voix de Magnus se teinta d'accents de vérité, tandis que ses yeux paraissaient étinceler.

—Et pourtant tu le dois ! Tu dois concevoir une stratégie pour la protection de Morgravia – toi et personne d'autre parce que Celimus, malgré le talent qu'il a en la matière, ne le fera pas. Son esprit, malheureusement, est pour l'heure tout entier tourné vers la débauche.

—Mon roi, avec tout le respect que je vous dois, je crains que vous ne sous-estimiez le prince. Il est ambitieux.

Magnus acquiesça.

—À ce que je crois comprendre, l'ambition ne serait pas une qualité chez lui ?

Sagement, Wyl ne répondit rien. Le roi poursuivit de sa voix affaiblie.

—S'il est ambitieux, il le cache bien, mais je pense que tu raisonnes juste, général. Je considère également que Celimus n'est pas aussi superficiel qu'il veut nous le faire croire.

—Absolument, Sire. Son esprit est tranchant comme une lame et, si je puis me permettre de parler à cœur ouvert… ?

D'un hochement de tête, Magnus l'invita à s'exprimer franchement.

—Après votre mort, j'ai le sentiment qu'il dirigera le royaume avec une poigne de fer.

— Je le crains aussi. Il est sans doute fin politique, mais il lui manque la finesse et l'ouverture d'esprit dont j'aurais tant aimé le voir doter. Pour autant, je crois qu'il est fidèle à Morgravia ; sur ce chapitre je lui fais confiance. Il n'acceptera pas que le royaume reste à la traîne derrière ses voisins… ce que toi non plus tu ne dois pas accepter, Wyl Thirsk. D'ici quelques années, lorsqu'il se sentira assez fort, Briavel partira de nouveau en guerre.

— Moi, ce sont Ceux des Montagnes qui m'inquiètent le plus, Sire.

— Exactement comme ton père, soupira le vieux monarque.

— Il avait raison, Sire.

— Oui, il voyait juste. Tu dois continuer à garantir nos forces au nord. Chaque jour, Cailech devient plus puissant.

— Les accrochages sont de plus en plus fréquents, Sire. Naguère, Ceux des Montagnes fuyaient lorsqu'ils croisaient l'une de nos patrouilles.

Dans un soupir, Magnus égrena la litanie de ses craintes.

— Et aujourd'hui, ils restent et se battent. Décidément chaque jour plus puissants… Ton père m'en a parlé jusque dans son dernier souffle. Tu devras toujours surveiller le nord, fils. Peut-être Cailech prendra-t-il d'abord Briavel, mais Morgravia est son plus beau défi. Qu'il prenne notre royaume et il ne fera qu'une bouchée de Briavel – surtout lorsque Valentyna sera sur le trône.

Yeux clos, sourcils froncés, Wyl se remémorait les derniers rapports qu'il avait consultés.

— Je n'aime pas qu'on tue Ceux du Nord, cela ne fait que jeter de l'huile sur le feu. J'ai donc donné l'ordre qu'on les épargne autant que possible. Qu'on fasse des prisonniers plutôt.

— Merci, Fergys, s'exclama le roi avec un petit sourire ironique. Si tu savais comme tu lui ressembles en cet instant. C'est exactement ce genre de chose qu'il dirait.

Wyl haussa les épaules.

— Je ne veux pas qu'on ait à se battre sur deux fronts. Pour l'instant, Cailech reste contrôlable si on ne cherche pas les problèmes. En fait, si on sait éviter l'escalade, on pourrait même envisager des pourparlers avec lui.

Magnus jeta un coup d'œil aigu à son général.

— Des négociations avec le roi des Montagnes ? Comme j'aimerais être là pour y assister.

Wyl parvenait difficilement à croire qu'ils avaient cette conversation. Il changea de sujet.

— Comment vous sentez-vous, Sire ? Est-ce que vous souffrez ?

— Un peu, sans plus. Rien que la liqueur de pavot ne puisse calmer.

Wyl était certain que le roi ne disait pas tout, mais il laissa glisser pour aborder ce qui le préoccupait vraiment.

— Votre Majesté... Pour le mariage d'Ylena... Verriez-vous un inconvénient à confier à un autre le soin de la conduire à l'autel ? Peut-être à votre parent le plus proche ?

Les yeux de Magnus s'écarquillèrent sous le coup de la jubilation.

— Celimus ?

Wyl déglutit avec difficulté. L'orgueil seul l'empêchait d'étaler tout ce qu'il savait et ressentait.

— Décidément tu es un joyau, mon garçon.

Le roi s'autorisa un petit rire chétif ; Wyl avait déjà la nostalgie des éclats tonitruants qu'il faisait entendre auparavant.

— Tu ferais ça ? reprit Magnus. Confier cet honneur à Celimus, l'homme que tu détestes certainement le plus au monde ?

Wyl n'hésita pas un instant.

— Je le ferais, Sire... si telle est aussi votre volonté.

Magnus posait maintenant sur lui un regard grave ; toute joie l'avait quitté.

— Ah, pourquoi n'es-tu pas mon fils, Wyl ? C'est toi qui devrais prendre en main le destin de Morgravia.

Le roi posa sa main sur celle de Wyl. Ses yeux s'étaient faits lointains. Wyl s'éclaircit la voix pour répondre dans un murmure.

— Cela ne peut pas être, Votre Majesté. Vous ne devez jamais plus dire ça.

— C'est vrai ; mais j'y pense en permanence. Tu es fait pour commander. L'homme qui va devenir roi ignore la compassion. J'ai peur pour notre peuple. J'ai peur pour toi.

— Ne craignez rien pour moi, Sire. J'ai pris sa mesure et ma loyauté lui est acquise.

— Vraiment, Wyl ? Il peut compter sur ta loyauté ?

Wyl se demanda pourquoi le roi lui posait cette question pour la seconde fois. Il réfléchit un instant, puis livra le fond de sa pensée.

— Sire, si Celimus n'est pas un bon roi, il n'aura pas mon respect, mais je peux vous dire du fond de mon cœur que Morgravia aura ma loyauté. Je protégerai le royaume jusqu'à mon dernier souffle.

Le roi ferma les yeux quelques secondes. Puis il hocha doucement la tête en serrant la main de Wyl dans son énorme poing.

— Cela me suffit, Wyl Thirsk, dit-il en souriant.

» Quant à Ylena, je demanderai à Gueryn de la mener à l'autel pour moi. Il fait presque partie de ta famille et je crois que ton père aurait apprécié ce choix.

Wyl soupira et tout son corps se détendit.

— Merci, Sire. Je sais que Gueryn en sera très honoré.

— C'est un homme précieux. Garde-le toujours près de toi ; il surveillera tes arrières. Et maintenant, venons-en à l'objet de ta visite, dit Magnus, pourtant vidé de toute énergie.

— Sire ?

— Oui, je suppose que tu es venu me parler du tournoi.

—Vous savez donc ?

—Que l'assaut entre Celimus et toi va être la principale attraction ? Oui. Mais je pense que tu souhaiterais plutôt m'entretenir du baiser d'une pure et du fait que Celimus choisira sûrement Ylena.

Wyl était soufflé ; il avait sous-estimé le roi. Une fois encore, il mesura à quel point son père et lui avaient dû former un tandem formidable.

—Si fait, Votre Majesté. À la nuance près que les choses ont pris mauvaise tournure. Celimus a annoncé son intention de monter les enjeux.

—Ah bon ?

—Il a l'intention de réclamer le sang d'une pure, dit Wyl tandis que la colère montait en lui. Il veut mettre Ylena dans son lit avant Alyd.

Magnus ne répondit rien, mais ses sourcils se rapprochèrent, ombrant son regard. Incapable de rester en place, Wyl se mit à faire les cent pas.

—C'est très grave, déclara finalement le roi.

Wyl tourna brusquement sur lui-même.

—Pouvez-vous empêcher cela, mon roi ?

—Tu sais bien que non. Ce serait un camouflet terrible pour lui, qui ne ferait que renforcer sa conviction que je te chéris plus que lui.

—Il croit cela ? demanda Wyl stupéfait.

—Et comment ne le croirait-il pas ? Lui et moi ne partageons rien, hormis notre sang.

Wyl voyait l'épuisement sur les traits du roi. Pourtant, il lui fallait une réponse ; il insista.

—Il a l'intention de l'emporter, Sire.

—Je m'en rends bien compte. En fait, tu apprendras que Celimus ne joue jamais s'il n'est pas sûr de l'emporter.

—Vous ne pouvez donc pas annuler son décret ?

—Et quand bien même, je ne le ferais pas. Celimus est en

train de faire ses armes. Bientôt, tu devras jouer selon ses règles. Ceci est ton premier test, dit Magnus des regrets plein la voix.

—Que puis-je faire? Je ne peux tout de même pas permettre que cela arrive.

—Ne le laisse pas jouer ses cartes. Peux-tu le battre armes à la main?

—Oui, affirma Wyl avec confiance.

—Alors il n'y a rien à craindre.

—Et pourtant, je ne peux chasser la crainte de mon cœur.

—Alors il va falloir que tu sois plus rusé que lui. Utilise cette tête sur tes épaules. Il y a une solution à chaque problème, mon garçon – c'est ce que disait toujours ton père, d'ailleurs. Et par Shar, nous avons toujours su trouver une solution. Combien de temps reste-t-il?

—Deux jours, Sire.

—Un de plus qu'il n'en faut alors, dit le vieil homme, avec au regard une lueur brillante.

Était-ce la fièvre ou le fait d'avoir déjà une solution? Wyl était bien incapable de le dire.

—Et quand donc doit avoir lieu ce mariage, au fait? demanda Magnus d'une voix usée.

—À la fin du mois, Sire.

—Ah oui, tu me l'as déjà dit. Tu devrais peut-être aller t'occuper de ces préparatifs dans ce cas, dit-il avec comme une idée derrière la tête. Je suis fatigué maintenant. Nous reparlerons bientôt.

Et sur ce, Magnus ferma les yeux pour s'enfoncer dans un sommeil aux arômes de narcotiques.

Comme s'il avait eu le pouvoir de voir à travers les murs, le médecin du roi frappa à cet instant et ouvrit la porte.

—Seigneur Thirsk, je vais devoir vous demander de laisser le roi se reposer maintenant.

—Bien sûr, répondit Wyl, toujours habité par les paroles étranges de son souverain.

Chapitre 6

Wyl attendait, assis dans une petite cour intérieure surélevée appelée l'Orangerie, dont les murs clos capturaient le soleil pour faire pousser des arbres fruitiers au cœur même de Stoneheart. Il appréciait la tranquillité du lieu, baigné du parfum entêtant des fleurs et des fruits ; Ylena, dont les appartements donnaient directement dessus, l'aimait aussi. Personne ne pourrait jamais dire que Magnus n'avait pas tenu la promesse faite à son ami Fergys. Ylena vivait dans le calme et la splendeur, entourée de servantes pour satisfaire ses moindres désirs, près de ce jardin magnifique que Magnus avait spécialement conçu pour la petite fille qu'elle était encore quand on l'avait confiée à lui.

« La fille que je n'ai jamais eue », lui avait-il murmuré une fois à l'oreille ; et elle ne l'en avait aimé que plus. Depuis, elle n'avait cessé de l'aimer. Ylena n'avait jamais oublié l'amour dû à son père, mais la vie le lui avait arraché si tôt qu'elle n'avait eu presque aucun mal à le transférer à cet immense ami qui la couvrait de cadeaux, de toilettes féeriques et de tout ce que pouvait souhaiter une jeune fille noble.

Wyl attendait sa sœur, l'esprit préoccupé. Assis à ses côtés, un grand chien noir patient et silencieux levait sur lui ses grands yeux tristes ; par instants, il touchait sa main de sa truffe pour lui rappeler son existence. Wyl caressa la grosse tête machinalement et Filou se plaignit doucement d'être ainsi ignoré. Il lâcha aux pieds de son maître la balle de vieux chiffons confectionnée par Ylena, dans l'espoir vain que Wyl la lance pour entamer une de leurs folles parties.

Des bruits de pas firent se dresser les oreilles du chien.

— Tu as envie de jouer, Filou ?

Fraîche et pimpante, Ylena arrivait de sa chambre, avec dans son sillage un parfum à la fois doux et épicé qui se mêlait à l'odeur des fleurs. D'un coup de pied, elle propulsa la balle au loin, lançant le chien à fond de train dans la galerie.

— Salut, Wyl, dit-elle en tirant l'oreille de son frère pour planter un baiser dans son épaisse toison rouge.

Il l'attira à lui, heureux de la joie qu'elle éprouvait aux plaisirs simples, et furieux contre lui-même de porter de mauvaises nouvelles qui allaient lui gâcher cette journée parfaite.

— Tu sens exactement comme sentait notre mère, dit-il en l'embrassant sur la joue.

— J'aimerais pouvoir me souvenir d'elle comme toi, dit-elle en soupirant. C'est son parfum que je porte.

— Très agréable.

— Père me l'avait donné il y a des lunes de cela en me recommandant de le porter pour ma nuit de noces. Je l'avais soigneusement conservé jusqu'à présent mais aujourd'hui je n'ai pas pu résister.

» Tu penses qu'il l'aimera ? demanda-t-elle en rosissant.

— Qui ça ?

— Le prince Celimus, voyons ! répliqua-t-elle avec une grimace d'exaspération, qui se mua bien vite en mimique d'inquiétude devant la réaction de Wyl à l'évocation du nom de l'héritier.

» Mais je parle d'Alyd, bien sûr – mon futur mari. De qui d'autre ?

En fait, Wyl se félicitait que le sujet ait été abordé incidemment. Comme il ouvrait la bouche pour déclamer le petit discours qu'il avait préparé, Ylena le devança pour s'adresser à Filou.

— Alors, le chien. Tu as toujours cette vieille balle rouge ?

— Et tu grognes toujours contre ceux qui l'approchent ? poursuivit Wyl affectueusement.

— Tous sauf toi, précisa la jeune femme. Qu'est-ce qu'il peut bien y avoir entre ce chien et toi, Wyl ? Il fait peur à tout le monde à Stoneheart, mais avec toi c'est un agneau.

— Avec toi aussi.

— Peut-être, mais c'est quand même étrange, tu ne trouves pas ?

— Pas tant que ça. Il a perdu Myrren lorsqu'il n'était qu'un chiot et moi je suis arrivé comme par miracle.

Wyl voulut ajouter que c'était comme pour elle qui avait transféré sur Magnus son amour pour leur père, mais il s'abstint. Au lieu de cela, il haussa les épaules avant de gratter les oreilles du chien.

— J'étais juste la deuxième bonne chose qui lui arrivait, conclut-il.

— Au fait, qu'est-ce qui t'a poussé à faire ce qu'elle t'avait demandé ? demanda Ylena.

— À dire vrai je ne sais pas. Je me suis senti responsable et un peu obligé sans doute, après tout ce qu'elle avait enduré. Elle m'a dit que c'était un cadeau et que je devais en faire bon usage.

— Tu sais ce qu'elle a voulu dire ?

Wyl fit non de la tête.

— Qu'est-il arrivé à sa famille ? poursuivit-elle.

— Je crois que son père est mort le matin même où les Traqueurs sont venus la chercher. Sa mère n'avait plus toute sa tête lorsque je l'ai vue. Elle m'a écouté, puis m'a donné le chiot sans prononcer un seul mot. Je ne sais pas ce qu'il est advenu d'elle, mais la maison était presque vide lors de ma visite. Je suppose qu'elle quittait la région et qu'elle était plutôt contente de se débarrasser du chien.

— Très étrange, reconnut Ylena. En tout cas, je suis bien contente que Filou m'apprécie et ne me voie pas comme une ennemie. En revanche, il déteste Celimus, mais je suis sûre qu'il tient ça de toi, ajouta-t-elle un ton plus bas.

— Chut ! ordonna Wyl.

— Il n'y a personne.

— À Stoneheart, même les murs ont des oreilles.

— Ça au moins c'est vrai. En fait, je crois que Filou déteste tous ceux que tu n'aimes pas. Si on y réfléchit bien, il tolère à peine ceux à qui tu ne t'intéresses pas, mais fait la fête à ceux que tu aimes. N'est-ce pas une bonne philosophie canine ? conclut-elle en donnant un coup de pied dans la balle rouge à la surprise du chien – et à sa plus grande joie.

L'irruption d'une des femmes de chambre d'Ylena annonçant Alyd interrompit leur conversation. Le visage pâle et crispé, le jeune homme se pencha pour embrasser la main de sa promise.

— Qu'est-ce qui ne va pas, Alyd Donal ? demanda Ylena. On dirait que le roi a interdit notre mariage.

— Tu ne le lui as pas dit ?

Wyl répondit à son ami en secouant négativement la tête.

— Dit quoi ?

Les yeux d'Ylena allaient d'un sourire crispé à un autre.

— Ylena..., entama Wyl.

— Attends ! ordonna la jeune femme. Ça n'a pas l'air d'être une bonne nouvelle.

Elle demanda qu'on lui apporte un petit remontant corsé, qu'elle but d'un trait.

— Bon, attaqua-t-elle, la gorge encore brûlante. Je suppose que ça a à voir avec notre mariage. Dis-moi...

Wyl lui dit tout ce qu'il savait et tout ce qu'il suspectait. Au moment où Wyl finissait lugubrement, penché en avant vers elle, elle serrait la main d'Alyd à la briser.

— Mon épée ! C'est tout ce qui reste entre toi et le lit de Celimus.

—Mais pourquoi ? Je ne lui ai jamais rien fait ! s'écria-t-elle.

—Tu n'as jamais rien fait à quiconque, mon adorée, la rassura Alyd. Ça n'a rien à voir avec toi. Il veut juste blesser Wyl… et nuire au nom de ta famille.

—Est-ce qu'on est sûr qu'il veut faire ça ?

—Non, admit Wyl, mais je sais comment fonctionne son esprit. Il sait exactement quoi faire pour m'atteindre.

Ylena était abasourdie.

—Pourquoi te hait-il tant, Wyl ?

—Je ne sais pas, répondit-il.

Il préférait ne pas répéter ce qu'il avait appris de la bouche du roi.

—Moi, je sais, intervint Alyd. C'est parce que le roi t'aime plus que lui.

Wyl secoua la tête pour nier, mais Alyd poursuivit.

—Tout le monde le voit. Quand Celimus était petit, son père était l'ami inséparable du tien. Et puis tu es arrivé et tu lui as volé l'affection du roi.

Wyl haussa les épaules. Il ne voulait pas admettre que les arguments d'Alyd, selon toutes probabilités, étaient parfaitement exacts.

—Et donc, en te prenant Ylena, la personne la plus précieuse pour toi, il humilie la sœur que j'adore, fait le désespoir de mon meilleur ami et attise suffisamment ma colère pour qu'on en vienne à une confrontation ouverte.

—Je vois, dit la jeune femme. Eh bien, je ne lui faciliterai pas la tâche. Je préférerais mourir.

—Et même si je ne suis pas aussi bon combattant que lui, je jure que je mourrais volontiers en l'empêchant de t'approcher. Wyl, j'ai réfléchi à une solution pour emmener Ylena loin d'ici. Voilà, mon plan est de…

—Alyd, stop ! Je te l'ai déjà dit : on ne peut pas s'enfuir. Celimus n'est pas quelqu'un qu'on peut contrarier ainsi.

Son ego ne supporterait pas qu'on lui enlève celle sur qui il a jeté son dévolu, surtout si celle-ci lui permet de nous atteindre tous les deux. Il vous traquerait dans tout le royaume sans relâche et vous passeriez le reste de votre existence à regarder par-dessus votre épaule. La crainte et l'angoisse détruiraient votre bonheur.

— Alors quoi ? Que pouvons-nous faire ?

La voix d'Ylena tremblait en montant dans les aigus.

— Nous devons être plus intelligents que lui, plus rusés.

Wyl marcha jusqu'à l'un des orangers pour humer le parfum d'une fleur. Il volait quelques instants afin de se convaincre que son plan avait des chances de fonctionner. Il se retourna pour leur faire face.

— J'ai un plan. C'est une phrase du roi qui m'en a donné l'idée, mais nous n'avons que le reste de la journée et celle de demain pour réussir. Alors écoutez-moi…

Ils l'écoutèrent.

Chapitre 7

Le jour du tournoi débuta par une aube claire et lumineuse au-dessus de Stoneheart. Dispersés par le vent, les nuages de la veille avaient cédé la place à un ciel dégagé et un air frais. La fine pluie du jour d'avant avait assoupli la terre sans la rendre glissante, ce qui en faisait un terrain idéal pour les animaux de combat et les lutteurs. Les chevaux étaient resplendissants et les pavois tout autour de l'enceinte claquaient joyeusement dans la brise.

Les charpentiers avaient fini la construction de la grande tribune. Même humides, les tentes dressées aux abords de la lice avaient bien résisté à la nuit ; chacune d'elles deviendrait le camp de base d'une famille noble, d'où leurs fils échangeraient défis et moqueries. Un dais, plus grand et moins flamboyant, abritait les jongleurs, bateleurs, danseurs et autres saltimbanques, parmi lesquels un cracheur de feu et une contorsionniste de grande renommée, mandés sur ordre exprès de Son Altesse royale le prince Celimus.

Les jeunes dames de la cour étaient invitées à se mesurer dans un concours de tir à l'arc, dont le premier prix était un somptueux ras-de-cou offert par le roi Magnus. Ylena, depuis longtemps rompue au maniement de l'arc et des flèches grâce à l'enseignement de son frère, escomptait bien porter ce bijou le soir même. Désolée d'apprendre que le roi était souffrant, et n'ayant pas été autorisée à le voir, elle lui avait envoyé un petit billet accompagné d'un rameau d'oranger et de quelques fleurs de son jardin. Elle savait que ces petites choses lui diraient son amour beaucoup mieux encore que les mots écrits.

Malgré son éternelle prudence, Wyl avait informé Ylena et Alyd que le roi se mourait. Tous trois imaginaient sans peine combien la vie serait terne une fois Celimus sur le trône. Mais ce matin, Ylena avait rejeté loin d'elle l'odieuse pensée du prince et de ses désirs abjects, qui lui glaçait le sang dans les veines. Elle laissa le parfum des fleurs pénétrer en elle, avant de se retourner vers l'homme qu'elle aimait plus que tout en ce matin de la plus particulière des journées pour elle.

— Tu es splendide, dit-elle à Alyd en tirant doucement sur sa chemise. Le fier guerrier dans toute sa splendeur.

— Pas tout à fait, dit-il en grimaçant.

Puis il cueillit la jeune fille à la taille pour l'embrasser passionnément.

— Espérons que ton frère saura le vaincre.

— Et nous sauver…

Alyd la fit taire d'un autre baiser.

— Ne dis plus rien. Je dois partir maintenant, ma dame, au risque sinon d'encourir la colère du général aux cheveux de feu.

Ylena s'esclaffa, mais il pouvait lire l'angoisse dans ses yeux ; elle voyait la même chose dans les siens.

— Allez, l'encouragea-t-il. Où est passée la légendaire bravoure des Thirsk ?

— C'est Wyl qui a tout pris, répondit-elle en se tordant les mains.

— Mais il a juré de te défendre et moi aussi. Alors tu vois que tu n'as rien à craindre.

— Alors pourquoi est-ce que je tremble, Alyd Donal ?

D'un doigt, il lui souleva le menton pour plonger son regard dans le sien.

— Je t'aime, dit-il, et tu dois faire confiance à cet amour. Et au plan de ton frère bien sûr. Nous avons fait tout ce que nous pouvions.

Elle hocha la tête, en espérant qu'il soit parti avant que surgissent les inévitables larmes. Une fois seule, Ylena prit l'ultime précaution – bien audacieuse, elle le savait – de faire porter un mot à Orto, le secrétaire du roi, pour une demande pressante. Ensuite, elle envoya sa femme de chambre chercher ses gants d'archer.

Les rencontres de la matinée se déroulèrent sans incident. À la grande joie des spectateurs, bien des fils de nobles furent culbutés au cours des joutes. Les gens de Pearlis avaient afflué en bien plus grand nombre que prévu. Sur un conseil fort avisé d'Orto, le roi avait fait distribuer plusieurs dizaines de fûts de bière de sa réserve, avec quelques bœufs prestement mis en broche. Tous les boulangers du château avaient été mis à l'ouvrage et l'air embaumait délicieusement le pain frais et la viande rôtie.

Les réjouissances de la mi-journée venaient de débuter. Parmi les tentes et dans les allées, les marchands et crieurs vendaient leur nourriture et leur bière ; la seconde aidait à délier les cordons des bourses. Les affaires étaient bonnes.

Un bateleur faisait l'article dans un patois inimitable, vantant les mérites d'un remède miracle censé guérir tous les maux. Son mainate apprivoisé hurlait des insultes qu'il feignait d'ignorer ; la foule était hilare et captivée. Les exploits de la contorsionniste arrachaient des grimaces de douleur au public, mais tout le monde en réclamait plus à grands cris. Devant l'étal d'un confiseur, des grappes d'enfants s'étaient massées. Là, pour quelques sous seulement, s'offraient à eux des friandises dont ils n'avaient osé rêver – nuages de sucre, pommes d'amour, caramels et berlingots aux couleurs vives qui pouvaient durer une journée entière si on les économisait savamment. Un groupe de femmes vendait des couvertures tricotées, des paniers tressés et même des napperons tissés par leurs enfants. Et puis, bien sûr, il y avait les jeux de foire. Entre autres mille farces, les passants étaient invités à lancer des guenilles trempées à la tête d'un pauvre hère qui avait accepté de l'exposer tout le jour dans un trou contre la promesse d'une partie de la recette. Trois tirs réussis pour un flacon d'hydromel. Plus loin, des hommes forts attendaient leur tour pour débiter à la hache un tronc d'un diamètre donné ; un homme au visage figé mais à l'œil perçant, une branche de saule à la bouche pour soigner ses rhumatismes, prenait dûment note de leurs temps respectifs.

Une petite file s'était formée devant la tente de la mystérieuse veuve Ilyk, qui affirmait pouvoir lire l'avenir des gens simplement en les touchant. Wyl ne put s'empêcher de sourire en passant devant ; il appréciait ceux qui n'hésitaient pas à fouler au pied les peurs ancestrales en Morgravia. Peu auparavant, quiconque aurait prétendu avoir le don de double vue aurait immédiatement vu arriver une troupe de Traqueurs écumants. Wyl se réjouissait que ces jours sombres soient de l'histoire ancienne et qu'aujourd'hui une fine mouche avisée telle que cette veuve puisse faire ses tours et en vivre. Depuis l'exécution de Myrren, Magnus avait débarrassé le royaume de Lymbert et de ses sbires, et l'influence des zerques avait été réduite à néant ; si ce malheur n'avait eu qu'un point positif, c'était bien celui-là. La mort atroce de la jeune femme avait horrifié les jeunes gens de Pearlis, eux qui n'avaient pas été bercés dans la haine des « éveillés », qui ne les craignaient pas, qui doutaient même que leurs pouvoirs existent. Pour autant, nombreux étaient ceux prêts à payer une pièce pour que quelqu'un leur dise que leurs genoux cesseraient bientôt de les faire souffrir, ou qu'ils épouseraient une riche personne qui les libérerait des chaînes les liant à leurs arpents de maigres cultures. Dorénavant, les diseuses de bonne aventure ne manquaient plus de clients.

Alyd rejoignit Wyl devant la tente.

— Que fais-tu là ?

— J'essaie de m'occuper l'esprit.

— Dépêche-toi, il est l'heure d'aller nous préparer.

— Est-ce que tu paierais un régent de bronze pour connaître ton avenir ? demanda Wyl avec un sourire en coin.

— Je vais te faire une promesse. Si tu réussis un exploit aujourd'hui, on se saoule pour fêter ça et on revient ici ce soir voir – comment déjà ?... Ah oui, la veuve Ilyk. Et on se fait tirer les cartes.

— Au moins, je suis content de voir que tu es confiant.

— Mais je ne le suis pas. En vérité, je suis mort de peur pour Ylena.

— Comment va-t-elle, au fait ?

— Tu ne l'as pas encore vue ? s'étonna Alyd.

L'air penaud, Wyl plongea les mains au fond de ses poches.

— Pas encore. Elle se sent... bien ?

Une expression éminemment satisfaite s'installa sur le visage d'Alyd.

— En fait, depuis hier soir, elle rayonne littéralement.

D'un geste, le général Thirsk arrêta son ami avant qu'il en dise plus.

— Allez, viens ! J'ai un combat à préparer.

Les cloches de la ville sonnèrent pour annoncer l'heure des combats de démonstration de l'après-midi, mais pour plus de sécurité des pages armés de clochettes furent envoyés dans les allées afin de rameuter la foule joyeusement enivrée.

Pour être exact, le concours de tir à l'arc des dames de la cour ne réserva pas un grand suspens. Bien vite, Ylena n'eut plus à mesurer son indiscutable supériorité qu'à l'acharnement d'Ailen, de la maison Coldyn, qui entendait bien se battre non seulement pour emporter le bijou du roi mais aussi pour attirer l'attention d'Alyd Donal.

Ailen lutta avec vaillance, mais sa trop grande agressivité nuisait à la précision de ses tirs, tandis que les flèches d'Ylena, glorieusement empennées aux couleurs de sa famille, trouvaient toujours leur cible. Ayant remporté la victoire haut la main, elle fit son possible pour ignorer les regards maussades de ses concurrentes et se comporter avec grâce et modestie. Ylena n'avait nul besoin d'un bijou supplémentaire, mais pour des raisons sentimentales elle tenait à conquérir le collier de Magnus. Soudain, un bruissement d'excitation parcourut la foule, comme le roi précisément était amené vers la petite estrade où étaient remis les trophées. Sa mine fatiguée faisait peine à voir. Orto, et un prince Celimus manifestement surpris, l'aidèrent à s'installer, ignorant les murmures de la foule profondément bouleversée de découvrir son état.

—Père, ce n'est pas une bonne idée.

—Peut-être, mais c'est une idée qui me plaît, répondit-il du tac au tac.

» Ah, ma jolie, tu es là, poursuivit-il en apercevant sa dame préférée.

Magnus passa le bijou au cou d'Ylena, de façon que la perle repose à la base de sa gorge, puis l'embrassa sur les deux joues.

—Il ne pouvait aller qu'à un cou aussi joli, dit-il les yeux brillants de cette fièvre qui bientôt prendrait sa vie.

Ylena fit une révérence.

—Merci d'être venu, mon roi, murmura-t-elle avec ferveur, consciente de ce que cet effort avait dû lui coûter.

—Mais comment aurais-je pu ignorer ta requête ? dit-il en repoussant les mains d'Orto et de Celimus, les forçant à reculer pour un instant d'intimité. Je regrette que le clan Felrawthy n'ait pas pu venir. Ils t'auraient vue en grande beauté aujourd'hui.

—Je crois que le duc doit être désolé lui aussi, tout comme Alyd, Sire. Mais le clan est très occupé avec la situation au nord.

—C'est ce que j'ai cru comprendre. Au fait, mon enfant, ne crains rien, murmura-t-il, certain qu'elle saurait ce qu'il voulait dire. Ton frère est plus astucieux que tu veux bien le croire. Et maintenant, tourne-toi pour que chacun puisse voir ton prix à ton joli cou.

— Je ne le quitterai jamais, Majesté. C'est un trésor qui vous tiendra près de moi pour toujours.

Magnus sourit comme un père à son enfant ; il l'aimait comme si elle avait été sa propre fille. Avec difficulté, le roi se redressa de toute sa taille. Sa vue se brouillait sous l'effet de la fièvre ; des frissons lui parcouraient l'échine. Mais il savait qu'il lui fallait tenir encore un peu.

Ylena s'éloigna de l'estrade, répondant par des sourires aux joyeux lazzis des soldats loyaux au général, chacun d'eux un peu amoureux de la sublime beauté blonde qui ne ressemblait pas le moins du monde à son frère.

Celimus s'approcha à son tour du roi, la bouche pleine de mots lénifiants.

— Père, c'était extrêmement aimable de votre part de quitter le lit pour venir remettre le prix. Puis-je demander à Orto de vous ramener à vos appartements maintenant ?

— En fait, je crois que je vais rester, Celimus. L'air frais me fait du bien, mentit Magnus avec aplomb. Et puis, je crois savoir que Wyl Thirsk et toi allez faire une petite démonstration. J'aimerais y assister.

Le prince salua avec sécheresse, mais non sans élégance.

— Comme il vous plaira, père. C'est un honneur pour moi que vous soyez là.

Le vieil homme hocha la tête, sans sourire le moins du monde.

— J'ai entendu dire également que tu réclamais un prix pour la victoire. Il s'agirait de l'ancienne coutume du sang d'une pure. Est-ce que j'ai bien compris ?

— Exactement, répondit Celimus avec aplomb, bien décidé à ne pas se laisser impressionner par le sac d'os devant lui. J'ai pensé que ça ajouterait un peu de piquant à la rencontre. C'est parfois fastidieux sinon, deux hommes en train de croiser le fer.

— J'avais cru comprendre que le fait d'utiliser de vraies armes suffisait à rendre les choses plus excitantes.

— Et vous étiez dans le vrai, Majesté. Mais je me suis dit qu'il fallait que ce tournoi-ci reste le plus mémorable de tous.

— Et pourquoi donc ? demanda Magnus, en craignant d'avance la réponse.

Celimus se pencha un peu plus sur lui.

— Parce que c'est votre dernier et qu'il faut marquer l'événement. Après tout, ces tournois célèbrent nos anciennes coutumes. Il est donc juste qu'on envoie votre corps en terre selon les anciennes manières.

Magnus fit un effort considérable pour maintenir le ton de sa voix.

— En effet, mon fils. J'admire ton respect des traditions, mais je n'ai aucune sympathie pour le rite que tu remets au goût du jour, celui-là même que mon grand-père s'est donné tant de mal à faire abolir. Pardonne ma franchise, mais je trouve ça barbare et indigne de toi de faire subir une telle chose à l'une des jeunes filles ici présentes.

— Comme j'ai le privilège de ne jamais te complaire, ça ne fera jamais qu'un clou de plus avec lequel je me ferai un plaisir de fermer ton cercueil.

La violence des mots de Celimus, tout juste susurrés pour qu'eux seuls les entendent, choquait Magnus jusqu'aux tréfonds de son âme.

— Tu es vraiment pressé de me voir mourir, mon fils.

Celimus se pencha encore. Son grand sourire s'adressait à la foule, mais ses mots de glace étaient pour son père.

— Je te donne jusqu'aux nouvelles feuilles. Si d'ici là, tu n'as pas rendu ton dernier soupir, je hâterai moi-même ta rencontre avec Shar.

À cet instant, Magnus mesura combien c'était le sang d'Adana qui circulait dans les veines de son fils ; combien il avait tout raté avec lui. Ses forces le quittèrent et il se laissa aller dans le siège que le toujours vigilant Orto avait opportunément placé derrière lui.

— Votre Majesté..., commença son secrétaire d'un ton qui trahissait l'inquiétude.

Il n'avait rien entendu de la conversation entre le prince et son père, mais il savait qu'elle n'avait fait aucun bien au roi.

Magnus ne le laissa pas finir.

— Un verre, Orto, s'il vous plaît. Je voudrais suivre l'assaut.

— Oui, Sire, répondit-il en ordonnant d'un signe à un page d'aller quérir un verre de bière coupée à l'eau tandis que sa main droite prélevait dans son gousset le flacon de liqueur de pavot.

Gueryn et Alyd avaient aidé Wyl à revêtir l'uniforme de combat aux armes de la maison Thirsk ; et maintenant, ils l'admiraient.

— Quel dommage, ces cheveux rouges, fit observer Alyd.

— Hmm, grogna Wyl par habitude.

Alyd contemplait le magenta et le bleu foncé de la tenue. Il aurait bien aimé convaincre son ami de porter une armure, mais il savait que Wyl ne changerait pas d'avis. Le général avait déjà refusé, affirmant qu'il ne s'agissait que d'une démonstration.

— Quand même, ça jure avec les couleurs des Thirsk.

— Eh bien, plains-toi à mes ancêtres. Ce sont eux qui les ont choisies et ils étaient aussi roux que moi.

Wyl s'observa dans le miroir. Gueryn se tenait derrière lui.

— Celimus feinte souvent à gauche, l'avertit le vieux capitaine.

Wyl hocha la tête en prenant l'épée que lui tendait Alyd pour la mettre au fourreau.

— Et il se découvre à droite. Ne tombe pas dans le piège en visant le flanc exposé. Au contraire, frappe fort à gauche et en ligne basse.

— Je sais tout ça, Gueryn. Tranquillise-toi. Il n'y a plus rien que je puisse encore apprendre sur la manière dont Celimus manie l'épée.

Gueryn connaissait les enjeux de l'assaut à venir ; il savait que Wyl devait l'emporter pour protéger sa sœur, même si le prix d'une victoire publique sur le prince ne manquerait pas d'être exorbitant.

— Lorsque tout sera terminé, une fois Ylena et Alyd mariés, je crois qu'il sera bon que tu ailles faire un tour au nord. Un petit temps au loin ne te fera pas de mal.

Gueryn ne remarqua pas le coup d'œil qu'échangèrent les deux jeunes chevaliers. Wyl comprit que cela le rassurait de parler de l'avenir.

— D'accord, mais à condition que tu m'accompagnes. Nous pourrons inspecter les garnisons sur cette frontière qui tracassait tant mon père.

— C'est promis, répondit gravement Gueryn en plaçant sa main sur le cœur de Wyl avant de lancer le cri de guerre des Thirsk : Ensemble !

Wyl répéta le geste et, la main sur le cœur de Gueryn, lâcha le cri à son tour.

— Ensemble !

Puis Alyd lui donna l'accolade.

— Va vite la rejoindre, dit Wyl. Elle doit être terrifiée.

Tout d'abord, Alyd fut incapable de parler, puis des mots se bousculèrent. Il espérait qu'ils aillent sonner pleins de confiance.

— Je sens déjà dans ma bouche le goût de la bière que nous boirons ce soir.

Gueryn et Alyd sortirent ; Wyl les suivit quelques instants plus tard dans la lumière éblouissante du soleil au zénith.

Ses amis se dirigeaient vers l'estrade où attendait Ylena ; lui pénétra dans l'arène. Les paroles du maître des cérémonies annonçant l'arrivée du général Wyl Thirsk furent rapidement noyées sous les vivats assourdissants des soldats répartis tout autour. La curiosité des spectateurs civils massés dans les travées piquées par la perspective d'un affrontement entre deux personnalités de rang si élevé n'était encore rien par rapport à la fascination qu'exerçait sur eux le droit donné au vainqueur d'obtenir le sang d'une pure.

Bon nombre des petits nobles les moins riches avaient ressenti un frisson d'espoir en apprenant que le prince Celimus lui-même réintroduisait la coutume ; que le futur roi choisisse une de leurs filles à déflorer et c'était pour eux comme la promesse d'un grand mariage royal. Les familles mieux dotées et plus cyniques, déjà échaudées par les pratiques de Celimus, s'étaient sagement tenues éloignées de l'événement, prétextant une indisposition ou des affaires urgentes dans des coins reculés du royaume. Pour Celimus, tout cela n'avait aucune importance ; la pure jeune fille dont il voulait voir le sang répandu sur ses draps dès le soir même était bien là.

Le prince fit son entrée sous les tonnerres d'applaudissements de la foule, bien peu informée de son véritable visage. Pour elle, il était un futur roi tout auréolé de gloire, le fringant dauphin d'un monarque bien-aimé. Son allure extraordinaire, son humilité feinte sous les acclamations et son grand sourire lumineux ne pouvaient que la conforter dans cette opinion.

Magnus ne put retenir une grimace, notant au passage que Wyl avait la même. Le roi joignit ses applaudissements mesurés à la frénésie générale, plus un faible sourire pour faire bonne mesure, mais au fond de lui il ressentait une peur glacée. Son médecin venait de lui faire part de ses derniers pronostics ; ils n'étaient guère encourageants. Il ne croyait plus que Magnus puisse vivre jusqu'à la prochaine lune. En fait, il était sûr désormais qu'il n'irait pas au-delà de quelques jours. *Celimus va voir son rêve se réaliser*, pensa amèrement le roi. Désormais, Magnus n'éprouvait plus aucune culpabilité à souhaiter la victoire de Wyl. À dire vrai, il fallait même à tout prix que Celimus morde la poussière. Son fils sinon allait plonger Morgravia dans le chaos et les ténèbres et il n'avait plus désormais aucun moyen de l'en empêcher.

Les deux hommes portèrent la garde de leur épée à leurs lèvres avant d'apposer les lames l'une contre l'autre. Le crissement métallique fit passer un frémissement d'excitation impatiente sur Stoneheart ; tous connaissaient les qualités de combattants des deux hommes face à face.

Le maître des cérémonies avait annoncé que serait déclaré vainqueur celui qui aurait fait couler le premier sang. Mauvaise nouvelle pour Wyl, qui avait cru jusqu'alors qu'il ne s'agirait que d'une démonstration. Trop tard néanmoins pour discuter du règlement. D'un coup d'œil en direction de la tribune, il aperçut la face blême et immobile du vieux capitaine qui contrastait avec l'expression d'angoisse intense sur le visage d'Alyd. Wyl revint à son adversaire ; il ne pouvait plus rien faire désormais, hormis se concentrer et se battre à l'épée.

C'est à Magnus qu'échut la charge de lâcher le mouchoir blanc. Le carré de batiste parut flotter quelques secondes dans l'air avant de toucher le sol. Instantanément, les deux adversaires reculèrent et commencèrent à tourner en s'observant. Wyl savait que Celimus n'allait pas laisser s'éterniser ces préliminaires, aussi passa-t-il à l'attaque. Vite et fort !

La danse des épées avait débuté.

Ce que Wyl rendait en taille et en puissance, il le compensait par la ruse et la vitesse. En appui léger sur ses pieds, Celimus frappait avec une telle élégance qu'il donnait l'impression d'exécuter un ballet. Son éternel sourire moqueur flottait sur ses lèvres. Le visage de Wyl n'était qu'un masque ; impassible, il parait tous les coups sans céder un pouce de terrain, attendant patiemment l'ouverture. Gueryn avait toujours été admiratif de la clairvoyance pleine de sang-froid dont son élève faisait preuve au combat. Rien de flamboyant chez lui ; son style était sobre, net et précis. Pour sa part, Celimus aimait se déplacer en larges arcs de cercle, pour assener des coups amples et puissants. Mais cela faisait aussi partie de ses talents et Wyl le savait. En connaisseur, le général appréciait comment le prince le tentait, l'invitant muettement à s'engouffrer dans les brèches laissées béantes.

Et ce serait ta perte, disait toujours Gueryn. Le conseil du maître d'armes résonnait dans son esprit, tandis que le fracas des lames s'entrechoquant envahissait ses oreilles. Wyl n'entendait plus rien d'autre ; le bruit de la foule avait disparu. Il ne faisait plus qu'un avec cette lame qu'il abattait à la vitesse de l'éclair.

Malgré leurs différences, ils étaient sensiblement de même force et, à mesure que durait l'échange, personne n'aurait pu dire que l'un ou l'autre se détachait. Le public était sous le charme de cet assaut d'une virtuosité époustouflante. Les deux hommes bougeaient comme des danseurs qui ont répété des jours durant le moindre de leurs mouvements. Même Ylena et Alyd, pourtant morts d'inquiétude, étaient fascinés par les arabesques des épées et la grâce des mouvements.

D'un bond, Wyl esquiva un coup à hauteur de jambes avant d'exécuter, la seconde suivante, une volte sur lui-même pour parer un nouveau coup toujours en bas, puis une volte inverse pour en bloquer un troisième. Le choc des lames faisait jaillir des étincelles. Le spectacle était à couper le souffle, mais Wyl n'entendait plus les acclamations de la foule ; il savait trop dans quelle partie mortelle il était engagé.

Légèrement moins absorbé, le prince perçut les encouragements criés à son adversaire et son humeur vira à la colère. Wyl sentit l'accélération du souffle de Celimus et le raidissement de son poignet ; le subtil équilibre entre eux était en train de changer. Gueryn l'avait toujours mis en garde contre les dangers de l'émotion au combat. Il repoussa au plus profond de lui-même tous ses sentiments, ses espoirs et ses craintes ; il ne voyait plus Celimus en face de lui, mais une masse d'agressivité confuse dont il devinait les gestes et contrait les intentions. Insensiblement, il accentua sa pression.

En proie à des sentiments de plus en plus vifs, le prince commençait à perdre de sa superbe.

— Wyl le domine, n'est-ce pas ? demanda nerveusement Ylena à Gueryn.

— Je crois effectivement qu'il prend l'ascendant, répondit le vieux soldat. S'il continue ainsi, le prince va rapidement s'épuiser du fait qu'il dépense bien plus d'énergie que votre frère.

Ylena soupira, avant d'accentuer encore sa prise sur la main rassurante d'Alyd.

D'une attaque glissée en ligne, Wyl porta un coup, puis feinta à gauche pour parer le coup qui fatalement allait venir ; il savait à l'avance ce que l'autre allait faire. Il voyait les gouttes de sueur perler sur le front du prince ; sa chemise également était trempée. Il n'avait plus aucune idée du temps qui s'écoulait. Maintenant, il défendait en reculant ; Celimus avançait en frappant de taille et d'estoc. Le prince semblait se ressaisir et son escrime retrouvait son étourdissante perfection.

Pareillement abîmés dans leur concentration, ni l'un ni l'autre n'entendaient l'assourdissant silence qui s'était abattu sur la foule médusée.

Sur chacun de ses coups, Celimus cherchait l'ouverture qui lui permettrait de toucher, mais Wyl défendait avec une agilité qui ne lui cédait en rien. Soudain, Celimus s'élança dans un vaste mouvement, exagérant délibérément l'amplitude de son geste pour découvrir son flanc. Wyl éprouva une tentation quasi irrésistible – ce serait tellement facile –, mais les mots de Gueryn roulaient sans fin dans sa tête ; il se contraignit à suivre le déplacement, déclinant l'invite et surprenant même le prince avec un coup surpuissant en direction des jambes.

Furieux, Celimus riposta par une série de petits bonds vers l'avant, martelant chaque fois la lame de Wyl ; le prince recourait à la force brute contre son adversaire plus petit. Oh, n'était-ce pas un petit sourire qu'il venait de voir passer sur les lèvres de Wyl ? Mais oui, par l'enfer ! Eh bien, il allait lui servir quelques-unes des surprises qu'il tenait en réserve. Et Celimus de s'élancer dans une série brillantissime de sauts et de voltes qui laissèrent le public d'abord pantois, puis hurlant de joie.

Ylena surprit un murmure à sa droite ; Gueryn paraissait psalmodier quelque chose dans sa barbe. Elle tendit l'oreille.

— Le Magicien, Wyl... Le Magicien...

Celimus poursuivait sa marche inexorable en avant, dominant le général et le repoussant dans un angle. Selon toute apparence, il allait l'emporter. Wyl le comprit à l'instant même où il entrevit également la possibilité de tenter une manœuvre aussi audacieuse que désespérée. Une série de coups alambiquée et difficile, mais qui pouvait fonctionner. Dans son arrogance et sa certitude de gagner, Celimus ne s'y attendait sûrement pas. Il entendait les applaudissements et, déjà, sa concentration n'était plus aussi acérée.

Gueryn appelait cette botte « le Magicien », en mémoire de Fergys Thirsk qui l'avait mise au point et appliquée à de nombreuses reprises sur le champ de bataille. Ses effets étaient dévastateurs. D'après ce que le vieux capitaine lui avait dit, seuls les escrimeurs les plus doués pouvaient se permettre de l'utiliser au combat – ou avaient le courage de le faire. Il fallait une concentration sans faille et une capacité d'adaptation hors du commun ; dans le feu de l'action, beaucoup oubliaient l'un des petits mouvements apparemment anodins mais absolument nécessaires pour rendre cette arme redoutable.

« Son objectif est de plonger l'adversaire dans la confusion », disait Gueryn pendant ses leçons.

Et Wyl allait utiliser le Magicien pour semer le trouble ; maintenant. D'un geste, il fit passer son épée de sa main droite à sa main gauche. Désorienté pendant une fraction de seconde, Celimus marqua une hésitation ; Wyl frappa. Le prince para à l'ultime moment, mais son élan l'emporta de l'autre côté. Wyl refit passer l'épée dans son autre main et frappa de nouveau. L'épée volait d'une main à l'autre et s'abattait sans prévenir à chaque occasion. Subitement, Celimus ne pouvait rien faire d'autre que défendre et s'éloigner de cet ouragan de coups qui venaient sur lui des deux côtés sans que jamais il sache d'où.

Wyl entendait le souffle court du prince. L'épée arrivait dans sa main gauche et il frappa de toutes ses forces sur la droite de Celimus, visant le bras d'épée avec l'intention de l'atteindre. Miraculeusement, Celimus parvint à parer en avançant ; les lames glissèrent l'une contre l'autre jusqu'à ce que les gardes soient au contact.

Arc-boutés sur leurs armes, ils tenaient leurs visages grimaçants presque à se toucher. L'épreuve de force venait de commencer.

— Abandonne ! cracha Celimus entre ses dents.

— Va en enfer ! riposta Wyl.

— Abandonne maintenant ou je ferai tuer tous ceux que tu aimes. Réfléchis bien, je commencerai par Le Gant.

La menace toucha Wyl si profondément qu'il réagit immédiatement. Dans un état presque second, il feignit de perdre pied, trébucha sur le côté et lâcha son épée en reprenant son équilibre. Un silence de plomb s'abattit sur la foule. Chacun retenait son souffle, se demandant comment le général pouvait être si maladroit après avoir été aussi brillant.

— Sage décision, Thirsk, murmura le prince de façon à n'être entendu que de Wyl.

Il eut un large sourire avant d'abattre sa lame d'un coup cinglant de l'épaule de Wyl jusqu'au milieu du torse.

Le sang jaillit par la déchirure dans la chemise de Wyl.

— Premier sang ! exulta Celimus, encourageant le public à saluer son exploit.

Ce que le bon peuple de Pearlis fit, lançant des chapeaux en l'air et hurlant ses félicitations au vainqueur. Aucun des soldats présents ne joignit sa voix aux ovations ; leurs yeux restaient braqués sur le visage rongé d'angoisse de leur général. Gueryn fut le premier aux côtés de Wyl. Il savait que la blessure infligée n'était que superficielle, juste à la profondeur voulue pour produire l'effet visuel le plus spectaculaire possible. Wyl porterait une cicatrice à jamais, mais la coupure ne menaçait pas plus sa vie que la piqûre d'une épine de rose.

— Ressaisis-toi ! Fais ce que tu dois faire, ordonna-t-il.

Wyl rassembla ses esprits avant de saluer son adversaire d'une petite courbette. Ensuite, il ramassa son épée, porta la garde à ses lèvres et toucha la lame de Celimus. Ces gestes marquaient la fin de l'assaut.

Celimus partit parader, acceptant les accolades des flatteurs.

— Il a dit qu'il te tuerait si je n'abandonnais pas, grogna Wyl en secouant la tête de désespoir.

— Je me doutais de quelque chose comme ça, dit Gueryn comme le maître des cérémonies reprenait ses annonces.

— Votre Majesté, dit l'annonceur en se courbant devant Magnus qui le remarqua à peine. Mon prince, poursuivit-il en se cassant en deux devant Celimus. Seigneurs et gentes dames et tous ceux réunis ici pour cette fête, merci de montrer une nouvelle fois l'enthousiasme qui a été le vôtre devant la plus impressionnante démonstration d'escrime jamais donnée de mémoire d'homme. Je suis sûr que vous serez d'accord pour dire avec moi que la valeur des jeunes hommes de Morgravia est telle que Briavel et tous ceux qui voudraient nous défier seraient bien avisés d'y songer à deux fois.

La foule gronda comme un volcan devant ce couplet patriotique et intentionnellement provocateur. Lorsque sa fureur se calma un peu, l'homme reprit sa diatribe.

— Comme vous le savez, une récompense particulière attend le vainqueur de cet assaut.

Un murmure parcourut la foule.

— En effet, avec la permission de Sa Majesté le roi Magnus, le prince Celimus a remis en vigueur l'ancien rite autorisant le combattant victorieux à réclamer le sang d'une pure.

Le murmure devint brouhaha. Ylena sentit ses genoux se mettre à trembler tandis que Celimus lui jetait un coup d'œil plein de fourberie. Il était fièrement campé sur ses jambes, sa chemise ouverte laissant apparaître la peau lisse et dorée de son large torse ; une fine vapeur s'élevait de son corps en sueur au contact de l'air frais. Ylena n'était pas la seule à remarquer sa mise à la fois échevelée et incomparablement sensuelle. En revanche, parmi toutes les dames et les filles de la cour, elle était l'une des rares – et peut-être même la seule – à ne pas sentir son sang entrer en ébullition à la vue de cet homme sublime.

Le maître des cérémonies achevait de décrire toutes les implications de cette ancienne tradition.

— … et il ne me reste plus qu'à inviter notre très estimé prince Celimus à faire son choix, conclut-il.

Wyl, qui sentait à peine la morsure de l'acier dans sa chair, risqua un coup d'œil prudent en direction d'Alyd.

Celimus fit un geste pour ramener le calme dans la foule surexcitée.

—Quel choix difficile pour moi. Regardez les jeunes filles de la cour, toutes plus jolies les unes que les autres, et vous comprendrez que chacune d'elles mérite de ne pas être ignorée, déclara-t-il avec une exquise aisance.

Épuisé, le cœur envahi par le chagrin devant la tournure des événements, Magnus fixait le mouchoir blanc tombé sur l'herbe. D'un simple geste, il avait le pouvoir de mettre un terme immédiatement à cette affaire, mais après sa mort, il n'y aurait plus personne pour arrêter son fils ; il était donc de son devoir de songer aux répercussions qu'il y aurait à humilier publiquement Celimus. Magnus savait qu'il ne lui restait plus que quelques jours à vivre, quelques heures peut-être. Il fallait qu'il transmette au prince un royaume de Morgravia aussi fort que possible. Or, choisir maintenant de passer outre une décision de Celimus, c'était plonger dans l'inconnu ; n'importe quoi pouvait se passer et n'importe qui – y compris Valor de Briavel – pouvait décider d'attaquer un jeune roi encore vulnérable. Non, il devait tenir sa langue et laisser que ce terrible événement survienne. Celimus devait monter sur le trône avec au cœur un sentiment d'invincibilité. Après sa brillante victoire, le peuple de Pearlis l'encensait ; mieux valait pour l'heure ne pas réveiller les chiens. Malgré toutes les craintes qu'il avait pu lui-même nourrir dans cette histoire, si Wyl en venait à tenter quelque chose, il fallait que ce soit à son heure et sous sa propre responsabilité. Dorénavant, seul Morgravia comptait et tel serait l'ultime sacrifice du roi pour son royaume. Il priait pour que Celimus n'abuse plus jamais de l'ancien rite. Tout impuissant et désarmé qu'il était, Magnus espérait que le futur roi et son général allaient parvenir à trouver un compromis. Si Celimus commettait l'erreur de choisir Ylena, Wyl ne se laisserait pas facilement apaiser. Magnus abandonna ses ruminations pour reporter son attention sur les paroles de Celimus toutes ornées de galanterie.

— … aussi je demande à toutes les adorables jeunes femmes ici présentes de bien vouloir me pardonner de ne pouvoir choisir chacune d'elles.

Tout sourires, le prince englobait d'un ample geste du bras la tribune où se massaient les jeunes filles nobles, l'œil amusé de voir les efforts qu'elles – ou leurs mères ambitieuses – avaient déployés pour paraître à leur avantage.

— Je choisis dame Ylena Thirsk d'Argorn, dit-il enfin en posant son regard sombre et ardent sur la seule femme présente qui préférait mourir plutôt que de donner une chose aussi précieuse à cet homme démoniaque.

Ignorant le frère aux épaules voûtées et tout dégouttant de sang, aussi bien que le fiancé outragé, le prince s'approcha de la jeune fille assise non loin de Magnus ; le roi avait fermé ses yeux épuisés. D'un geste gentiment quémandeur, à la fois ravissant et séducteur aux yeux de tous, Celimus tendit la main vers elle ; pour Alyd ce n'étaient que des façons de prédateur.

Le prince n'avait nullement l'intention de perdre du temps. Il voulait l'emmener dans son lit immédiatement, à la fois pour assouvir ses instincts sur une belle aussi engageante mais aussi pour briser le cœur de deux hommes dont il se savait haï au-delà de tout. Il allait donner une leçon à ceux qui osaient le défier – une leçon qu'ils seraient avisés de retenir avant son accession au trône.

Celimus fit une profonde révérence.

— Ma dame, dit-il, incapable de masquer le plaisir que lui procurait sa comédie.

— Prince Celimus ! appela Wyl.

Le général fit un pas en avant pour se courber à son tour devant le prince royal. Ensuite, il se tourna vers le roi.

— Majesté, vous pardonnerez mon intrusion.

Magnus rouvrit les yeux et acquiesça de la tête, n'osant espérer que Wyl ait trouvé quelque chose pour contrer les plans de son fils.

— Sire, reprit Wyl, je me confonds en excuses, mais je crains qu'il n'y ait comme un léger malentendu.

— Ah ? s'étonna Magnus, le cœur soudain empli d'espoir.

Avec gravité, Wyl confirma de la tête ; ses yeux ne quittaient plus Celimus.

— Mon prince, en tant qu'unique parent d'Ylena, je ne peux pas permettre que vous la choisissiez.

Le sourire de Celimus se transforma en rictus.

— Je ne crois pas que tes liens familiaux te permettent de t'opposer à une décision royale, Thirsk. Recule !

Les yeux de Gueryn s'étrécirent sous l'effet de la concentration. Il n'avait aucune idée de ce qui se passait et il priait pour que Wyl sache bien ce qu'il faisait.

— Non, mon prince, je crains de ne pouvoir faire cela. Vous ne m'avez pas bien compris. Ce n'est pas moi qui vous interdis de coucher avec ma sœur. C'est la loi de notre royaume.

Celimus en avait plus qu'assez de ces manœuvres dilatoires. Il était fatigué, en nage et le désir courait dans ses veines ; il voulait sa vengeance sur la famille Thirsk, mais aussi posséder la jeune femme qui se tenait devant lui.

— La loi ! Mais de quelle loi parles-tu, Thirsk ?

— Des liens sacrés du mariage, mon prince, expliqua Wyl avec sur le visage un air de profonde confusion parfaitement imité. Je suis désolé, mon prince. Vraiment, personne n'était au courant ?

— Au courant de quoi ? cracha Celimus.

Ses yeux allaient de son père aux membres de la famille Thirsk qui, lui semblait-il, affichaient un air de plus en plus satisfait.

Alyd fit un pas en avant.

—Peut-être puis-je vous expliquer, mon prince. En fait, c'est à cause de moi que vous ne pouvez pas choisir celle qui est devenue ma femme.

—Ta femme ? gronda Celimus, le corps traversé de tremblements de rage.

Derrière lui, Gueryn souriait ; peu à peu, il reconstituait ce qui avait dû se passer.

—Oui, confirma Alyd. Ylena et moi sommes mariés. Nous vous demandons pardon à tous d'avoir été discrets, mais nous pensions sincèrement que le prêtre aurait tôt fait de répandre la nouvelle dans tout Stoneheart.

Il souriait modestement. Sa main prit celle de son épouse légitime.

—Nos préparatifs de mariage étaient trop avancés pour qu'on donne la bonne nouvelle, mais nous avions bien l'intention d'en faire part à tous aujourd'hui, acheva-t-il.

Un instant, Wyl fut sur le point d'exploser de rire devant l'onctuosité des manières de son ami.

—Qu'on aille chercher le prêtre ! ordonna Celimus.

Un page fut dépêché séance tenante.

—En attendant, poursuivit le prince, racontez-nous chère Ylena comment donc s'est déroulé ce mariage.

Ylena fit une aimable révérence.

—Il a eu lieu hier, mon prince, un petit peu plus tôt que prévu.

Elle tenait son regard sur le roi plutôt que sur le prince.

—Et je peux garantir que mon épouse n'est désormais plus une pure jeune fille, mais assurément une femme et bientôt une mère, intervint Alyd en se redressant de toute sa taille.

—Tu savais ? feula Celimus d'une voix sourde et menaçante à l'intention de Wyl.

—Mon prince, il faut me pardonner, mais c'est avec joie que j'ai accepté de donner ma sœur à son promis, pour une union déjà acceptée par la Couronne. Je n'avais absolument aucune idée qu'elle serait votre premier choix. Mais, comme vous l'avez souligné vous-même, toutes les jeunes filles ici présentes sont délectables. Vous n'avez que l'embarras du choix.

Le prêtre arrivait, pâle et tremblant. Il portait sans cesse ses mains moites devant sa bouche.

— Réponds d'un mot, prêtre. As-tu marié hier Ylena Thirsk d'Argorn à Alyd Donal de Felrawthy ? demanda Celimus.

— Oui, répondit le prêtre plus tremblant que jamais, avant d'ajouter pour faire bonne mesure : Dans la chapelle de Stoneheart.

Celimus ferma les yeux. Un voile de douleur parut passer fugacement sur ses traits.

— Hier matin, Votre Majesté. C'était une cérémonie privée à laquelle n'assistaient que la mariée, son frère le général et le capitaine Donal. Tout a été fait selon les désirs et instructions du général Thirsk.

— Retire-toi ! ordonna Celimus à peine capable de contenir sa rage. Père, vous êtes le tuteur légal d'Ylena, je suppose que vous avez donné votre autorisation écrite à ce mariage ?

Magnus s'autorisa un instant de réflexion, de façon à trouver la meilleure réponse à faire sans trahir la famille Thirsk. Il se tourna vers Orto et son inestimable conseiller vint à la rescousse.

— Sire, fit doucement observer Orto. Permettez-moi de vous remettre en mémoire les papiers que je vous ai fait signer il y a de cela deux jours. C'était une petite séance de travail ; vous ne vous sentiez pas très bien. Si je ne me trompe pas, vous avez revêtu de votre paraphe deux parchemins. Cette autorisation était sur l'un d'eux.

— Eh bien voilà, mon fils, tu as ta réponse, dit Magnus.

Mais Celimus avait déjà tourné les talons. D'un doigt, il désigna une jeune noble dans l'assemblée, à la grande joie de la foule. Puis il s'éloigna à grands pas du clan Thirsk.

Wyl regardait dans la direction du roi, qui hochait imperceptiblement la tête, un fin sourire de soulagement sur les lèvres. *Vraiment rusé, jeune Wyl*, songeait-il. Magnus se tourna vers son secrétaire.

— Venez, Orto, je crois que quelques paperasses urgentes nous attendent.

— Bien, Sire, répondit-il, le visage toujours impassible. Permettez que je vous aide.

Chapitre 8

Ce soir-là, Alyd et Wyl avaient été saisis d'une frénésie insouciante. En compagnie de leurs soldats, ils avaient allégrement battu le record d'ivresse et de boisson de la légion, laissant un grand nombre d'hommes vautrés dans la rue et condamnés à dormir là où ils étaient tombés. La nuit du tournoi était l'unique occasion au cours de laquelle ce genre d'écart était toléré.

— Laissez-les ! Ce ne sont que des petits joueurs ! hurla Alyd par-dessus son épaule en venant tituber contre Wyl. Les autres, écoutez-moi ! J'ai donné ma parole au général Thirsk de l'accompagner se faire prédire l'avenir.

Des cris d'encouragement s'élevèrent autour d'eux ; encore tout exalté d'avoir sauvé sa sœur, Wyl se laissa entraîner de bon cœur dans la furieuse sarabande enivrée. Il était parvenu à chasser de son esprit les menaces de Celimus envers ceux qu'il aimait et commençait même à se sentir idiot d'y avoir cru. Le groupe de soldats se frayait un chemin dans les allées de la foire, encore animées d'une exubérante activité.

— Et maintenant, les enfants… faut trouver la veuve Machin Chose, cria Alyd d'une voix pâteuse.

Ses yeux injectés avaient du mal à rester posés fixement sur un point.

— La veuve Ilyk, précisa Wyl, bien moins ivre que son ami.

— Le premier qui la trouve gagne un duc d'argent, brailla Alyd en brandissant la pièce.

Les hommes partirent dans toutes les directions, plus par amusement que par besoin d'argent.

Un garçonnet, tout nimbé d'un étrange fumet, sortit de la foule pour saisir Wyl par la manche.

— Seigneur général, je sais où se trouve la tente de la veuve.

— Alors tu as gagné un duc d'argent, bafouilla un Alyd chancelant. Tu peux nous y emmener ?

— Suivez-moi, dit le garçon tout fier.

— Quel âge as-tu ? demanda Wyl en remarquant subitement que Filou trottinait aux côtés du gamin.

— Dix ans, seigneur général.

— Tu peux m'appeler Wyl.

— Je ne pourrais pas, seigneur.

— Et moi, comment je t'appelle, jeune guide ? demanda Wyl en prenant sa main tout en s'efforçant d'ignorer les effluves qu'il dégageait.

Le gosse leva ses yeux sur lui.

— Mon nom est Fynch, général.

Ils avançaient dans la foule ; Alyd criait aux hommes d'interrompre leur recherche.

— Et tu vis à Pearlis, Fynch ?

— Oui, seigneur. Et je travaille à Stoneheart, dit-il avec orgueil.

— Très bien. Et qu'y fais-tu ?

— Je suis garçon de commodités, précisa-t-il en bombant le torse. Depuis l'âge de quatre ans, je nettoyais les égouts du palais, mais on m'a récemment promu et, depuis, je m'occupe des latrines des appartements royaux. C'est dire si je fais bien mon travail.

— Voilà donc qui explique ton arôme, Fynch, dit Alyd sans méchanceté. Et tu peux être sûr que tu vas avoir du boulot demain, avec ce que la fosse d'aisances du prince Celimus va recevoir ce soir.

Fynch ne saisit pas la plaisanterie, mais il n'en joignit pas moins son rire fluet aux ricanements des soudards, tout heureux d'être en compagnie du général qu'il admirait depuis plusieurs années, et ravi que ce soit la première personne qui ne lui fasse pas observer à quel point il était petit pour son âge.

— C'est ici, annonça-t-il comme ils arrivaient devant la tente.

L'ambiance avait été rendue encore plus mystérieuse par les lumignons et lanternes de couleur sous l'auvent qui dispersaient des éclats jaunes, verts, rouges et bleus aux quatre vents.

— Fynch, tu crois à la bonne aventure et à toutes ces choses ? demanda Wyl.

— Oh, je crois que la veuve fait ça pour s'amuser, reconnut Fynch.

Le jeune garçon plongea ensuite son regard directement dans les yeux de Wyl.

— Mais si vous me demandez si je crois que certaines personnes ont la capacité de voir des choses… si certaines personnes ont le don, alors ma réponse est oui.

— Petit blasphémateur ! Méfie-toi des Traqueurs ! tonna Alyd théâtralement, avant de s'arrêter bien vite devant la mine douloureuse de Wyl. Très bien, qui commence ?

Tous les ivrognes levèrent la main en même temps, pour s'engouffrer comme un seul homme. Alyd lança la pièce au gosse.

— Merci, Fynch.

— Merci, capitaine. Est-ce que je peux vous aider encore, général ?

— Non, Fynch, tu as déjà fait beaucoup. On se reverra quelque part dans le château.

— Pour sûr. Ça vous ennuie si je vous attends ?

Wyl eut un sourire. Il avait l'intuition que le garçon n'avait nul endroit où dormir ; mais il était surtout intrigué par le fait que Filou se tienne docilement à ses côtés.

— Ça ne m'ennuie pas du tout. Tu pourras rentrer avec nous tout à l'heure. J'aurai peut-être besoin d'un coup de main pour ramener mon ami, conclut-il en regardant en direction d'Alyd qui titubait devant l'entrée.

— Je vais vous attendre alors, déclara Fynch en s'asseyant en tailleur dans l'herbe, à côté du grand chien noir.

Wyl et Alyd étaient les derniers à passer devant la veuve ; les autres soldats étaient repartis dans la nuit, manifestement pas rendus plus sages par les conseils reçus. Alyd n'en était pas le moins du monde étonné ; aucun d'eux ne prenait la chose au sérieux.

— Des tours de charlatan, général, ricana-t-il. Juste un amusement pour les enfants.

— Entrez donc, invita la veuve.

Sur une ultime mimique résignée à l'intention de Fynch, Wyl poussa son ami à travers la tenture ; il faisait sombre à l'intérieur.

— Soyez les bienvenus, dit-elle.

Wyl observa la vieille femme devant eux, qui se faisait appeler la veuve Ilyk, notant avec étonnement qu'elle était aveugle ; une maladie avait rendu la prunelle de ses yeux complètement blanche. Avec des traits ordinaires, tannés par le soleil, le grand air et le vent, le reste de son visage était quelconque. Sa peau parcheminée ressemblait à du vieux cuir. Elle ne portait aucun ornement et ses vêtements gris-brun étaient simples et propres. Sans savoir pourquoi, il s'était attendu à ce qu'elle soit couverte de falbalas et de bijoux clinquants.

Du fond de son ivresse, Alyd s'était fait la même réflexion.

— Alors, la veuve, pas de joli costume pour nous ? demanda-t-il avec un désappointement exagéré.

— J'en avais assez. Mon déguisement me tient chaud et je l'ai porté toute la journée, répondit-elle.

Elle souriait, montrant quelques béances dans ses gencives. Ses yeux morts étaient fixés sur Wyl.

— Mais les clients aiment la mise en scène et moi j'aime faire plaisir. Voulez-vous que je le remette ?

— Pas la peine, répondit Alyd en esquissant un geste maladroit de la main. J'ai juste amené mon ami pour une séance.

Son équilibre semblait de plus en plus précaire. Il rota et son corps partit vers l'arrière.

Wyl se dit qu'il était temps de le ramener. Un peu gêné, il se tourna vers la vieille femme et, pour meubler, dit la première chose qui lui passa par la tête.

— Vous voyagez seule ?

À tâtons, elle clopina vers une chaise.

— Ma nièce m'accompagne, répondit-elle en s'asseyant. Mais elle n'est pas là ce soir.

Ses yeux étaient posés dans le vide maintenant.

— Vous deux, vous êtes déjà venus ici aujourd'hui ? demanda-t-elle subitement.

— Comment diable pouvez-vous le savoir ? bredouilla Alyd sur le point de s'effondrer.

— Je devine, c'est tout.

Elle émit un petit gloussement pour elle-même, puis changea de sujet.

— Dites-moi, jeune homme, auriez-vous l'amabilité de sortir le panneau rangé sous ma table ? Je crois que j'en ai fini pour aujourd'hui.

Wyl s'exécuta obligeamment. À son retour dans la douce obscurité de la tente, Alyd était assis face à la vieille, les mains tendues devant lui paumes vers le haut ; la veuve avait posé les siennes dessus. Du poignet jusqu'aux doigts, la peau était sillonnée de veines et de tendons saillants ; ses articulations noueuses et déformées montraient qu'elle souffrait d'arthrose.

Elle s'adressa à Wyl comme si elle avait lu dans ses pensées.

— Mes doigts me font souffrir aujourd'hui.

Alyd fit un clin d'œil entendu à son ami.

— Alors, que peux-tu me dire, vieille femme ?

— Que veux-tu savoir ?

— Parle-moi du capitaine Alyd Donal, le mari le plus heureux de tout le royaume de Morgravia, éructa-t-il en tombant presque de sa chaise.

— Eh bien, je vois que tu as abusé de la bonne bière du roi aujourd'hui. Et dans un avenir proche, je te prédis un mal de tête et une humeur de chien.

Un petit sourire relevait les coins de sa bouche.

Alyd s'efforça de fixer sur elle ses yeux hébétés.

— Tu sais quoi, vieille femme ? Je crois que tu as raison.

Un violent hoquet secoua son corps et il porta la main à sa bouche.

— Tu es vraiment douée, dit-il en se levant. Et maintenant, il faut que j'y aille. Je crois que la bière veut ressortir.

Il quitta la tente en courant, vaincu par la nausée.

Surpris, Wyl le suivit des yeux avant de reposer un regard gêné sur la veuve. Il aurait aimé s'en aller lui aussi.

Elle eut un nouveau gloussement.

— Et maintenant, au tour de l'ami silencieux peut-être ?

Ses yeux blancs fixaient un point derrière lui.

Wyl haussa les épaules. Après tout, quel mal cela pouvait-il bien lui faire ? Il s'assit et tendit ses mains, mais elle ne les prit pas.

Il se risqua à poser une question un peu intime.

— Vous êtes aveugle ?

— Presque. Je ne vois que du flou. Mais qu'importe, je n'ai jamais eu besoin de mes yeux pour voir.

Pendant que son message se frayait un chemin dans la compréhension de Wyl, une chape d'immobilité parut tomber sur la tente. L'air tout autour était comme suspendu.

Wyl éprouvait une étrange sensation ; parler de magie le mettait toujours mal à l'aise.

Elle ne paraissait pas le moins du monde pressée d'en finir.

— D'où viens-tu ? demanda-t-elle.

— D'Argorn. Et vous ?

— Pas de ces coins-là. Je viens d'un petit village tout au nord appelé Yentro. Et maintenant, dis-moi ce que tu aimerais savoir ?

La question lui fit hausser les épaules ; il avait bien l'impression qu'elle ne le laisserait pas partir sans lui avoir au moins fait une révélation. Il avait plutôt envie de lui dire qu'il savait très bien qu'elle jouait un rôle, mais quelque chose dans son expression l'obligea à jouer le jeu.

— Pourquoi ne me diriez-vous pas l'avenir ?

— Bah, je ne dis pas la bonne aventure ! Tout ça c'est du spectacle pour le chaland.

— Alors je ferais peut-être mieux de partir, non ? risqua Wyl.

— Non, reste. Il y a quelque chose en toi qui m'intrigue. Une espèce d'aura…

Cette fois-ci, Wyl se mit à rire. Du dehors lui provenaient les haut-le-cœur d'Alyd et il se dit qu'il était grand temps d'y aller.

— Je vous jure, veuve Ilyk, que c'est bien la première fois que j'intrigue quelqu'un.

— Crois-tu à l'existence de choses autour de ce monde ? demanda-t-elle en lui rendant son sourire.

— Telles que ?

— Telles que le don de double vue, répondit-elle à petits mots prudents.

— Pas du tout. En revanche, je crois que je vous dois un régal d'argent pour votre hospitalité. Il faut vraiment que j'aille voir mon ami malade maintenant.

Wyl plaça la pièce au creux de sa main, mais elle sursauta violemment en arrière à son contact. L'étonnement l'envahissait.

— Qu'est-ce qu'il y a ?

Elle ne répondit pas ; un gémissement montait de sa gorge.

— Veuve Ilyk, vous avez mal ? Que se passe-t-il ?

La vieille femme se mit à se balancer doucement d'avant en arrière en psalmodiant des mots étranges dans une langue qu'il n'avait jamais entendue.

Il s'éloigna d'elle.

— Je vais partir.

Elle parut émerger de sa transe.

— Attends, siffla-t-elle. Il faut que tu sois prévenu.

— Prévenu de quoi ?

— Donne-moi tes mains.

— Non ! Je dois partir. Je ne sais même pas pourquoi je suis venu ici ce soir.

— Parce que tu étais soulagé.

— Mais de quoi parlez-vous ? Qu'est-ce qu'il y a ?

— Tu étais soulagé d'avoir déjoué son plan, répondit-elle.

Ses yeux blancs fixaient le visage stupéfait de Wyl.

Il s'assit.

— Expliquez-moi, ordonna-t-il.

Sa tête se mit à osciller. Son regard de neige glissa vers un point loin derrière lui.

— Tout cela n'a aucune importance. Ni même le fait que je sache. En revanche, il y a une chose essentielle.

Wyl ne comprenait plus.

— Je ne vous suis plus du tout.

— Écoute-moi attentivement, Wyl Thirsk, dit-elle d'une voix basse et implacable.

— Mais je ne vous ai même pas dit mon n…

— Chut ! Je souffre énormément et je n'aurai pas la force de me répéter. Écoute bien car je suis une prophétesse et à toi je dis la vérité. Et puis tu garderas ton argent – à un homme touché par la magie, mes paroles sont pour rien.

De nouveau, Wyl regimbait, mais elle lui saisit la main dans sa poigne de fer.

— Ton voyage est semé d'embûches, mon garçon, et une ombre errante et solitaire t'accompagne.

Les yeux de Wyl s'écarquillaient. Dans son ventre, il sentait s'ouvrir comme un puits gigantesque.

— Entends-moi bien, poursuivit-elle. Cette chose peut te détruire, mais tu peux aussi l'utiliser avec sagesse à tes propres fins. Elle n'a aucune attache, aucune loyauté. Elle ne se soucie de rien d'autre que d'elle-même.

— Femme, de quoi parlez-vous ?

— Je parle du Souffle, du Dernier Souffle... Le don que t'a fait Myrren en mourant. Mais fais très attention, Wyl Thirsk.

Le Souffle ? Le mot roulait dans l'esprit de Wyl plein de confusion.

— Mais qu'est-ce que c'est ?

— Certains pourraient dire que c'est une malédiction. Pour toi, Myrren en a fait un don.

Jusqu'à cet instant, Wyl n'avait jamais pensé que Myrren était autre chose qu'une magnifique jeune fille au destin tragique. Entendre cette vieille femme dire qu'elle avait des pouvoirs était proprement effrayant.

— Mais non. C'est un chien qu'elle m'a donné.

Elle hocha la tête lentement.

— Il est important également. Filou vous protégera, toi et le don qu'elle t'a fait.

— Comment pouvez-vous savoir tout ça ? la pressa-t-il.

Une vague d'interrogations le submergeait. Comment pouvait-elle connaître son nom, celui du chien et même celui de Myrren ?

Il prit une profonde inspiration.

— Et comment dois-je l'utiliser ?

— Ça, je ne peux te le dire. C'est à toi qu'il appartient de manier ton don comme tu l'entends.

— Et quand saurai-je qu'il est là ?

— Il est déjà en toi. Il existe déjà, dit-elle en toussant à fendre l'âme.

— Que dois-je faire avec ? Dites-moi ? supplia-t-il, terrorisé maintenant de ce qu'elle lui avait appris.

— Tu sauras quand le moment sera venu, mais je vois autour de toi une femme qui a besoin de ta protection.

Wyl était confondu d'étonnement.

— Dites-moi tout ce que vous voyez. Il le faut !

La veuve toussa de nouveau, puis relâcha sa main.

— C'est tout ce que je vois. Ceux que tu aimes souffriront. Garde le chien et son ami près de toi.

Le monde tourbillonnait autour de lui ; il ne savait plus si c'était l'effet de la bière – même si son ivresse lui paraissait loin désormais – ou les bâtonnets d'encens aux volutes entêtantes.

— Tu mens, vieille femme !

Devenue dure, elle lui répondit sur un ton sans appel.

— Je ne mens jamais quand je dis ce que je vois. Tes amis sont en danger. Et il y a une femme – une femme importante – qui a besoin de toi.

Il voulait ne plus entendre ses paroles, il voulait s'enfuir. Au lieu de cela, il la saisit par le bras, sans se soucier qu'elle tressaille de nouveau. Peut-être était-ce son contact, peut-être lui faisait-il mal ; il n'en avait rien à faire.

— Pars d'ici, femme, quitte la ville ! On n'a pas besoin de toi !

— Prends garde, Wyl Thirsk. Méfie-toi des Montagnes. Tu connais déjà l'autre ami dont je t'ai parlé. Garde-le près de toi.

Repoussant son bras, Wyl sortit de la tente à grands pas.

Chapitre 9

Fynch n'avait que quatre ans lorsque son père l'avait mis au service d'un des garçons de commodités de Stoneheart. Tout maigre qu'il était, le salaire qu'il percevait pour son travail évitait à sa famille de mourir de faim. Son labeur était sans doute le plus répugnant qu'on puisse imaginer, mais le jeune Fynch y mettait du cœur et en tirait fierté ; à telle enseigne qu'au bout de six années, son enthousiasme avait fini par attirer l'attention du roi.

Avant que la maladie le cloue au lit, Magnus aimait à se lever tôt pour déambuler dans le château ; et c'est comme ça qu'il avait rencontré le courageux garçonnet. Tous deux étaient des hommes d'habitude. Tous les jours ou presque, Fynch était à suer sang et eau au même endroit et à la même heure matinale ; de même, Magnus suivait un chemin de promenade bien défini, toujours le même. À force de rencontres, le rituel d'un petit salut de la tête commença à s'établir entre eux. Puis vinrent des échanges de quelques mots, qui se transformèrent avec le temps en discussions quotidiennes, courtes mais cordiales. Ces dernières années, Magnus s'était vraiment intéressé au garçon ; il restait hanté par le regret de n'avoir pas su façonner Celimus et, pour tout dire, de l'avoir perdu. Et voici que la vie lui offrait Fynch, un bambin de basse extraction, mais sérieux et mature et d'une incroyable intelligence.

Par un matin d'été où la vidange des lieux d'aisances royaux laissait particulièrement à désirer, le roi s'était plaint au sénéchal du travail du garçon en titre et avait suggéré qu'on le remplace par Fynch. Propulsé des égouts les plus bas aux appartements royaux, Fynch avait enregistré une promotion astronomique pour un bonhomme aussi jeune. Et ses gages avaient été quadruplés, puisqu'à sa nouvelle position on attendait de lui une absolue discrétion.

Comme en toute chose, Fynch avait déployé grand zèle dans sa nouvelle tâche et le responsable des latrines du roi n'avait jamais eu à se plaindre ni de son éventuelle curiosité ni de son labeur. Maintenant que le roi était au plus mal, Fynch avait la nostalgie de leurs petites causeries ; Magnus aussi.

Depuis sa nomination, Fynch avait perdu ses deux parents dans un accident ; ils laissaient derrière eux quatre orphelins, dont la plus âgée avait treize ans à peine. Sérieuse à l'instar de Fynch, elle prenait très à cœur sa responsabilité à l'égard de la couvée. La paie de son frère était vitale pour assurer au moins un repas par jour aux plus jeunes ; Fynch se considérait comme l'homme de la maison.

Même à l'âge de dix ans, Fynch restait bien malingre. Sa grande sœur aimante avait cessé de le gronder pour son appétit d'oiseau. Même si elle persistait à lui rappeler qu'en tombant malade il mettrait toute sa fratrie en danger, elle était assez fine mouche pour voir qu'il n'était pas mené par son estomac comme tant d'autres des garçons travaillant à Stoneheart. De toute façon, malgré sa maigreur et sa taille rabougrie, il se portait bien. Et puis, en restant petit, il était sûr de conserver son travail, pour le bien-être des siens.

Au moment de son entrée en fonction dans les étages royaux, Fynch s'était fait un autre ami – un gros chien noir. C'était par un petit matin d'automne, frais et brumeux ; Fynch était déjà à l'ouvrage, pour que le roi et le prince trouvent des latrines propres et rafraîchies à leur réveil. Alors qu'il s'activait, il avait subitement remarqué la présence de la gigantesque bête, comme sortie de l'un des murs.

Tranquillement assis, l'animal était resté un long moment à l'observer. Fynch l'avait sifflé, heureux de la distraction et certain qu'un chien manifestement aussi bien nourri ne pouvait être qu'apprivoisé. Le chien n'avait absolument pas bougé, se contentant de le regarder de ses yeux intelligents accomplir son travail nauséabond.

Sans que rien l'ait annoncé, le chien s'était finalement approché, vif comme l'éclair. Le garçon était solidement campé sur ses jambes, mais il avait été littéralement terrifié.

C'était un chien énorme, si grand qu'il n'avait pu que baisser les yeux sur Fynch devant lui. Lorsque Fynch avait tendu la main pour le toucher, l'animal n'avait ni tressailli ni même cligné des yeux ; mais Fynch avait alors eu l'impression d'être emporté dans un courant. Il s'était senti perdre pied, noyé dans un torrent d'images où submergeait le visage de Wyl Thirsk. La vision avait disparu aussi vite qu'elle était venue ; Fynch se tenait devant le chien, le regard plongé dans ses bons yeux mouillés.

Après une grande et profonde inspiration, Fynch s'était assis pour reprendre ses esprits. Le chien s'était alors installé près de lui et l'avait laissé lui gratter les oreilles et caresser son énorme tête tout en méditant sur ce qui venait de se passer. Soudain, le chien avait aboyé et l'explosion sonore avait tant effrayé Fynch qu'il en était tombé à la renverse. Avant de partir à fond de train, le chien lui avait léché le visage, comme pour le rassurer. Le jour suivant, il était de nouveau là. Juste après avoir noué une relation tout à fait inattendue avec le roi Magnus, Fynch était devenu l'ami du chien.

Souvent, le garçon avait l'impression que l'animal pouvait deviner ses pensées – bien qu'il n'eût admis pour rien au monde penser une telle chose. Néanmoins, en son for intérieur, il avait la certitude d'entretenir avec le chien une communication bien plus profonde qu'il est normal entre un homme et un animal. Pour Fynch, il devint absolument vital de trouver comment s'appelait ce chien et, surtout, à qui il appartenait. Il le suivit donc toute une journée, pour le découvrir en fin d'après-midi en train de gambader autour du général aux cheveux rouges ; comme par hasard. Pas étonnant donc qu'il ait eu cette vision. À cette époque, il ne savait pas encore grand-chose sur Wyl Thirsk ; mais parce qu'il était le seul à qui le chien manifestait de l'intérêt et parce qu'il l'avait vu dans sa transe, Fynch chercha à s'informer.

Il apprit le nom du chien – Filou – et s'aperçut qu'il montrait de l'amitié à quelques rares autres personnes – le vieux capitaine Gueryn, la sœur du général et le capitaine Alyd Donal à l'éternel sourire. À toute autre personne, hormis lui-même, le chien réservait un regard menaçant ou un grondement sourd.

Observateur-né, Fynch absorbait chaque jour d'incroyables quantités d'informations. Ensuite, sans même y penser, il les passait en revue, ne gardant que celles qui l'intéressaient. Même s'il n'utilisait ce talent que pour ce qui le préoccupait, il avait inconsciemment amassé des foules de détails sur quasiment tous ceux qui passaient à un moment ou un autre dans Stoneheart. Il connaissait leurs habitudes, leurs amis, leurs amours. Il ne partageait ses renseignements avec personne ; chaque jour sa mémoire devenait plus immense. Il découvrit qu'il pouvait se rappeler un infime détail datant de plusieurs années simplement en se concentrant dessus.

Au fil des mois, depuis qu'il avait fait ami-ami avec Filou – au point de partager maintenant ses déjeuners avec lui –, il s'était mis à évoquer des scènes et des conversations stockées dans sa mémoire, dans lesquelles figurait Wyl Thirsk. Il s'était composé une image précise de l'homme, qu'il appréciait énormément. Finalement, la nuit dernière, après le tournoi, il avait trouvé le courage de lui parler ; ce n'était pourtant pas la première fois qu'il se tenait auprès de lui. Non, la première fois, c'était le jour où on avait brûlé la sorcière et où le général s'était évanoui. Fynch, qui venait de débuter son travail à Stoneheart, s'était rendu là-bas par curiosité. C'était le premier supplice auquel il assistait; et le dernier tant l'horreur de l'excitation des adultes l'avait consterné. Il n'avait que quatre ans alors, mais ce qu'il avait vu juste après l'avait encore plus profondément marqué.

Gueryn pensait pourtant bien être le seul à avoir vu le phénomène, mais Fynch, qui avait prêté sa gourde, avait remarqué l'étrange teinte dans les yeux de ce Wyl Thirsk.

Il avait été terrifié, mais comme les yeux du général avaient retrouvé leur teinte normale et anodine, il ne savait véritablement qu'en penser.

En cette nouvelle aube, tout en marchant vers les latrines royales, il repensait aux événements de la veille. Il avait été pour le moins éberlué de la sortie précipitée du général hors de la tente de la veuve Ilyk; pensif et grave, Wyl avait ramassé son ami à moitié inconscient pour le ramener au château avec son aide. Joyeusement, Filou leur ouvrait la voie.

Le général lui avait glissé quelques pièces pour son aide et l'avait même remercié.

Fynch se souvenait lui avoir parlé, alarmé par son regard absent.

—Vous allez bien, seigneur?

Jovial et guilleret une heure plus tôt, le général avait eu du mal à poser ses yeux préoccupés sur lui.

—Ça va. Juste un peu secoué de ce que je viens d'apprendre, avait-il lâché avant de replonger dans le silence, comme gêné d'avoir déjà trop parlé.

Instinctivement, Fynch avait deviné que mieux valait ne pas insister.

—Je ne suis qu'un modeste garçon de commodités, seigneur, mais à votre disposition à toute heure du jour comme de la nuit.

—Fort élégamment dit, je te remercie, avait répondu le général.

Fynch avait rosi de plaisir. Puis Wyl avait fait une remarque inattendue.

— On dirait que mon chien t'a adopté, Fynch.

— Oui, seigneur, nous jouons ensemble tous les jours.

— Vraiment ? s'était étonné le général, en se tournant vers son ami couché dans l'herbe, la truffe sur les pattes. C'est étonnant.

— Comment ça, seigneur ?

— Parce que Filou ne tolère quasiment personne. À ce que je constate, il paraît toujours sur le point de mordre tous ceux à sa portée.

Fynch confirma de la tête.

— C'est vrai, seigneur. Il fait ça avec tout le monde, sauf ceux que vous aimez.

Il se souvenait qu'à cet instant précis le général Wyl Thirsk l'avait dévisagé, l'air totalement abasourdi. Alarmé, Fynch s'était empressé d'ajouter quelque chose.

— Je pense qu'il veut vous protéger, seigneur.

— Oui, avait fini par admettre Wyl. C'est un animal étrange mais il t'aime bien, ce qui me fait plaisir parce que tu es un bon garçon.

— Et il déteste le prince, avait soudain lâché Fynch. Parfois, je sais qu'il est dans les parages rien qu'au comportement de Filou.

Yeux plissés, Wyl considérait le garçon d'un air méditatif.

— Tu en remarques, des choses, pour un garçon de commodités.

— Je n'aurais peut-être pas dû dire tout ça. Pardonnez-moi.

Et maintenant, pile comme il attaquait le curage des augustes latrines, il s'interrogeait sur l'énigmatique sourire alors apparu sur le visage du général.

— Bonne nuit, Fynch, avait-il dit. Je suis sûr que nos chemins se croiseront de nouveau.

— Dormez bien, seigneur.

Wyl Thirsk avait chargé sur ses épaules un Alyd Donal grommelant des menaces indistinctes.

Fynch l'avait suivi des yeux jusqu'à ce qu'il disparaisse à l'intérieur du château, après quelques mots échangés avec la sentinelle de faction. Fynch s'était enfoncé dans les ténèbres, aussi loin que possible des patrouilles faisant leur ronde. Comme il s'y était attendu, une silhouette sortie de la nuit s'était alors approchée de lui.

— Salut, Filou. Tu es passé me dire bonne nuit ?

Le chien avait touché sa main de sa truffe humide et Fynch avait passé ses bras autour de son cou. Un son grave s'échappait de la gorge de l'animal, auquel Fynch répondit avec gravité.

— Je sais. Tu veux que je veille sur lui, hein ? Mais j'ignore comment faire…

Le chien s'était encore approché et ils étaient restés enlacés et silencieux pendant un long moment.

— Tu ferais bien d'y aller, maintenant. Et puis, il faut que je dorme moi aussi. Je dois m'occuper des latrines du prince demain. Il déteste quand je reste plus de deux jours sans passer et je me suis promis de briquer le conduit à fond. Ce n'est pas drôle comme boulot, mais au moins ce sera propre.

Fynch était fier d'évoquer ses efforts, mais Filou avait grogné ; la simple évocation de Celimus suffisait à lui hérisser le poil.

Fynch s'arracha à ses pensées pour pousser un soupir à fendre l'âme. Il avait pris l'inébranlable décision d'accomplir aujourd'hui la plus immonde des tâches. Ignorant l'odeur infecte qui lui piquait les yeux, il releva la tête pour inspecter le boyau débouchant dans le cabinet d'aisances attenant aux appartements du prince. Il était absolument répugnant ; un sérieux coup de brosse s'imposait.

Après un rapide coup d'œil alentour pour s'assurer qu'il était seul, il retira sa chemise et son pantalon de tartan, mettant à nu son petit corps pâle et malingre. Inutile de salir ses vêtements ; sa sœur n'apprécierait pas et puis il avait toujours la possibilité de se laver dans le lac avant de rentrer chez lui. Il les plia soigneusement pour les ranger à l'écart.

À cet instant, Filou arriva en silence sur ses grosses pattes et la mine du garçon s'illumina.

— Hé, tu me gardes mes affaires, vieux frère ? dit-il avec le plus grand sérieux.

À sa grande stupéfaction, le chien vint prendre position près de ses guenilles.

— Je vais monter là-dedans, expliqua-t-il en désignant le conduit. Un sale boulot. Je compte sur toi pour ne pas me distraire, d'accord ? Il faut que je fasse vite et que j'aille tout de suite me rincer parce que ce qu'on trouve là-dedans, ça pique la peau. En tout cas, je suis bien content que tu sois là.

Filou émit un jappement joueur ; Fynch était certain qu'il avait tout compris.

— À tout de suite, conclut-il en se retenant pour ne pas lui faire un signe de la main.

Nu comme un ver et armé de sa brosse la plus dure, il s'engouffra dans l'écoulement. Des siècles auparavant, les concepteurs de Stoneheart avaient fort judicieusement prévu des degrés le long des parois verticales pour permettre qu'on aille nettoyer. Fynch tressaillit au contact du limon visqueux et glacé, puis eut un sourire à la pensée réjouissante que la plupart des garçons ne restaient pas bien longtemps à son poste. Ils devenaient vite trop gros ; pas lui. Sa petite carcasse était parfaitement adaptée aux canalisations du château.

Depuis longtemps, il avait appris à faire abstraction de l'odeur nauséabonde en respirant par la bouche. Toutefois, rien n'était plus efficace que sa capacité unique à se perdre dans ses pensées. En regardant vers le bas, il croisa le regard de Filou, le museau levé vers lui ; et l'image du général s'invita de nouveau dans son esprit.

Prudemment, à petits gestes, il progressait d'instinct, sans même y réfléchir, si bien qu'il pouvait se plonger entièrement dans ses « informations » comme il les appelait ; il se lança dans un examen de sa manne de détails sur le général Wyl Thirsk. Tout d'abord, il lui paraissait inconcevable qu'il ait pu perdre le tournoi face au prince. Même un aveugle aurait pu voir qu'il l'avait totalement dompté ; et pourtant, il avait abandonné. Et puis que penser de ce qui s'était passé ensuite chez la diseuse de bonne aventure ? Pour le moins étrange, vraiment. Fynch était convaincu qu'elle n'était rien d'autre qu'une usurpatrice de foire ; pourtant, il s'était passé quelque chose dans la tente qui avait ébranlé le général.

Comme il arrivait presque au sommet du conduit, il s'arrêta un instant pour considérer cette étrange association qu'il venait de faire entre le comportement de Wyl la veille au soir et le changement de couleur de ses yeux le jour où on avait brûlé Myrren. Aucun doute, une aura de mystère entourait le général ; sans parler de son chien. Un jour, il avait entendu des soldats dire que Filou était un cadeau de celle qu'on avait brûlée, en remerciement de la gentillesse qu'il lui avait témoignée. Tout en récurant le conduit avec ardeur, Fynch ordonnait soigneusement tous ces éléments, sans oublier son étrange expérience la première fois qu'il avait touché le chien.

Son esprit agile papillonnait de l'un à l'autre, sans savoir où se poser ; et soudain, une idée s'imposa à lui avec force : le général était sûrement touché par un enchantement. Après tout, la femme sur le bûcher n'était-elle pas une sorcière ? Fynch croyait à la sorcellerie, même si pour rien au monde il n'aurait osé l'avouer. En lui-même, il reconnaissait que cette pensée était fantasque pour le moins ; mais elle ne voulait pas le lâcher. L'esprit en surchauffe, il passait la brosse tout en poursuivant sa lente ascension. Une nouvelle idée le frappa avec l'évidence d'une révélation : d'une manière ou d'une autre, Filou participait au phénomène. Après tout, c'était le chien de la sorcière.

Un général ensorcelé, la belle invention que voilà, songeait-il ; et pourtant, sa conviction devenait à chaque seconde plus profonde. Le cou tordu vers le haut, il apercevait le rai de lumière filtrant par l'ouverture taillée dans le mur pour éclairer le petit cabinet fermé au-dessus de lui. Encore quelques instants et il pourrait passer une main pour s'accrocher au rebord et frotter de toute la vigueur de l'autre. Ensuite, il n'aurait plus qu'à descendre pour rejoindre Filou qui l'observait depuis le bas. À la seconde où Fynch allait se hisser, il entendit un grognement provenant du dessous ; le chien. Filou produisait quantité de bruits de toutes sortes et, à son étonnement toujours renouvelé, Fynch en comprenait la plupart. C'était comme si le chien lui parlait. À cet instant, sans l'ombre d'un doute, il émettait le grognement réservé au prince Celimus.

Il prévenait le garçon que l'héritier n'était pas loin.

Fynch se blottit dans l'ombre ; pourvu que le prince n'ait pas quelque besoin urgent à satisfaire ! Le pire, c'était qu'il était terrifié par Celimus et éprouvait envers lui la même antipathie que Filou. Avec d'infinies précautions, il entreprit de se laisser descendre ; il entendait un bruit de pas. L'envie folle lui vint de se laisser tomber, même au risque de se briser un membre. Il ne supportait pas l'idée d'être pris sur le fait par le prince comme un vulgaire curieux – Shar seul savait ce qu'il lui ferait subir alors.

Le chien gronda plus fort encore, puis se tut subitement. Fynch se pétrifia sur place. Lui aussi entendait ; des bruits de pas et des voix. Fynch reconnut celle de Celimus, mais il y avait un autre homme également, qu'il ne connaissait pas. Mais que venaient-ils faire ensemble dans cet endroit ?

Aussi silencieusement que possible, il se laissa glisser jusqu'au niveau où l'ombre devait le protéger, puis ouvrit bien grandes ses oreilles. Il les entendait avec une clarté surnaturelle.

Le second était en train de parler.

— … d'accord, mais pourquoi ici ?

— Parce que c'est le seul endroit où nous pouvons parler sans crainte d'être écoutés, répondit Celimus. Les murs sont certes épais, mais ils ont des oreilles.

— D'accord, dans votre cabinet d'aisances. Et maintenant, puis-je savoir pourquoi vous m'avez fait venir, mon prince ?

— Parce qu'on m'a dit que vous étiez le meilleur.

— J'excelle dans bien des domaines, mon prince. À quoi faites-vous donc allusion ?

— Ne jouez pas au plus fin avec moi, Koreldy. Vous êtes bien un mercenaire, n'est-ce pas ?

— Oui.

— Et un assassin si on y met le prix ?

Il y eut une pause dans la conversation. Fynch s'arrêta de respirer ; il avait peur que les hommes n'entendent battre son cœur. Finalement, le dénommé Koreldy se décida à répondre.

— Tout dépend de la cible… et de la somme.

— Plusieurs centaines de couronnes, répliqua le prince sans hésiter.

De surprise, les yeux de Fynch étaient écarquillés ; même pour le plus riche des nobles, c'était une fortune considérable.

— Vous voulez vraiment voir mourir cette personne, mon prince, dit l'assassin.

Ses mots étaient empreints de politesse, mais il n'était en rien intimidé.

— Je ne plaisante pas. Êtes-vous disposé à le faire ?

Celimus semblait perdre patience.

— Quand ?

— Bientôt. Il faut d'abord que j'organise un peu les choses pour vous faciliter la tâche. Voyez quel bon employeur je suis.

— Et le paiement ?

— La moitié tout de suite si vous êtes d'accord. L'or est dans ma chambre.

L'assassin émit un petit sifflement modulé.

— Qui ? demanda-t-il enfin.

— Le général Wyl Thirsk.

Le choc de l'annonce fit passer un frisson atroce tout au long de l'échine de Fynch, qui faillit lâcher sa prise.

— Ah ! Je me doutais que ça n'allait pas être simple de gagner une pareille somme, dit Koreldy avec une pointe de résignation dans la voix.

Fynch entendait Celimus tourner dans le petit espace comme un fauve en cage.

— Ce n'est qu'un homme et il ne se doute de rien. Vous pouvez sûrement faire ça, non ?

— Oui, bien sûr, je peux m'en charger, répondit l'assassin d'une voix sourde. Le problème, c'est plutôt de faire ça à un homme que je respecte.

— Cinq cents couronnes – est-ce que ce serait assez pour museler vos scrupules ? demanda Celimus avec une pointe de sarcasme.

Un nouveau silence s'abattit ; l'assassin réfléchissait.

Celimus meubla.

— Vous allez écrire l'histoire, mon cher. Wyl Thirsk n'est pas plus un héros que vous. Et puis, vous êtes originaire de Grenadyne, alors que peut bien vous importer ?

Koreldy répondit d'une voix si basse que Fynch dut user de toute son ouïe pour entendre.

— Mes aïeux venaient de Morgravia. Avant que ma famille quitte cette terre, mon grand-père a combattu aux côtés du sien. Il m'a dit quel grand chef et redoutable guerrier était Henk Thirsk. Apparemment, ce Wyl en a tout hérité.

— On dirait que l'histoire vous passionne ?

— Je reste morgravian de cœur, même si je suis né de l'autre côté de l'océan.

— Je crains bien qu'on ne vous ait raconté des histoires. Celui-ci est un lâche qui vomit son dîner dès qu'il entend un os craquer.

— Vraiment ?

— Parfaitement. Et c'est d'ailleurs pour ça que je veux l'éliminer. Non seulement il est inutile, mais il constitue une menace pour la sécurité de Morgravia. En tant que mercenaire, je suppose que vous ne devez allégeance à aucun royaume ?

L'homme dut répondre d'un hochement de tête silencieux car Celimus poursuivit sa démonstration.

— Donc sa mort ne doit en rien vous affecter. D'autant que je vous paie royalement pour adoucir vos regrets. Nous avons pour coutume bizarre – et pour tout dire stupide – de toujours nommer un Thirsk à la tête de la légion, sans même nous préoccuper de savoir s'il est fait pour être général. Il est clair que celui-ci n'a aucune des qualités du prédécesseur que vous évoquiez.

— Vous pourriez le rétrograder.

— Pas tant que je ne suis pas roi.

— Il semblerait que ce soit pour bientôt.

— Pas assez tôt ! cracha Celimus.

— Je vois, dit l'homme.

Fynch était sidéré du ton direct qu'il employait vis-à-vis du prince.

— Pourquoi ne pas le faire occire par l'un des vôtres ? poursuivit l'assassin. Ça paraît extravagant de dépenser autant pour engager un étranger s'il est aussi incompétent que vous le dites. N'importe lequel de vos soldats ferait ça pour un dixième de la somme, non ?

Priant pour que ses doigts tiennent, Fynch attendait la suite. Le mercenaire était loin d'être un idiot et il ne se laissait pas démonter par ce prince qui en intimidait tant d'autres.

— Ça n'est pas possible. Vous comprenez, n'est-ce pas ? répondit Celimus en masquant son embarras par un petit ricanement. Je ne veux pas que du sang de Wyl Thirsk retombe sur les mains de quelqu'un de Morgravia. Le prestige de la famille Thirsk est grand et il se trouve qu'elle est très proche de la mienne.

Fynch imaginait très bien l'œil sourcilleux du mercenaire ; les arguments du prince paraissaient bien embrouillés.

— Quel est votre plan ?

— Je vous expliquerai. Sachez également que j'ai engagé des soldats étrangers pour vous accompagner.

— Et on peut leur faire confiance ?

— Non, mais ils feront ce que je leur demande ou ils ne seront pas payés. En revanche, ils seront bien payés s'ils suivent mes ordres. L'appât du gain, c'est tout ce qui les lie. Ils auront des instructions spécifiques, qui ne vous concernent pas. Quant à vous, votre mission est simple : éliminer Thirsk.

— Et ça doit se passer où ?

— En dehors du territoire de Morgravia.

— La moitié maintenant ?

— Et l'autre moitié quand j'aurai la preuve qu'il n'est plus qu'un cadavre, conclut le prince, la voix de nouveau pleine d'ironie.

— C'est d'accord.

— Bien. Et maintenant, allons boire pour sceller notre accord.

Leurs voix s'amenuisèrent et Fynch put enfin récupérer l'usage de ses bras tétanisés. Tout en bas, le chien grogna de nouveau ; le prince revenait.

— Servez-vous, j'arrive tout de suite, invita-t-il avant de soulager sa vessie dans ses latrines privées.

Fynch ferma les yeux et baissa bien vite la tête ; le liquide chaud dégoulina sur son crâne, son front et son visage. Du fond de son humiliation et de la détresse causée par ce qu'il avait appris, il entendit à peine les cloches de la cathédrale, dont le glas lent disait la mort d'un souverain.

Chapitre 10

Magnus mourut dans un état de grande stupeur opiacée, ses yeux absents rivés sur le paysage de petit matin d'automne qu'il découvrait par ses fenêtres en ogive.

Au cours de la nuit, sentant la présence de la mort sur son épaule, il avait vu tous les conseillers qu'Orto jugeait importants. Il s'était également entretenu quelques instants avec son fils ; ils avaient bien peu à se dire. Dans l'espoir déçu de trouver un terrain d'entente, Magnus s'était tout de même efforcé de lui faire part de ses ambitions pour le royaume.

Ses efforts douloureux avaient été inutiles.

Avec un sourire navrant plaqué sur son visage aussi glacé que son cœur, il avait de nouveau souhaité à son père un trépas aussi prompt que possible. Puis il s'était penché sur Magnus et, pendant un instant, le mourant avait espéré que son fils unique le prenne dans ses bras. *Cela effacerait tout*, avait-il songé pendant cette glorieuse seconde d'anticipation. Juste après, lorsqu'il avait compris combien il s'était trompé, son sourire s'était mué en rictus – une grimace de désespoir et de complète acceptation. Ô comme il avait voulu être aimé de son fils ; maintenant, il le savait, il lui vouait une haine au moins égale à la sienne.

Le jeune homme en fait s'était penché sur son père pour prendre à son doigt décharné l'anneau royal aux armes de Morgravia. Le souverain avait senti la bile remonter dans sa gorge.

— Tu n'en as plus besoin, père.

La foudre dans les yeux de Magnus avait fait reculer Celimus ; le geste de son fils lui avait fait retrouver pour un ultime instant toute son autorité.

— Ton règne sera maudit. Tu mourras haï de tous. Ma dernière volonté est que Shar t'arrache ta couronne. Éloigne-toi de moi ! Je préfère partir en regardant les chiens plutôt que toi. Sors d'ici !

— Je m'en vais, vieil imbécile inutile. Ce soir, le royaume sera à moi et je peux te promettre que mon règne n'aura rien à voir avec le tien. Ma mère avait raison, tu n'es qu'un paysan. Va-t'en et emporte tous tes vassaux avec toi. Bon débarras !

Celimus avait ensuite quitté la pièce, mais non sans avoir au préalable craché sur son père.

— Voilà tout ce que tu m'as inspiré. Et maintenant crève, en pensant que Wyl Thirsk ne tardera pas à te suivre.

Trop faible pour seulement appeler afin qu'on prévienne Wyl, Magnus avait regardé impuissant et horrifié le prince sortir de sa démarche élégante. Sur son visage, le crachat de Celimus coulait lentement, se mêlant aux larmes qu'il ne pouvait plus retenir.

Peu après, Orto l'avait trouvé sans connaissance ; ce n'était plus qu'une question de minutes. Avec son aptitude coutumière à prendre des décisions, Orto avait envoyé un page chercher Wyl et un autre quérir le médecin, qui arriva le premier.

— Je peux lui donner quelque chose pour qu'il passe sans heurt, avait-il proposé.

— D'accord. Dès que le général sera là.

Le médecin avait hoché la tête avec gravité, pour s'atteler ensuite à la préparation de son mortel élixir.

Wyl était arrivé hors d'haleine ; Orto l'attendait.

— Je crois ne pas me tromper, général, en disant que c'est certainement votre visage que notre roi bien-aimé aimerait voir en dernier.

— Et Celimus ? demanda Wyl en mesurant parfaitement la vanité de sa question.

Orto secoua négativement la tête.

— Ils se sont parlé, mais ça ne lui a pas fait de bien. Faites vite, général, le médecin voudrait lui donner une potion pour alléger sa douleur et hâter sa fin.

Wyl acquiesça, le cœur serré de chagrin. Il mit un genou à terre au chevet et prit la main du roi dans la sienne pour la baiser avec un infini respect.

— Sire, c'est Wyl.

Magnus s'arracha des limbes où déjà ses esprits s'embrumaient ; dans la lumière, il y avait le visage de Wyl Thirsk qui lui souriait, les yeux brouillés de larmes.

— Mon garçon, mon fils, murmura-t-il.

Il voulut serrer la main de Wyl, mais n'y parvint pas.

Le médecin tendit une coupe à Wyl, avec au fond quelques gouttes d'un liquide brun à l'odeur puissante.

Wyl l'approcha des lèvres du roi.

— Buvez, Sire.

Magnus comprit ce que c'était.

— Oui, l'heure est venue pour moi d'aller de l'autre côté.

— Mon père et vous allez bientôt vous retrouver, murmura un Wyl luttant pour ne pas pleurer.

Le roi avala la potion ; sa tête roula doucement sur le côté. Orto fit partir le médecin. Soudain, Magnus tourna des yeux redevenus brillants d'énergie.

— Wyl… le pacte par le sang… que nous avons passé… il y a des années…

Chaque mot était une souffrance, mais sa voix sonnait clair.

— Je t'en délie, poursuivit-il. Tu me comprends, n'est-ce pas ? Toi seul peux prendre Morgravia… La légion t'est fidèle…

Abasourdi par les paroles du roi, Wyl se tourna vers Orto ; le visage du secrétaire irradiait de satisfaction. Wyl souhaitait de tout son cœur ne pas se méprendre.

—Sire, vous ne pouvez pas dire ça. C'est une trahison. Je...

—Trop tard ! Emmène Ylena loin d'ici. Il veut te tuer. Pars...

Magnus bredouilla encore quelques mots indistincts, puis ce fut tout. Ses yeux vides fixaient un point au loin dans le ciel ; le soleil du matin baignait la campagne de Morgravia. Un ultime soupir s'échappa de sa poitrine amaigrie ; le roi venait de mourir.

—Je vais chercher le prêtre, murmura Orto.

—Orto...

Le secrétaire se retourna pour faire face au général.

—Je suis loyal à Magnus, pas à Celimus, dit-il. Je n'ai rien entendu de ce qu'a dit le roi. Juste le souffle d'un homme égaré par la liqueur de pavot.

—Je suis votre débiteur.

—Je vais quitter le palais. Bientôt, ces lieux ne seront plus sûrs pour moi. Et vous devriez prendre les mêmes précautions. Au cas où vous auriez besoin de me contacter, je trouverai un moyen de vous faire savoir où je suis.

Ils échangèrent un long regard par-dessus le corps sans vie de Magnus.

Wyl offrit sa main à serrer.

—Je vais demander qu'on fasse sonner les cloches de la cathédrale.

Orto hocha doucement la tête.

—Bonne chance, général. Nous nous reverrons.

Fynch grelottait et claquait des dents sous la morsure de l'eau du lac. Il s'était déjà frotté la peau à vif pour ôter jusqu'au souvenir de Celimus, mais il restait la tête sous l'eau jusqu'à avoir l'impression que ses yeux allaient jaillir de leurs orbites. Filou allait et venait nerveusement sur la berge, aboyant sans cesse au point de couvrir les cloches de la cathédrale sonnant à la volée.

— J'arrive, articula péniblement le garçon à travers ses lèvres bleuies.

Son cerveau en revanche restait en ébullition, toujours sous le coup de ce qu'il avait appris.

Est-ce que le général Thirsk le croirait seulement ? Probablement pas ; son histoire était un peu trop tirée par les cheveux. Et puis, il n'était qu'un garçon de commodités – qui donc l'écouterait ? Filou aboya de nouveau, plus fort cette fois, et Fynch rejoignit la berge, s'agrippant à la queue du chien pour sortir de l'eau. À cet instant, la vision lui revint – quelqu'un retirait une épée du corps du général et ses yeux devenaient vides et sans vie. Puis elle disparut et une douleur fulgurante lui traversa le crâne. Une vague de nausée souleva son petit corps et il cracha de la bile. Dans la panique, il n'avait pu jusqu'alors mettre de l'ordre dans son esprit d'ordinaire si agile. Il allait devoir attendre que son malaise disparaisse.

De sa langue râpeuse, Filou lui essuyait le visage. La chaude haleine du chien le soulageait ; peu à peu, il s'arrachait au souvenir de sa transe et reprenait ses esprits. Sa tête lui faisait mal, mais il l'ignora, frottant vigoureusement son corps avec sa chemise avant d'enfiler ses vêtements humides. Il n'y avait plus une minute à perdre. Subitement, il avait la certitude que sa vision était un avertissement. Il devait trouver Wyl Thirsk, lui dire ce qu'il avait entendu et faire en sorte que le général le croie.

— Viens Filou, on va le chercher.

Il savait qu'il risquait son gagne-pain à pénétrer dans les grandes salles du palais, mais peu importait. La vie d'un homme auquel il se sentait mystérieusement lié était en jeu ; et lui seul le savait.

Le chien bondit et Fynch se mit à courir derrière lui ; il ignorait qu'il était déjà trop tard.

Wyl marqua une pause devant la porte de la chambre du nouveau roi ; Celimus n'avait même pas eu la décence d'attendre que le corps de son père soit froid. La tradition aurait voulu qu'il s'abstienne de réclamer ainsi le trône, au moins jusqu'à ce que le roi défunt repose dans la cathédrale. Il aurait dû attendre que le caveau soit refermé pour seulement ensuite se faire couronner ; mais Celimus n'entendait rien respecter. Il désirait tellement la couronne qu'elle devait déjà ceindre son front.

Cela faisait une heure tout juste que Wyl avait respectueusement baisé la joue glacée de Magnus. Le corps avait ensuite été lavé et on devait être en train de l'amener à la chapelle ; néanmoins, Celimus s'était déjà approprié les appartements de son père. C'était révoltant.

Wyl prit une profonde inspiration ; il se demandait ce que lui voulait Celimus pour le convoquer si vite. Il aurait aimé avoir Alyd à ses côtés, mais il ne l'avait trouvé nulle part, pas même dans sa chambre – vraiment étonnant, compte tenu de son état de la veille. Ylena aussi était introuvable. Sans doute avait-elle été fâchée de l'ivresse de son mari, au point d'aller faire un tour pour le laisser cuver. En revanche, Wyl venait d'apprendre que Gueryn avait été envoyé au nord dans la nuit et cela l'inquiétait. Il s'en voulait d'avoir passé du temps à s'amuser avec ses hommes et de n'avoir pu empêcher le départ de son mentor. L'ordre de mission était signé de la main du roi, mais pour Wyl ce ne pouvait être qu'un faux ; la veille, Magnus n'était sûrement pas en état d'apposer son paraphe sur quoi que ce soit. Cette manœuvre était marquée du sceau de Celimus et Wyl entendait bien tirer les choses au clair. Le souvenir des menaces du prince lors du tournoi revenait lui chatouiller l'esprit.

L'odeur des fleurs qui entrait par une fenêtre ouverte lui rappela un jour ancien – un jour heureux – où il se tenait précisément devant cette lourde porte de chêne, attendant d'être reçu par le roi Magnus. Aujourd'hui, le roi était mort, emporté par les bergers de Shar pour rejoindre son ami Fergys. Wyl se sentait seul au monde. L'un des battants s'ouvrit et Wyl reconnut l'un des serviteurs zélés de Celimus.

— Ah, tout de même, dit-il. Le roi n'aime pas qu'on le fasse attendre.

Une foule de réponses cinglantes montèrent aux lèvres de Wyl, qui dut se les mordre pour ne rien dire. Celui-là n'était pas digne de sa colère ; il lui jeta juste un regard empli de dédain.

— Eh bien dépêche-toi. Va m'annoncer.

Les portes s'ouvrirent en grand ; Wyl s'avança et on le fit attendre de nouveau. Ses yeux se portèrent sur la pierre angulaire sculptée qu'il avait admirée des années auparavant : le dragon crachant le feu indiquant qu'il pénétrait dans le domaine du roi. Un roi qu'il détestait.

Le serviteur revenait, la mine méprisante.

— Le roi Celimus va vous recevoir.

Wyl passa devant en l'ignorant superbement ; un autre serviteur le fit entrer dans le bureau.

Wyl mit un genou à terre ; tout son être protestait d'avoir ainsi à rendre hommage à Celimus.

— Majesté, dit-il sans lever les yeux, satisfait de la fermeté de sa voix.

— Ah, Thirsk.

Celimus ne l'invita pas à se relever. Wyl vit les pieds d'un homme s'approcher du roi, qui sûrement l'avait mandé d'un signe. Celimus murmura quelque chose, puis les pieds de l'homme s'éloignèrent. Toujours agenouillé, Wyl ne disait rien, mais il entendit qu'on s'approchait dans son dos, aussi silencieusement que possible. Par respect pour la personne royale, les soldats devaient laisser leurs armes avant d'entrer ; il s'en voulait d'avoir scrupuleusement suivi le protocole. Combien de fois Gueryn lui avait-il recommandé d'avoir toujours une dague dissimulée.

Finalement, Celimus se leva et marcha vers lui. À cet instant, des mains le saisirent dans le dos. Wyl se défendit vaillamment, écrasant un nez du revers de sa main. L'agresseur recula, mais un autre arrivait. Wyl se pencha en avant pour le propulser par-dessus son épaule. Il se retourna pour faire face, mais la pointe tranchante comme un rasoir d'une épée était appuyée sur sa gorge. Sa peau céda sous la poussée.

—Je ne ferais pas ça si j'étais vous, dit l'homme qui tenait l'épée.

Une trace d'accent de Grenadyne perçait dans sa voix.

Pendant que des hommes que Wyl ne reconnaissait pas liaient ses mains et ses pieds, l'homme maintint la lame sur son cou, sans jamais se départir d'un petit sourire. On le retourna ensuite face au roi. Maintenant, Wyl voyait nettement ses agresseurs ; leurs barbes et les cheveux indiquaient qu'ils n'étaient pas de Morgravia.

—Je me demande, Wyl, quelle est ta loyauté à mon égard ? dit Celimus depuis la haute fenêtre devant laquelle il se tenait, regardant au-dehors.

—Sire, j'ai juré de donner ma vie pour le royaume, répondit Wyl, outragé du traitement qu'on lui faisait subir.

—C'est bien, très bien. Mais un roi doit s'entourer exclusivement de personnes en qui il peut avoir confiance. Je ne peux pas permettre que mon général complote contre moi.

Wyl garda le silence.

—Tu peux parler, l'encouragea Celimus. Peu leur importe, ils n'obéissent qu'à l'argent, ajouta-t-il en désignant les étrangers d'un coup de menton négligent.

—Je suis votre serviteur, Sire. Je suis votre général et j'obéis à vos ordres.

Celimus eut un grand sourire, franc et sincère. Wyl le haït plus que tout à cet instant, pour la facilité qu'il avait à se montrer si amical.

— C'est parfait, Wyl. Il semblerait que nos pères espéraient bien que nous dirigions ensemble le royaume, tout comme eux-mêmes l'avaient fait. Penses-tu que nous pourrions réaliser leur rêve ?

— Je ne vois pas pourquoi nous ne pourrions pas, Majesté, répondit Wyl.

Ses yeux furetaient alentour, évaluant les possibilités de fuite. Déjà, il réfléchissait à un moyen de prévenir Ylena. Comme le roi Magnus avait été avisé. Celimus savait que Wyl représentait un danger pour lui, simplement par l'autorité qu'il avait sur la légion. Wyl avait été trop lent à comprendre ce qui se tramait ; et il était là maintenant, captif et impuissant.

— J'admire ton optimisme, général, mais il me faut plus que des mots. Les paroles ne sont rien si aucune action ne les concrétise.

— Que pourrais-je faire pour vous prouver ma sincérité ?

— C'est simple, tu peux mener une petite mission pour moi. Si tu réussis, je pense que tu auras fait un grand pas en avant.

Wyl hocha la tête.

— Dites-moi ce que je dois faire.

— Assieds-toi, invita Celimus en faisant reculer d'un geste ses hommes de main.

Wyl aurait préféré rester debout, mais il se dit qu'il valait mieux de faire ce qu'on lui demandait. Il remarqua que Celimus, lui, restait debout devant la fenêtre, à regarder dans l'une des petites cours en contrebas. Le roi n'ordonna pas qu'on lui libère les mains.

— C'est une mission délicate qui exige ton doigté – ou du moins le prestige de ton nom, reprit Celimus sans se retourner. Je veux que tu mènes une petite troupe d'hommes en Briavel et obtiennes une audience auprès du roi Valor.

Même s'il s'efforça de ne rien montrer, Wyl savait que son visage trahissait la surprise qu'il ressentait devant l'énormité de la demande.

— Et tu lui feras une proposition, poursuivit Celimus.

Cette fois, Wyl était intrigué.

— Et que lui proposerai-je ?

— Tu lui proposeras un mariage entre moi et sa fille, Valentyna. C'est un homme d'expérience, il comprendra l'intérêt qu'il y a à réunir nos deux royaumes. Aucune altesse royale – surtout une altesse aussi écervelée qu'elle semble être à ce qu'on me dit – ne choisirait la guerre plutôt que la paix et la prospérité. Moi seul puis lui garantir cette sécurité. Sinon, je sème la désolation chez elle en menant campagne sur campagne jusqu'à ce que Briavel tombe.

Celimus se tut pour tourner vers son général un regard comme distant et fatigué. Wyl se sentait bizarrement encouragé. Avait-il bien entendu ? Le roi attendait patiemment sa réponse.

— Votre Majesté, dit-il, votre idée est brillante. Cela apporterait la paix après des siècles de guerre, ajouta-t-il encore, mortifié d'avoir à dire une évidence, mais incapable de dissimuler le plaisir qu'il en éprouvait. C'est avec plaisir que j'accepte cette mission. Je ne vous décevrai pas.

Wyl s'arrêta en se rendant compte qu'il en bredouillait.

— Je me réjouis que tu apprécies ma stratégie, répondit Celimus en observant le poli parfait de ses ongles.

— Pourquoi avez-vous cru nécessaire de m'attacher et de me soumettre si c'était juste pour m'entendre faire cette promesse ?

— Mais parce que je n'ai aucune confiance en toi, Thirsk. Voilà pourquoi.

— Et maintenant ?

— Peut-être un peu plus. J'ai formé la délégation qui t'accompagnera. Tu as déjà fait la connaissance de Romen Koreldy, qui sera ton second, dit Celimus en regardant derrière Wyl.

Les yeux de Wyl revinrent sur l'étranger. Grand, le teint hâlé, il avait des yeux d'une teinte gris argent particulière, dans lesquels pétillait une flamme moqueuse. Il portait les cheveux longs sur les épaules et une fine moustache ourlait sa lèvre supérieure, complétée d'une barbiche. Il salua et Wyl put constater que sa voix avait exactement la même note ironique que son regard. À l'évidence, c'était un homme bien dans sa peau ; il irradiait la confiance en soi.

Wyl se redressa.

— Alyd Donal est mon capitaine, Majesté, dit-il d'un ton ferme et déterminé.

— Pas pour cette mission de la plus haute importance, Wyl. En fait, tu n'emmènes aucun homme de la légion.

— Vous m'envoyez en territoire ennemi sans aucun homme ?

Celimus ouvrit la fenêtre en grand.

— C'est précisément parce qu'on va pénétrer sur le royaume de notre ennemi qu'il n'y aura aucun Morgravian hormis toi. La simple présence de la légion mettrait le feu aux poudres et je ne peux pas le permettre.

— Vous préférez faire confiance à des étrangers ? demanda Wyl en se tournant de nouveau vers Romen Koreldy, toujours aussi à l'aise.

— Mais tu n'es pas un étranger, Wyl. Tu es un fier fils de Morgravia. Les étrangers auront des instructions et une bourse pleine à leur retour si la mission est un succès.

Wyl se demandait si son imagination ne lui jouait pas des tours ; voilà que le sourire du roi lui faisait penser à un loup. *Des mercenaires*, pensa Wyl abasourdi. *Nos pères vont se retourner dans leurs tombes.*

Il se composa une mine grave, se préparant à l'avance aux conséquences de ce qu'il s'apprêtait à dire.

—Je regrette, Sire, mais je ne peux mener cette mission sans hommes de confiance à mes côtés. Je me vois contraint de vous demander de reconsidérer votre plan.

La voix de Celimus se chargea de notes tranchantes.

—Il ne s'agit pas de savoir ce que tu veux, aboya-t-il. Il s'agit d'assurer la paix entre nos deux royaumes par une alliance stratégique. Et tu es celui chargé de la négocier.

Wyl se rebiffa.

—Je suis un soldat, Sire, pas un politicien. Après tout, je ne suis peut-être pas la bonne personne.

Celimus secoua la tête comme s'il avait en face de lui un gosse entêté.

—Valor ne fera confiance à personne d'autre. Nous sommes peut-être ennemis, mais tout le monde connaît le respect qu'il avait pour ton père.

—Et pour le vôtre aussi, contra Wyl. Il est peut-être préférable que vous vous déplaciez en personne pour demander la main de sa fille.

Celimus quitta l'embrasure de la fenêtre pour lui faire face. Il ne pouvait plus dissimuler la colère qu'il éprouvait.

—Aurais-tu peur, Wyl ?

—Non, Sire, mais je ne suis pas stupide.

Wyl regretta instantanément ses paroles, du moins ce qu'elles impliquaient. Il enchaîna bien vite.

—Ces hommes sont des étrangers et je refuse de mettre ma vie ou celle de quiconque entre leurs mains.

—Et si je garantissais personnellement ta sécurité ?

Wyl ouvrit la bouche pour répondre au roi, puis la referma sans rien dire. Il savait maintenant que c'était un piège.

—J'ai bien évidemment envoyé un courrier diplomatique demandant à Valor de coopérer en entamant des discussions de paix avec mon émissaire, ajouta Celimus.

Wyl hocha la tête, bien décidé à ne pas montrer le dégoût que lui inspirait celui qui avait ourdi son plan alors que son père était encore vivant. Faire confiance à Celimus ; c'était risible. Il était aussi fiable qu'un serpent – et plus dangereux encore.

— Désolé, Majesté, mais c'est non. Je ne mènerai pas cette mission dans ces conditions et je vous avertis respectueusement que…

— C'est ton dernier mot ? le coupa Celimus.

Wyl confirma de la tête, inquiet subitement de ce que sa décision pouvait bien entraîner. Il demeurerait cependant inébranlable ; pas question qu'il compromette son rang ou le nom de sa famille en frayant avec des mercenaires.

Celimus poussa un soupir de désolation.

— C'est bien ce que j'avais craint. Je vais donc devoir chercher d'autres moyens de m'assurer de ta loyauté.

Il s'approcha de la fenêtre, donnant l'ordre à l'homme massif qui gardait Wyl de l'amener.

Wyl fut tiré sans ménagement et contraint de regarder dans la cour ce qui avait tant captivé Celimus. Un homme était agenouillé au sol, la tête posée sur un billot. À côté de lui, un bourreau attendait, les mains sur le manche de son énorme hache.

Une main agrippa la chevelure du supplicié pour la tourner vers le ciel ; Wyl sentit ses genoux se dérober. C'était Alyd, dont les yeux dans son visage ravagé par les coups avaient un regard pitoyable. Il reconnut Wyl et eut le temps de hurler le nom d'Ylena avant qu'un des gardes le frappe violemment. Ils s'acharnèrent sur lui jusqu'à ce qu'il tombe sans connaissance dans la poussière, la face en sang. On lui remit de force la tête sur le billot.

À ce jour, rien, pas même le souvenir de Myrren qui fugacement lui était venu à l'esprit, ne l'avait autant effrayé que ce qu'il voyait.

—Mon roi, je vous en supplie, hurla-t-il.

—Trop tard, dit Celimus. Je ne suis pas quelqu'un avec qui l'on peut jouer ainsi.

Celimus leva la main.

—Celimus, implora Wyl, oubliant étiquette et protocole. Pour l'amour de Shar! C'est un capitaine de la légion. Il sert fidèlement Morgravia. Pensez à son père, pensez à sa famille. Je vous en prie, mon roi. Felrawthy donnerait sa vie pour vous. Épargnez Alyd.

En même temps qu'il parlait, il sentait combien ses paroles étaient vaines.

Un cri enroué jaillit de la gorge d'Alyd; il appelait à l'aide son ami. Le cœur de Wyl battait à tout rompre.

—Je t'ai confié une mission et tu l'as refusée, expliqua gentiment Celimus, comme à un enfant.

—Majesté, permettez que je prenne mes hommes avec moi et je…

—Wyl, je ne négocie pas avec mon général. Tu oublies que tu me sers.

Wyl ouvrit la bouche. Il cherchait un argument, quelque chose à dire, mais c'était déjà trop tard; Celimus n'avait nulle intention d'épargner la vie d'Alyd. Tout cela n'avait été qu'une ruse. Il avait décidé de le tuer dès l'instant où il avait échoué dans son intention de mettre Ylena dans son lit.

Wyl vit avec horreur Celimus baisser la main et donner le signal. Ses yeux passèrent dans la cour où il vit une hache monter vers le ciel, puis s'abattre. Sidéré, l'âme dévastée, il regarda la vie de son ami s'arrêter, tranchée net. Même l'utilisation de la hache était une insulte faite au statut de noble d'Alyd.

Un sanglot étouffé monta dans sa gorge.

—Immonde salaud! cria-t-il.

Il luttait pour s'arracher des cordes et de l'étreinte des hommes qui le tenaient. Il se démenait pour frapper son roi.

Celimus avait à peine cligné des yeux devant le drame qui s'était déroulé.

— C'est de ta faute s'il est mort, Wyl. Si seulement tu avais suivi les instructions de ton roi sans poser de questions – comme tu es normalement censé le faire. N'est-ce pas ça que ton père faisait pour le mien ?

— Mon père n'avait pas à suivre les ordres d'un fou, cracha Wyl.

Dans la même seconde, il se rendit compte de l'effet désastreux de ses paroles ; pour sauver sa sœur, il allait devoir négocier avec cet être cruel et assoiffé de sang.

Sous l'insulte, Celimus se tourna de nouveau vers la fenêtre pour faire un autre signe ; Wyl sut alors que sa sœur était en danger.

— Où est Ylena ? demanda-t-il, pétrifié.

— Ici même, répondit le roi.

Wyl osa porter une nouvelle fois le regard dans la cour et une seconde vague de désespoir le submergea : on amenait sa sœur, folle d'angoisse. Elle aperçut le corps sans tête de son mari agenouillé au sol et elle commença à crier.

Fynch s'arrêta brutalement de courir, l'esprit subitement envahi par une vision pleine de sang. *C'est trop tard, Filou, trop tard!* hurla-t-il silencieusement pour lui-même. Il s'effondra contre l'un des murs froids du château, en proie à un désespoir immense qui lui faisait monter des larmes dans les yeux. Le chien parut comprendre ; il le laissa enfouir son visage contre lui.

— Ne faites pas ça, Celimus, adjura Wyl pendant qu'Ylena pataugeait dans le sang de son aimé.

D'un coup de botte, un homme fit basculer son corps dans la poussière et Ylena dut l'enjamber. Ils la forcèrent à s'agenouiller, la tête sur le bois encore trempé. Wyl voyait les tremblements qui l'agitaient ; elle avait cessé de hurler pour se mettre à gémir.

—J'ai fait en sorte qu'elle porte une robe blanche, immaculée. Une petite touche ironique, tu ne trouves pas ?

Celimus leva la main pour le signal ; Wyl supplia encore et encore, tirant de toutes ses forces pour échapper aux mains qui le retenaient. Sur un signe du roi, les hommes lâchèrent d'un coup et il tomba à genoux, sans même ressentir la douleur du choc.

—Au nom de Shar, Majesté, épargnez-la. Je ferai ce que vous voulez.

—Ce que je veux ?

Wyl hocha la tête sans rien dire. Le sang gouttait de ses lèvres, là où il avait mordu ; les larmes qu'il n'avait pu retenir dévalaient son visage pour venir s'y mêler.

—Oh, regarde dans quel état tu t'es mis, général. Un petit chagrin dans ta vie et tu tombes en morceaux. Je me demande ce que dirait ton père s'il te voyait, dit Celimus, ajoutant intentionnellement du sel sur les plaies. Comment croire que tu es vraiment celui qu'il faut pour la sécurité de Morgravia ?

Wyl ne pouvait songer à rien d'autre qu'à la nécessité d'obtenir un sursis pour Ylena. Si Celimus lui demandait de se manger une main, il essaierait. Tout plutôt que de la voir souffrir encore.

—Je... Je suis celui qu'il vous faut. J'accepte votre mission, je vais faire ce que vous demandez.

Les larmes coulèrent de nouveau tandis qu'il parlait.

—Sur la vie de ta sœur, oui, tu vas le faire ! confirma vicieusement Celimus.

» Emmenez-la, ordonna-t-il ensuite aux bourreaux.

Sans ménagement, ils remirent Ylena sur pied ; son visage et sa gorge étaient maculés du sang d'Alyd. Alternativement, elle poussait de grands cris et de longs gémissements. Celimus éclata de rire.

Wyl se ressaisit et prit le risque de l'appeler.

— Ylena, rappelle-toi qui tu es. Ensemble !

Même le cri de guerre de la maison Thirsk ne lui fit pas tourner la tête. Son air hébété amusait Celimus au plus haut point.

— Attendez ! cria-t-il. Qu'elle emporte la tête de son mari au cachot, elle lui tiendra compagnie. Et dites-lui bien qu'elle sera fouettée si elle la laisse tomber.

» Je me réjouis que tu te montres raisonnable, poursuivit-il en s'adressant à Wyl cette fois. Ylena restera dans les appartements que j'ai préparés spécialement pour elle jusqu'à ce que tu aies mené à bien cette mission. C'est clair ?

— Oui.

C'est tout ce que Wyl se sentait la force de dire sans risque ; les larmes déjà séchaient sur ses joues brûlantes. Il enfouit dans sa mémoire la sensation des petites rigoles salées sur ses joues. Elle lui rappellerait Alyd. Un jour, il vengerait sa mort en tuant Celimus.

Quelques instants avant de mourir, Magnus lui avait dit que Celimus devait mourir pour que vive Morgravia ; c'était ce qu'il pensait aussi. Wyl fixa le jeune roi, avec au cœur une haine renouvelée ; il savait qu'il était celui qui devait le tuer.

— Excellent, dit Celimus. J'ai déjà pris la liberté de donner mes instructions aux hommes, et j'ai envoyé un message en Briavel pour prévenir de ton arrivée imminente. Tu pars immédiatement. Romen va t'accompagner aux écuries. Ne prends rien, tout a été prévu.

— Puis-je voir Ylena ?

— Non. Tu la verras à ton retour. D'ici là, elle est l'invitée d'honneur des cachots de Stoneheart. Des questions ?

— Que se passera-t-il si Briavel n'accepte pas votre proposition ?

— Alors tu m'auras trahi, général. Tu seras condamné, ta sœur aussi et tous tes biens seront confisqués.

Sauver Ylena, c'était tout ce qui comptait.

— Autre chose ? demanda Celimus avec grande politesse.

— Oui, répondit Wyl en grinçant des dents. Gueryn, il faudrait que je lui...

— Ah, fit Celimus avec une pointe de regret dans la voix. J'aurais dû te le dire avant. Mon père a demandé à notre ami Le Gant de partir en mission spéciale dans les Razors. Une mission périlleuse qui exige de l'expérience, mais qui je le crains lui coûtera la vie. En tout cas, il l'a acceptée sans hésiter – c'est un brave.

C'était le coup de trop ; Wyl ne parvenait plus à contenir ses sanglots.

— C'est sûrement une plaisanterie, dit-il les yeux écarquillés d'incrédulité. Quelle mission spéciale ? Pourquoi ne m'a-t-on rien dit ?

— Une mission secrète, reprit Celimus. Ce n'est pas toi, général, qui règles *toutes* les affaires du royaume.

Sa voix était pleine de sarcasme.

— Gueryn n'est *pas* mort ! affirma Wyl.

— Pas encore, confirma le nouveau roi.

Wyl sut à cet instant que Celimus le tenait à sa merci. Il se souvint de sa menace lors du tournoi ; c'était en fait une promesse.

Magnus était mort. Alyd était mort. Sa sœur était emprisonnée et, que Shar le protège, Gueryn avait été envoyé sur une mission suicide.

Le monde de Wyl s'écroulait. Il baissa la tête, refusant de voir Celimus au comble de l'allégresse.

Chapitre 11

Dans un silence glacial, la compagnie de mercenaires sortit par la porte Est de Stoneheart. Celimus avait savamment ourdi son plan ; aucune nouvelle n'avait filtré, ni la mort d'Alyd Donal, ni l'emprisonnement d'Ylena, ni l'envoi sous la contrainte de Wyl en Briavel. Les cloches de la ville sonnaient pour annoncer la mort du roi et les drapeaux avaient été mis en berne. Il allait y avoir maintenant cinq jours de deuil officiel avant la cérémonie de la mise en terre du roi. Toutes les tavernes, tous les bordels, tous les endroits où l'on s'amusait seraient fermés.

Tous les ateliers seraient désertés. Dans tout le royaume, aucun animal ne serait abattu au cours des cinq jours à venir ; Morgravia allait vivre de légumes et de racines en signe de respect. Personne ne sortirait dans les rues. Les habitants de Pearlis allaient rester chez eux ou assister aux offices pour que l'âme de Magnus rejoigne Shar.

Ils feraient mieux de prier pour être délivrés de Celimus, songeait Wyl avec amertume tandis que son cheval s'engageait sous le tunnel de pierres menant à la porte. L'organisation de Celimus était parfaite. Les rues étaient désertes et Stoneheart un véritable château fantôme ; personne n'assisterait ainsi au départ de la petite troupe.

Personne effectivement, sauf un jeune garçon accompagné d'un gros chien noir qui suivait à distance. En voyant le chien remuer la queue au passage de Wyl, Fynch lui avait recommandé de rester calme et, comme d'habitude, le chien avait compris l'avertissement. Ils allaient à leur rythme, en prenant soin de ne pas perdre de vue le cavalier fermant la marche. L'idée de Fynch était de les rattraper à la tombée de la nuit, puis de trouver un moyen pour convaincre Wyl de la véracité de ce qu'il avait entendu.

Fynch avait dit à sa sœur de ne pas s'inquiéter pour lui. Il avait récemment été payé, si bien que ses frères et sœurs pouvaient voir venir pendant un certain temps. Il avait couru jusque chez lui pour prendre sa mule, l'unique trésor de sa famille, et emporter un peu de fromage et de viande séchés, ainsi que de l'orge et de l'eau. Fynch n'avait aucune idée du temps pendant lequel il serait parti, ni même de ce qu'il pourrait bien faire. L'essentiel lui semblait-il, alors qu'il filait discrètement la troupe, c'était d'entrer en contact avec Wyl pour l'avertir du piège tendu par Celimus.

Stoneheart s'amenuisait derrière eux et la troupe accéléra. Fynch remarqua que les chevaux s'espaçaient les un des autres.

—Allez Filou, du nerf. Nous ne devons pas les perdre.

Il talonna les flancs de la mule qui, docilement, adopta un petit galop. Filou filait sans problème à proximité.

En tête de la colonne, Wyl chevauchait sans rien dire aux côtés de Romen Koreldy. Tout le monde était armé sauf lui, mais il n'était plus entravé. Celimus savait qu'il coopérerait pleinement pour sauver sa sœur.

Alors qu'ils étaient revenus au trot pour laisser souffler les chevaux, c'est Romen qui prit l'initiative de briser le silence.

—Thirsk, il n'y a rien de personnel dans tout ça.

—Pas pour moi, aboya Wyl.

—Oui, je comprends. Désolé pour votre ami.

—Qu'est-ce que ça peut vous faire ?

—C'était un geste totalement inutile, futile même. Personne ne devrait mourir pour un caprice. Il était évident que vous auriez accepté n'importe quoi si Celimus s'était contenté de menacer votre sœur. En tout cas, sachez que ça m'a rendu malade.

— Vous ne connaissez pas le roi comme je le connais, étranger. Il n'a aucun scrupule. S'il existe un moyen atroce de faire quelque chose, c'est celui-là qu'il va choisir. Le meurtre d'Alyd, c'était juste une manière de régler un vieux compte. Ça l'arrangeait de pouvoir faire passer ça pour une manœuvre destinée à me faire plier.

Wyl détourna les yeux, profondément dégoûté.

Romen hocha la tête.

— Je comprends. Nous avons un code, nous autres mercenaires – on ne tue que si on est payés pour.

— Étranger, je suis le général de la légion de Morgravia. Les mercenaires sont la boue qui colle à mes bottes.

Le mercenaire soupira.

— On peut voir les choses comme ça, mais il semble quand même que nous avons notre utilité dans ce monde, pour exécuter les tâches ingrates que vous autres grands soldats ne voulez pas faire.

Wyl se retourna vivement vers l'étranger bien fait, bien mis et si décontracté.

— Je ne tue pas pour de l'argent, moi !

Romen eut un sourire triste.

— Oh, au bout du compte, nous tuons tous pour des riches et des puissants. C'est juste une question de point de vue, Thirsk.

— Qui êtes-vous donc, Koreldy ?

— Juste quelqu'un tombé le long du chemin. Disons simplement que je n'étais pas taillé pour la vie militaire. Nos deux grands-pères ont combattu côte à côte. Au fait, je suis morgravian d'origine.

Wyl était stupéfait.

— Raison de plus pour détester ce que vous faites.

Les lèvres de l'homme se soulevèrent et Wyl en éprouva comme de l'accablement. Il n'y avait pourtant nulle cruauté dans son sourire, juste une ironie acide qu'il ne savait comment interpréter.

— Vous avez besoin de moi, Wyl Thirsk, parce que je suis le seul capable de maîtriser ce que le destin nous a envoyé. Ne me regardez pas de haut ainsi – nous ne sommes pas si différents. Les manœuvres de Celimus ne m'intéressent pas, mais j'approuve ce qu'il est en train de faire. Sans ce mariage, Morgravia et Briavel pourraient bien finir par se détruire mutuellement et ouvrir toutes grandes les portes à la menace du nord. Son raisonnement est juste, même si je dois bien admettre que sa manière de faire est pour le moins brutale.

Wyl eut un rictus.

— C'est un fou !

La rage montait en lui. Il préféra changer de sujet.

— Que savez-vous au juste de la menace du nord ?

Il espérait que Koreldy pourrait l'aider à mesurer les chances de survie de Gueryn.

— Je sais que Cailech est chaque jour plus puissant et sûr de lui. Bientôt, il voudra éprouver son armée. Ses incursions deviendront alors plus dures et plus nombreuses, vous pouvez me croire.

— Jamais un barbare ne prendra Morgravia ! contra Wyl. Même un malade comme Celimus ne le laissera pas faire. De toute façon, il déteste profondément Cailech. Je ne sais pas d'où ça lui vient, mais il éprouve une profonde haine pour le chef barbare. Depuis des années, il nous rabâche qu'il va l'écraser dès qu'il sera roi.

— Ne sous-estimez pas les capacités du roi des Montagnes. Il est bien plus subtil que vous ne le pensez.

— Parce que bien sûr vous avez des informations de première main sur lui ? dit Wyl avec une inflexion condescendante.

— Il se trouve effectivement que j'en ai, répondit Romen, pas le moins du monde offensé par le ton de son interlocuteur.

— Vous l'avez rencontré ?

Le mercenaire afficha de nouveau son sourire désarmant.

— J'ai combattu à ses côtés pendant un certain temps.

Et avant que Wyl, totalement soufflé, ait le temps de dire quelque chose, Romen donna l'ordre de reprendre le galop.

Ils poursuivirent ainsi leur discussion entrecoupée de cavalcades. Il écoutait Romen raconter dans son style si détaché sa vie parmi Ceux des Montagnes ; pendant quelques heures, Wyl en oublia le profond chagrin qui l'accablait. Les connaissances du mercenaire et l'incroyable audace dont il avait fait preuve pour pénétrer dans la place forte de Cailech l'impressionnaient profondément.

— Et où est-elle donc cette fameuse forteresse – si tant est qu'elle existe ?

— Oh, elle existe bel et bien. Et si vous pouviez la voir, vous seriez surpris de découvrir son raffinement.

Wyl se tourna vers lui, tout prêt à ricaner, mais il vit alors que Romen parlait sincèrement.

— En fait, poursuivit le mercenaire, j'aimerais assez que vous la voyiez – et compreniez que je ne suis pas un menteur.

— Mais que faisiez-vous là-bas ? Je croyais qu'aucun étranger ne pouvait s'en approcher même à des lieues.

Romen marqua une hésitation et son visage s'assombrit.

— Des affaires de famille, finit-il par lâcher d'un ton peu convaincant qui n'échappa pas à Wyl.

» Comme vous le savez, je suis de Grenadyne où l'on commerce avec Ceux des Montagnes. Disons que je suis parvenu à m'entendre raisonnablement avec Cailech.

— Que pouvez-vous me dire à son sujet ?

— Cet homme est une énigme. Je crois que je me reconnais dans certains traits de son caractère, mais c'est assurément quelqu'un qu'il ne faut pas juger à la hâte.

— C'est-à-dire ?

— Il est imprévisible. Cailech est plus grand que la vie elle-même. Il est à la fois héroïque et dévoué à son peuple, mais dangereux lorsqu'il est contrarié ou lorsqu'il a l'impression qu'on le trahit. Il récompense la loyauté et d'ailleurs tous ses guerriers la lui donnent volontiers. Il est aimable et détendu et rusé et perfide l'instant suivant.

— Quoi d'autre ? demanda Wyl d'un ton pressant.

— Que pourrais-je dire ? Il a une pensée claire et profonde sur tous les sujets. Ses décisions peuvent paraître impétueuses, mais il n'en est rien. Et pourtant, nul n'est plus spontané que lui. Il vit à l'instinct.

Wyl gonfla ses joues.

— On dirait qu'il vous impressionne.

— C'est le cas. Croyez-moi, je ne connais personne d'autre qui puisse se montrer si impitoyable avec ses ennemis et si bon avec les siens. Il m'inquiète. Il peut se montrer d'une cruauté inimaginable envers ceux qui le menacent. En même temps, sa position et ses actes sont droits et simples, et je l'estime pour ça. Au fond, c'est son esprit que j'admire le plus. Il a l'intelligence de dix hommes au moins.

— Un Montagnard ? dit Wyl avec une pointe de moquerie.

— Ne vous méprenez pas, Wyl. Ce n'est pas un barbare ignorant et assoiffé de bière. C'est un homme né pour être roi.

Wyl médita un instant ces paroles.

— Et que pouvez-vous me dire sur la forteresse ?

Romen éclata de rire.

— Plein de choses, mais ce serait trahir que de révéler les secrets de Cailech à ses ennemis. Il m'a payé royalement. En retour, il a droit à ma discrétion.

— Un mercenaire avec de la moralité, railla Wyl.

— Vous seriez surpris, répondit Romen d'une voix sourde. On s'arrête ici pour dresser le camp.

Fynch et Filou rejoignirent les cavaliers bien après que les feux furent devenus cendres. Les chevaux hennirent nerveusement lorsque le grand chien surgit silencieusement de l'ombre à leurs côtés. Fynch avait eu la présence d'esprit d'attacher sa mule à un arbre à quelque distance de là. Elle mâchonnait joyeusement son orge et ne prêtait aucune attention au chien qui effrayait tant ses congénères. Dissimulé dans un bosquet sombre, le garçon observa le chien traverser silencieusement le camp pour s'en aller lécher le visage de son maître. Ensuite, toujours silencieusement, le chien rejoignit Fynch ; l'attente commença.

Wyl s'assit et regarda autour de lui, sidéré de l'irruption de son chien. La plupart des mercenaires ronflaient comme des sonneurs. Dans cette région calme du royaume, ils n'avaient pas jugé utile de laisser un veilleur.

— Qu'est-ce qu'il y a ? demanda Romen, sans même ouvrir les yeux.

À l'évidence, il avait le sommeil léger.

— Euh… il faut que j'aille…

Romen soupira.

— Un instant, j'arrive.

— Non ! C'est-à-dire qu'il faut que je vide mes boyaux.

Romen bâilla.

— D'accord. Mais je vais devoir vous attacher une main dans le dos. Ça ira pour…

— Oui, oui. Je m'en sortirai.

— Et je vais aussi vous attacher cette longe à la cheville. Je garderai l'autre bout dans ma main, juste pour être sûr que vous ne vous perdiez pas dans la nuit.

— Koreldy, je n'ai aucunement l'intention de m'en aller. La vie de ma sœur est en jeu.

— Alors allez-y.

— Ça risque de durer un moment… Je ne me sens pas très bien.

— Prenez votre temps, répondit Romen en bâillant de nouveau.

Wyl s'éloigna, traînant derrière lui la longue corde dont l'autre extrémité était liée au poignet du mercenaire. Il franchit un monticule pour avoir la joie immense d'être accueilli par Filou – et la surprise non moins immense de découvrir le jeune Fynch qui l'observait de ses yeux ronds.

Fynch plaqua son index devant sa bouche.

— Écoutez, murmura-t-il d'un ton impérieux.

Et de lui raconter tout ce qu'il avait entendu depuis sa fâcheuse posture dans le conduit des latrines, puis tout ce qui s'était passé depuis, en omettant seulement le récit de son étrange vision. Fynch parla sans fioritures, en phrases nettes et précises. La mine lugubre, Wyl l'écouta sans l'interrompre ; en lui, la rage se cristallisait en un véritable bloc de glace. Celimus allait payer pour ça. *Que Shar me vienne en aide*, pensa-t-il. *Que je survive afin qu'il paie.* Il s'arracha à des pensées pleines de colère ; Fynch parlait toujours.

— … peut-être pouvons-nous suivre à distance et préparer une évasion ?

Wyl fit non de la tête.

— À ton tour de m'écouter maintenant, murmura-t-il.

Et il lui détailla tout ce qui s'était passé au cours de cette journée. Bien vite, Wyl comprit que Fynch ne savait même pas que le roi Magnus était mort, trop jeune sans doute pour savoir ce que signifiait le glas. Les yeux emplis d'effroi, le garçon apprit la mort d'Alyd et la fâcheuse posture d'Ylena ; mais c'était un bonhomme vaillant, qui se ressaisit bien vite au soulagement de Wyl.

— Dépêchez-vous un peu, Thirsk ! cria soudain Romen derrière eux.

— J'arrive, répondit Wyl.

» Va-t'en, ordonna-t-il ensuite à Fynch. Garde Filou avec toi, retourne à Stoneheart et oublie-moi.

Le garçon se mordit les lèvres.

—Mais je ne peux pas. Nous avons fait tout ce chemin pour vous aider.

—Repars, Fynch ! Je ne veux pas que tu restes près de moi ! martela Wyl d'un ton délibérément mauvais.

Il ne voulait à aucun prix avoir sur les mains le sang de cet enfant car, il le sentait, le sang coulerait bientôt.

—Tu ne peux pas m'aider. Tu n'es qu'une… une gêne pour moi, cracha-t-il entre ses dents serrées, espérant le blesser pour le forcer à partir.

Tout en donnant une caresse d'adieu au chien, Wyl regarda le chagrin envahir les yeux de Fynch. Puis il se leva et partit, sans se retourner.

—Ça va mieux ? demanda Romen d'une voix ensommeillée.

—Rappelez-moi de ne plus jamais manger d'écureuil, dit-il en se couchant.

Le souvenir de la veuve Ilyk lui revenait. Que lui avait-elle dit ? De toujours garder Filou et son ami à ses côtés.

S'agissait-il de Fynch ? Comment pouvait-elle savoir ces choses ?

Il pensait encore à tout cela lorsqu'il sombra dans un sommeil agité. Il fit un rêve étrange, dans lequel il était tué et restait pourtant en vie.

Il n'y avait plus nulle trace de Fynch et de Filou lorsqu'ils pénétrèrent sur le territoire de Briavel par sa frontière ouest, le lendemain vers la mi-journée ; en fin d'après-midi, ils avaient été rejoints par une colonne de soldats, qui manifestement les attendait. Wyl supposa que leur troupe avait été repérée dès l'instant où le premier cheval avait posé son premier sabot sur le sol de Briavel. Aucun groupe de cavaliers ne pouvait passer de Morgravia dans ce royaume sans mettre immédiatement la garde en alerte – et vice versa. Sans le moindre murmure, les mercenaires obtempérèrent aux ordres de l'officier de Briavel leur demandant d'établir un camp à une lieue environ des murs de la somptueuse capitale, Werryl, où ils demeureraient sous la surveillance de la garde de Briavel. Romen avait déjà prévenu Wyl de ce qui allait se passer ; il avait prévu qu'ils seraient amenés sous escorte jusqu'au roi Valor. Wyl comprit qu'il était bel et bien piégé ; au moins, tant qu'il coopérait, la vie d'Ylena était sauve. D'ailleurs, la sienne le serait aussi jusqu'à sa rencontre avec Valor. Il espérait que Shar lui sourie et lui fasse la grâce d'un entretien privé avec le roi.

Le palais de Werryl était aussi splendide que le colportait la légende. Rares étaient ceux de Morgravia à avoir pu le contempler de leurs yeux, mais sa beauté était incontestablement à la hauteur de son immense réputation. Autant la forteresse de Stoneheart était sombre, autant cette citadelle de pierres blanches étincelait de mille feux au sommet de sa colline.

La ville de Werryl étirait ses ruelles à l'intérieur des remparts du palais. Plus petite que Pearlis, elle n'en était pas moins raffinée et les architectes qui l'avaient construite avaient à l'évidence un goût prononcé pour l'apparat. Même le pont conduisant à la herse était magnifiquement ouvragé, avec ses statues de marbre représentant les rois et reines du passé portant des torches qu'on allumait la nuit.

Le crépuscule s'achevait presque lorsque Wyl et Romen arrivèrent au pont ; les gardes précisément se préparaient à bouter le feu aux flambeaux. Leur escorte leur ouvrit la voie dans la ville encombrée, par les rues joliment pavées jusqu'à l'entrée du palais tout en haut du promontoire. Un messager avait été dépêché, si bien que des dignitaires les attendaient.

Après les présentations, on les conduisit aux bains pour leur permettre de se délasser de leur chevauchée. Délicate attention.

Plongé dans un cuveau d'eau chaude, Wyl se laissait aller pour la première fois depuis deux jours. Depuis que Fynch lui avait parlé, il avait accepté l'idée qu'il allait sûrement mourir au cours de ce voyage, mais il n'avait aucune intention de perdre sa vie sans sauver celle d'Ylena. De toute façon, Celimus la tuerait quoi qu'il advienne, qu'il réussisse ou non sa mission. De cela, Wyl était maintenant certain. Il observa Romen, qui baignait lui aussi dans l'eau parfumée d'un autre cuveau, aussi immobile qu'une statue. Ses yeux étaient fermés et ses longs cils venaient presque toucher ses joues burinées. Il avait rabattu en arrière ses longs cheveux tout juste lavés ; Wyl ne pouvait qu'admirer son profil finement découpé.

— Pourquoi me regardez-vous comme ça ? demanda Romen d'une voix basse et mélodieuse.

Malgré la tristesse qui l'accablait, Wyl eut un sourire. Romen était en tout point le soldat qu'il prétendait ne pas être. Même dans son bain, il restait sur le qui-vive, notant jusqu'aux plus petits mouvements autour de lui. Il était vraiment impressionnant.

— Je me demandais juste comment vous vous en tirez avec une épée à la main.

— Mon arme préférée, répondit Romen, toujours sans bouger. Mais je suis aussi effroyablement efficace au couteau de lancer.

— Et où avez-vous appris tout ça ?

— Oh, très loin d'ici.

— Vous avez beaucoup voyagé alors ?

— Oui et je suis fatigué de le faire.

— Alors pourquoi faites-vous ça Romen ? Pourquoi vous vendre comme vous le faites ? demanda Wyl, sincèrement en quête d'une réponse.

— Et pourquoi ne le ferais-je pas ?

Wyl comprit que le mercenaire préférait maintenir le mystère.

—Comment Celimus vous a-t-il trouvé ? poursuivit Wyl.

Cette fois-ci, le mercenaire ouvrit un œil.

—Vous savez quoi ? Je ne connais pas la réponse à cette question. C'est ennuyeux, n'est-ce pas ? Enfin, c'est apparemment par l'intermédiaire d'une connaissance commune.

—Et combien vous paie-t-il pour me tuer ?

Romen remua dans son cuveau ; ouvrant les deux yeux, il fixa son regard argenté sur Wyl.

—Pas assez.

—Est-ce que je peux…

—Non ! l'interrompit Romen. Je ne reviens jamais sur ma parole. Mais je vais quand même faire quelque chose pour vous, Wyl Thirsk. Je vais sauver votre sœur.

Cette fois, ce fut au tour de Wyl de le fixer intensément. Il sentait ses tripes se nouer. Que voulait-il dire exactement ?

—Poursuivez, dit-il.

—Le roi de Morgravia tue par plaisir et je n'aime pas ça. Quoi qu'il y ait entre vous deux, je sens que vous le haïssez autant qu'il vous hait. Je ne prendrai donc pas parti. En revanche, ce qu'il a fait à votre sœur, jeune femme innocente à l'évidence, est absolument impardonnable.

—Il va la tuer quoi qu'il advienne ici.

—C'est évident. Mais vous pouvez partir en paix en sachant que je ne le laisserai pas faire.

—Vous me pardonnerez de ne pas trouver vos paroles aussi réconfortantes qu'elles voudraient l'être, dit Wyl en versant une cruche d'eau sur ses cheveux roux coupés court.

—Vous devriez pourtant. Je vous garantis personnellement que votre sœur vivra. Pour le reste, vous êtes un soldat et la mort fait partie du métier, pour vous comme pour moi d'ailleurs. Et puis, quelle mort plus glorieuse pour un guerrier que les armes à la main ?

—Si ce n'est que je n'aurai pas l'occasion de me battre.

— Mais si. Lorsque vous aurez terminé ce pour quoi nous sommes venus, je vous remettrai une épée, Wyl Thirsk, et nous nous battrons en duel. Si vous me tuez, vous êtes libre. Et si je vous tue, j'irai chercher mon extravagante récompense.

Wyl réfléchit un instant.

— Mais si je vous tue, qui ira sauver ma sœur ?

— Ah, il y a une faille dans mon plan. Mais vous aussi pouvez aller la sauver. Vous avez la légion avec vous. Rassemblez vos hommes et renversez le roi. Si vous ne le faites pas, il sera la ruine de Morgravia.

Pourquoi faut-il que j'apprécie cet homme ? songea Wyl.

— Quel dommage que nous fassions connaissance dans ces circonstances, Romen. J'aurais aimé que vous soyez de mon côté.

Le mercenaire sourit avant de faire disparaître sa tête sous l'eau.

Chapitre 12

Un peu plus tard, le chancelier du roi Valor expliqua à Wyl et à Romen que le roi souhaitait rencontrer le général Thirsk en privé. Tout d'abord, le mercenaire ne dit rien, mais l'un de ses sourcils se haussa sur son front.

— Très bien, j'attendrai dehors, articula-t-il finalement, avant d'ajouter à l'intention du chancelier : Voyez-vous, je suis le garde du corps personnel du général sur le sol de Briavel. Comprenez donc que je ne puis guère le laisser… sans surveillance. Il y va de ma vie.

Il avait choisi ses mots avec soin. Wyl sourit fugacement, regrettant une nouvelle fois qu'ils n'aient pas fait connaissance en un autre lieu et un autre moment.

Le chancelier Krell pinça ses lèvres en signe d'embarras et de réflexion.

— C'est qu'en tant qu'envoyé diplomatique, le général Thirsk n'a absolument rien à craindre en Briavel. Pour le reste, un souper a été préparé à votre intention…

— C'était inutile, mon ami, l'interrompit Romen en lui tapotant familièrement l'épaule. Je ne veux offenser personne, mais j'ai mes ordres, n'est-ce pas général ?

Extérieurement, Wyl se composa une expression désolée ; intérieurement, il était enchanté d'avoir un peu de temps en tête à tête avec le roi.

— Peut-être Romen pourrait-il souper à l'extérieur ? suggéra Wyl en fixant le chancelier Krell, le cœur empli d'espoir.

— Vous voulez sûrement dire à l'extérieur de la pièce où le roi va vous recevoir, répliqua sèchement Krell.

Et ce n'était pas une question.

— C'est parfait. Vous pouvez faire servir le souper, s'enthousiasma Romen en assenant une tape plus appuyée dans le dos du chancelier.

» Je serai juste devant la porte, général. Si vous avez besoin de quoi que ce soit…, poursuivit le mercenaire à l'intention toute personnelle de Wyl.

Krell s'éloignait déjà. Wyl allait lui emboîter le pas quand Romen lui saisit le bras pour lui parler à l'oreille.

— Attention, Thirsk, pas de coup fourré ou notre accord ne tient plus.

Wyl donna son assentiment d'un hochement de tête.

On fit entrer Wyl dans une vaste salle superbement décorée, où une table avait été dressée pour un dîner froid absolument somptueux. Debout, un homme aussi haut que large l'attendait. Le chancelier annonça le général Thirsk de Morgravia, puis les deux hommes furent laissés seuls.

— Par les couilles de Shar, tu es le portrait de ton père, mon garçon.

Wyl salua d'une inclinaison de la tête.

— Je prends ça comme un compliment, Sire.

— Et les rapports de mes espions indiquent que tu deviens en tout point l'homme bon qu'il était.

Le roi Valor posa chaleureusement ses mains sur les épaules de Wyl.

— Bienvenu en Briavel, mon garçon.

Dès le premier instant, Wyl apprécia le souverain du royaume ennemi ; c'était très perturbant. C'était contre lui que Fergys son père et le roi Magnus avaient combattu toute leur vie et pourtant, il avait la conviction que ces trois-là auraient dû être amis.

—C'est un honneur, Sire.

—Alors, quelles nouvelles en Morgravia – du moins celles dont tu peux me parler sans trahir de secrets ? demanda malicieusement Valor en servant deux verres de vin d'une carafe magnifique.

Il en tendit un à Wyl.

—À ta santé, dit-il en levant l'autre.

Wyl l'imita et ils goûtèrent l'excellent cru. En regardant autour de lui, Wyl pouvait voir qu'on avait mis les petits plats dans les grands pour l'envoyé de Morgravia.

—J'ai de graves nouvelles, Sire.

Valor haussa un sourcil interrogateur et Wyl lui annonça la mort de Magnus. Le roi de Briavel arrêta de boire et posa son verre. Manifestement, la nouvelle l'avait ébranlé.

—Quelle pitié. Magnus n'était donc pas en bonne santé ?

—Non, Sire, cela faisait plusieurs mois qu'il était souffrant. La fièvre…

—Ah, un mal sournois. Je suis vraiment désolé d'entendre ça, Wyl. Nous étions ennemis, mais je le respectais énormément – tout comme ton père d'ailleurs. C'étaient d'excellents hommes, quand bien même ils étaient de Morgravia, ajouta Valor, avec un petit sourire ourlant ses lèvres. En tout cas, je comprends maintenant pourquoi la nouvelle de ton arrivée m'est venue de Celimus. J'avais pensé que c'était parce qu'il en était à apprendre les affaires du royaume. Que Shar me damne ! J'ai du mal à imaginer que le fils s'empare ainsi du trône alors que le corps de son père n'est même pas encore froid.

Wyl ne répondit rien, mais son silence parlait pour lui.

—Je vois. Eh bien, je lève mon verre à Magnus, dit Valor. Que son âme repose dans la lumière de Shar.

Ils burent ensemble.

—Et maintenant, asseyons-nous, Wyl Thirsk. Nous avons beaucoup de choses à discuter et un souper à déguster. Ma fille nous rejoindra bientôt, j'espère.

L'expression de Wyl dut alors traduire l'incompréhension car Valor s'empressa d'expliquer que les messages demandaient que sa fille assiste à la réunion mais, comme un fait exprès, personne ne parvenait à mettre la main sur elle. Wyl préféra ne pas poursuivre sur ce sujet. Et puis, Valentyna n'était-elle pas concernée au premier chef dans cette histoire de mariage arrangé ?

Wyl s'arma de courage et se jeta à l'eau.

— Sire, Celimus vous a-t-il donné quelque indication quant au motif de ma venue ici ?

— Le messager m'a seulement averti d'attendre l'arrivée d'une délégation mandatée par Celimus. À ce sujet, Thirsk, je dois dire qu'il n'est pas dans mes habitudes qu'on me dise ce que je dois faire dans mon royaume, en particulier venant de quelqu'un de Morgravia.

Valor nota avec satisfaction que Wyl approuvait du chef.

— Les mots choisis par le nouveau roi de Morgravia, poursuivit-il, étaient un rien condescendants, pour ne pas dire plus. C'est d'ailleurs pour cette raison que j'ai insisté pour te recevoir seul, histoire de lui rendre la monnaie de sa pièce.

— Et vous y avez réussi, Sire, répondit Wyl avec un sourire.

Valor sourit à son tour.

— Bien. Et je vais même te dire ceci : c'est uniquement par respect pour ton père que je vous ai laissé entrer, tes compagnons et toi.

Wyl hocha une nouvelle fois la tête.

— Je crois que mon roi comptait un peu là-dessus, Sire.

— Et sur quoi d'autre compte-t-il encore ?

— Votre Majesté ? bredouilla Wyl.

Valor se pencha en avant ; ses cheveux d'argent faisaient comme un halo autour de sa tête.

— Pourquoi es-tu là, mon garçon ? Qu'est-ce que ton roi veut de Briavel ?

Wyl regrettait de donner une si piètre image de lui-même en diplomate. Il opta donc pour la manière directe – celle du soldat.

— Votre fille, Sire. Il veut Valentyna.

À cet instant, le roi Valor ressentit un double choc – le premier aux mots de Wyl et le second aux mots prononcés par une voix de femme qui arrivait dans son dos par une porte dérobée.

— Qui me veut ?

Wyl bondit sur ses pieds, lui aussi saisi par l'arrivée de la jeune femme éblouissante, vêtue comme un cavalier et toute couverte de poussière.

Valor poussa un profond soupir.

— Ma chère enfant, pourquoi continues-tu à utiliser ce passage secret ? Tu sais bien que je n'aime pas ça.

— Mais parce qu'il est secret, mon papa chéri, et parce que vous n'aimez pas ça et que vous n'avez jamais aimé ça depuis que je suis toute petite, répondit-elle d'un ton enjoué.

Elle traversa la pièce sur ses longues jambes fuselées pour venir planter un baiser poussiéreux sur la joue du vieil homme.

— Et vous devez être l'envoyé, dit-elle en détaillant Wyl de toute sa hauteur. Un peu petit pour un diplomate, non ? ajouta-t-elle, délibérément facétieuse. Est-ce qu'on ne les choisit pas grands et imposants d'ordinaire, histoire d'intimider ?

— Valentyna, veux-tu te taire ! Voici Wyl Thirsk, le général de la légion de Morgravia. Je te prierai de le traiter avec tous les égards voulus, l'admonesta son père sur un ton qui néanmoins montrait la connivence entre eux.

Wyl se sentit rougir. Elle l'examina une nouvelle fois et, après une petite inclinaison de la tête, lui tendit à baiser sa main fleurant le cuir et le cheval.

Wyl se pencha et comme aucun de ces deux parfums ne l'incommodait, il l'embrassa de grand cœur.

— Votre Altesse, salua-t-il, sous le feu du regard bleu qui le toisait de haut et lui faisait un peu perdre pied.

— Mes excuses donc, général Thirsk. Les princesses ont leur humour, vous savez…, dit-elle en laissant sa main dans la sienne.

» Et maintenant, si vous voulez bien m'excuser, je vais aller me rafraîchir avant de revenir vous questionner au sujet de cette petite conversation que vous aviez.

Elle offrit à Wyl un grand sourire, puis se tourna vers son père.

— Au fait, père, cette chère Norma a donné le jour ce matin au plus superbe des poulains. Il est vivant et tète sa mère. Je suis folle de joie. Nous avons failli le perdre, vous vous souvenez ?

— Bien sûr, ma chérie, répondit le roi en hochant la tête. Et je suppose que tu es restée là-bas, au cœur du drame ?

Elle prit son père dans ses bras.

— Je l'ai mis au monde moi-même au petit matin. Et je le veux pour moi. Je lui ai donné un nom – parce que c'est moi qui l'ai touché la première. Il s'appelle Adamant. Merci, père.

Elle avait dit tout cela en parcourant la pièce tel un gracieux tourbillon.

— Valentyna, c'est un étalon unique. Tu ne peux quand même pas…

Sa fille s'en était déjà allée par la porte secrète.

— Je crois qu'elle peut, Sire.

— Elle me fera mourir, dit Valor en agitant tristement la tête. Mais elle est irrésistible. Dépêchons, Wyl. Elle sera de retour bien plus vite qu'on ne le pense. Elle n'est pas du genre à passer des heures à se pomponner, si tu vois ce que je veux dire.

Wyl ne voyait pas vraiment ; sa propre sœur restait des heures devant le miroir, même un jour où elle ne recevait personne. Il aurait bien eu besoin de quelques secondes pour récupérer du passage de l'ouragan Valentyna, mais il fit un effort pour retrouver le fil de ses pensées.

—Celimus demande la main de votre fille, Sire.

—C'est ce que j'avais compris.

Valor appréciait les manières franches et directes de son hôte. Il remplit de nouveau les verres.

—J'imaginais bien quelque chose de ce genre, poursuivit Valor. Mais ne parlons pas de ça pour l'instant. Attendons le retour de Valentyna.

Wyl s'étonna de cette attention d'un père pour sa fille, mais apprécia de se détendre quelques instants au coin du feu. En lui, le vin commençait à opérer son miracle habituel.

—Dis-moi, Wyl, pourquoi Celimus t'envoie-t-il avec des mercenaires pour escorte ? Et surtout, pourquoi l'acceptes-tu ?

Wyl s'était préparé à une telle question.

—Il a estimé qu'envoyer des hommes de la légion serait pris comme une provocation.

—Et tu te sens à l'aise dans ces conditions ?

—Non, Sire, admit Wyl. Je ne suis pas à l'aise du tout.

—Tu es donc ici contre ton gré ?

—Certains pourraient voir les choses ainsi.

La mine concentrée, Valor examinait les implications de ces paroles soigneusement pesées.

—Serait-il exact de dire que l'arrivée de Celimus sur le trône n'est pas entièrement de ton goût ?

La question était posée de manière que Wyl puisse répondre d'un simple hochement de tête.

—Oui, répondit néanmoins l'émissaire de Morgravia.

—Donc, tu as été envoyé en mission sous bonne garde et c'est toi qu'on a choisi parce que ton nom ouvre les portes ?

Cette fois-ci, Wyl hocha la tête en portant un doigt à ses lèvres.

—Cette pièce a des murs deux fois plus épais que nos têtes. Rien de ce qu'on dit ici ne peut être entendu dehors.

— Sire, malgré les sentiments que j'éprouve envers Celimus, je suis fidèle à Morgravia tout comme mon père l'était. Je pense que l'offre d'une alliance entre nos deux royaumes est une idée de génie. C'est ainsi que se gagnera la paix entre nous. Mais plus important encore, il y a la menace qui pèse au nord. En mettant fin à nos incessantes querelles, nos deux royaumes pourraient unir leurs forces contre Cailech et étouffer dans l'œuf sa capacité de nuisance. Je pense que vous serez d'accord avec moi pour dire qu'une cohabitation forcée entre nous est préférable à la présence des barbares ici même.

Le vieux roi sourit à l'allusion, avant de revenir à une mine sombre.

— Tu as raison sur ce plan-là. Les accrochages sur notre frontière nord sont chaque année plus féroces. J'ai renforcé la troupe là-haut, mais je me fais du souci pour Valentyna quand l'heure de son règne sera venue. Moi aussi, je souhaite la paix pour nos deux nations – et peut-être effectivement pouvons-nous œuvrer ensemble contre le roi des Montagnes. Je ne comprends même pas pourquoi nous nous détestons tant. Cela remonte à des siècles ; Magnus et moi n'avons fait que perpétuer la haine. Un travers de jeunes rois, je suppose. Nous aurions dû depuis bien longtemps mettre fin à la guerre en promettant nos héritiers l'un à l'autre. Je suis sûr qu'aucun de nous ne souhaitait voir son enfant poursuivre le cycle insensé des batailles.

— Dois-je en conclure que j'ai votre accord à ce mariage, Votre Majesté ?

— Oui, bien sûr. Mais mon accord ne vaut rien tant que Valentyna n'a pas donné le sien.

Devant l'air tout à la fois étonné et confus de Wyl, Valor eut un sourire indulgent.

— Valentyna est la prunelle de mes yeux. Elle emplit mon cœur de fierté, non seulement parce que c'est ma fille, mais aussi parce qu'elle est devenue une femme qui est tout ce que je pouvais souhaiter – et plus encore. Dès son plus jeune âge, elle a compris que dans une certaine mesure j'avais manqué à Briavel en ne donnant pas au royaume un héritier. Et elle s'est donné pour objectif de devenir en tout point meilleure que le fils que je n'ai pas eu. Elle monte à cheval mieux que la plupart des hommes que je connais ; elle tue un cerf d'une seule flèche et elle le dépèce mieux et plus vite que je ne le faisais lorsque j'avais deux fois son âge. Elle sait se battre à l'épée et c'est une stratège accomplie – même si j'espère qu'elle n'aura jamais à user de ces talents.

» Il n'y a rien de futile chez elle, aucune frivolité, et pourtant c'est la femme la plus superbe et la plus généreuse qui soit. Elle entend conduire le royaume avec fermeté, mais avec la sensibilité que seules les femmes possèdent. Elle comprend sincèrement les besoins des gens. Si elle monte sur le trône, elle sera une souveraine sans égale. C'est pour toutes ces raisons que je vais l'inciter à accepter ce mariage pour qu'enfin il y ait la paix en Briavel. Sans cela, je crains bien que Celimus ne choisisse la guerre.

— C'est effectivement ce que j'ai cru comprendre, Sire, confirma Wyl.

Pour la première depuis plus de deux jours, Wyl sentit le soulagement monter en lui. Tandis que le roi lui parlait, il songeait à Ylena, prisonnière des cachots de Stoneheart, certain que la jeune fille était sauve désormais. Il ne doutait plus que Romen tiendrait sa parole et la tirerait des griffes de Celimus. Une fois encore, c'est l'arrivée de Valentyna qui l'arracha à ses pensées.

Les deux hommes se levèrent à l'unisson ; Wyl avait le souffle coupé. Adieu les vêtements d'homme, les mains salies et les taches sur les joues. Les cheveux hâtivement ramassés sous un chapeau avaient été soigneusement brossés et tombaient maintenant en une cascade de jais sur ses épaules.

Elle avait passé une robe toute simple, sans fanfreluche, dont la couleur rubis mettait en valeur la blancheur de sa peau et le noir de ses cheveux. Aucune poudre sur son visage, juste la fraîcheur éclatante d'une peau saine vigoureusement passée à l'eau.

Valentyna était grande et élancée – un peu trop mince peut-être, songea Wyl en se remémorant sa silhouette en tenue d'homme. Néanmoins, elle traversa la salle avec une grâce aérienne incomparable, pour venir embrasser une nouvelle fois son père.

— Voilà qui est mieux, ma chérie. Tu ressembles enfin à une princesse.

— Mais je préfère ce que je portais avant, dit-elle en se tournant vers Wyl.

» Ces atours plus élégants sont à votre intention exclusive, messire l'ambassadeur.

La voix subitement enrouée, Wyl marmotta quelques mots indistincts censés dire que tout le plaisir était pour lui. Le son de sa voix et son émoi lui donnaient l'envie de disparaître sous un tapis.

— Nous passons à table ? suggéra-t-elle aimablement.

Les deux hommes se joignirent à elle.

Pendant les deux heures qui suivirent, Wyl fut emporté dans un tourbillon d'émotions pour le moins perturbantes.

Sous la table, son corps réagissait chaque fois que par un geste pour se servir, Valentyna offrait à Wyl le spectacle fugace de la naissance de sa gorge dans son généreux décolleté. De même, lorsqu'elle posait sur lui ses yeux d'azur, il sentait sa gorge se bloquer. Soudain, il se rendit compte qu'il entendait son cœur battre et son sang se ruer dans ses veines. Tout cela lui procurait une sensation à la fois agréable et étourdissante ; toujours gaie et animée, Valentyna parlait de mille sujets, de son nouveau poulain à ses projets pour élever une barrière à l'extrémité nord d'un carré de vigne.

— Les chèvres, les moutons, les chevaux sauvages, il n'y a que l'embarras du choix. Ils viennent tous manger nos raisins, se plaignait-elle. D'ailleurs, j'en aurai pour la journée, père, ajouta-t-elle.

Valor tourna vers Wyl une mine désespérée.

— Tu vois, mon garçon, je n'ai aucun contrôle sur elle.

— Oh, mais tu es celui qui y parvient le mieux, répondit-elle d'un ton affectueux. Car je dois dire qu'aucun homme ne me commandera jamais.

C'est en entendant ces mots que Wyl sut, au plus profond de son cœur, qu'il devait à tout prix empêcher que Valentyna épouse Celimus. Elle était trop belle, trop douée, trop forte, trop brillante et par-dessus tout bien trop elle-même pour être donnée à l'arrogant et cruel Celimus. Ils se haïraient inévitablement et ce serait le début d'une nouvelle forme de guerre entre les deux royaumes.

L'histoire se répéterait de nouveau, exactement comme pour Magnus et Adana ; à la différence toutefois que Valentyna n'était ni néfaste ni calculatrice. Inévitablement, elle serait étouffée. Wyl posa les yeux sur la gorge de Valentyna qui se soulevait régulièrement. La pensée que les mains de Celimus pourraient souiller cette peau immaculée le rendait malade.

Wyl interrompit la conversation pour demander les lieux d'aisances. Étonné de la soudaine pâleur du général, Valor lui désigna une porte habilement dissimulée derrière une tapisserie. Une fois seul, Wyl rassembla ses esprits en se passant sur le visage de l'eau fraîche prélevée dans un pichet. Sa position était absolument intenable – il devait choisir entre Ylena et Valentyna. Il se dit qu'il allait négocier avec Romen ; peut-être pourrait-il sauver sa sœur ?

— Vous vous sentez bien, Wyl ? demanda Valentyna en posant délicatement sa main sur la sienne.

Le contact de sa peau fit passer un frisson de bonheur sur lui.

— Excusez-moi de dire ça, mais vos latrines sont les plus grandes que j'aie jamais vues, dit-il en s'efforçant de détourner l'attention de son départ précipité, et de résister en même temps à l'envie dévorante qu'il avait de couvrir sa main de baisers.

Valor et Valentyna éclatèrent de rire. Wyl haussa les épaules, un peu embarrassé.

— Euh, oui, elles sont plus petites en Morgravia.

— Mais quelle délicieuse conversation, railla Valentyna, les yeux pétillants de malice.

— Pardonnez-moi, s'excusa-t-il.

D'un signe de la main, elle lui fit comprendre que c'était bien peu de chose.

— Ne vous excusez pas. Je préfère ça aux sempiternels propos collet monté des amis de mon père. Je vous aime bien, Wyl. J'aime bien la manière que vous avez de ne pas être à l'aise ici.

Il sentit la lumière de son sourire le traverser comme un rayon de soleil.

— C'est que je ne suis qu'un soldat, Majesté, dit-il en toute sincérité. Je ne suis pas à ma place ici.

Valor s'éclaircit la voix.

— Ce qui nous amène précisément au motif de ta venue, mon garçon. Vois-tu, Valentyna, le général nous apporte la demande en mariage du nouveau roi de Morgravia. C'est ce dont nous parlions tout à l'heure.

Valentyna cessa de manger une seconde, mais ce fut l'unique marque d'étonnement que Wyl put remarquer.

— Et que disiez-vous tous les deux à ce sujet ? demanda-t-elle d'une voix neutre, dissimulant toujours ce qu'elle-même pouvait en penser.

— Rien d'autre que ce que tu peux imaginer – qu'une telle union apporterait la paix à deux royaumes qui se combattent depuis bien trop longtemps et qui ont besoin de rompre le cycle infernal de la guerre et de la mort.

Valentyna posa sa fourchette avant de vriller son regard dans celui de son père.

— Je ne l'ai même pas rencontré, père – sauf si vous comptez la fois il y a bien des années.

— Voyons. Tu n'étais qu'une enfant particulièrement…

— Énorme, oui, je sais, le coupa-t-elle. Mais…

— J'allais dire… un peu susceptible. Mais tu as changé depuis. Tu es devenue une jeune femme remarquable, brillante dans tous les domaines. Je suis fier de toi et je sais que tu feras une reine éblouissante pour n'importe quel roi.

— Merci, dit-elle, le regard un peu adouci. Mais nous ne le connaissons toujours pas.

— Eh bien, nous avons à notre table la personne la mieux placée au monde pour nous en dire plus. Je t'en prie, Wyl, explique à ma fille chérie comment Celimus peut la rendre heureuse.

Wyl prit son verre et s'octroya une longue gorgée. Pendant ces quelques secondes, il demanda muettement à Ylena de lui pardonner ce qu'il allait faire.

— Je ne peux pas, Sire, dit-il en reposant très soigneusement son verre à la place où il était.

— Je te demande pardon ?

C'était au tour du roi d'être stupéfait.

Valentyna posa un regard d'une incroyable intensité sur le profil de Wyl. Il en sentait la chaleur sur le côté de son visage ; dans sa poitrine, son cœur battait à tout rompre. Sa respiration devenait plus courte et sa tête était légère comme dans l'ivresse. Était-ce seulement possible de tomber amoureux aussi vite ? Sa mère le croyait. Elle lui avait conté tant de fois – avec toujours le même sourire immense – la première fois qu'elle avait vu Fergys Thirsk.

— J'étais jeune, Wyl, disait-elle. Je n'avais pas seize ans.

» Mes trois sœurs et moi avions entendu raconter tant d'histoires sur le roi Magnus – nous savions qu'il était grand et magnifique, avec des boucles blondes. Pendant les deux jours avant son arrivée, nous ne tenions plus en place. Et la nourriture ! Nous avions rôti un bœuf tout entier en son honneur, mais il y avait aussi des plats de poissons et des volailles. La liste des mets n'en finissait pas, Wyl. Je croyais que la cuisine allait exploser de toute cette activité. (À cet instant, elle soupirait.)

» Nous voulions toutes avoir le privilège de recevoir le roi, mais mère estima qu'il était préférable que ce soit moi, en tant que benjamine. Bien sûr, nous ignorions alors qu'il courtisait déjà Adana. Je crois que chacune d'entre nous rêvait en secret que Magnus pose les yeux sur elle, tombe éperdument amoureux et en fasse sa reine.

Elle prononçait toujours cette dernière phrase d'un ton théâtral ; et Wyl riait.

— Et maintenant, père, disait-il les yeux brillants, sachant d'avance ce qui allait arriver.

— Oui, Fergys, répondait-elle.

» La troupe royale arriva par un bel après-midi d'été ; on nous avait permis de regarder, mais de loin uniquement. Nous avons quand même pu constater que les histoires étaient vraies – Magnus était à tous égards un homme superbe. Ce soir-là, nous avions mis nos plus beaux vêtements pour la présentation officielle au roi. Lorsqu'on appela mon nom, j'étais si nerveuse que je me suis pris les pieds dans la doublure de ma robe. J'ai trébuché.

— Et ce n'est pas le roi qui t'a retenue ! s'exclamait Wyl.

— Effectivement, confirmait Helyna dans un grand sourire indulgent.

» Lorsque j'ai eu suffisamment repris mes esprits, j'ai levé les yeux pour le remercier, mais au lieu du roi, mes yeux sont tombés sur ce général roux et solidement bâti, cet homme au doux regard dont le sourire a illuminé mon monde.

— Et à cet instant tu as su ? demandait Wyl.

— Oui, mon fils. À cet instant j'ai su que c'était l'homme avec lequel je voulais me marier. Mon cœur lui appartenait déjà lorsqu'il m'a parlé de sa belle voix mélodieuse avec un sourire timide.

Wyl sortit de son songe, conscient subitement qu'un silence étrange s'était installé ; le roi Valor et la princesse Valentyna attendaient sa réponse. Si sa mère avait pu tomber amoureuse en un instant et sans n'y pouvoir rien, pourquoi cela ne pouvait-il pas lui arriver avec Valentyna ? Elle était un rêve inaccessible qu'il allait tenter d'atteindre.

Wyl prit une profonde inspiration, puis regarda tour à tour le roi de Briavel et sa fille ; tous deux étaient dans l'expectative. Il se jeta à l'eau.

— Il n'est pas pour vous, Valentyna.

Wyl se tourna ensuite vers Valor, une expression de regret sur le visage.

— Je suis désolé, Sire. Je suis venu aujourd'hui demander la main de votre fille pour le roi Celimus, mais maintenant que je l'ai vue, je sais combien cette union serait une grave erreur.

Dans le silence qui s'abattit, Wyl ferma les yeux quelques secondes, avant de trouver le courage de soutenir le regard reconnaissant et tout juste étonné de Valentyna. Valor se mit à clamer sa surprise.

Chapitre 13

Le soldat de la garde de Briavel mourut sans un cri. Violente et soudaine, l'attaque s'acheva aussi vite qu'elle avait commencé ; les mercenaires étaient experts dans l'art de tuer en silence. Celimus jouait un double jeu. Alors que Romen était convaincu d'être le chef de la bande, un autre homme – nommé Arkol – que l'idée de tuer n'effrayait pas et dont la tête était déjà mise à prix avait accepté de mener un raid meurtrier.

Avec la promesse d'une immunité et d'une prime plus qu'importante, le tueur visait un gibier plus important que le général Wyl Thirsk. Il avait pour mission d'assassiner le roi de Briavel. L'esprit malfaisant de Celimus avait accouché d'un plan pour éliminer tous les obstacles dressés sur sa route. Après avoir vu Koreldy, il avait estimé l'homme incapable de tuer un roi pour la simple raison qu'il pourrait refuser de donner la main de sa fille. Arkol en revanche était absolument dénué du moindre scrupule ; cela n'avait pas échappé à Celimus qui avait décidé d'en faire son âme damnée pour ce troisième volet de la mission.

En premier lieu, il utilisait Wyl Thirsk pour entrer en Briavel. Celimus avait la certitude que le nom de son général lui ouvrirait les portes. Il escomptait aussi que Wyl saurait obtenir la main de Valentyna pour lui – même si dans le fond il savait pouvoir parvenir à ses fins autrement. Le mariage n'était pas une institution à son goût, mais c'était une nécessité – et même une obligation avec cette princesse de Briavel qu'on disait fragile et grassouillette.

Avec ou sans Wyl Thirsk, il parviendrait à l'épouser – de cela Celimus était sûr. Mais le deuxième volet était surtout de faire en sorte que Thirsk ne soit plus sur le sol de Morgravia lorsqu'il serait assassiné. Quelle idée ingénieuse que de charger Romen Koreldy de le débarrasser de l'importun Wyl Thirsk – une fois qu'il aurait gagné la confiance de Valor, il va sans dire.

Enfin, en couronnement de son plan machiavélique, l'assassinat du souverain du royaume de Briavel. S'il le pouvait, il s'arrangerait même pour faire retomber cette atrocité sur Thirsk, histoire de flétrir définitivement son nom. Néanmoins, le but premier était de s'affranchir de la nécessité de traiter avec Valor. Ensuite, si d'aventure la princesse refusait de se marier immédiatement et d'unir leurs deux royaumes une fois pour toutes, alors il lâcherait toute la puissance de Morgravia sur elle, son inexpérience et sa détresse. Il prendrait Briavel par la force, en veillant bien sûr à ce qu'elle meure dans l'affaire.

En éliminant Thirsk et Valor, il pensait bien faire sombrer la jeune princesse de Briavel dans le désespoir et l'impuissance. Sans son père, elle ne serait plus rien qu'une petite fille gâtée et pleurnicharde. Par ailleurs, le mariage avec elle – au cas où elle accepterait – ne serait qu'une étape transitoire ; un moyen rapide de satisfaire son envie impérieuse de dompter les deux royaumes. Après un ou deux ans, lorsqu'elle aurait enfanté un héritier lui conférant une indiscutable légitimité, il entendait bien se débarrasser de l'encombrante épouse. Il percevait pleinement toute l'ironie de la similitude avec la situation de ses propres parents.

La manière dont son esprit fonctionnait l'enivrait. De tous ses stratagèmes, l'assassinat de Thirsk était incontestablement son coup de maître ; mettre toute la légion sous son commandement était son rêve. Et après, pourquoi s'arrêter à Briavel ? Une fois les deux royaumes sous son autorité, pourquoi ne pas s'intéresser à d'autres nations ? Dans ses rêves éveillés, Celimus se voyait déjà comme un empereur en marche, à la conquête du monde. Bien sûr, il faudrait aussi éliminer l'autoproclamé roi des Montagnes qui, pour une raison étrange, ne lui paraissait pas le plus gênant des hommes. Bien sûr, il avait écouté son père lui rabâcher que la menace venait du nord, mais à la vérité personne ne connaissait vraiment la puissance des barbares. Comment diable ces va-nu-pieds pourraient-ils constituer une unité de combat capable de rivaliser avec les prouesses de la légion de Morgravia ? Depuis toujours, Celimus nourrissait ces rêves de conquête et de grandeur – dont les graines avaient été semées par Adana dans l'esprit de l'enfant brillant qu'il était. Magnus, songeait souvent Celimus avec un ricanement qui aurait fait la fierté de sa mère, n'avait jamais rien souhaité d'autre que la sécurité de Morgravia. Jamais le vieil imbécile n'avait regardé au-delà de ses frontières. Pourquoi ne pas prendre Briavel ? Pourquoi ne pas prendre le nord ?

Pendant que le roi de Morgravia s'abîmait dans la réjouissante perspective d'assassiner Cailech, roi de Ceux des Montagnes, Arkol en Briavel souriait en admirant le savoir-faire de ses hommes.

— Beau travail, messieurs. Et maintenant, emmaillotez les sabots des chevaux et vos armes. Laissez tout ce qui fait du bruit. On avance en silence vers la citadelle.

— Comment on entre ? demanda l'un d'eux.

— Le messager qui ouvre la voie est avec nous. Il tue les gardes de faction et relève la herse.

— Facile, dis donc ?

— Mieux que ça encore. Le roi Celimus a envoyé une autre compagnie faire une razzia en Briavel, jusqu'aux confins nord-ouest de Werryl. Le gros de la garde sera mobilisé là-bas pendant qu'on pillera le palais.

— Et les soldats qui restent ?

— Ils seront drogués si notre homme parvient à ses fins. Mais d'une manière ou d'une autre, ils ne s'attendront pas à ça. Nous ne bougerons qu'à la fin de la nuit ; ils seront saouls quand on leur tombera dessus.

Les hommes rirent.

— Et Koreldy ?

— Je le tuerai moi-même, dit Arkol. Que personne ne touche un cheveu de ce bâtard arrogant. Il est à moi, compris ?

Ils acquiescèrent, puis préparèrent les chevaux. Non loin, au cœur d'un taillis plongé dans l'ombre, Fynch frémissait d'horreur. Malgré les mots cruels de Wyl la nuit précédente, il avait suivi la troupe et assisté à tout ce qui s'était passé. Il avait entendu les mercenaires et il savait qu'il lui revenait maintenant de sauver des vies.

— Il faut rejoindre Wyl, murmura-t-il à Filou.

Ils partirent avant la bande de tueurs, d'abord à l'abri du couvert, puis coupant à travers champs pour arriver à la citadelle avant que commence le massacre.

Wyl risqua le tout pour le tout, racontant à Valor et à Valentyna tout ce qui s'était passé pour qu'il se retrouve avec eux dans cette pièce ce soir-là. Sa faim était partie, mais il accepta qu'on remplisse son verre. Lorsqu'il eut fini, un silence de plomb s'abattit sur eux ; il fallait que le roi de Briavel et sa fille digèrent l'énormité de ce qu'ils avaient appris, l'histoire effroyable de la traîtrise et de la bestialité de Celimus. À la description de ce qu'on avait fait subir à sa sœur dans le sang de son mari, Valentyna prit la main de Wyl dans la sienne ; et lorsque sa voix se brisa tandis qu'il expliquait qu'on l'avait forcée à emporter la tête exsangue d'Alyd dans son cachot, elle s'approcha de lui pour le réconforter. Enfin, lorsqu'il sanglota pour des gens qu'elle ne connaissait même pas, elle le tint contre lui.

À la fin du récit de Wyl, Valor s'était levé pour arpenter nerveusement la pièce.

— Et cet homme avec qui tu es arrivé, qui est-il ?

Wyl aurait voulu de tout son être rester entre les bras de Valentyna. Comme il faisait un effort sur lui-même pour se ressaisir, il nota avec plaisir qu'elle lui laissait ses mains.

— Mon meurtrier, répondit-il d'une voix calme.

— Quoi ? s'exclama la princesse. Mais c'est insensé !

Il leur livra alors tout ce qu'il savait sur Romen, avant d'expliquer l'accord qu'ils avaient passé pour sauver Ylena.

Valentyna se mit à marcher de long en large.

— Non ! Il doit y avoir une autre solution. Pas question que vous mettiez votre vie en danger.

— Mais ma vie, c'est tout ce que j'ai.

— Père ! implora-t-elle. Que faisons-nous ?

— Manifestement, Celimus est certain d'obtenir notre accord à ce mariage, répondit Valor en se tournant vers l'émissaire de Morgravia.

— D'une manière ou d'une autre, confirma Wyl d'un ton lugubre. Et maintenant que j'y pense, je comprends qu'il est gagnant à tous les coups – avec votre consentement ou par la force.

— C'est donc Briavel qu'il veut et pas ma fille ?

Avant que Wyl ait pu répondre, une étrange agitation leur parvint de derrière la tapisserie.

— Au nom de Shar, qu'est-ce que…, commença Valor avant de s'interrompre devant l'apparition d'un jeune garçon couvert de matières suspectes et nauséabondes, jaillissant tout haletant des latrines.

Wyl fut le premier à se ressaisir.

— Fynch !

Le garçon avait couru si vite qu'il parvenait à peine à parler.

— C'est un piège, Wyl. Ils viennent pour vous tuer. Et Koreldy et le roi aussi. C'est un homme nommé Arkol qui commande !

— Mais qui est-ce ? demanda Valor en désignant le gamin.

Wyl fit face au roi.

— Quelqu'un qui mérite d'être écouté, Sire. Où se trouve la garde de Briavel ?

— Elle est parée, je convoque les officiers !

— Trop tard ! dit Fynch. Tous les soldats qui surveillaient les mercenaires sont morts. Et tous ceux ou presque qui gardaient le palais ont été piégés. Regardez par la fenêtre si vous ne me croyez pas.

Valor et Wyl se précipitèrent, tandis que Valentyna avait la présence d'esprit de mettre en place les deux énormes verrous de la porte principale. Ensuite, elle s'échappa par la porte dérobée, pour revenir quelques secondes plus tard avec ses vêtements d'homme dans les bras. Elle verrouilla cette porte également ; certains des hommes connaissant son existence étaient susceptibles de parler sous les coups. Le roi et l'émissaire se lamentaient à la fenêtre.

Le garçon avait donc dit la vérité, qui qu'il puisse être.

Elle plaça un doigt devant sa bouche et entreprit de dégrafer sa robe, qu'elle déchira dans sa hâte. Les yeux écarquillés, Fynch eut l'immense surprise de la voir sortir de sa toilette tombée à terre pour passer une tenue bien plus pratique. Au moment où son père et le général se retournèrent, elle en était à boutonner sa chemise.

— Bien, voilà pour la princesse, dit-elle en souriant.

Elle se dirigea ensuite vers une armoire qu'elle ouvrit à l'aide d'une clé trouvée dans un tiroir pour y prélever trois épées.

— J'espère que ces lames sont bien entretenues, père, reprit-elle tout en refermant le meuble.

— Affûtées à chaque lune.

— Parfait, approuva-t-elle en se tournant vers les deux hommes. Nous allons en avoir besoin.

Wyl s'interposa.

— Non, pas vous, Majesté !

— N'essayez même pas, général Thirsk ! répondit-elle les yeux brillants de colère. Vous êtes en Briavel ici, pas en Morgravia. Ici, les femmes ne se dérobent pas. Je suis peut-être princesse, mais je suis aussi la fille de mon père. Je me mettrai à ses côtés.

Elle est magnifique, songea Wyl. Il aurait voulu l'embrasser là – et là aussi ; il faillit éclater de rire en se disant qu'il lui faudrait presque se mettre sur la pointe des pieds.

— En fait, Valentyna, je voulais dire qu'il fallait vous faire sortir d'ici. Vous êtes trop précieuse pour risquer votre vie.

— Il a raison, intervint le roi d'un ton sans appel. Ma mort approche, mon enfant. Nous avons déjà parlé de tout cela.

Des larmes commencèrent à couler sur ses joues pendant que son père parlait, mais elle fit un effort sur elle.

— Non ! S'il faut partir, partons ensemble. Je ne vous laisserai pas, père.

Valor secoua la tête en souriant. Puis son visage changea radicalement d'expression, devenant soudain impressionnant et grave. Sa voix était froide et inflexible.

— Tu vas faire exactement ce que je t'ordonne, Valentyna. Je suis ton roi. N'oublie jamais ce que je t'ai appris – tu incarnes les espoirs de Briavel pour l'avenir.

Valentyna ravala les mots qu'elle avait été sur le point de crier à la face de son père ; il ne fallait surtout pas se méprendre. Ce n'était plus son bon papa qui lui parlait. C'était son souverain.

— De toute façon, il n'y a plus moyen de s'échapper, dit-elle en croisant les bras. S'ils tiennent la grande porte, alors...

Un air de profond abattement passa sur leurs visages ; Fynch les regarda tour à tour.

— Mais il y a une sortie, lâcha-t-il.

Les trois adultes se tournèrent d'un bloc vers lui.

— Le chemin que j'ai pris pour venir, précisa-t-il en haussant négligemment les épaules.

— Mais bien sûr ! s'écria Wyl. Fynch, tu es un génie. Vite, Majesté, suivez le garçon. Filou attend en bas, je suppose ?

Fynch confirma de la tête.

— Parfait. Dis-lui de la protéger, de sa vie s'il le faut.

Valentyna restait les yeux fixés à contempler le passage répugnant.

— Qui est ce Filou ? demanda-t-elle.

— Mon chien. Et croyez-le ou non, il comprendra ce message. Et maintenant, dépêchez-vous, Valentyna, c'est notre unique chance.

Les bruits du combat tout proche leur parvenaient à présent. Dans très peu de temps, les mercenaires allaient arriver. Déjà, ils entendaient des coups frappés à la porte. Le roi interrogea Wyl du regard ; serait-ce trop tard ?

— C'est Romen, dit Wyl avec un sourire en coin. Ignorez-le, on s'occupera de lui plus tard.

Ils s'engouffrèrent tous dans les latrines.

— Je ne suis pas sûre de pouvoir faire ça, affirma Valentyna.

Avec un frisson d'horreur et de dégoût, elle ferma les yeux pour oublier tout ce qui pouvait maculer les parois du puits de descente.

Wyl s'impatienta.

— Fynch l'a fait pour vous sauver la vie. Alors faites-le maintenant, Majesté, ou je vous jette là-dedans moi-même. Et ne vous laissez pas abuser par ma taille – je suis bien plus fort que vous ne voulez le croire.

Elle comprit qu'il allait mettre ses menaces à exécution ; loin de s'en offusquer, elle appréciait ces manières directes, presque brutales. En fait, elle admirait le général de Morgravia pour tout ce qu'il avait dit et fait ce soir-là. Pourtant, elle n'arrivait toujours pas à se décider.

—Ne m'obligez pas à vous saisir, princesse, menaça Wyl.

—C'est qu'il est sacrément costaud, dit Fynch comme en écho. Si vous voulez, j'y vais d'abord et vous n'aurez qu'à me suivre. Respirez par la bouche – c'est préférable.

Valentyna hocha la tête, serrant les dents de toutes ses forces pour ne pas crier. Elle tourna la tête vers son père pour un ultime coup d'œil malheureux ; déjà, Wyl l'aidait à s'engouffrer dans le conduit. Il était suffisamment large pour lui permettre de passer.

—Vous venez après, père, ordonna-t-elle à son roi, juste avant que son visage disparaisse.

Elle prit une profonde inspiration, bouche grande ouverte, préférant épargner son nez.

Le roi l'encouragea du regard, sachant pertinemment que sa stature lui interdisait d'envisager de s'échapper. Wyl, qui le savait aussi, s'efforçait de détourner l'attention de Valentyna en l'obligeant à se concentrer sur les marches taillées dans la pierre. Elle appela Fynch déjà plus bas dans l'ombre ; il répondit et elle plongea.

Les coups redoublèrent à la porte ; Romen braillait maintenant. Valor et Wyl continuèrent à l'ignorer, uniquement concentrés sur l'évasion de Valentyna. Depuis que l'ombre l'avait engloutie, ils ne pouvaient plus la voir. Finalement, c'est un murmure de Fynch qui leur parvint.

—Ça y est, je l'ai, Sire. Tout va bien.

—Faites attention, père, c'est glissant.

Il y eut un silence.

—Père ?

Sa voix sonnait étrangement depuis les ténèbres.

—Non, ma chérie, je ne viens pas.

Avant qu'elle puisse donner de la voix, Wyl intervint. Son ton était sans appel.

—Valentyna, écoutez-moi. L'ouverture est trop étroite pour le roi. Je reste avec lui et je jure de mourir en le protégeant s'il le faut. Mais pour le bien de tous, il faut que vous fuyiez. Suivez notre plan, écoutez Fynch. Il vous guidera et vous protégera. Fynch, je jette une bourse.

Le roi arrivait à cet instant avec un gousset bien rebondi, qu'il lança dans l'ouverture.

— Princesse, poursuivit Wyl, dissimulez vos cheveux et tout ce qui pourrait vous trahir.

— Comment vous retrouverez-nous ? demanda-t-elle d'une voix tendue.

— J'y arriverai d'une manière ou d'une autre. Filou nous retrouvera, je vous assure. Les mercenaires ne resteront pas longtemps – ce n'est qu'une bande chargée d'effectuer un raid. Qu'ils réussissent ou non, ils ne moisiront pas ici. Maintenant, filez !

— Père…

— Pars, mon enfant. Souviens-toi de qui tu es – et n'oublie jamais que personne ne pourrait t'aimer plus que je ne t'aime.

— Général, commença-t-elle avec des tremblements dans la voix. Merci de votre honnêteté envers Briavel, malgré votre fidélité à Morgravia. Respectez votre promesse : sauvez-le ou mourez pour le sauver.

Wyl et Valor auraient pu jurer avoir alors entendu un sanglot, mais c'est la voix de Fynch qui leur parvint ensuite.

— Bonne chance, Wyl !

— Tu es un brave, Fynch. Merci – et désolé pour la nuit dernière. Je ne pensais pas un mot de ce que je disais. Je voulais juste te mettre à l'abri.

Le cœur de Fynch s'envola à ces mots. Il prit la main de Valentyna et appela Filou qui sortit comme par magie des ténèbres.

— N'ayez pas peur, murmura Fynch avant d'expliquer toute la situation au chien, en concluant que leur mission était désormais de protéger la jeune femme.

Le chien, l'enfant et la princesse partirent le long des vergers, en direction de Crowyll au nord de Werryl. C'était une nuit d'encre et Valentyna s'en réjouissait ; personne ne pouvait voir ses larmes couler.

Valor de Briavel se tourna vers le général Thirsk.

— Sauve-toi, mon garçon, tu le peux encore.

— Peut-être, Sire, mais tout n'est pas fini ici. Et puis rassurez-vous, je ne l'abandonnerai pas.

Valor sentit monter en lui une bouffée d'admiration pour Wyl.

— Qui aurait cru qu'un jour un Thirsk combattrait aux côtés de Briavel, hein ?

L'ironie arracha un sourire à Wyl ; mais au fond, comment aurait-il pu laisser ce brave homme périr en sachant ce qu'il savait sur son propre roi ? Il ne pourrait plus jamais marcher la tête haute s'il ne faisait rien. Et comment pourrait-il regarder Valentyna en face ?

Il s'approcha de la porte.

— Romen ?

— C'est un piège, répondit le mercenaire d'une voix résignée.

— Combien sont-ils ?

— Je pense que les dix sont ici.

— Ils ont ordre de vous tuer. Arkol commande, apparemment, l'avertit Wyl.

— Je me doutais que Celimus ferait quelque chose comme ça.

— Et vous êtes quand même venu ?

— Une magicienne m'a dit un jour que ma vie serait pleine de dangers, railla Romen. Et maintenant, je suppose que c'est la fin, ajouta-t-il, fataliste.

Wyl déverrouilla la porte pour faire entrer un Romen stupéfait.

— Pas forcément. Si nous devons mourir, ce sera dans l'honneur, les armes à la main.

Romen était cueilli à froid ; jamais il n'avait pensé que Wyl le laisserait entrer. Il avait déjà accepté l'idée de sa propre mort. Il salua le roi Valor.

— Majesté, je n'aurais jamais pris part à une telle affaire si j'avais su qui était la véritable cible.

— Mais pour de l'argent, vous acceptez d'assassiner le plus estimable des hommes – aussi estimable au moins que ce royaume, répliqua hargneusement Valor.

— Eh bien, il semblerait que nous soyons tous sur le point de mourir en nous battant pour des raisons différentes, Sire. Vous me pardonnerez donc de ne pas philosopher avec vous maintenant.

— Quand tout sera fini, mercenaire, si Shar me prête vie, je te tuerai de mes propres mains.

Romen laissa filer, pour se tourner vers Wyl.

— Comment avez-vous su ?

Wyl haussa les épaules ; pas question qu'il parle de Fynch. Romen sourit pour montrer qu'il comprenait et acceptait ses réticences.

— Très bien. Notre accord tient toujours. Du moment que vous comprenez que je ne reviens jamais sur ma parole, dit-il en acceptant l'épée qu'on lui tendait.

— Vous me l'avez déjà dit, répliqua Wyl. Et maintenant, silence ! Les voilà…

Arme à la main, ils se tournèrent résolument vers la porte. Ce n'était plus qu'une question de secondes avant que les haches finissent de l'enfoncer et que paraissent les mercenaires ivres de meurtre.

Valentyna avait couru jusqu'à avoir les poumons en feu. Elle s'assit sur un rocher, incapable presque de sentir l'infâme fumet qui se dégageait de ses vêtements. Filou revint vers elle pour lui lécher amicalement le visage. C'est ce petit signe d'affection qui acheva de lui briser le cœur ; elle enfouit sa tête dans ses genoux. Lui aussi hors d'haleine, Fynch s'approcha à petits pas pour s'asseoir à côté d'elle. Tous deux étaient pareillement couverts de souillures, mais elle paraissait ne plus y attacher d'attention.

— Pourquoi, Fynch ? Pourquoi ? Ils vont mourir, je le sais.

Du poing, elle martela la roche.

— Nous sommes en sécurité ici, Majesté, au moins pour un instant. Vous pouvez vous reposer.

Il ne savait pas quoi dire d'autre. Aucun mot de consolation ne lui venait à l'esprit ; lui aussi pensait que Wyl et Valor allaient périr.

— Qui es-tu au juste, Fynch ?

— Je suis un garçon de commodités des appartements royaux de Stoneheart.

Elle eut un petit rire amer.

— Je parie que tu n'as jamais fait descendre Celimus dans une conduite.

— Non, mais je n'aurais sûrement jamais rien fait pour sauver sa vie, Majesté, répliqua Fynch avec gravité.

Valentyna l'examina attention.

— Wyl Thirsk était aussi étonné de te voir que nous l'étions…

Le garçon hocha la tête.

— J'avais surpris une conversation entre le prince et Koreldy, le mercenaire qui accompagnait Wyl. Son plan était de se servir du nom de Wyl pour obtenir une audience auprès de votre père.

— Puis de les tuer tous les deux, ajouta-t-elle pleine de colère.

— Non, Majesté. Le seul objectif était de tuer Wyl. J'ai suivi la troupe avec Filou et je suis parvenu à lui parler du complot.

— Et il est quand même venu ?

Cette fois, c'était le cas de Wyl qui commençait à l'intriguer.

— Je ne crois pas qu'il ait guère eu le choix, Majesté, répondit-il avec un haussement d'épaules. Il était piégé. Il fallait absolument qu'il obtienne l'audience pour sauver sa sœur.

— Peut-être, mais ce que tu ne sais pas, Fynch, c'est qu'il nous a dit toute la vérité. Et que ce faisant, il a condamné sa sœur.

— Oh ! Ça a dû être une décision horrible à prendre. Il adore Ylena.

— Elle a de la chance de l'avoir, soupira Valentyna. Et je crois que j'en ai aussi.

— Oui, vous avez de la chance, Majesté, répondit le garçon, pas tout à fait certain des intentions de Wyl, mais incapable d'être autrement que franc et direct.

— Il y a un ruisseau pas très loin d'ici. L'eau doit être glaciale, mais si tu y vas, j'y vais aussi, proposa-t-elle.

— Je suis tellement habitué à l'odeur, Majesté… Mais d'accord, allons nous laver. Ensuite, Filou nous réchauffera.

Dans l'ombre de la nuit, ces trois êtres bien seuls au monde gagnèrent la rive du petit cours d'eau, où ils se déshabillèrent pour se laver vigoureusement. Plus tard, nus, trempés et frissonnants, ils gagnèrent un épais taillis, débusqué par Valentyna qui connaissait la région mieux que personne.

— Elle devrait toujours tenir debout, dit-elle.

— Quoi ?

— L'une de mes cabanes, construite il y a des années.

Elle était bien là, abîmée mais plus ou moins étanche et accueillante. La princesse poussa un soupir de soulagement.

— Elle a résisté à l'épreuve du temps, approuva Fynch en connaisseur.

— J'ai eu le meilleur des professeurs, dit-elle avec un petit sourire mélancolique, comme lui revenait un souvenir en mémoire.

— Qui donc, Majesté ?

— Mon père, répondit-elle avec tristesse. Suis-moi. C'est petit, mais nous y serons à l'abri pendant un certain temps.

Fynch sentait l'engourdissement le gagner. Le chien s'installa entre eux deux ; son énorme corps était tout à la fois confortable et chaud. Même Valentyna finit par appuyer sa tête épuisée contre le chien.

— Il est vraiment énorme, dit-elle.

Fynch sourit, emplissant son nez de l'odeur de la terre fraîche et de la nature tout autour.

— Il terrifie tout le monde à Stoneheart, à l'exception de ceux que Wyl apprécie.

— Parle-moi de Wyl, demanda-t-elle, incapable de penser à un autre sujet qu'ils auraient en commun.

Elle avait besoin de parler tranquillement pour oublier quelques instants qu'elle était sur le point de s'effondrer.

Rassemblant ses innombrables informations éparses sur le général Wyl Thirsk, Fynch entreprit de dresser son portrait, de ses premiers jours dans la vie jusqu'aux derniers événements. Malgré la tristesse qui l'accablait, Valentyna fut emportée par l'histoire de Wyl, et totalement subjuguée par la mémoire du jeune garçon. Elle fut en particulier intéressée d'apprendre à quand remontait son animosité pour Celimus.

— Il n'a donc jamais aimé le nouveau roi ?

— Non, princesse. Il l'a toujours méprisé.

— Mais comment peut-il servir un homme pareil ?

— À dire vrai, il n'a guère eu le choix. Le roi Magnus est mort le jour même où Celimus l'a envoyé en mission.

— Cela signifie donc que le nouveau roi de Morgravia a préparé son coup depuis longtemps. Il a toujours eu l'intention d'éliminer son général. Mais tu m'as bien dit que la légion lui est tout acquise ?

— Totalement. S'il le voulait, il pourrait renverser Celimus en un clin d'œil.

— Et cette histoire avec la sorcière. Tu as vraiment vu ses yeux changer de couleur ?

— L'un gris, l'autre vert. C'était impressionnant, mais c'est parti aussi vite que c'est arrivé. Aujourd'hui encore, j'ai du mal à croire que je l'ai réellement vu.

— Et Filou était à elle ? demanda Valentyna qui avait entrepris de contrôler tout ce qu'avait dit Fynch.

— Ce n'était qu'un chiot apparemment. Elle l'a donné à Wyl quelques instants avant de mourir. J'espère que vous ne me croirez pas un peu fou, Majesté, mais je pense sincèrement que Filou est un chien enchanté.

— Comment ça ?

Elle grattait la grosse tête du chien, entre les deux oreilles ; son intérêt avait subitement été éveillé par les propos du jeune garçon, même si elle ne croyait pas un mot de ce qu'il disait.

Fynch lui fit un compte rendu aussi détaillé que possible des étrangetés de l'animal.

— Eh bien, tu m'as vraiment captivée, finit-elle par dire tandis que Filou grognait de plaisir sous ses caresses. Tout cela est vraiment étrange…

— Vous croyez à la magie, Majesté ?

— Pas du tout. Je n'ai jamais rien vu qui ressemble à de la magie. Et je ne crois que ce que je vois.

— Moi, c'est le contraire. J'y crois, affirma le garçon en haussant les épaules. Je me suis habitué aux bizarreries de Filou, mais ce qui est sûr, c'est qu'il déteste vraiment tout le monde, sauf ceux que Wyl apprécie. C'est pour ça d'ailleurs qu'il vous aime bien.

Elle sourit au petit bonhomme qui parlait avec tant de sérieux.

— Tu es vraiment loyal envers Wyl. Il a bien de la chance de t'avoir à ses côtés.

— Je ne pourrais faire autrement, Majesté. C'est Filou qui m'a choisi.

Son sourire s'agrandit encore à cette remarque, avant de faner peu à peu sous l'effet de ses pensées qui dérivaient.

— Fynch, j'ai bien réfléchi, il faut que j'y retourne. Je n'arrive même pas à croire que je me sois sauvée comme ça. Il faut que j'y aille pour voir mon père.

— Non, Majesté ! implora le garçon. J'ai promis de vous emmener et de vous mettre à l'abri.

— Je ne supporte pas d'être ici, cachée. C'est lâche, Fynch, tu comprends ?

Son ton s'était fait grave. Ses yeux étaient rivés à ceux du garçon pour le supplier d'admettre son point de vue.

— Non, Majesté. Je ne comprends pas ce qu'il y a de lâche à vous protéger des assassins – vous l'héritière du trône.

— Je dois aller les combattre. Aux côtés de mon père !

— Vous y trouverez la mort, répondit-il avec calme. Et vous n'aurez été d'aucune utilité à Briavel.

— Comment oses-tu ? gronda-t-elle avec rage. Qui es-tu pour me parler ainsi ?

Fynch secoua la tête de désespoir.

— Pardonnez-moi, Majesté. Je ne suis personne – un garçon de commodités qui n'a rien à faire avec une princesse. Mais je suis chargé de vous protéger et je mourrais plutôt que de laisser quiconque vous faire du mal.

La sincérité de l'enfant balaya sa colère ; la seconde d'après, elle était à genoux devant lui, le prenant dans ses bras et s'excusant.

— Fynch, je ne voulais pas dire ça. Wyl et toi êtes d'une extraordinaire loyauté. Dis-moi que tu me pardonnes, s'il te plaît.

Valentyna semblait désespérée. Fynch comprit que des flots d'émotion, de chagrin et de culpabilité la submergeaient ; mais peut-être avait-il un moyen d'alléger ses angoisses.

— Majesté, que diriez-vous de rester ici encore un peu ? Filou resterait aussi.

— Et toi, où irais-tu ?

— Je retournerais au palais voir si ce qui s'y passe. Ce n'est pas dangereux pour moi.

— Je t'en remercierais, Fynch. Et je te demanderais même d'y partir sans délai.

— Mais vous devez me donner votre parole, Majesté, que ne vous ne bougerez pas d'ici.

— Je n'irai nulle part tant que tu ne seras pas revenu.

Fynch regarda le chien et vit qu'il avait déjà compris ce qu'on attendait de lui.

— Filou veillera sur vous, Majesté.

Valentyna en avait l'absolue conviction. Elle regarda Fynch s'éloigner dans la nuit.

La bataille faisait rage à l'intérieur de la pièce. L'un après l'autre, plusieurs assaillants s'étaient engouffrés par la porte défoncée pour mourir ; dos à dos, Wyl et Romen formaient une paire aussi redoutable qu'efficace. Jusqu'à présent, Valor n'avait rien eu à faire, si ce n'est regarder. Le général de Morgravia s'était fort intelligemment arrangé pour que les corps bloquent l'accès, contraignant les mercenaires à attendre leur tour avant d'entrer. Le roi comptait quatre corps à terre.

— Plus que six, jeta Romen par-dessus son épaule, avant de pousser un grognement tandis qu'il franchissait d'un bond une chaise renversée.

À l'arrivée, il exécuta une rotation sur ses talons pour assener en ligne basse un coup puissant des deux mains. Un cinquième homme hors de combat tomba à terre, une jambe pratiquement tranchée net au milieu de la cuisse. Romen retira son épée sans plus s'en préoccuper. Il savait avoir touché l'artère ; l'autre n'en avait plus que pour quelques minutes.

Le roi ne pouvait que s'extasier devant les prouesses de ces deux fantastiques combattants, aux styles très différents. En stratège accompli, Wyl suivait les gestes de son adversaire sans jamais le lâcher. Aux yeux de Valor, le général paraissait doté d'une patience infinie, se contentant de parer, feinter, bloquer, pivoter. Pourtant, deux corps à ses pieds témoignaient de son indiscutable talent.

Pour sa part, Romen était bien plus flamboyant, préférant le rôle d'attaquant à celui de défenseur. Toujours à l'attaque, toujours vers l'avant, il ne reculait jamais, imposant une pression croissante à ses adversaires, saoulés de coups de taille et d'estoc, en haut et en bas. Et rapide avec ça ; ses coups partaient comme des éclairs. Du pied, Valor le vit envoyer au loin l'épée du mourant, avant de s'avancer vers la porte engager un nouvel assaillant.

Sauf que cette fois, deux se glissèrent en même temps, et Valor sut que son tour était venu. Cela faisait des années qu'il n'avait pas manié l'épée en combat, mais il n'hésita pas une seconde. Avec un véritable rugissement, il leva bien haut son arme à la garde finement ouvragée, pour l'abattre en poussant son cri de guerre. Le choc des deux lames fit jaillir des étincelles. Valor se battait pour sa vie ; son adversaire aussi. Le mercenaire avait la puissance et Valor la hauteur ; mais derrière le rictus de haine de l'assaillant, il y avait le visage d'un homme bien plus jeune.

Valor comprit immédiatement qu'il allait devoir en venir à bout très vite s'il voulait survivre ; plus probablement, songea-t-il en parant une série de coups d'une rare violence, il allait avoir besoin d'un de ses compagnons pour se tirer d'affaire.

Il faisait des efforts pour maintenir sa concentration, mais ses pensées dérivaient toutes seules vers Valentyna. Elle était jeune encore, mais avec de bons conseillers autour d'elle, elle ferait une souveraine parfaite pour Briavel. Elle avait du courage et, mieux, elle aimait passionnément les gens et la terre de son royaume. Bien sûr, elle avait aussi une tête dure, qu'elle tenait de sa mère, et qu'il lui faudrait apprendre à maîtriser pour bien gouverner. Sur le champ de bataille, il était certain qu'elle n'hésiterait pas à mener elle-même la charge, si son geste pouvait sauver la vie d'un seul de ses sujets. Pourtant, il fallait absolument éviter la guerre. Il regrettait maintenant – avec au cœur le souvenir de son triste regard juste avant qu'elle disparaisse dans le puits tout noir – de ne l'avoir pas conseillée sur Celimus. Il aurait dû lui dire qu'elle devait l'épouser, quels que soient ses défauts, si cela pouvait apporter la paix. Tout ce qu'avait dit Wyl était très inquiétant ; comme il aurait voulu avoir pris soin de placer des sages autour d'elle. Qu'allait-il arriver s'il venait à mourir ? Elle aurait besoin d'être entourée et conseillée.

Soudain, Valor ressentit une douleur fulgurante en haut de son bras d'épée. Il poussa un cri et grimaça, mais il n'avait pas de temps pour regarder les dégâts. Il savait que ce coup n'aurait jamais dû l'atteindre ; si seulement il n'avait pas perdu sa concentration. Furieux contre lui-même et aiguillonné par l'élancement palpitant, il repoussait son adversaire en usant de toute sa hauteur. Pourtant, il savait que déjà le danger le menaçait ; la fatigue s'insinuait partout en lui, les muscles de son bras perdaient de leur vigueur, et une sourde torpeur gagnait ses doigts serrés sur la garde si finement ouvragée de son épée. Il redoubla d'efforts. Il ne tiendrait plus très longtemps ; il fallait que l'autre meure vite.

Comme il expédiait un mercenaire un enfer, Wyl vit que les plus avisés d'entre eux étaient restés en arrière. Maintenant, chaque nouvel assaillant était un escrimeur plus aguerri ; l'attaque avait été bien pensée. Romen et lui s'étaient émoussés à vaincre les moins forts ; ils allaient devenir des proies plus faciles pour les derniers. Dans le même temps, il vit que Valor était accroché et il n'aima pas ça. Comme il grimaçait, Romen parut lire dans ses pensées.

— Le roi est touché. Il ne tiendra plus très longtemps.

Il n'eut pas le temps d'en dire plus.

— Plus que deux, répondit Wyl en risquant un œil du côté de Valor.

Aucun doute, le roi épuisait ses dernières réserves d'énergie. Un flot de sang régulier et abondant s'écoulait d'une entaille particulièrement profonde presque à hauteur d'épaule. Wyl comprit tout de suite que les muscles étaient entamés et que le roi ne pourrait guère tenir son arme bien longtemps. Il se demanda si le vieux guerrier s'était jamais entraîné à combattre de la main gauche, mais il en doutait. Initialement, beaucoup avaient raillé la suggestion, mais à l'instigation d'hommes tels que Gueryn, les combattants de la nouvelle génération en Morgravia avaient appris à utiliser leur main faible. Pour sa part, Wyl était parfaitement ambidextre ; plus puissant de la main droite, mais assurément habile de la gauche.

Il lança un regard à Romen.

— Vous pouvez les retenir ?

Romen hurla sa réponse tout en plongeant sa lame dans la gorge de son adversaire.

— Va aider Valor !

Il repoussa le corps pour voir ce qui arrivait derrière.

À la seconde où Wyl pivotait sur lui-même pour aller s'occuper du mercenaire tenté par le régicide, le roi poussa un cri en reculant vivement. Une nouvelle blessure, plus profonde encore, traversait son bras en diagonale ; des flots de sang coulaient en torrents.

— Protège la reine, Wyl !

Ce fut tout ce qu'il eut le temps de dire, avant de s'écrouler au sol.

Arkol, qui avait porté l'estocade, poussa un grand rire avant de cracher sur le corps du roi de Briavel. Romen expédia son adversaire d'un coup surpuissant qui le décapita presque, tourna la tête et vit dans la même seconde la colère sur le visage de Wyl et le roi qui se vidait de son sang sur le tapis.

—Attends, Wyl, il est à moi ! dit-il. Il doit y en avoir un autre qui se cache à l'extérieur.

Wyl rompit et Romen prit le temps de le remercier. Ensuite, armé de son épée et d'un de ses éternels petits sourires, il partit montrer l'étendue de son talent à celui qui désirait tant le tuer. Depuis le début des combats, Wyl avait eu le temps d'être époustouflé par la maîtrise de l'escrime de Romen ; s'il avait cru voir avec Celimus l'excellence faite homme, il s'était trompé. Romen était encore supérieur et tout portait à croire qu'il ne lui faudrait pas longtemps pour effacer le sourire du visage pervers d'Arkol.

Wyl sortit combattre son dernier adversaire dans le hall. Rapidement, le mercenaire put constater qu'il n'était pas à la hauteur du général ; mais il savait se défendre et ils entamèrent une guerre d'usure, chacun cherchant à épuiser l'autre. Wyl repoussa la colère comme on le lui avait appris. Replié au fond de lui-même, il faisait totalement abstraction de tout ce qui l'entourait ; seule comptait sa cible. Il déclencha une rafale de coups d'attaque sous tous les angles, dont l'un parvint au but. Une artère tranchée, l'homme s'effondra au sol ; le sang coulait, la mort lui tendait les bras. Wyl se précipita dans la grande pièce, pour découvrir un Romen qui s'amusait avec un Arkol couvert de blessures, dont aucune n'était encore fatale.

Wyl s'agenouilla auprès du roi, vérifiant de la main son pouls sur son cou. Un instant, il sentit une faible pulsation et une bouffée de joie monta en lui ; mais cela ne durerait pas, il le savait. Valentyna était sur le point de devenir reine de Briavel. Il éleva une prière muette pour elle ; Arkol gargouilla une imprécation, la gorge traversée de part en part par l'épée de Romen.

—Aidez-moi à l'installer convenablement, dit Wyl. Un roi ne doit pas mourir ainsi.

Romen eut un sourire, dépourvu de la moindre trace d'humour. Il n'était même pas essoufflé, alors même que ses vêtements et son visage étaient maculés du sang d'autres hommes.

— Est-ce que tu fais toujours ce qui doit être fait, Thirsk ?

— J'essaie, répondit Wyl en halant le corps du vieil homme.

Ensemble, ils le portèrent sur une table. Wyl prit sa main.

— Sire ?

Valor ouvrit des yeux qui déjà ne voyaient plus rien ; ses forces le quittaient par ses blessures. Sa respiration devenait sifflante dans sa gorge tandis qu'il tentait de parler. Un mince filet de voix franchit ses lèvres.

— Protège-la, mon fils. Même si tu es de Morgravia.

Wyl hocha doucement la tête.

— Je donnerai ma vie pour elle, Sire. Je vous en fais le serment.

— Encore meilleur que ton père, murmura Valor avant de crier dans un ultime sursaut : Renverse Celimus ! Prends la couronne !

Valor, roi de Briavel, mourut en tenant la main du général de légion de Morgravia. Il y avait entre eux une telle aura de conspiration que Wyl cessa un instant de respirer. C'était la deuxième fois qu'un roi l'exhortait à devenir un renégat et un rebelle. Pourtant, il n'avait pas le temps d'y réfléchir maintenant. Il essuya les larmes qui brouillaient sa vue. Il se sentait profondément affecté de n'avoir pu sauver la vie de cet homme ; ses pensées s'échappèrent vers Valentyna. Une fois encore, Romen parla comme s'il avait lu en lui.

— Au fait, où est sa fille ?

Wyl se souvint alors que Romen n'avait pas vu Valentyna entrer dans la pièce. Romen ne savait peut-être même pas qu'elle avait été en leur compagnie.

Wyl dit la vérité.

— Je n'en ai pas la moindre idée.

— Et qu'est-ce que Valor a répondu à ta proposition ?

demanda Romen tout en remettant en place l'une des jambes du vieil homme qui avait basculé.

Wyl replia les bras du roi sur sa poitrine, puis se pencha pour l'embrasser sur les deux joues. Romen ne dit rien ; il ne quittait pas Wyl des yeux, attendant qu'il réponde à sa question.

— Il a été d'accord avec moi pour dire qu'une telle union apporterait la paix dans nos deux royaumes.

C'était la vérité.

— Félicitations. Tu as donc rempli ta part de notre accord, dit Romen en tirant son épée. À moi maintenant de remplir la mienne.

De la pointe de sa lame, Romen lança à Wyl son arme restée au sol. Wyl la saisit adroitement au vol.

— On n'en a pas fini nous deux.

— Rien ne nous oblige à faire ça, dit Wyl désespéré à l'idée d'un duel.

— Mais si, Thirsk. On a passé un accord. J'ai une bourse à aller chercher – et un compte à régler.

— Mais si c'est moi qui te bats ?

— Alors tu iras régler le compte pour moi. Je crois que tu le hais suffisamment pour ça.

— Je te le promets, jura Wyl soudain conscient de la vanité de son espoir qu'ils s'en sortent tous les deux.

L'un d'entre eux allait mourir dans cette pièce.

— Et moi, que puis-je te promettre en retour ? demanda Romen en tapotant sa lame contre celle de Wyl.

— En plus de ta promesse de prendre soin d'Ylena ?

Romen hocha la tête.

— Je l'épouserai s'il le faut. Et d'ailleurs, ce ne sera pas une corvée. Elle est ravissante.

Wyl réfléchit un instant, puis posa la pointe de son épée au sol avant de parler avec solennité.

— Je veux ta parole que tu offriras tes services – ta vie – à Valentyna.

Romen eut un air amusé.

— À la nouvelle reine de Briavel ? Mais pourquoi ? Tu as embrassé ton roi ennemi et tu hais ton propre roi. Un peu étrange non, pour quelqu'un qui se dit fidèle à Morgravia ?

— Jure-le, Koreldy !

— Ou sinon ? demanda-t-il avec son sourire tout entier retrouvé.

— Sinon je ne me bats pas. Tu n'auras qu'à me planter ton épée dans le corps de sang-froid ; mais je sais que tu as trop d'honneur pour agir de la sorte. La noblesse coule dans tes veines, Romen. Je le vois.

— Ta loyauté serait donc flottante ? Un Thirsk qui veut protéger le roi de Briavel ? Pas banal, décidément.

— Jure-le, Romen !

— D'accord, d'accord, je le jure, dit-il comme s'il était plus que las de cette conversation.

La seconde suivante, il avait la pointe d'une lame posée sur sa gorge, manière de lui rappeler qu'il ne devait surtout pas sous-estimer les qualités de l'homme, certes petit de taille mais ô combien solide, qui lui faisait face.

— Jure-le par ce que tu as de plus sacré ! hurla Wyl.

Les yeux gris argent de Romen s'assombrirent. D'un coup de lame dans sa paume, il fit naître un sillon de sang. Rassuré, Wyl l'imita aussitôt.

— Je te le jure, Wyl Thirsk. Je protégerai la reine de Briavel de ma vie, dit le mercenaire en prenant la main ensanglantée de Wyl dans la sienne. Et maintenant, défends ta vie.

Wyl porta sa lame à ses lèvres. Romen sourit. Une nouvelle danse venait de débuter.

Chapitre 14

Wyl et Romen entamèrent leur combat dans un silence de mort.

Silence dans le château de Werryl ravagé, où quinze des soldats de la place avaient été tués, une dizaine d'autres blessés, tandis que les derniers gisaient çà et là assommés par la drogue.

Silence dans les rangs de la garde de Briavel, qui s'en revenait à bride abattue vers le château, après avoir constaté que l'attaque n'était qu'un leurre. Aucune armée ne s'était lancée à l'assaut de Briavel et la simple compagnie mercenaire qui l'avait accrochée s'était comportée de manière étrange. Au terme d'une escarmouche ridicule, elle avait fui sans même croiser le fer ; personne n'avait été ne serait-ce qu'égratigné.

Et silence entre deux combattants d'excellence, totalement absorbés dans une lutte pour la survie. Seuls résonnaient le cliquetis léger des petites touches et les coups plus lourds de leurs lames s'entrechoquant. Avec sur le visage une semblable détermination, chacun d'eux était comme le reflet de l'autre dans un miroir ; ils formaient un tout parfaitement synchronisé. Wyl savait maintenant combien Romen était supérieur à Celimus. Tout comme Wyl, il ne laissait absolument rien paraître de ses émotions et combattait avec sa tête, mais avec infiniment moins de patience. Pleine de flamboyance et de bravades, son escrime n'en était pas moins foudroyante et hautement mortelle.

Romen contrait tout – chaque coup que Wyl avait appris de Gueryn, chaque botte qu'il avait découverte seul, chaque attaque que lui inspirait l'instant. Rapide, agile et puissant, Romen était aussi et avant tout un stratège. Il calculait plusieurs coups à l'avance, anticipait ses déplacements. Si Wyl avait eu le pouvoir d'interrompre leur duel, il aurait aimé dire à son adversaire combien il admirait sa dextérité, mais il n'était plus envisageable de s'arrêter désormais. Fini la courtoisie et les aimables plaisanteries ; plus de quartier.

Sans la moindre ambiguïté, Romen avait bien l'intention de tuer Wyl. Et s'il ne voulait pas mourir, Wyl savait qu'il lui faudrait toucher le premier.

Sourds et aveugles à tout ce qui n'était pas l'épée de l'autre et ses déplacements, ils poursuivaient leur combat, immergés dans une bulle hors du temps. Au-dehors, la lune était haute dans le ciel et la garde de Briavel était sur le point d'arriver aux portes de la ville. S'ils avaient été en état de le faire, des serviteurs ou des gardes seraient déjà venus s'enquérir de l'état de leur roi. Mais personne n'était là pour assister au duel à mort que se livraient les deux hommes.

Tous deux commençaient à montrer des signes de fatigue. Le visage trempé et les cheveux collés, ils savaient que ce n'était qu'une question de minutes, de secondes, avant que l'un d'eux commette l'erreur fatale. Les coups étaient moins vifs, les parades moins ajustées. Ils redoublaient de concentration, mais leurs corps ne répondaient plus comme ils l'auraient souhaité. Aucun ne parvenait à prendre l'ascendant dans ce bras de fer parfaitement équilibré, mais chacun notait les symptômes en lui qui pourraient finir par lui coûter la vie. C'était la première fois que l'un et l'autre éprouvaient véritablement la peur d'être dominé ; et de mourir. Leurs visages n'étaient plus que des masques figés ; envolé l'éternel sourire amusé de Koreldy. Wyl était depuis longtemps tout entier recroquevillé en lui-même.

Finalement, c'est Wyl qui, le premier, prit une mauvaise décision. Il le sut à la seconde où, après deux feintes, il se fendit en ligne pour toucher. Il avait vu l'ouverture et estimé qu'il pouvait être suffisamment rapide pour empaler Romen sur sa lame. Il se lança donc, mais si son esprit tournait encore à plein régime, son corps n'était déjà plus au diapason.

Romen vit ce qui s'annonçait et anticipa. C'était comme s'il avait vu Wyl exécuter le mouvement au ralenti. Il eut soudain l'impression que son esprit lui jouait des tours, mais il se souvint d'avoir entendu dire qu'à l'instant où survient le coup destiné à être mortel, le monde alentour paraît se ralentir ; c'était précisément ce qui lui arrivait. Le coup qui devait le tuer venait sur lui. Shar seul sait comment, il parvint à l'ultime fraction de temps à se décaler suffisamment pour esquiver. La lame l'effleura, taillant superficiellement dans sa chair, et comme Wyl se rapprochait, emporté par l'élan, il frappa à son tour.

La lame de Romen traversa de part en part Wyl Thirsk, général de la légion de Morgravia, sa pointe d'acier pleine de sang saillant au milieu de son dos. Les yeux de Wyl s'agrandirent sous le choc et la douleur, mais plus encore de surprise en constatant qu'il avait perdu ce combat.

C'était à Romen que revenait maintenant la tâche de sauver les deux femmes que Wyl adorait.

— N'oublie pas ta promesse, gargouilla-t-il.

Il lâcha son épée tandis que Romen retirait la sienne de son ventre.

Wyl se laissa glisser à terre et ferma les yeux, attendant que son cœur cesse de battre et que disparaisse la douleur au creux de son estomac. La mort allait être la bienvenue.

Une nouvelle sensation s'empara de son corps. Sans même qu'il en ait conscience, il arqua tout son être sous le coup d'une souffrance fulgurante. Tout d'abord, il se dit que c'était ainsi que la mort devait s'annoncer, mais la peine ne cessait de s'intensifier, au point de lui faire ouvrir les yeux – ses deux yeux étranges aux couleurs dissemblables.

En proie à une hébétude qui n'était pas encore de la frayeur, Romen le regardait sans comprendre ; l'instant d'après, il était lui aussi plié en deux sous le coup d'une douleur atroce. C'était comme si tous deux partageaient la même agonie. Wyl se sentit s'élever dans l'air ; tout ce qui était lui s'arrachait de sa coquille, dans un déchirement absolu qu'il ressentait jusqu'au fond de son âme. C'était donc ça la mort ? Mais alors, pourquoi ce visage de douleur et d'horreur sur le visage de Romen ?

L'insoutenable supplice culminait. À l'instant où Wyl comprit que sa vie allait passer dans le domaine de Shar, il vit qu'il tenait dans ses mains l'âme incrédule et terrorisée de Romen Koreldy.

Shar n'attendait pas Wyl ; seule l'âme de Romen s'en allait. L'esprit de Wyl – tous les éléments immatériels qui le composaient – passait dans le corps de Romen Koreldy. Il voulut dire quelque chose au mercenaire ; impossible de savoir s'il y parvint.

Était-ce la mort ? Était-ce la vie ?

La sensation de souffrance et de confusion dura pendant ce qui lui parut une éternité, jusqu'à ce qu'il prenne conscience soudain qu'il se tenait debout, les bras en avant, la main droite blanche de crispation sur la garde d'une épée. Il tituba en arrière, lâcha son arme, s'accrocha à la table. L'air entra en lui ; il ne sentait plus aucune douleur. Ses yeux se posèrent sur le corps à terre à ses pieds.

Il ne savait pas s'il regardait par des yeux de couleurs différentes, mais il était certain que le corps devant lui était celui de Wyl Thirsk.

Wyl tendit ses mains tremblantes ; c'étaient les doigts longs et fins de Romen, et non plus des doigts courts avec quelques poils blonds et roux sur les phalanges. Il porta ensuite ses yeux sur sa blessure au côté, l'incontestable témoignage montrant combien l'autre avait été près de l'emporter.

Non ! Combien lui, Wyl, avait été près de l'emporter !

C'était pourtant vrai. Par terre, son corps déjà se refroidissait ; et l'âme de Romen avait été emportée dans la mort.

Totalement abasourdi, il chancela à travers la pièce, contemplant l'endroit comme s'il le voyait pour la première fois. Il entendit alors des voix, des voix d'hommes ; des gardes se répandaient dans la cour. Du fond du chaos de son esprit, il se rendit compte qu'ils allaient sous peu monter les escaliers et qu'il serait piégé. Par un effort surhumain, il s'arracha au désordre de ses pensées et, sans réfléchir à ce qui allait arriver ensuite, Wyl saisit les bras de ce qui avait été son corps pour le tirer vers les latrines. C'était là son unique chance.

Il jeta son épée dans le puits, avant d'y faire basculer le cadavre. Il entendit le son affreux lorsqu'il s'écrasa au sol. Les voix étaient partout dans les couloirs, sur le palier ; dans quelques secondes, ils allaient entrer. Il n'avait plus le temps de tergiverser ; il escalada le rebord, retint instinctivement sa respiration et sauta. La hauteur était importante et le choc fut rude, mais la réception fut amortie par son corps ; son véritable corps.

L'esprit vide, n'agissant que par instinct, il chargea la dépouille de Wyl Thirsk sur ses épaules et s'enfonça dans la nuit. Bouger dans le corps de Romen était une expérience plus que troublante ; il se demandait, par Shar, ce qui pouvait bien lui arriver.

Chapitre 15

Wyl trouva refuge dans un bois qu'il se souvenait avoir aperçu lors de son arrivée en Briavel. C'était la première fois depuis des heures qu'il allait pouvoir se reposer.

Un peu plus tôt, un coup de chance l'avait fait tomber sur les chevaux des mercenaires, ainsi qu'une mule qui était venue brouter près d'eux. Wyl avait pensé que ce devait être la bête de Fynch. Il avait détaché deux des chevaux et chargé son corps sur l'un d'eux; l'autre serait pour lui. Et puis, ne voulant pas abandonner l'animal qui lui avait sauvé la vie, il avait attaché la mule au cheval bâté et la petite troupe s'était mise en route. Dans les fontes, il avait trouvé de la nourriture et de l'eau. Il était urgent maintenant qu'il ramène le corps à Pearlis. S'il parvenait à traverser sans encombre le territoire de Briavel, il se sentirait à l'abri. À l'instant où il avait aperçu le bois, il avait hurlé à pleins poumons. Ses nerfs étaient en lambeaux, son esprit toujours sous le coup de ce qu'il lui était arrivé; pendant le trajet depuis Werryl, il avait passé des heures à dire n'importe quoi aux animaux, juste pour ne pas penser. Jusque-là, il avait résisté à l'envie de regarder le corps. Son corps.

Wyl bascula le cadavre à terre et dessella les chevaux. Épuisé mais toujours incapable d'admettre l'idée de se retrouver face à lui-même, il pansa longuement les bêtes. Finalement, il entrava ses compagnons de voyage, avant de s'allonger sur le sol en espérant s'endormir sans avoir à contempler la situation en face. Ronde et blanche, la lune éclairait le ciel dégagé ; sans l'obscurité totale dont il avait tant besoin, le sommeil le fuyait malgré l'épuisement. Contraint et forcé, il décida d'affronter sa peur – la terreur innommable qui devait être ce que lui avait donné Myrren. *Son vrai don*, songea-t-il avec un soupir.

Il observa ses mains, nimbées d'une aura surnaturelle dans la lueur spectrale de la lune ; aucun doute, c'étaient les mains puissantes et fines de Romen Koreldy, d'ailleurs toujours ornées à l'un des annulaires d'une élégante chevalière armoriée. Du bout de ces longs doigts, Wyl parcourut à tâtons son nouveau visage ; la figure encore un peu ronde avait disparu, remplacée par des traits taillés à la serpe et soulignés d'une courte barbe.

Il défit le ruban qui retenait ses cheveux et ne put que s'extasier de la sensation que lui procurait leur contact soyeux sur ses épaules. Il se souvint de les avoir admirés lorsqu'il n'était qu'un général rouquin surmonté d'un bouquet de chaumes. Wyl savait que ses yeux présentaient maintenant une teinte gris argent. Il eut même un sourire à la pensée que son physique n'était plus désormais désespérément quelconque, mais au contraire remarquable. Une allure à faire se tourner les têtes.

Le sourire de Romen lui avait toujours paru éclatant et charmeur. Il l'essaya, allant même jusqu'à toucher les dents impeccablement rangées dont il se rappelait l'éclat lorsque le mercenaire plaisantait. Et ses jambes ! Wyl émit un son. Un petit rire nerveux, mais en même temps plein d'une joie sincère tandis qu'il admirait le galbe et la longueur de ses nouveaux membres. Cette fois-ci, il était sûrement de la taille voulue pour Valentyna, plus grand qu'Alyd – et peut-être même plus que Gueryn encore.

La pensée fugace de ces êtres aimés fit déferler sur lui une vague de chagrin qui le submergea. Les deux hommes qu'il aimait le plus au monde étaient morts, ou presque ; les deux femmes qu'il adorait vivaient encore, mais dans l'angoisse, la souffrance et la peur. À coup sûr, Ylena n'avait pas encore surmonté le choc de ce qu'elle avait vu dans la cour de Stoneheart – peut-être même n'y parviendrait-elle jamais. Valentyna, son amour, se demandait probablement ce qu'il était advenu de son père, alors que la vie venait de la lancer sur d'étranges chemins. L'avoir aimée si vite et si intensément était un peu effrayant, mais Wyl était sûr désormais que son cœur lui appartenait à jamais.

Le souvenir de la promesse qu'il avait arrachée à Romen lui revint en mémoire ; il lui avait fait jurer de la protéger au péril de sa vie. Romen avait payé de son âme ; il lui appartenait donc à lui, Wyl, de tenir ce serment.

Un instant, Wyl songea à l'homme que Romen était, se demandant s'il restait quoi que ce soit de lui dans cette vie. À petites touches prudentes, il fureta dans les recoins de son esprit pour découvrir des nuances qui n'étaient pas les siennes dans les souvenirs et les idées, les goûts et les sentiments. Les sensations étaient fugaces et difficiles à cerner. Son instinct lui soufflait de se retirer, mais il ne put s'empêcher d'embrasser d'un coup toutes ces réminiscences intimes de ce qui avait été un homme, toujours là mais fragiles et évanescentes comme le parfum qu'une femme laisse derrière elle après être partie.

Tout était là, mais l'essence de Romen n'y était plus ; son âme avait rejoint Shar. Wyl se souvenait l'avoir vue être arrachée puis précipitée dans la mort, à l'instant où lui-même s'emparait du corps. Wyl décida de laisser tout ce qui était Romen en paix. Il n'était pas encore prêt pour fouiller ce qui avait été sa vie ; en cette période de grande confusion, il lui fallait d'abord mettre de l'ordre dans la sienne. Le sommeil étendit doucement son aile sur lui. Il bâilla et sourit à l'oubli salutaire.

La nuit était froide et le sol dur, mais il était en vie. Et plein de colère et de confusion. Il se souvenait du rêve qu'il avait fait et dans lequel il était tué mais ne mourait pas – il lui semblait maintenant que cela avait été une prémonition bien plus qu'un cauchemar.

Wyl mit ses pensées tout emmêlées de côté. Avec son nouveau corps, il avait devant lui un nombre incalculable de choses à faire, au premier rang desquelles retrouver Valentyna et Fynch. Mais avant tout, il avait un compte à régler en Morgravia. En fermant les yeux, ses lèvres murmurèrent un ultime adieu pour Romen – un assassin qu'il n'avait pu s'empêcher d'apprécier, et l'homme qu'il était maintenant devenu.

À la seconde où il plongeait dans le sommeil, il vit clairement qu'une seule et unique voie s'offrait à lui. Il allait ramener son propre corps pour l'offrir triomphalement à Celimus, puis faire tout ce qu'on attendait de lui. Il tromperait le roi en lui faisant croire que la Couronne était définitivement débarrassée de Wyl Thirsk. Ensuite, en tant que Romen Koreldy le mercenaire, il encaisserait sa bourse, récupérerait Ylena – *que Shar lui prête vie jusque-là* – puis quitterait Morgravia pour s'en aller ourdir un plan afin de faire payer ses crimes à Celimus.

Son roi était mort et sa princesse disparue. Frappée de stupeur, Werryl se murait dans le silence.

Le commandant Liryk était assis, la tête entre les mains, face à Krell, le chancelier du monarque défunt. Krell avait le verbe rare, mais il ne parlait jamais pour ne rien dire et on l'écoutait. Depuis plus de vingt ans, il était le conseiller privé et le confident de Valor. Présentement, il s'efforçait de réconforter le vieux soldat, venu trouver refuge dans son cabinet de travail.

—Je l'ai perdue, répétait Liryk sans fin.

Krell le laissait s'épancher ; toute la citadelle était encore sous le choc des événements de la nuit précédente. C'est Krell lui-même qui avait eu la présence d'esprit de prendre des mesures pour que la nouvelle ne s'ébruite pas en dehors du château. Dès le retour de Liryk et du gros de la garde de Briavel, Krell avait insisté auprès du commandant pour qu'il renvoie dans leurs foyers tous les hommes, sauf les plus fiables.

— J'aurais besoin de votre avis maintenant, dit-il d'un ton égal dans le silence.

Le commandant Liryk releva son visage, bouffi par les larmes qui avaient coulé sans discontinuer ces dernières heures. L'aube annonçait son arrivée ; l'heure des décisions était venue.

— Que savons-nous vraiment ?

— La diversion était une manœuvre, c'est désormais une certitude. Si on ajoute le fait que tout le monde ici a été drogué, il apparaît nettement que nous avons affaire à un plan méticuleusement calculé.

— Qui a malheureusement trop bien fonctionné, conclut amèrement le soldat.

Krell haussa les épaules.

— Ou pas… ?

— Que voulez-vous dire ?

— Je dirais que d'autres connaissent la vérité. Il y avait deux autres hommes présents hier soir, les deux personnes les plus éminentes de la délégation. Leurs corps sont introuvables.

— Ce qui signifie ?

— D'après vous, qui a bien pu tuer tous ces mercenaires ? Certainement pas notre roi…

— Valor était un fier guerrier naguère, mais il n'aurait certainement pas pu vaincre dix hommes en combat singulier, admit Liryk.

— Ce sont Valor et Thirsk, avec peut-être l'aide de ce Koreldy, qui ont écrasé les étrangers.

— Que faisait au juste Thirsk en compagnie d'un mercenaire ?

— Ça, c'est un mystère. Je n'imagine pas qu'il ait pu accepter de venir en Briavel sans ses propres hommes autour de lui.

— Un piège du roi de Morgravia ?

— Peut-être... Si Thirsk a été contraint de venir ici sous la garde de mercenaires, cela explique peut-être la gratitude que j'ai lue dans ses yeux lorsque je l'ai débarrassé de celui qui devait être son ravisseur.

— Et pourtant, vous pensez qu'ils ont combattu ensemble aux côtés de Valor.

Le chancelier hocha pensivement la tête.

— Oui. Et je pense même qu'ils ont aidé Valentyna à s'enfuir.

Cette hypothèse fit réagir le commandant.

— Comment ? Elle était là avec le roi et Thirsk ?

Krell sourit ; c'était la première fois depuis des heures qu'il en avait l'occasion.

— Je vous rappelle que notre princesse circule comme elle l'entend. Elle connaît les passages secrets de la citadelle mieux que personne. Je sais que son père voulait qu'elle assiste à l'entretien, aussi ai-je de bonnes raisons de croire qu'elle était là.

— Pour autant, rien ne dit que Koreldy n'a pas forcé la porte avec les autres mercenaires ?

— Effectivement, c'est possible. Mais il manque trois épées et j'ai tendance à croire que c'est le roi – ou Valentyna – qui a armé ces hommes. Thirsk et Koreldy ont dû combattre ensemble, avec l'accord du roi.

— Malgré leurs différends, c'est ce que vous voulez dire ?

Une nouvelle fois, le chancelier haussa les épaules pour marquer son incertitude.

— Je ne fais que conjecturer, mais peut-être bien que le nouveau roi de Morgravia est plus retors qu'on ne l'imagine.

— Un coup en deux bandes ?

— Contre Thirsk, sûrement. Je n'imagine pas un instant que le général Thirsk soit venu ici pour assassiner Valor.

— Pourquoi est-il venu alors ?

— Peut-être est-il venu pour Valentyna ? suggéra prudemment le chancelier Krell.

— La princesse ?

Liryk était abasourdi.

— Il se dit que le nouveau monarque de Morgravia est ambitieux. Peut-être a-t-il mandé Thirsk ici avec une proposition…

Krell se laissa aller en arrière dans son fauteuil, comme apaisé d'avoir enfin formulé l'idée qui lui trottait dans la tête depuis des heures.

Liryk tombait des nues, impressionné par la certitude affichée par Krell.

— Comment pouvez-vous être sûr de ça ?

La certitude s'envola, remplacée par un mince sourire forcé.

— Je ne suis sûr de rien. Je dis juste que c'est une possibilité, c'est tout.

Liryk évacua d'un geste les doutes qu'il sentait revenir chez son interlocuteur.

— D'accord, tout cela est plausible. Mais que s'est-il passé après ?

Krell secoua la tête.

— Je ne sais pas, on ne peut faire que des suppositions. Thirsk et Koreldy tuent les mercenaires, mais le roi est trop blessé ou peut-être est-il déjà mort. En tout cas, ils n'ont d'autre choix que fuir avec Valentyna.

Liryk s'était mis à marcher dans la pièce, en se passant une main dubitative sur le menton.

— Mais comment ?… Et où ?

— Une bonne question, parmi tant d'autres auxquelles

nous n'avons toujours pas de réponse, soupira Krell. Une seule chose est sûre : nous devons retrouver Valentyna à tout prix. Et quand nous l'aurons retrouvée, nous devrons la convaincre qu'épouser le roi Celimus est la meilleure des choses à faire.

— Quoi ? s'insurgea Liryk.

À peu près du même âge, les deux hommes servaient Valor depuis de longues années. Aucun n'avait le sentiment d'avoir prééminence sur l'autre.

— On ne peut tout de même pas laisser passer ça, poursuivit le commandant d'une voix sourde aux accents tranchants.

— Il y a encore bien des zones d'ombre dans cette histoire, concéda Krell. Mais ce dont nous pouvons être certains, c'est que Briavel perdrait la guerre contre Morgravia si l'idée nous venait d'ouvrir les hostilités. Notre reine est jeune et totalement incapable de mener un conflit contre notre voisin. Elle n'est pas en position de résister à Celimus et, en toute honnêteté, Briavel non plus. Un mariage sauverait notre terre et notre peuple. Nous sommes sur le fil du rasoir diplomatique.

Le vieux soldat fronça les sourcils en songeant aux implications de ce que disait son ami.

— Vous menez une partie bien effrayante, chancelier.

Krell soutint son regard sans ciller.

— Nous devons trouver Valentyna avant eux.

Ils n'eurent pas longtemps à attendre ; deux gardes firent entrer un petit garçon dans le bureau.

Après un coup d'œil au corps enveloppé dans une couverture en travers du second cheval – et un autre à la mule si accommodante de caractère –, Wyl se remit en route en direction de Pearlis, ignorant la faim qui lui tenaillait le ventre. Au cours des deux dernières journées, l'étrange procession avait suscité quelques regards curieux. Maintenant qu'il passait auprès des villages aux abords de la capitale du royaume de Morgravia, Wyl évitait de regarder tous ceux qui pourraient être tentés de l'interroger. Le soir était sur le point de tomber lorsqu'il arriva en vue de la magnifique arche de pierre qui accueillait les visiteurs au château de Stoneheart.

Les gardes lui jetèrent des regards torves et suspicieux, dont il n'aurait pu leur tenir rigueur compte tenu de son attelage – une mule et ce qui avait tout l'air d'être un corps. En reconnaissant deux de ses hommes parmi ceux qui lui faisaient signe de s'arrêter, Wyl ressentit un pincement attristé au cœur.

—Arrête-toi, l'homme. Qu'est-ce que tu transportes ?

Wyl dut faire un effort sur lui-même pour se rappeler qui il était.

—Un mort. Je pense que vous le reconnaîtrez si vous jetez un coup d'œil.

Il dégagea le visage de la couverture. Les soldats s'approchèrent et Wyl lut la consternation sur leurs traits lorsqu'ils avisèrent les cheveux rouges reconnaissables entre tous.

—Ce n'est pas possible, bredouilla l'un. Non !

—J'ai bien peur que si, répondit Wyl à la manière détachée de Romen.

Malgré tout, la peine sincère qu'il voyait chez les hommes lui faisait chaud au cœur ; elle le rassurait. De toute évidence, ses soldats ne savaient rien et n'étaient pas impliqués dans les manigances de Celimus.

Soudain, ils tirèrent leurs épées pour les pointer sur sa gorge.

—Qui es-tu ? demanda l'un des gardes, les yeux brouillés de larmes.

Ça y est, se dit-il. *Rappelle-toi qui tu es.* Pendant cet instant d'hésitation, il se rendit compte qu'il était trop crispé à l'intérieur de ce corps étranger. Il fallait qu'il se laisse aller, qu'il se l'approprie ; il fallait qu'il devienne lui s'il voulait pouvoir un jour venger son propre meurtre. Wyl s'ouvrit aux émanations de Romen et sentit le feu de tout ce qui était Wyl Thirsk se répandre partout dans la silhouette longue et gracieuse du corps autrefois connu sous le nom de Romen Koreldy. La voix, le style et même la décontraction lui venaient facilement maintenant.

—Je suis Romen Koreldy de Grenadyne. Vous reconnaissez sûrement le fils de Morgravia que je ramène chez lui. Et si vous allez vérifier, vous pourrez constater que le roi Celimus m'attend.

Un messager fut envoyé. Des soldats arrivaient de partout – tous pareillement chagrinés – pour poser une dernière fois la main sur leur général. Wyl se sentait profondément ému.

—Que s'est-il passé ? demanda l'un d'eux, qui ne cherchait même pas à dissimuler les larmes sur ses joues.

Wyl avait préparé une réponse à cette question – et il entendait bien faire en sorte que Celimus ne puisse faire autrement que confirmer sa version.

—La citadelle de Werryl a été attaquée par des mercenaires se faisant passer pour des soldats de la légion de Morgravia.

Tous les visages autour de lui exprimaient la surprise et la colère.

—Mais que faisait-il en Briavel ? demandèrent-ils.

Wyl haussa les épaules en signe d'ignorance.

—Je suppose qu'il était là-bas en mission pour votre roi et qu'il s'est retrouvé piégé au milieu de cette affaire.

Les soldats échangeaient des murmures indignés.

—Il avait disparu sans rien dire. Toute la troupe en est restée médusée, dit quelqu'un.

Wyl hocha la tête d'un air compréhensif.

—Probablement une mission secrète pour Morgravia…

—Et comment savez-vous que ceux qui ont attaqué étaient des mercenaires ? demanda un vieux guerrier plus madré que les autres.

— Oh, impossible de se tromper. J'étais moi-même en Briavel pour affaires, si bien que quand l'attaque a eu lieu, je me suis retrouvé à combattre aux côtés de cet homme. Comment s'appelait-il déjà ?

Tous les soldats répondirent comme un seul homme.

Pour faire bonne mesure et gagner définitivement leur confiance, Wyl ajouta la touche finale avec une petite grimace de douleur.

— J'ai été blessé pendant le combat et j'aurais besoin d'aide si vous voulez bien.

Les soldats s'empressèrent.

— Ma mule – enfin, ce n'est pas vraiment la mienne – est épuisée. La pauvre bête a couru tout le jour au rythme des chevaux.

— On va s'occuper d'elle, messire. Ne vous inquiétez pas.

Un messager arrivait de l'intérieur du château.

— Messire, le roi veut vous voir immédiatement.

— Pouvez-vous m'aider à charger le corps sur mes épaules, s'il vous plaît ? demanda Wyl.

À dire vrai, avant d'évoquer la question, il n'avait pas encore vu que sa blessure s'était rouverte.

— Nous allons l'emmener, dit l'un des gardes, la gorge nouée par l'émotion.

— Non ! Je l'ai ramené depuis Briavel. Je le remettrai moi-même à son roi comme je le lui ai promis juste avant qu'il meure, mentit Wyl, peu fier de sa manœuvre.

Les soldats le regardaient maintenant avec du respect dans les yeux. Le plus ancien d'entre eux hocha la tête.

— Allez-y, dit Wyl, comme déjà des mains s'empressaient pour l'aider.

Il chargea le corps puis emboîta le pas du messager. Quelques gardes suivaient.

— Le capitaine Donal était-il avec lui ? demanda l'un d'eux.

— Un brave compagnon, blond et toujours avec le sourire ?

— Lui-même, répondit le soldat avec anxiété.

— Mort lui aussi, dit Wyl. Désolé, je ne pouvais pas ramener les deux corps jusqu'ici.

Wyl détestait de plus en plus ce que son rôle l'obligeait à dire et à faire. Il répandait le chagrin autour de lui, mais il devait absolument maîtriser son histoire à la perfection. Il fallait qu'il contraigne Celimus à corroborer ses dires ; et puis, il ne voulait pas que la légion se soulève tout de suite pour se lancer dans une action irréfléchie.

De toute façon, Wyl ne pouvait plus parler, à l'étroit dans le petit escalier de pierre conduisant à la coursive qu'il aimait tant, pleine de la délicate odeur des fleurs du jardin en contrebas. Elle lui rappelait sa première entrevue avec le roi Magnus. Il refoula ce souvenir. Le secrétaire qui l'avait reçu quelques jours auparavant toisa le corps sur ses épaules avec la même moue de suprême dédain.

— Suivez-moi, ordonna l'homme d'une voix glacée.

Wyl s'exécuta, après une profonde inspiration pour se préparer à affronter Celimus. Dans un instant de panique, il se demanda si le roi saurait lire en lui et le reconnaître, s'il comprendrait par une intuition géniale qu'il n'était pas le tueur engagé mais son ennemi honni. La pensée s'enfuit aussi vite qu'elle lui était venue. Il était Romen Koreldy désormais et nul ne pourrait le deviner derrière son nouveau visage. Lorsqu'il pénétra dans la pièce, le style nonchalant de Romen faisait partie intégrante de lui. Après le passage en ogive derrière un lourd rideau, il émergea dans la pièce qu'il connaissait bien et ses yeux gris argent croisèrent le regard ébahi du roi Celimus.

— Laisse-nous, ordonna Celimus à son secrétaire, avant de poursuivre à l'intention exclusive de Wyl.

» Lorsqu'on m'a dit que vous étiez là, je n'ai pas pu en croire mes oreilles.

Bien sûr que tu n'as pas pu le croire, pensa Wyl tout en observant le valet saluer d'un air pincé d'être ainsi évincé. Il n'avait malheureusement pas le temps d'apprécier tout le sel de la scène. Lorsque la porte fut refermée, il laissa tomber le corps à terre.

—Voici le corps de Wyl Thirsk, Sire. Comme vous me l'aviez demandé.

Il attendit.

Celimus ne broncha pas. Il ne baissa pas le regard au sol, mais maintint ses yeux rivés à ceux du mercenaire. Wyl imaginait très bien les dizaines de scénarios qui devaient défiler dans l'esprit du roi, tandis qu'il se demandait ce qui avait bien pu aller de travers dans son plan si soigneusement ourdi. Comment diable Romen pouvait être là devant lui en lieu et place d'Arkol ?

—Les autres hommes qui étaient avec vous…

C'était dit sur un ton neutre, mais la question perçait nettement derrière le propos anodin.

—Morts, Sire. Tous.

À cette réponse, Celimus haussa un sourcil. Ce n'était pas là le genre de nouvelles qu'il avait attendu.

—Y compris ce traître d'Arkol qui les dirigeait, insista Wyl en espérant de toutes ses forces que Celimus morde enfin à l'hameçon.

Ce qu'il fit.

—Ah oui, Arkol. Et que lui est-il arrivé ? demanda innocemment Celimus sans dévier son regard des yeux de Wyl.

—Mort en hurlant, Majesté, mon épée passée à travers le corps. C'était ça ou bien être découpé moi-même. Leur plan – du moins, d'après ce que j'en ai déduit – était de venir vous livrer eux-mêmes le corps de Thirsk pour empocher la bourse. Je ne vois pas ce qui les aurait poussés sinon à s'attaquer à moi.

Il venait d'offrir au roi l'espace voulu pour manœuvrer et nier tout lien avec Arkol et ses sbires ; les épaules de Celimus se décrispèrent doucement.

— Ils ont vraiment fait ça, ces traîtres ? demanda Celimus. En tout cas, Romen, je me réjouis que vous vous en soyez tiré.

— Ce qui n'est d'ailleurs pas le cas du roi de Briavel, Sire. Arkol l'a assassiné.

Celimus ne marqua qu'un moment d'hésitation avant de laisser s'exprimer le plaisir qu'il ressentait à cette annonce.

— C'est ce que j'avais espéré.

Wyl ne releva pas l'aveu, poursuivant d'un ton égal.

— Je l'ai vu mourir devant moi.

Soudain, Celimus se montra sous un jour plein de conciliation et Wyl entrevit le cheminement que suivait l'esprit agile du roi. Au bout du compte, Celimus lâchait une demi-vérité.

— En toute sincérité, Romen, je ne me sentais pas à l'aise de vous faire part de cette intention. J'avais le sentiment que vous n'auriez pas accepté si je vous en avais parlé.

— Et vous auriez eu raison, Majesté. Je ne tue pas les rois, quelle que soit la somme offerte. Est-ce que vous assisterez aux funérailles ?

— Shar merci, je doute qu'ils organisent une cérémonie publique. S'il est sage, le commandant des forces de Briavel évitera soigneusement d'exciter son peuple à la guerre. Ce n'est vraiment pas le moment pour lui, non ? demanda un Celimus au comble de la jubilation.

» La populace aurait tôt fait de pointer un doigt vengeur sur Morgravia et d'exiger le prix du sang. Mais la garde de Briavel n'est certainement pas en mesure de partir au combat. Pas avec une reine si jeune et si vulnérable. Pauvre petite, comme elle doit se sentir seule. Mûre à souhait, prête à être cueillie.

À cet instant, Wyl ressentit une telle bouffée de haine pour le roi qu'il dut faire appel à toute sa détermination pour ne pas le frapper – le tuer dans l'instant et à mains nues, malgré les gardes à côté qu'il pouvait appeler d'un cri.

— Mais vous ne m'en voulez pas pour autant j'espère ? demanda Celimus subitement alarmé de la tension palpable entre eux.

C'était une question étrange. Wyl haussa les sourcils de Romen et força le corps qu'il habitait à se détendre.

— La décision vous appartient, Sire. Je ne me mêle jamais de politique et des affaires d'État. Arkol a fait ce que vous lui aviez demandé et j'imagine que vous aviez de bonnes raisons de lui confier cette mission. Moi, ce n'est pas pour ça que j'ai tué Arkol, affirma Wyl avec aplomb.

» Je l'ai supprimé parce qu'il s'en est pris à moi. Je suppose qu'il aurait même cherché à éliminer ses propres hommes pour s'octroyer une plus grosse part de votre argent.

— Mais je lui avais déjà versé de l'or pour cette action, s'indigna innocemment Celimus. En fait, il nous a trahis tous les deux.

Wyl apprécia la subtile façon qu'avait eue Celimus de dire « nous », manière de laisser croire à une connivence entre eux.

— Si fait, Sire, mais on ne peut pas faire confiance à ce genre d'hommes. Je vous avais prévenu lorsque vous les avez engagés, dit Wyl, stupéfait que cette information soit remontée de nulle part à sa conscience.

— C'est vrai, vous me l'aviez dit. Heureusement, à vous je peux faire confiance.

— Je suis un homme de parole. Ne vous avais-je pas promis le corps de Wyl Thirsk ?

— Si ! Et vous me l'avez apporté, dit Celimus, l'humeur résolument joyeuse. Je suis votre débiteur, Romen Koreldy.

Le roi s'était penché sur le cadavre de Wyl, comme pour s'assurer qu'il était bel et bien mort. Il souleva la tête en la tenant par ses cheveux orange, avant de la laisser retomber négligemment.

Wyl fit un effort pour museler la fureur qui remontait en lui.

— Et maintenant, Sire, que va-t-il se passer ?

— Pour lui ? Des funérailles nationales, je suppose. Morgravia va honorer son fier général et la légion sera triste à crever. Je vais proclamer une journée de deuil pour tout le royaume en son honneur. Nous chanterons les louanges d'un de nos fils chéris, puis nous l'enterrerons avec toute la pompe voulue aux côtés de son père. Le peuple sanglotera et le roi lui-même versera sa petite larme… de joie !

Wyl hocha la tête ; il ne pouvait rien faire d'autre.

— Allez, Romen, asseyez-vous et buvez avec moi. Il faut célébrer cette journée, l'une des plus heureuses de ma vie.

Wyl dut accepter le verre de vin doux que le roi servit lui-même d'une carafe en cristal.

— Racontez-moi tout, ordonna Celimus, les yeux déjà brillants d'excitation.

Et Wyl s'exécuta, en s'efforçant de coller autant que possible à la réalité ; il évita bien sûr d'évoquer la participation de Fynch.

— Donc, Thirsk soupait seul en compagnie de Valor ?

— En fait, j'ai appris par la suite que la fille les avait rejoints. Elle serait arrivée dans la pièce par une sorte de passage secret.

— Et avez-vous découvert ce qui était sorti de la conversation entre Thirsk et Valor ?

Wyl sourit intérieurement. Celimus partait du principe que Valentyna n'était qu'une princesse minaudante, incapable d'avoir la moindre idée ou opinion personnelle. S'il savait seulement…

— Oui, Sire, dit Wyl en se laissant aller sur sa chaise comme l'aurait fait Romen. Il m'a assuré qu'il avait réussi à convaincre le roi. Ensuite, il a essayé de négocier avec moi pour que je lui laisse la vie sauve.

Celimus renversa la tête en arrière pour rire à gorge déployée, exposant largement ses dents parfaites.

— Et vous l'avez tué quand même ! Décidément, Koreldy, vous êtes un homme comme je les aime.

— Je ne me suis même pas posé de question, répondit Wyl, avant de rejoindre le roi dans son hilarité.

Il se demandait ce qu'il éprouverait à ouvrir la gorge de cet infâme lâche.

— Dites-moi ce que je peux faire pour vous remercier de cet excellent geste que vous avez eu.

Wyl eut alors une expression qui était en tout point héritée de Romen : il haussa un sourcil avec un air de parfait cynisme.

— En plus de la somme promise, Sire ? demanda-t-il sèchement.

— Bien sûr. Je me sens d'humeur généreuse et c'est à vous que je le dois. En plus de l'or, demandez une faveur et je vous l'accorde, offrit Celimus en écartant largement les mains comme pour montrer que rien ne serait trop exiger.

— Oui, il y a bien quelque chose, Majesté.

— Dites ! l'encouragea le roi en repassant derrière son bureau sur lequel trônaient deux bourses de cuir – l'une plus replète que l'autre.

Il les souleva avant de les laisser retomber sur la table. Elles produisaient le son à nul autre pareil de l'or.

— Les deux sont pour vous, poursuivit Celimus toujours débordant d'enthousiasme. Je vous laisse ce que j'avais promis à Arkol et à ses hommes.

— Ce n'est pas la faveur que je demande, Sire, dit prudemment Wyl.

— Oui, oui, bien sûr. Dites-moi, ordonna Celimus.

— La sœur, répondit Wyl.

Le roi eut l'air perdu pendant un instant. Puis il comprit.

— De Thirsk ?

Wyl hocha fermement la tête.

—Je la veux.

—Par les couilles de Shar. Et qu'allez-vous en faire ?

Wyl ne répondit rien, mais laissa fleurir sur son visage l'un des sourires sardoniques de Romen.

Celimus se mit à rire, puis à applaudir. Son plaisir était immense.

—Excellent ! Oui, c'est vraiment génial. Le bourreau de Thirsk va mettre sa sœur adorée dans son lit. C'est une sentence plus raffinée encore que celle que j'aurais pu prononcer. Prenez-la, Romen, vous avez ma bénédiction. Et quand vous en aurez fini avec elle, n'hésitez pas à l'éliminer. Vous me rendrez un fier service. Je fais prévenir la chiourme des cachots immédiatement.

—Parfait, dit Wyl qui contenait à grand-peine son émotion.

Il prit son verre et se força délibérément à le lever.

—Aux secrets, Sire.

—Je bois aux secrets, Romen. Vous serez le mieux gardé de tous les miens, répondit Celimus avant de vider son verre d'un trait. Mais je vois que vous êtes blessé.

Wyl secoua la tête pour dire que ce n'était rien ; il voulait s'en aller à présent.

—Un souvenir de Thirsk, Sire, mais rien de grave. Je vais me retirer maintenant, avec votre permission.

—Bien sûr. Mais avant cela, dites-moi un peu. La princesse ?

C'était l'un des instants critiques du plan. Pour protéger Valentyna, Wyl savait qu'il devait la rendre irrésistible aux yeux de Celimus. C'était un véritable crève-cœur, mais il devait encourager la passion du roi pour elle, simplement pour qu'il ne lance pas ses troupes contre Briavel.

Il quitta l'air perpétuellement amusé de Romen pour une mine grave et sérieuse.

— Elle est splendide, Majesté. L'une des femmes les plus éblouissantes qu'il m'ait été donné de voir.

C'était la plus stricte vérité.

L'attention de Celimus était tout entière captivée.

— Vraiment ? Vous parlez sincèrement ?

— Absolument, Sire.

— Décrivez-la-moi, ordonna le roi, soudain perplexe.

Il avait en mémoire l'image d'une fillette grassouillette et colérique.

Wyl convoqua le souvenir de Valentyna dans son esprit et ressentit aussitôt de nouveau le frisson qu'il avait éprouvé en la voyant.

— Elle est grande, Sire, presque comme vous. Ses cheveux noirs tombent en cascades brillantes sur ses épaules. Elle a des yeux pétillants d'intelligence, couleur d'azur, et son esprit est vif et charmant.

Celimus hochait la tête d'incrédulité. Wyl poursuivit.

— Elle est mince, mais avec des formes, mentit-il légèrement en évoquant ses hanches presque aussi étroites que celles d'un garçon. Sa poitrine est haute. Sa peau lisse et parfaite, avec une délicate carnation.

— Suffit, dit Celimus. Ce ne saurait être la même personne.

— Sire ?

— Ce n'est rien, oubliez ça, s'impatienta le roi, les sourcils froncés, l'esprit en proie au doute.

Wyl décida d'enfoncer le clou.

— Sire, loin de moi l'idée de me mêler de politique, mais s'il était dans votre intention d'unifier les deux royaumes, épouser cette femme est non seulement une option envisageable, mais à coup sûr un plaisir assuré pour vos yeux. Et pas que vos yeux en fait…, conclut Wyl d'un air entendu.

Celimus éclata de rire.

— Mon lit ne serait plus jamais froid, c'est ça ?

Wyl haussa doucement les épaules, en un geste nonchalant mais ô combien éloquent.

Le roi abattit sa main à plat sur la table.

— Romen, maudit sois-tu, mais j'apprécie ta compagnie. Est-ce que je ne pourrais pas te convaincre de rester ?

— Non, Sire. Votre offre est généreuse, mais des affaires m'attendent ailleurs.

— Quelques assassinats ?

Wyl fit non de la tête.

— Non, Sire. La bourse que vous me donnez est suffisamment remplie pour que je n'aie pas à pratiquer mon art avant longtemps. La belle vie m'attend maintenant. Je vais rentrer chez moi, voir ce que sont devenus les miens. Cela fait longtemps que je n'ai pas vu les vertes prairies de Grenadyne en buvant de notre vin capiteux.

Il espérait que le roi ne lui demanderait pas ce qu'il comptait faire d'Ylena. Mais Celimus l'avait déjà oubliée.

— Vous resterez néanmoins pour les funérailles ? En fait, j'aimerais assez que vous y assistiez. Aux yeux de tous, ce serait bien que l'homme qui a ramené le corps du général Thirsk soit là, aux côtés du roi, lorsqu'on le mettra en terre.

Wyl n'en avait pas la moindre envie, mais à sa mine il pouvait voir que Celimus souhaitait profiter encore de sa présence. Et qui plus est, ce n'était pas sans intérêt pour l'avenir. De fait, les hommes de la légion ne pourraient qu'être impressionnés par sa loyauté envers leur chef défunt.

— Bien volontiers, Sire. Je me ferai un plaisir de rester jusqu'à ce que l'affaire Thirsk soit définitivement enterrée.

— C'est parfait. Je vais vous faire envoyer mon médecin, dit Celimus en tirant sur un cordon.

Un page apparut immédiatement.

— Koreldy est l'invité de Stoneheart. Que ses moindres désirs soient satisfaits. Ah, et faites venir mon médecin, Gerd, dans ses appartements.

Le serviteur fit une révérence. Celimus se tourna de nouveau vers Wyl.

— À plus tard, alors.

Wyl mit les deux sacs d'or sous un bras avant de saisir la main élégante que lui tendait Celimus. Il détestait avoir à toucher son ennemi, mais il apprécia d'être enfin assez grand pour le regarder droit dans les yeux sans être obligé de lever la tête. Il salua d'une inclinaison du buste ; le roi ne vit pas le sourire de satisfaction sur le visage de Romen.

Chapitre 16

Wyl laissa Gerd, le médecin personnel du roi, examiner ses blessures, en s'efforçant d'ignorer l'impatience qui le rongeait. La blessure était sensible, mais superficielle et parfaitement nette ; quelques points de suture suffirent à la refermer. Le produit qu'il avait absorbé pour atténuer la douleur le faisait flotter, l'invitant à la torpeur, mais il avait encore quelque chose d'important à faire. Il s'aspergea le visage d'eau et apprécia qu'on lui ait accordé un valet pour prendre soin de lui – quand bien même c'était un garçon encore inexpérimenté. En tout cas, son page lui avait préparé des vêtements propres. Wyl ne prit que la chemise, mais réclama un bain pour plus tard. Le garçon annonça qu'il s'occuperait de faire monter un cuveau.

Pas tout à fait aussi net qu'il l'aurait voulu, Wyl mit le cap sur les cachots de Stoneheart. Il savait parfaitement où ils se trouvaient, mais il n'en demanda pas moins son chemin aux gardes, juste au cas où on l'observerait. En pénétrant dans ces lieux de désolation, il revécut le jour où Celimus l'avait attiré là pour le plus atroce des spectacles. Le souvenir des souffrances de Myrren était si vivace que c'était comme si tout s'était passé la veille.

On avait bien été prévenu de son arrivée, mais on ne l'attendait pas aussi tôt. Le garde de faction le fit attendre. Les pensées de Wyl revinrent à Myrren ; une nouvelle fois, il s'émerveillait de la résolution qu'elle avait mise à ne pas capituler sous la plus effroyable des tortures. Elle savait pertinemment qu'elle allait mourir, qu'elle ne pourrait pas échapper à son sort, et il se demandait pour quelle raison elle n'avait pas simplement avoué pour abréger ses souffrances. *Pourquoi s'imposer de tels tourments ?* Alors même qu'elle possédait un pouvoir, pourquoi ne s'était-elle pas sauvée ? Il ne connaissait pas la réponse à ces questions.

Ses pensées dérivèrent vers le chien Filou. Myrren avait fait tout ce qu'elle avait pu pour s'assurer que Wyl le récupérerait. *Filou a-t-il quelque chose à voir avec cet enchantement ?* En tout cas, l'animal avait certainement des côtés bien mystérieux. *Et Fynch*, songea-t-il encore. *Quel rôle joue-t-il là-dedans ?*

Les mots de la veuve Ilyk lui revenaient en mémoire. « Gardez le chien et son compagnon auprès de vous », voilà ce qu'elle avait dit, en précisant encore qu'il avait déjà rencontré le compagnon. *Ça ne peut être que Fynch.* Le garçon avait fait preuve d'une ténacité et d'un courage immenses. Ça aurait été tellement facile pour lui de rentrer à Stoneheart et d'oublier tout ce qu'il avait vu et entendu ; mais il ne l'avait pas fait. Au contraire, il avait sauvé la vie de Valentyna et, dans une certaine mesure, la sienne. Wyl en était à se demander comment diable il pourrait bien expliquer au garçon qui était vraiment Romen Koreldy, lorsque le garde revint avec le chef de la chiourme.

C'était un brave homme, se souvint Wyl – un homme qui ne participait pas aux séances de torture lorsqu'il y en avait et qui ne les appréciait guère. En fait, il était connu pour faire preuve d'humanité envers tous ses « invités », comme il aimait à les appeler.

— Messire, dit-il à Wyl avec un salut de tête des plus secs. Désolé du retard, mais nous ne vous attendions pas si vite.

Il congédia le garde.

— Ce n'est rien, répondit Wyl. Vous savez que je suis ici pour soustraire Ylena Thirsk à votre… hospitalité.

L'homme eut un sourire.

— Oui, messire. Et je m'en félicite. Une jeune femme de sa qualité ne mérite pas un pareil traitement. Mais euh… si je puis me permettre… pourquoi vous intéressez-vous à elle ? Je veux dire, en tant qu'étranger et tout ça ?

C'était une question impertinente qui aurait pu lui valoir le fouet, Wyl le savait. Il se promit d'arracher un jour cet homme à cet endroit et de le remercier d'avoir protégé sa sœur.

Pour l'heure, il se contenta d'un mince sourire, pour indiquer qu'il n'avait vu aucune offense à la question.

— J'ai eu le malheur d'assister à ce qu'on lui a fait subir – à elle et à son mari, parvint-il à dire sans que sa voix se brise. J'ai proposé de m'occuper d'elle et on m'y a autorisé.

— Je m'en réjouis, messire. En toute franchise, ce qu'on a fait subir à ces deux jeunes gens est la chose la plus misérable qui soit, lâcha-t-il avec conviction. Suivez-moi.

Tout en marchant, l'homme l'avertit de ce qu'il allait découvrir.

— Je dois vous prévenir qu'elle n'est pas en excellente… hum… condition. Cet endroit n'est vraiment pas un lieu pour les jeunes femmes comme elle.

Il n'ajouta rien d'autre. La grosse clé grinça dans la serrure. C'était l'unique porte massive et pleine, la seule qui ne soit pas faite de barreaux uniquement. Il fallait vraiment que cette prisonnière-là demeure hors de la vue.

Dès l'entrée, Wyl fut pris à la gorge par l'odeur. Il la vit et une colère immense le submergea, accompagnée d'un océan de désolation. Toujours vêtue de ses habits couverts de sang, Ylena était recroquevillée dans un coin. Elle s'était souillée de ses propres déjections. Sales et collés, ses cheveux formaient un rideau filasse devant son visage. Ses lèvres, naguère si roses et délicates, n'étaient plus que des crevasses ; l'éclat de vie ne brillait plus dans ses yeux devenus deux puits vides. Il la mit debout. Plantée sur ses pieds nus, elle se balançait d'avant en arrière en murmurant sans fin un son indistinct. Son visage figé était un masque mort.

— Ylena ? murmura-t-il, sachant qu'elle ne reconnaîtrait pas la voix de Romen.

Elle n'eut aucune réaction. Ses yeux paraissaient fixer un point derrière lui. Il se retourna pour voir ce qu'elle regardait et découvrit horrifié la tête d'Alyd Donal fichée au bout d'une pique. Ses paupières étaient à moitié fermées, mais son expression traduisait toute l'horreur de ses derniers instants. Wyl grinça des dents pour ne pas hurler.

Le garde-chiourme haussa les épaules.

— Les ordres du roi, messire. Je suis désolé. Vous le connaissiez ?

Wyl ne répondit pas.

— Où est son corps ? demanda-t-il d'une voix sourde.

— Brûlé, je crois bien. Nous avons des ordres stricts ici. Pas un homme de la légion ne doit apprendre qu'elle est ici ou que le capitaine Donal a été exécuté. Sous peine de mort ! Moi seul sais qu'elle est retenue prisonnière et on m'a ordonné aussi de la couvrir d'une couverture lorsqu'elle partira.

— Alors fais-le. Peut-elle marcher ?

— Mieux vaut que je la porte.

— Très bien, allons-y. Et emporte ça également, dit Wyl en montrant la tête d'Alyd. Je veillerai à lui donner une sépulture décente.

Wyl rumina pendant tout le trajet jusqu'à ses appartements ; l'état dans lequel était Ylena le révulsait. Sa seule consolation était de l'avoir retrouvée en vie. À l'entrée de la geôle, il salua l'homme en fourrant une pièce d'or dans sa main avant de prendre Ylena dans ses bras.

— Pas besoin de ça, messire. Je suis heureux qu'elle rentre chez elle et ça me suffit.

— Sache que chez elle, ce n'est pas ici.

Le garde-chiourme avait acquiescé silencieusement avant de s'en retourner dans son univers de ténèbres.

Lorsqu'il vit Wyl arriver avec une femme dans les bras, les yeux du jeune valet s'arrondirent jusqu'à devenir aussi grands que sa bouche.

—Messire Koreldy!

Ce fut tout ce qu'il trouva à dire.

Wyl déposa sur son lit une Ylena toujours silencieuse et immobile. Ensuite, il alla déposer dans un coin le sac contenant la tête de son ami.

—Jorn, de l'eau chaude! Est-ce qu'on a des huiles de bain?

Le jeune garçon confirma d'un signe de tête.

—Alors va chercher tout ça. Vite!

Jorn arrivait à la porte lorsque Wyl le rappela pour lui lancer une pièce d'or. Il savait que le garçon n'avait probablement jamais eu pareille fortune à lui.

—Nous ne faisons rien de mal ici, mais j'apprécierais que tu évites d'en parler. J'ai la permission du roi de prendre soin de cette personne, qui est la sœur de l'homme dont j'ai ramené le corps en Morgravia ce matin même.

Jorn acquiesça. La nouvelle de la mort du général Wyl Thirsk s'était répandue comme une traînée de poudre dans tout Stoneheart.

—Bien, messire. Je ne dirai rien à personne de la présence de la jeune dame ici.

—Parfait! La discrétion est la première qualité d'un valet et je ne manquerai pas de parler de tes qualités au roi.

Les yeux de Jorn brillaient de fierté.

—Merci, messire, bredouilla-t-il avant de se ruer en quête d'eau chaude.

Il fut étonnamment rapide. Wyl avait tout juste eu le temps de tirer les rideaux autour du lit pour dissimuler Ylena que deux serviteurs arrivèrent avec Jorn, chargés de baquets d'eau. Ils s'affairèrent sans avoir le temps de se préoccuper de qui pouvait bien se cacher là, puis Wyl les remercia rapidement. Ensuite, il suggéra à Jorn d'aller chercher une tenue plus appropriée, directement dans les anciens appartements d'Ylena. Enfin, il s'attela à la tâche de nettoyer sa sœur.

Elle lui paraissait totalement perdue. Wyl se demanda s'il reverrait jamais la vie revenir en elle – un sourire fleurir sur ses lèvres. À gestes très doux, il se mit à la laver, tout en sifflant un petit air qu'elle adorait enfant. Peu à peu, les traits familiers de la jeune femme apparurent sous la crasse ; ses épaules se détendirent sous l'action bienfaisante de l'eau chaude. Les huiles adoucissaient sa peau sous l'éponge qu'il passait lentement. Il savonna ses cheveux, démêla les nœuds et leur rendit leur brillance.

Lorsque Jorn revint avec une toilette propre, Ylena engoncée dans une ample chemise de Wyl paraissait être une autre personne. Wyl venait juste de peigner ses cheveux encore mouillés. Le jeune garçon lui tendit un ruban pour qu'il les noue en arrière. Ensuite, il la porta de nouveau sur le lit pour la coucher.

— Je te remercie, Jorn.

Wyl était sincère ; Jorn lui avait été d'une grande aide. En plus des vêtements et chaussures, il avait pensé à prendre dans la chambre d'Ylena quelques accessoires et instruments de toilette.

— J'ai aussi trouvé ça, messire, dit le garçon en tendant un coffret.

Wyl sourit. Jorn avait ramené les bijoux de sa sœur. Pour l'essentiel, ils provenaient de leur mère, mais Wyl eut le plaisir de voir une broche qu'il lui avait offerte ainsi que le collier, cadeau du roi Magnus. Il remarqua qu'on lui avait laissé son alliance.

— Les joyaux d'Argorn, murmura-t-il. Tu lui as rendu sa fierté, Jorn. Et maintenant, je crois qu'elle a besoin de dormir.

— Que lui est-il arrivé, messire ?

Dire la vérité, c'était ce qu'il y avait de mieux.

— Elle a été l'invitée des cachots du roi, lorsqu'il pensait que Thirsk était un traître.

— Et le général avait vraiment trahi ?

— Non. Sa loyauté envers Morgravia n'a jamais été prise en défaut – le roi le sait désormais, mentit-il néanmoins. C'est pour ça d'ailleurs que Wyl Thirsk va avoir les honneurs de funérailles nationales et que sa sœur a été confiée à mes bons soins.

— Et vous, messire ? On dirait que vous avez bien besoin de vous reposer aussi. Voulez-vous votre bain ?

Wyl bâilla.

— En fait, ce dont j'ai le plus besoin, c'est de manger, dit-il en se souvenant que cela faisait deux jours maintenant qu'il n'avait rien avalé. Ensuite je dormirai. Oublie le bain. Tu me réveilleras tôt demain matin et nous verrons ça à ce moment-là.

Jorn repartit à fond de train par les couloirs du château, en direction des cuisines cette fois, où il refusa fermement de dire quoi que ce soit sur ce fringant étranger qui avait ramené à Morgravia l'un de ses fils préférés.

Wyl se réveilla tôt, allongé sur le sol, mais Jorn avait déjà préparé son bain, ainsi qu'un petit déjeuner plantureux. Apparemment, Ylena n'avait bougé qu'une seule fois dans la nuit, pour se tourner vers la fenêtre par laquelle elle pouvait voir le ciel ; c'était une vue dont elle n'avait guère pu jouir dans son cachot. Elle restait parfaitement immobile et silencieuse, mais Wyl sentait son regard sur lui.

Il procéda à ses ablutions, avant de manger de grand appétit sans rien dire. Lorsqu'il eut fini, il s'étira et porta les yeux sur elle. Elle le regardait, comme il en avait eu l'intuition.

— Bonjour, dit-il sur le ton plein d'entrain de Romen.

Une réponse vint, mais d'une voix si menue que Wyl dut s'approcher.

— Qui êtes-vous ? répéta-t-elle.

L'heure était venue pour lui de tisser sa plus belle fable.

— Je suis Romen Koreldy, un gentilhomme de fortune bien loin de sa terre de Grenadyne, dit-il d'un ton aussi doux que possible pour ne pas l'effrayer. J'ai accompagné votre frère pour une mission secrète en Briavel.

Il aurait aimé pouvoir lui tenir la main pour la suite, mais elle s'était pelotonnée sous les couvertures et seul son minois apparaissait. Wyl poussa un soupir.

— Dame Donal, poursuivit-il, c'est le cœur bien lourd que je dois vous dire que nous avons été attaqués et, malgré tout son courage au combat, votre frère est tombé. Wyl est mort de ses blessures, mais je l'ai ramené sur le sol de Morgravia – ici même, à Stoneheart.

Son expression demeura inchangée ; elle ne montrait pas ce qu'elle ressentait.

— Wyl était le meilleur escrimeur qui soit. Aucun homme n'aurait pu le toucher, dit-elle.

Wyl hocha la tête. Comme il l'aimait en cet instant.

— C'est vrai, ma dame. Une troupe tout entière nous a assaillis, mais il a emporté jusqu'au dernier avec lui dans la mort.

Il la vit serrer les dents ; elle faisait un effort terrible pour conserver son calme.

— Wyl est mort, commença-t-elle en fixant sur lui un regard à fendre l'âme. Alors pourquoi un complet étranger le ramènerait-il chez lui ?

Elle vit Romen Koreldy hausser doucement les épaules, comme avec fatalisme.

— Je serais mort moi aussi sans son aide. Il a donné sa vie pour moi. Je lui devais bien ça.

— Et moi ? demanda alors Ylena. Quel intérêt avez-vous à m'aider ?

— Je tiens une promesse, dit Wyl en se penchant en avant pour cueillir sa main sous les draps. J'ai promis à votre frère juste avant qu'il meure que je vous tirerais des cachots de Stoneheart.

Wyl luttait contre les larmes. Il fallait qu'il dise ce qu'il avait à dire. Il fallait qu'il gagne la confiance d'Ylena et seul le souvenir de Wyl pouvait permettre ça.

— Il m'a raconté ce qui s'est passé dans la cour, dit-il en omettant prudemment de préciser que Romen avait assisté à l'exécution d'Alyd. Il m'a fait jurer d'obtenir qu'on vous libère.

Ylena commença à pleurer doucement lorsque l'évocation du dernier jour d'Alyd remonta en elle. Elle se mit à trembler et Wyl passa le bras de Romen autour de ses épaules pour serrer sa sœur contre lui.

— Est-ce qu'il vous a tout raconté ? murmura-t-elle contre sa large poitrine.

— Oui. Je sais tout de la trahison de Celimus, mais je suis moi-même dans une position des plus délicates, ma dame. Je ne poursuis qu'un but – vous arracher de ses griffes pour tenir ma promesse à votre frère. Je vous emmènerai là où on ne vous fera aucun mal. Mais pour l'heure on me surveille, au moins jusqu'à l'enterrement de votre frère. Le roi a promis des funérailles grandioses.

— Wyl détesterait ça. Celimus va regarder sa tombe en riant.

— Je comprends, Ylena. Je peux vous appeler Ylena, n'est-ce pas ? Nous allons devoir supporter la cérémonie des obsèques, ensuite nous partirons. C'est la seule manière dont je puisse assurer votre protection.

— Je n'irai pas. Je n'irai pas voir enterrer Wyl. J'ai vu assez de morts comme ça.

Wyl se sentit réconforté de l'entendre parler ainsi.

— Pour l'instant, il faut que vous mangiez pour reprendre des forces.

Elle lui toucha le bras.

— Romen, est-ce que par hasard vous auriez… dans ma cellule…

— Oui, Ylena. Je l'ai ramené.

Elle fondit en larmes une nouvelle fois.

— Nous l'enterrerons comme il convient, poursuivit-il.

On frappa à la porte.

— Qui est là ? demanda Wyl.

— Jorn, messire. Vous avez un visiteur.

Wyl eut une grimace. Il s'approcha de la porte et l'entrouvrit juste assez pour se débarrasser de l'importun, qui qu'il puisse être, mais un coup puissant le fit basculer en arrière. Un énorme chien noir bondit dans la chambre.

— Filou !

Wyl et Ylena avaient crié ensemble tandis qu'il enlaçait le chien dans ses bras.

Jorn avait également fait entrer le compagnon du chien ; et Fynch, vêtu de neuf de pied en cap, se mit à trépigner avec une expression d'horreur sur le visage.

— Meurtrier ! Assassin !

Wyl bondit sur ses pieds pour venir plaquer sa grande main sur la bouche du garçon. Fynch ruait comme un beau diable, s'efforçant de hurler malgré tout. Le chaos déferla sur la pièce. Terrifiée, Ylena s'était assise dans le lit, Filou jappait toujours de contentement en se dressant de toute sa hauteur pour poser ses pattes avant sur le torse de Koreldy en signe de bienvenue. Et Jorn, ébahi devant ce spectacle, se tassait contre le mur.

— Silence tout le monde, ordonna Wyl. Vous voulez vraiment mettre le château en état d'alerte ?

Ses yeux fulminants passèrent de l'un à l'autre.

— Couché, Filou ! Et toi Fynch, silence ! continua-t-il. Je ne te ferai pas de mal si tu cesses de t'agiter – arrête immédiatement !

Le garçon se calma et Wyl poussa un soupir de soulagement.

—Ne t'inquiète pas, Jorn. Je vais t'expliquer, dit Wyl, peu sûr au fond de pouvoir clarifier quoi que ce soit. Ylena, je vous en prie, mangez et reposez-vous. Vous connaissez cet animal, n'est-ce pas ? demanda-t-il en regardant Filou dont les pattes avant étaient sur ses épaules, tandis que sa queue fouettait l'air.

—Oui, c'est le chien de mon frère. Et je... je ne comprends pas.

Wyl hocha la tête pour couper court à ses questions.

—Filou va rester avec vous. Fynch et moi avons à discuter.

—Mais pourquoi ce garçon vous a-t-il qualifié d'assassin ?

—C'est une erreur que je vous expliquerai plus tard. Il faut d'abord que je lui parle. Il a traversé beaucoup d'épreuves, ma dame.

Ylena secoua la tête; elle ne comprenait rien à cette histoire.

—On dirait que Filou vous aime bien. Et pourtant, il déteste tout le monde.

—J'ai un don avec les animaux, répondit Wyl en espérant que cela suffise. Excusez-nous, ajouta-t-il en entraînant Fynch hors de la chambre.

Sa main était toujours plaquée sur la bouche de l'enfant.

Une pièce au fond du couloir était fort heureusement vide. Wyl y fit entrer Fynch.

—Je veux que tu me promettes de ne pas crier, mais d'écouter. J'ai des choses très importantes à te dire. Je comprends ce que tu ressens, tu étais très ami avec Wyl Thirsk. Je sais tout de ton évasion avec Valentyna. Promets-moi d'écouter.

Yeux écarquillés, Fynch hocha la tête en signe d'acquiescement. Lorsque Wyl le relâcha, Fynch s'écarta d'un bond. Il avait peur et sa respiration était courte.

—Je sais tout, lança Fynch d'un ton accusateur. Je sais que le roi vous a engagé pour tuer le général Thirsk.

Wyl soupira. Il avait soudain le sentiment que Romen Koreldy allait s'épuiser en vain à convaincre le garçon – pour le moment du moins. Personne ne le croirait – pas même quelqu'un convaincu de l'existence de la magie. Son esprit tournait à plein régime ; il fallait qu'il convainque le garçon de lui faire confiance.

— Fynch.

— Comment savez-vous mon nom ?

— Wyl me l'a dit.

— Il est vraiment mort ?

Wyl confirma de la tête ; il détestait devoir mentir à ce garçon fantastiquement courageux. Il l'observa tandis qu'il luttait pour refouler ses larmes.

— J'ai entendu dire que vous l'aviez ramené, dit Fynch.

Ses yeux luisaient de mépris.

— C'est exact.

— Mais vous l'avez tué.

— Non, mentit Wyl.

Il savait pourtant qu'il devait à la main experte de Romen d'être mort, mais il préféra forger une nouvelle histoire de toutes pièces, estimant qu'il ne parviendrait jamais à expliquer la vérité.

— Wyl m'a dit que tu avais entendu ma conversation avec Celimus et nous avons parlé tous les deux. Après votre fuite, à Valentyna et toi, il m'a mis en garde contre Celimus. Il m'a tout raconté et, au moment de l'attaque, j'ai compris que ma vie ne valait plus rien – que Celimus avait certainement ordonné qu'on m'élimine en même temps que Wyl. Au bout du compte, nous avons combattu ensemble, Fynch. Nous avons protégé le roi Valor…

— Valor est mort ! cria Fynch.

— Je sais, je l'ai vu tomber sous les coups d'un dénommé Arkol, qui s'en est ensuite pris à moi. Wyl et moi avions déjà renvoyé presque tous les mercenaires à leurs dieux, mais Wyl a alors été attaqué par deux hommes. Il en a emmené un avec lui pendant que je tuais Arkol. J'ai été blessé et, à cet instant, si Wyl n'avait pas frappé alors qu'il était déjà agonisant à terre, je serais mort moi aussi. Son intervention m'a donné le temps de me ressaisir et de tuer le dernier homme.

Fynch était en pleurs ; Wyl se haïssait d'avoir à dire tout ça.

— Wyl est mort dans mes bras, après m'avoir fait promettre de m'occuper de sa sœur. J'avais déjà donné ma parole de protéger la princesse Valentyna.

Fynch leva un regard plein d'incrédulité.

— C'est vrai ?

Wyl hocha la tête.

— J'ai promis par mon sang, dit-il en montrant la cicatrice dans sa paume. Tu vois Fynch, je suis avec toi. Je suis revenu pour Ylena et pour veiller à ce que le général Wyl Thirsk ait les funérailles qu'il mérite. J'ai veillé à ce que les hommes de la légion voient son corps et sachent qu'il avait été envoyé par le roi en mission secrète en Briavel. Celimus ne peut plus revenir là-dessus désormais. Il doit saluer Wyl comme le héros qu'il était. J'ai délibérément veillé à ce qu'il ne puisse pas salir le nom de la maison Thirsk d'Argorn. Est-ce que tu me crois maintenant ?

Wyl avait été sur le point de le supplier.

Le garçon renifla, puis réfléchit un long moment ; suffisamment longtemps pour que Wyl finisse par se sentir mal dans le silence.

— Je vais vous faire confiance, mais pour une seule raison.

— Ah oui. Et laquelle ? demanda Wyl en haussant un sourcil comme Romen en avait l'habitude.

— Parce que Filou vous fait confiance. Filou sait des choses que je ne connais pas. Il savait que nous devions revenir en Morgravia. Il m'a convaincu de le suivre alors que j'aurais préféré rester là-bas.

— Tu lui parles, alors ? demanda Wyl, tandis qu'un frisson lui parcourait l'échine au souvenir du don transmis par Myrren.

— Pas exactement, mais il communique des choses que je ne saisis pas toujours. Et quand nous sommes arrivés à Stoneheart, il savait où venir. J'ai trouvé ça étrange qu'il ne cherche pas le corps du général, mais au contraire qu'il se faufile dans les couloirs et les escaliers directement jusqu'à votre chambre. Et je ne comprends toujours pas pourquoi il vous a fait la fête alors qu'il y a trois jours il vous aurait déchiré la gorge.

Filou aurait-il vraiment fait ça ? se demandait Wyl.

— Et toi, tu en penses quoi ?

— Je n'en sais rien, messire. Si ce n'est que je fais plus confiance à son instinct qu'au mien.

— Tu as vu Ylena. Elle doit encore récupérer de ce qu'elle a subi, mais elle me fait confiance.

— Moi, je ne fais plus confiance qu'à Filou et à Valentyna.

— Fynch, où est la princesse ?

— Là où est sa place, messire. Elle n'est plus princesse, mais reine de Briavel. Elle est rentrée à Werryl pour enterrer son père et...

— Comment va-t-elle ?

— Physiquement, elle va bien. Mais la mort de son père l'a abattue. Elle envisage même de lancer une guerre contre Morgravia.

— Non ! s'écria Wyl. Elle ne doit à aucun prix faire ça.

Fynch haussa les épaules.

— Je ne suis qu'un garçon de commodités, messire.

— Bien plus que ça, je le crains. Fynch, il faut que tu retournes là-bas, que tu sortes discrètement de Stoneheart pour retourner en Briavel. Transmets-lui un message de ma part. Toi et moi, nous devons empêcher la guerre – et il y a un moyen.

— Et vous, messire, où allez-vous partir ?

— Tout d'abord, je dois mettre Ylena en sûreté, loin des yeux et même des pensées du roi. Inconstant comme il est, il l'oubliera vite, mais pas si elle reste à proximité. Ensuite, je retournerai en Briavel, je te le promets. Tu sais que j'ai donné ma parole à Wyl Thirsk de protéger Valentyna, dit-il en exhibant une nouvelle fois sa paume traversée d'une profonde marque rouge.

Fynch hocha fermement la tête.

— Je pars immédiatement.

— Tu as un cheval ?

— Oui, Valentyna m'en a donné un. Avec tout ça, j'ai perdu ma mule en Briavel.

Pour la première fois depuis ce qui lui paraissait être un temps infini, Wyl sourit pour le simple plaisir d'être en mesure de dire quelque chose de positif.

— Je crois que je l'ai trouvée. Une bien brave bête qui m'a accompagné en Morgravia.

— Ce doit être elle, dit Fynch à l'évidence heureux de la nouvelle. Il faut que je la ramène chez moi.

— Viens, suis-moi. Je vais te donner de l'argent pour subvenir aux besoins des tiens pendant ton absence. Ensuite, tu devras te hâter. Quitte Morgravia et reste en Briavel jusqu'à ce que tu aies de mes nouvelles.

— Et le message pour Valentyna ?

— Je vais lui écrire une lettre.

— Et Filou ?

— Vous devez absolument rester ensemble. Il te protégera, Fynch.

Chapitre 17

Wyl avait pensé qu'il serait à l'aise à ses propres funérailles, mais c'était loin d'être le cas. Il avait vu Fynch partir aux petites heures du jour. Avec sa mule attachée à son cheval, il avait mis le cap sur la chaumière où vivaient ses frères et sœurs, à une grosse lieue de Stoneheart. Ses poches étaient pleines des pièces que Wyl lui avait données à pleines poignées. Il emportait également une lettre de Romen Koreldy pour la reine Valentyna.

Wyl lui en avait expliqué la substance et Fynch avait approuvé, en précisant toutefois le fond de sa pensée.

— Elle aimera ça. Mais les plaies ne sont pas cicatrisées et elle reste méfiante – il ne faudra pas tarder à venir vous présenter à elle.

Wyl avait pensé que la cérémonie des funérailles serait probablement achevée lorsque Fynch se mettrait en route pour Briavel après avoir vu les siens. Il avait donc gardé Filou auprès de lui, pour protéger sa sœur ; il n'avait aucune envie que quelqu'un vienne fouiner dans ses appartements et découvre Ylena. Avec l'énorme chien noir comme sentinelle, personne ne se risquerait à forcer sa porte. Ensuite, il pourrait envoyer Filou sur la piste rejoindre Fynch. Wyl avait eu la surprise de constater que le garçon paraissait sûr que le chien comprendrait toutes les instructions qu'on lui donnerait.

Jorn s'était révélé être une véritable bénédiction, assurant son service avec soin auprès de Romen et d'Ylena. Avec Filou devant sa chambre, Wyl était donc parti le cœur léger assister à son enterrement, certain qu'il traverserait l'épreuve sans le moindre problème.

Mais c'était plus facile à dire qu'à faire.

Une foule immense s'était déjà rassemblée calmement en longues files silencieuses ; Wyl préféra se joindre à la masse, plutôt que d'entrer dans la cathédrale par la « porte des nobles ».

— Pourquoi ne passez-vous pas là-bas ? lui demanda une femme en désignant l'entrée magnifiquement décorée de sculptures.

— Thirsk disait toujours qu'il était un soldat avant d'être un noble. Par respect pour sa mémoire, j'emprunte la même entrée que tout le monde, répondit Wyl.

Elle lui sourit, manifestement heureuse de sa réponse.

— C'était un homme droit. Toujours bon pour mes filles. Quel dommage...

Wyl reconnut soudain la femme – c'était la tenancière d'un des bordels de la ville. Sans ses atours habituels et son maquillage outrancier, elle n'était pas du tout la même. Il se souvenait qu'elle avait un jour sollicité sa protection pour les filles travaillant chez elle ; et qu'elle s'était montrée pleine de gratitude lorsqu'il avait accordé un détachement permanent de gardes pour les raccompagner jusqu'à leurs maisons.

— Vous le connaissiez ? demanda un homme devant lui dans la file.

La question le fit se sentir subitement vulnérable.

— Effectivement, je le connaissais.

— Moi, je connaissais son père. J'ai été messager du grand homme pendant des années.

— Ah oui ? demanda Wyl, un peu déconcerté.

— Absolument. Et à ce qu'on disait, le jeune général promettait en tout point de devenir aussi bon que Fergys Thirsk.

— Je crois que Wyl aurait été content de savoir qu'on pensait ça de lui.

— Ça me reste en travers de la gorge cette histoire de Briavel. Et d'abord, qu'est-ce qu'il pouvait bien faire là-bas ?

— Une mission pour le roi, à ce que j'ai cru comprendre.

— Une mission pas très propre sûrement, murmura l'homme.

Un ami à côté de lui le fit taire.

— Tu vas te faire couper la langue à tant parler. Tu sais ce qu'on dit sur notre nouveau roi.

— Que dit-on ? demanda avidement Wyl.

L'homme répondit avec un rictus.

— Je ne dis pas que c'est vrai, notez bien. C'est juste ce que j'ai entendu. Toujours est-il qu'on parle de meurtres au château – des meurtres et des tortures en secret.

» N'oublions pas qui était sa mère, ajouta-t-il encore avant de se taire prudemment.

Wyl comprit qu'il ne tirerait rien de plus des gens autour de lui, mais il était ravi de constater qu'on commençait à soupçonner la cruauté sous le masque charmant de Celimus.

Comme le groupe franchissait le seuil de la cathédrale, le silence s'abattit sur eux.

Construite par les maçons et artisans des siècles passés, l'immense bâtisse inspirait la crainte à tous ceux qui y pénétraient. Wyl, qui avait eu bien souvent l'occasion de se tenir sous ses voûtes, ne manquait jamais de s'extasier sur la finesse des sculptures. Chacun des énormes piliers, posé sur un socle de la fameuse pierre grise de Morgravia, représentait l'un des animaux mythiques qui, disait-on, choisissaient chaque personne au moment de sa naissance. D'après les croyances, l'esprit de ces créatures protégeait les hommes – raison pour laquelle les gens de Morgravia faisaient leur premier pèlerinage à la cathédrale le plus tôt possible dans leur existence.

À l'intérieur, la procession se scinda en une multitude de petits groupes, à mesure que les fidèles se dirigeaient vers leur animal pour en toucher la tête ou un membre pendant quelques instants d'intense communion.

La créature de Wyl était le lion ailé, majestueux et absolument dénué de peur. La bête l'avait immédiatement fasciné lorsqu'il était entré pour la première fois dans la cathédrale, à l'âge de treize ans. Mêlé au flot qui s'écoulait lentement, il s'approchait de la statue pour lui faire ses dévotions en appliquant sa main sur sa crinière superbe. Il aimait à toucher ses ailes aussi. Comme chaque fois, il sentit monter en lui un puissant sentiment d'admiration respectueuse ; les yeux du lion semblaient refléter la solennité et le chagrin de cette matinée.

— Je me demande quelle était la créature du général Thirsk ? murmura un jeune garçon, bien vite rappelé au silence par sa mère.

Wyl ne put s'empêcher de sourire au gamin.

— C'était celle-ci.

Les yeux du garçon s'illuminèrent de plaisir.

— Vraiment ?

Wyl confirma d'un hochement de tête tout en faisant comprendre d'un regard à la mère qu'il n'y avait aucun mal à parler bas. Il s'accroupit pour se mettre à sa hauteur.

— J'ai connu le général Thirsk – et toi, lui et moi, avons le même animal.

— Alors on est comme des frères, affirma l'enfant plein de fierté.

— Exactement, dit Wyl en touchant de son poing fermé celui du gosse, pour le salut rituel des soldats de la légion.

La femme lui sourit pour le remercier. Wyl se rendait bien compte qu'il traînait pour éviter d'être confronté à quelque chose qu'il ne voulait pas voir. Pourtant, il n'avait pas le choix ; la foule l'entraînait vers le catafalque et il ne pourrait plus résister bien longtemps au courant.

Il se tourna vers l'emplacement où avait été dressée une

estrade sur laquelle reposait la dépouille de Wyl Thirsk, exposée aux yeux de tous.

La vue de son propre cadavre, froid et tout blanc, le chavira. Il était entièrement nu, avec juste une pièce d'étoffe à la taille et une couronne de fleurs autour de la tête. Celimus avait ordonné qu'on le pare ainsi – un honneur réservé aux nobles les plus estimés de la Couronne. Il eut un sourire pincé en voyant combien l'imolda pourpre – la plus jolie pourtant des fleurs sauvages – jurait avec la couleur de ses cheveux.

Wyl avait délibérément choisi de venir tôt, mais déjà des dizaines de personnes défilaient devant son corps, pour rendre hommage à un jeune homme fauché dans la fleur de l'âge. Il entendit quelqu'un observer que le dernier homme de la maison Thirsk venait de mourir. Une boule se forma dans sa gorge et la tristesse l'envahit ; il pouvait sentir le chagrin tout autour de lui.

Il trébucha en approchant du corps, et remarqua qu'une fine pilosité rousse le recouvrait. *Étrange*, songea-t-il. *Je n'avais jamais vu ça lorsque ce corps était à moi.* Il nota une foule de petits détails dont il n'avait jamais pris conscience auparavant. Maintenant qu'il était quelque peu adouci dans le repos éternel, son visage ne lui paraissait plus si horrible. Quelconque peut-être, mais sûrement pas affreux. Ses taches de rousseur qu'il détestait tant n'avaient pas disparu et, même pâle dans la mort, son visage était aussi tanné que ses bras naguère si puissants. Il avait toujours pensé que son visage avait quelque chose d'enfantin, mais maintenant qu'il le voyait comme il ne l'avait jamais vu, il mesurait combien il s'était transformé depuis son arrivée à Stoneheart.

Ses traits étaient moins ronds, sa mâchoire et ses arcades mieux dessinées. De son vivant, il avait possédé des mains épaisses faites pour travailler, qui étaient maintenant croisées sur sa poitrine. Même ainsi, elles ne dissimulaient pas la blessure encore rouge, à l'endroit où la lame de Romen avait pénétré. C'était une blessure de guerrier, une blessure dont on pouvait être fier ; bien des personnes la touchaient d'ailleurs avec vénération. La foule qui circulait tout autour du mausolée était unie dans un même sentiment de profonde affliction. Finalement, il se joignit au mouvement et alla même jusqu'à passer rapidement la longue main fine de Romen sur la blessure de Wyl, revivant l'exquise sensation d'agonie et d'incrédulité à l'instant où la lame l'avait transpercé.

Au moment où la main de Romen toucha la peau de Wyl, il ressentit une émotion qui lui coupa le souffle. Couché sur la pierre, son corps avait l'air minuscule et sans défense ; il lui faisait penser à la mort de son père, puis à celle de Magnus. Alyd avait été tué – et Gueryn aussi certainement. Tout ce qui lui restait au monde, c'était sa sœur à aimer et Valentyna à protéger.

Une puissante sonnerie de trompes annonça l'arrivée du monarque dans la cathédrale ; Celimus était en avance. Une grimace passa fugitivement sur le visage de Romen – Wyl avait espéré être reparti avant que le roi arrive. Autour de lui, les gens s'agenouillaient pour saluer en regardant le sol – comme l'exigeait Celimus –, mais les imiter était au-dessus de ses forces. Au plus profond de lui-même, un cristal de volonté farouche lui interdisait de plier le genou devant l'immonde salaud. Il regarda Celimus remonter comme un paon l'allée centrale en faisant sonner ses talons sur les dalles.

Le roi marcha de l'autre côté de la nef, jusqu'au pilier en face du lion ailé, pour se camper devant le dragon de pierre – sa créature exclusive jusqu'à ce qu'il meure et qu'un nouveau roi hérite du trône. Là, il marqua une pause pour s'absorber dans ses pensées, négligeant le fait que personne n'était autorisé à se relever tant qu'il n'était pas assis. Finalement, il posa la main sur la patte griffue, la tête du dragon – cabrée comme il sied au roi de toutes les créatures – étant trop haut placée même pour quelqu'un de sa taille.

Puis il s'en retourna, toujours d'un pas sonnant, jusqu'au trône de pierre vers l'avant de l'édifice. Personne ne s'était encore relevé. *C'est absolument grotesque*, se dit Wyl. Magnus n'avait jamais exigé pareille manifestation de soumission. *Qu'arrive-t-il aux gens de Morgravia? Et jusqu'à quelles horreurs tout cela va-t-il aller? Ce n'est encore que le début du règne de Celimus.*

Wyl se rendit compte que le traître l'avait repéré: debout devant son trône, Celimus l'observait maintenant sans s'asseoir. Son regard à la fois vert et doré le fixait durement, exigeant que Romen Koreldy de Grenadyne se soumette au roi de Morgravia.

Agenouille-toi! ordonna Wyl, mais le corps de Romen refusa d'obéir. Il savait que Romen n'y était pour rien; Romen n'était plus là. C'est son propre esprit qui se dressait face au démon qui le regardait derrière ce visage aux traits enchanteurs.

Celimus inclina la tête sur le côté; c'était une question qu'il posait à Romen. Wyl comprit qu'il s'était lancé dans un bras de fer avec le plus dangereux des adversaires. Tout son plan, tout ce qu'il avait prévu de faire allait tomber à l'eau s'il gâchait son unique chance de s'en sortir.

Obéis-lui, agenouille-toi!

C'est l'homme à ses côtés, l'ancien soldat placé devant lui dans la file à l'extérieur de la cathédrale, qui rompit le charme.

—À genoux, bon sang! grommela-t-il, avant de saisir Romen par le bras pour l'amener à terre et lui faire reprendre ses esprits.

Wyl se laissa tomber à genoux pour saluer le roi.

—Merci, murmura-t-il au vieil homme.

Satisfait apparemment, mais avec une expression indéchiffrable sur le visage, Celimus s'assit enfin. Une musique douce s'éleva de la galerie au-dessus de lui, donnant l'impression qu'un chœur d'anges chantait là. La foule se remit en marche autour du catafalque; les chants faisaient venir les larmes.

Devant la tête du corps, Wyl observa les yeux clos, ceux-là mêmes qui renfermaient le secret du don, du dernier souffle de Myrren. Les cils orangés reposaient sur les joues de l'homme mort – ses joues. Il sentit une infinie tristesse pour lui-même monter en lui.

Mort sans être mort. Prisonnier de Wyl, mais libre d'être Romen.

Le chagrin le trahissait maintenant ; il devait se ressaisir avant que le roi Celimus remarque l'étrange tristesse de l'assassin du général Wyl Thirsk. Il s'éloigna du corps exposé, pressé maintenant de sortir, jetant au passage un coup d'œil au roi qui préféra ne pas regarder dans sa direction.

De nombreux nobles s'étaient regroupés. Il remarqua que le duc de Felrawthy n'était pas là, probablement toujours occupé à renforcer les défenses au nord du royaume, comme le lui imposait son devoir envers la Couronne. Compte tenu du destin tragique de son fils, l'absence du duc était sans doute préférable ; le roi devait à tout prix conserver le soutien de Jeryb Donal. Wyl se demanda quel mensonge Celimus avait bien pu inventer pour préserver ses bonnes relations avec le duc. Peut-être le roi commençait-il à regretter sa décision inconsidérée de se venger sur le jeune homme ?

Le service funèbre débuta, tirant Wyl de ses pensées. Les clercs dirent toutes les phrases d'usage et le roi fit un discours élogieux chantant les louanges du plus grand des soldats de Morgravia. De la musique, de la pompe et du cérémonial, exactement comme Celimus l'avait promis. Une fois le corps enveloppé dans son linceul pour être enterré dans le caveau familial de Stoneheart auprès de tous les autres Thirsk ayant servi Morgravia, la cérémonie s'acheva, pour être suivie d'une réception qui dura jusque tard dans l'après-midi.

— Romen, venez vous asseoir près de moi, proposa Celimus lors d'un de ses rares accès de générosité.

De toute évidence, il goûtait fort qu'une nouvelle page soit tournée ; il avait maintenant les coudées franches pour s'approprier la légion.

Wyl le rejoignit à contrecœur, songeant déjà à une excuse pour s'en aller. Il fit semblant de manger et boire beaucoup, tout en prenant garde de ne pas avaler le vin. Il aurait besoin d'avoir les idées claires plus tard.

Celimus se pencha sur lui.

— J'aurais assez envie de brûler le corps.

— Ah bon ? Et pourquoi ça ? demanda Wyl avec toute la décontraction de Romen.

— Je déteste les voir tous le pleurer ainsi. J'aimerais le rayer de la mémoire de Morgravia.

Wyl était au bord de la nausée. *Est-ce qu'il va vraiment ouvrir ma tombe pour brûler mon corps ?* La crémation était considérée comme une pratique répugnante en Morgravia, réservée aux sorcières et aux traîtres. Il percevait toute l'ironie de la situation.

Wyl posa nonchalamment un bras sur son dossier, tout à fait comme le ferait Romen.

— Moi, je ne le ferais pas, Sire. Ça risque de créer des troubles. Pourquoi ne pas renvoyer son corps chez lui ? D'ailleurs, à ce sujet, de quel coin venait-il déjà ?

— D'Argorn, répondit Celimus en ourlant ses lèvres. Une région hideuse et attardée du royaume qui ne produit que des crétins et des ingrats aux cheveux rouges comme tous les Thirsk.

Wyl ne sut jamais comment il réussit à conserver son calme. La bile monta dans sa gorge ; ses doigts s'approchèrent tout près d'une fourchette qu'il aurait volontiers plantée dans la gorge du roi.

Il parvint néanmoins à trousser une réponse pleine de dérision, dont Romen lui-même n'aurait pas été peu fier.

— Raison de plus pour renvoyer le petit troll chez lui. Qu'il aille pourrir en exil ! dit-il en s'emparant de sa coupe de vin plutôt que de la fourchette.

Cette fois, Celimus lui accorda un regard de face, avec comme une lueur de gratitude dans les yeux.

— Belle perspicacité, Romen. Voilà que vous me surprenez de nouveau.

— Ah bon ? Et quand donc vous ai-je déjà surpris, Majesté ? demanda Wyl, immédiatement certain que c'était un piège.

— Ce matin, dans la cathédrale, lorsque vous avez mis un temps franchement long pour me manifester votre déférence. Aurais-je quelque raison de douter de votre loyauté ?

Wyl prit une profonde inspiration, avant d'offrir au roi un autre de ses sourires étincelants.

— Je n'ai de loyauté envers personne, Sire… si ce n'est l'or.

Celimus ne lui rendit pas son sourire.

— Pour dire la vérité, Majesté, j'étais sur le point de défaillir dans la cathédrale, poursuivit Wyl, l'esprit subitement en alerte.

— Comment cela ?

— Je n'en sais trop rien, Sire. Hier, j'ai fait peu de cas de ma blessure, mais votre médecin qui l'a suturée m'a dit qu'elle était plus profonde que je ne le pensais. Il m'a donné deux potions à prendre, la première pendant ses soins et la seconde ce matin. Je crains bien que celle de ce matin n'ait été un peu forte. Aussi vous voudrez bien excuser mon trouble, mais j'ai bien cru que j'allais tomber raide au sol.

— Je vois. Mais j'aurais préféré vous voir à terre plutôt que tourner en dérision le protocole de Stoneheart.

Wyl secoua la tête avec véhémence.

— Pas du tout, Sire, loin de moins une telle idée. Je suis votre obligé – tout comme celui de l'homme qui m'a aidé à m'agenouiller lorsque je lui ai demandé.

Aussi vite qu'elle était venue, la colère de Celimus disparut, au grand soulagement de Wyl. L'incident paraissait clos. Le roi évacua les excuses d'un petit geste de la main et demanda qu'on remplisse leurs verres.

— Alors, dites-moi, Romen. Avez-vous forcé dame Ylena ?

Wyl faillit s'étrangler mais parvint à dissimuler son trouble.

— Pas encore, Sire. Elle était toujours en état de choc, aussi active qu'un cadavre. Un peu comme son mari, dont elle a aussi l'odeur.

Celimus rit.

— Vous êtes donc un homme patient, mon ami. Est-ce que je me trompe ?

— Je lui ai accordé jusqu'à ce soir, Sire. Après je la prendrai – par-derrière s'il le faut pour ne pas avoir à contempler son visage hideux et terrifié.

Jamais il n'avait haï Celimus plus qu'en cet instant.

Le roi rit encore.

— Et quand donc nous quittez-vous ?

— Avec votre permission, Sire, je pense profiter de votre hospitalité pour une journée encore, mentit Wyl. Je partirai demain soir peut-être.

Celimus hocha la tête.

— Parfait. Allons chevaucher ensemble demain à l'aube. Vous verrez mes faucons à l'œuvre.

— Bien volontiers, Sire. Et maintenant, si vous voulez me pardonner, dit Wyl avec la ferme intention de ne pas passer une heure de plus à Stoneheart.

— Vous nous quittez bien tôt, Romen.

— Je sollicite votre indulgence, Majesté, mais je me sens encore un peu faible. Je vais me reposer de façon à être en forme pour notre sortie à cheval demain.

Celimus leva son verre et but une gorgée.

— À demain.

— À l'aube, Sire.

Les sourires désarmants de Romen gagnaient les cœurs autour de la table ; mais pas là où il aurait fallu.

Comme Wyl s'éloignait, Celimus appela l'un de ses hommes d'un signe. Il avait déjà constitué une garde rapprochée autour de lui, dont aucun membre n'était issu de la légion.

— Majesté ?

— Jerico, vous voyez l'homme qui s'en va ?

— Oui, Sire.

— Il quittera Pearlis demain soir – peut-être en emmenant une femme avec lui. Dès qu'il aura franchi les portes de la ville, suivez-le avec quelques hommes et tuez-le. Tuez-les tous les deux si elle est avec lui. Vous avez compris ?

L'homme hocha affirmativement la tête.

— On ne devra trouver aucune trace d'eux, mais vous me ramènerez son doigt avec la chevalière comme preuve de sa mort. Il transportera beaucoup d'or avec lui. Tout ce que vous trouverez sera à vous, à partager selon votre plaisir.

L'homme appelé Jerico eut un sourire.

— Merci, Sire.

Chapitre 18

Wyl et Filou se faufilèrent jusqu'à une petite cour peu fréquentée, dont l'une des ouvertures en arche débouchait directement hors des murs de Stoneheart. D'expérience, il savait que les patrouilles y passaient rarement. À cette heure de crépuscule, le jour déclinait rapidement ; il pensait pouvoir détourner l'attention du garde suffisamment longtemps pour permettre à Filou de se faufiler. Le soldat perçut toutefois un mouvement à l'extrémité de son champ de vision mais Wyl – un sourcil flegmatiquement levé – lâcha une remarque désobligeante sur les quantités de chiens qu'on rencontrait à Stoneheart.

Inquiet, le garde dit qu'il avait reconnu l'animal du général Thirsk et qu'il aurait sans doute dû l'arrêter.

—Ne te fais pas de bile, mon garçon, dit Wyl d'un ton rassurant. Il va juste retrouver sa liberté. Plus rien ne le retient ici, maintenant que son maître est mort.

—Oui, vous avez sans doute raison, messire. De toute façon, ce n'était qu'un monstre effrayant. Sinon, est-ce que mes indications sont claires ? Vous pensez pouvoir retrouver vos appartements ?

—Absolument. Encore merci de ton aide.

—À votre service, messire, dit le garde en regagnant son poste.

Wyl avait décidé d'emprunter ce passage pour sortir de Stoneheart, mais plus tard, à la faveur des ombres de la nuit. À l'extérieur, de l'autre côté des murs, une autre ombre l'attendrait ; Filou savait ce qu'il avait à faire.

Jorn avait emballé leurs maigres affaires dans un sac de toile. Il y avait ajouté quelques fruits, du fromage, des noisettes et deux miches de pain.

— Juste au cas où, messire, précisa le jeune garçon.

Wyl vit qu'il avait l'air triste.

— Jorn... Regarde-moi.

Le ton de Wyl donna au garçon le courage de se jeter à l'eau.

— Emmenez-moi avec vous, seigneur Koreldy. Je me ferai tout petit, je vous le promets. Je ne vous poserai pas de problème et je pourrai m'occuper de dame Ylena.

Le garçon avait l'air si désespéré que Wyl faillit accepter, mais il se souvint alors de tout ce qui les attendait encore.

— Jorn, tu es un bon garçon, mais tu as ta place ici à Stoneheart, dit Wyl en lui tendant un parchemin. Tiens, c'est une recommandation pour le sénéchal. Remets-la-lui rapidement.

Wyl savait que le nom de Koreldy perdrait bientôt de son prestige, mais il espérait qu'on oublie le garçon dans l'agitation à venir.

— Je ne peux pas t'emmener. Là où je vais, je n'ai besoin de personne. Tu comprends ?

Le jeune page hocha la tête, mais son visage clamait la déception qu'il éprouvait. Ylena vint à la rescousse.

— Jorn, dès que je le pourrai, je te ferai venir à mon service. Tu viendras vivre chez moi en Argorn.

Les yeux du garçon s'illuminèrent.

— Ce serait formidable, ma dame, grand merci. Vous allez où pour l'instant ?

De la tête, Wyl indiqua que rien n'était encore fixé.

— Je n'en sais trop rien. Probablement au nord-ouest, dans un coin tranquille. Rittylworth peut-être.

Au moment même où il prononçait ces mots, Wyl sut qu'il commettait une erreur. Il mettait la vie du garçon en danger et compromettait leur propre sécurité.

— J'attendrai donc de vos nouvelles, messire, dit Jorn en saluant courtoisement. Ma dame.

Ylena croisa le regard de Romen et eut un pauvre sourire. Wyl aurait voulu pouvoir alléger sa peine, ne serait-ce qu'un peu, en lui révélant que c'était son propre frère dans le corps d'un autre qui lui rendait son sourire.

Filou entendit le coup de sifflet de son maître et déclencha immédiatement l'esclandre prévu à l'intention du garde terrifié, aboyant, grondant et fonçant sur lui à une vitesse ahurissante pour l'éviter à l'ultime instant. Finalement, l'homme trouva assez de courage pour jeter des pierres dans l'obscurité, là où il pensait toucher la bête, avant de s'en aller chercher de l'aide.

Wyl et Ylena se glissèrent à l'extérieur. Ils étaient confortablement vêtus pour cheminer ; leurs bottes ne faisaient aucun bruit. Wyl savait qu'Ylena ne pourrait jamais marcher bien loin sans prendre de repos. Elle était encore très faible, mais il espérait qu'ils parviendraient à rallier un village sur la route, où acheter des chevaux. Pour l'heure, son objectif était de profiter des ténèbres pour s'éloigner le plus possible de Stoneheart. Sur près d'une demi-lieue, ils se hâtèrent en silence, puis Wyl sentit s'alléger le poids qui pesait sur ses épaules.

L'énorme silhouette noire de Filou jaillit d'un taillis.

— Salut, toi, dit Wyl en lui grattouillant la tête.

— Je ne comprends vraiment pas pourquoi ce chien vous aime comme ça. D'habitude, il déteste tout le monde.

Ylena avait parlé d'une voix détimbrée et monocorde ; elle restait très profondément marquée.

— Oui, c'est ce qu'on m'a dit. Ça doit être parce que je m'entends bien avec les animaux.

Elle ne répondit rien.

— Filou, maintenant tu rejoins Fynch. Accompagne-le en Briavel. Protège-le.

Wyl s'agenouilla pour plonger son regard dans les yeux du chien.

— Et tu veilleras sur elle pour moi, vieux frère.

Wyl se sentit presque bête de parler ainsi au chien, comme à un humain; pourtant, il avait la certitude que Filou avait compris. À croire qu'il était lui aussi touché par un enchantement.

L'animal s'attarda quelques instants encore, le temps qu'Ylena passe affectueusement sa main sur son énorme tête, puis il bondit dans la nuit, sur la piste de Fynch sûrement.

— Vous pensez que Wyl lui manque ? demanda-t-elle de sa voix absente.

La réponse était évidente.

— Ylena, au sujet de votre mari, commença Wyl d'un ton plein de douceur. Où voulez-vous qu'on l'enterre ?

— Il faut le ramener chez lui, Romen, à Felrawthy, au nord, répondit-elle sans hésiter une seconde. Sa famille doit savoir ce qu'on lui a fait. Le duc fera ce qu'il jugera bon.

Contrairement à sa sœur, Wyl s'interrogeait sur la conduite à tenir. Il savait qu'il était encore trop tôt pour inciter la noblesse à se rebeller contre la Couronne ; trop d'incertitudes demeuraient. Qui remplacerait Celimus ? Et puis, est-ce que les nobles se rallieraient ainsi à ce qui aurait tout l'air d'une trahison ? Et pourquoi feraient-ils confiance à Romen Koreldy ? Enfin, serait-il lui-même en mesure de trahir un roi auquel il avait juré fidélité ? Il revint à Ylena.

— M'autoriseriez-vous à le ramener aux siens ?

— Vous feriez ça pour moi ?

— Bien sûr. Vous avez déjà suffisamment souffert.

Elle s'accorda un instant de réflexion.

— Je vous en saurais gré, mais il faudra que vous disiez bien au duc et à sa famille que je les rejoindrai en Felrawthy dès que possible. Nous pleurerons Alyd ensemble, puis nous préparerons un plan pour nous venger de Celimus.

Sa voix s'était faite dure, mais Wyl laissa filer. Il voulait encore l'avertir des dangers qu'elle courait.

— C'est entendu. Et maintenant, au sujet d'Argorn.

— Oui ?

— Il serait préférable, je crois, que vous n'y retourniez pas immédiatement.

Wyl s'attendait à une vive réaction de sa part ; il n'en fut rien.

— Celimus pourrait m'y suivre... c'est ça que vous craignez ? dit-elle d'un ton calme.

Il confirma de la tête, impressionnée qu'elle suive ainsi ses pensées, malgré son immense faiblesse.

— Dès que notre fuite aura été éventée, je doute qu'il se contente d'un haussement d'épaules. Notre sortie en catimini de Stoneheart lui confirmera que Romen Koreldy est un traître. Bien sûr, vous pourriez toujours prétendre que je vous ai forcée à me suivre, mais à ses yeux votre vie ne vaut rien. Alors oui, je pense qu'il ira tout droit en Argorn, mais j'ai bien l'intention qu'il n'y trouve rien.

— Où proposez-vous qu'on aille ?

Une fois encore, Wyl se félicita des réminiscences de Romen.

— Je connais un petit monastère à Rittylworth.

— Ah oui, celui dont vous avez parlé à Jorn.

— Hmm, j'aurais mieux fait de ne rien lui dire. Moins il y a de personnes dans la confidence, mieux c'est.

— Combien de temps devrai-je rester là-bas ? demanda-t-elle d'une voix toujours tranquille.

Wyl était vraiment fière d'elle.

— Suffisamment longtemps pour que s'atténuent les souvenirs de ces derniers jours, petite fille.

Elle leva sur lui un regard étrange.

— Quelque chose qui ne va pas ?

Ylena agita la tête comme pour en chasser une triste pensée.

— Oui… enfin non. « Petite fille », c'est comme ça que m'appelait toujours Wyl, dit-elle avec un morne sourire. Après la mort de notre père, j'allais souvent dans son lit. Wyl me serrait fort dans ses bras et me disait de ne pas pleurer. Puis il m'inventait des histoires où j'étais la plus belle fille de Stoneheart avec une tour pour moi toute seule.

Ylena ravala un sanglot. Wyl se serait mordu la langue de colère contre lui-même.

— Les moines seront toujours gentils avec vous à Rittylworth, je vous le promets.

Bien sûr, il n'en savait rien. Tout ce qu'il parvenait à tirer de l'esprit de Romen, c'était le nom du monastère – mais aucun des noms de ceux qui y vivaient. C'était étonnant d'ailleurs que ce soit là qu'il ait songé à fuir. Heureusement, il savait au moins comment dénicher Rittylworth.

— Dans quatre ou cinq lunes, vous pourrez rentrer en Argorn. D'ici là, j'aurai mis en place ce qu'il faut pour vous protéger, ajouta-t-il.

— Votre plan est sage et prudent, Romen. Je ferai comme vous dites, merci.

Il poussa un soupir de soulagement. Déjà, elle reprenait.

— Et vous ? Où allez-vous partir ?

— Je vais retourner en Briavel. J'ai encore des choses à y faire. Mais avant cela, je dois trouver une certaine voyante.

Ylena ne put retenir un rire.

— Mais pourquoi ?

— Oh, sans doute parce que je suis superstitieux. Nous le sommes tous dans la famille.

Ylena marcha si vaillamment pendant la nuit qu'ils atteignirent Farnswyth aux premières heures du lendemain.

Ils prirent une chambre dans la plus miteuse des pensions, de façon à rester les plus anonymes possibles dans la petite bourgade. Lorsqu'il se mit à échanger sans façons quelques blagues avec le tenancier de l'auberge du Cerf, Wyl vit que Romen était un homme qui s'adaptait à toutes les situations, aussi à l'aise avec les têtes couronnées qu'avec le commun des mortels. L'établissement n'était pas des mieux tenus, mais Ylena ne fit aucun commentaire. Elle se glissa rapidement dans leur pièce sous les combles et ouvrit l'unique lucarne pour aérer ; elle demanda juste un peu d'eau fraîche dans le broc de terre.

Ils dormirent quelques heures. Après un solide déjeuner composé d'un ragoût de mouton aux pommes de terre, étonnamment bon, Ylena remonta dormir, tandis que Wyl se mettait en quête de chevaux. Le choix était limité, mais ce n'était pas de fringants destriers dont ils avaient besoin ; deux solides canassons feraient l'affaire. Il fit également provision de nourriture et d'eau, expliquant à sa sœur, de retour à l'auberge, qu'il n'avait nulle intention d'être vu entre ici et Rittylworth. Normalement, il fallait trois jours, mais il tablait sur six en passant au large par la campagne.

— C'est comme ça que j'entends brouiller notre piste, expliqua-t-il à Ylena. Rien ne dit qu'ils tiendront leurs langues par ici si on les menace du bourreau. J'ai bien peur qu'on n'ait déjà que trop remarqué notre passage.

Ylena n'émit aucune protestation et enfourcha sans rien dire son cheval bai pour le suivre ; sa sœur méritait vraiment qu'il soit fier d'elle.

Wyl savait qu'il cherchait quelque chose, un repère dans le paysage ; il espérait juste que les souvenirs de Romen le mettraient sur la bonne voie. Après plusieurs heures de trot soutenu, il aperçut le sentier à peine visible à l'orée d'un bosquet. C'était tout au plus la trace d'un chevreuil, mais il sut d'instinct que c'était ça. Une fois sous le couvert, il fit stopper les chevaux et retourna à pied sur la piste qu'ils venaient de quitter. À l'aide d'une grosse branche feuillue, il effaça leurs traces. Les prochains cavaliers sur ce chemin iraient probablement jusqu'à la ville de Renkyn, égarant par leurs traces tous ceux qui les suivraient. Pendant ce temps, eux mettraient le cap au nord-ouest. Il prit même la précaution de ployer deux jeunes pousses pour masquer l'entrée de la sente. Ses stratagèmes ne tromperaient pas un expert, mais dissimuleraient assurément le passage à une troupe lancée sur le chemin.

Ensuite, ils passèrent six journées parfaitement calmes à chevaucher par les plaines et les collines, en évitant tout contact. Cette pause sous le soleil printanier de Morgravia fut un temps béni pour Ylena, qui peinait encore à émerger des noires profondeurs de son esprit choqué. Elle souriait plus volontiers désormais, et leurs conversations duraient un peu plus ; mais quand Wyl songeait à la jeune fille rieuse et volubile qu'elle était… L'ancienne Ylena était perdue depuis ce jour terrible de mort et de sang. Ils mangeaient frugalement mais à leur faim, complétant leurs provisions des baies et fruits qu'ils trouvaient.

Un jour, en fin d'après-midi, Wyl put vérifier que Romen lançait bien le couteau aussi fabuleusement qu'il l'avait dit. Il avait trouvé le poignard au fond du sac préparé par Jorn – et remercié Shar une nouvelle fois d'avoir mis le garçon sur leur route. Quelques minutes plus tard, après un lancer rapide, précis et mortel, il avait mis un lapin à rôtir au-dessus de leur feu.

Au milieu de la septième journée, il se fia à ce que lui disaient les ultimes émanations de Romen et ils sortirent du couvert pour rejoindre la piste. Ici, elle n'était pas aussi importante qu'en direction de Renkyn, mais il la reconnut tout de suite. Ils chevauchèrent une grosse lieue encore puis, du sommet d'un vallon, ils découvrirent un groupe de solides bâtisses un peu à l'écart d'un petit village. Les yeux plissés, Ylena observa les chaumières disséminées dans la verdure.

— Rittylworth, dit-il, soulagé qu'ils y soient arrivés.

— L'endroit a l'air tranquille.

— Vous pourrez y trouver la sérénité, ma dame.

Ils se remirent en marche. Des moines occupés dans les jardins autour du monastère se redressèrent à leur approche. L'un d'eux leva la main et un autre dit quelque chose avant de disparaître dans l'un des bâtiments, dont il ressortit peu après accompagné d'un vieil homme. Un sourire immense fleurit sur le visage de Romen.

— Quelqu'un que vous connaissez ? demanda Ylena.

— Euh... oui, répondit Wyl, un peu perturbé.

De toute évidence, Romen connaissait et appréciait cet homme, mais impossible de faire surgir de sa mémoire ne serait-ce que le nom du moine.

Le frère lui rendit son sourire, agréablement surpris de cette visite.

— Je savais que tu reviendrais un jour, Romen Koreldy.

Romen sauta à bas de sa selle et les deux hommes tombèrent dans les bras l'un de l'autre.

— Je suis heureux d'être ici, dit Wyl prudemment.

— Frère Jakub avait bien dit qu'on te reverrait, s'exclama un jeune moine.

Jakub ! nota Wyl en remerciant mentalement le moinillon enthousiaste de lui avoir donné le nom qu'il cherchait.

— Jakub, permets-moi de te présenter quelqu'un qui m'est particulièrement cher, déclara Wyl en aidant sa sœur à descendre de cheval. Voici dame Ylena Thirsk d'Argorn.

Wyl avait délibérément tu le nom de Donal ; soit Ylena n'avait rien remarqué, soit elle s'en remettait à lui sur ce qu'il convenait de dire ou de ne pas dire.

— Bienvenue, ma dame, dit frère Jakub avec une courte révérence que tous les autres moines imitèrent.

— Merci, mes frères.

Le jeune moine qui les avait aperçus en premier s'offrit pour s'occuper de leurs chevaux.

— Je vois que tu n'as pas encore reçu ta tonsure, dit Wyl en s'efforçant désespérément de retrouver des noms ou de comprendre quels étaient leurs liens avec Romen.

Mais rien à faire ; la mémoire de Romen restait un véritable brouillard.

— C'est pour bientôt, répondit le novice. Je compte les jours.

— Pil sera ordonné dans quatre mois. Il fera un excellent frère, dit Jakub d'un ton doux.

Le sourire indulgent sur son visage paraissait familier à Wyl.

— Venez. Allons nous rafraîchir, invita Jakub en prenant le bras d'Ylena.

— Je crois qu'un bain est ce qui ferait le plus plaisir à dame Ylena, suggéra Romen.

— Bien sûr !

Jakub paraissait désolé de n'y avoir pas songé lui-même alors que ses hôtes étaient couverts de la poussière de la route. Il présenta Ylena à un jeune moine, l'invitant à le suivre et lui garantissant que tout allait être fait pour son confort.

— Nous allons nettoyer vos vêtements, ma dame, et peut-être que plus tard vous nous rejoindrez pour un solide repas ?

Ylena embrassa le vieil homme sur la joue. Elle n'avait su refréner son élan, mais son remerciement était sincère.

Wyl lui sourit.

— Détendez-vous. Et à tout de suite, petite fille.

— Merci, Romen... merci pour tout ce que vous avez fait.

Elle l'embrassa à son tour et Wyl dut faire un effort immense pour ne pas la prendre dans ses bras.

Suivant Pil, le novice à la foi ardente, Ylena sortit avec l'autre moinillon dans son sillage. Wyl se tourna vers Jakub.

— J'ai besoin de ton aide, dit-il abruptement.

Parler franc et droit au but lui paraissait être la meilleure solution.

— C'est bien ce que je pensais. Viens, allons marcher.

Wyl se retrouva dans un splendide jardin aromatique, agencé en cercles concentriques autour d'un cadran solaire placé au centre. Jakub et lui s'assirent sur un banc sous un citronnier vénérable à la ramure immense ; un moine leur apporta un plateau avec une cruche et deux verres, puis se retira sans avoir dit un mot.

— Notre dernier millésime est magnifique. Goûte, invita Jakub en lui tendant un verre.

Ils burent pendant quelques instants de silence serein ; Wyl apprécia le vin, mais aussi l'occasion qui lui était offerte de mettre de l'ordre dans ses pensées. Il implora Shar de le guider. Tout ce qui subsistait en lui de Romen ne l'éclairait guère sur cet endroit, si ce n'est qu'il s'y sentait chez lui.

— Elle a l'air d'une personne qui a terriblement souffert, finit par dire Jakub.

Romen soupira.

— Bien trop et bien trop récemment, répondit Wyl.

— Qui lui a fait du mal ?

— Sa Majesté notre roi.

— Je vois. Et comment es-tu impliqué dans cette affaire ?

— C'est une longue histoire, mais pour être bref, disons que Celimus et moi nous étriperons si nos routes se croisent de nouveau.

— Ah. Et que vient faire dame Ylena au milieu de tout cela ?

— Elle est la sœur d'un homme qui m'a supplié en mourant de m'occuper d'elle. C'était quelqu'un pour qui j'avais du respect.

À cet instant, le nom de famille d'Ylena acheva son cheminement dans les méninges de Jakub.

— C'est la sœur du général Wyl Thirsk, dit-il, interloqué.

Wyl hocha la tête.

— Son frère se retournerait dans sa tombe s'il savait ce que la Couronne de Morgravia lui a fait subir.

— Que peux-tu me dire d'autre ?

Wyl décida de faire confiance au vieux moine.

— Que nous transportons un sac dans lequel il y a la tête de l'homme qu'Ylena venait juste d'épouser, le capitaine Alyd Donal.

— De Felrawthy ?

Wyl hocha la tête de nouveau.

— Je voudrais que tu la gardes pour moi. Que tu en prennes soin. Un jour, je reviendrai la chercher. Mais il ne faut surtout pas qu'Ylena apprenne que la tête reste ici. Elle croit que je l'emmène directement à sa famille, ce que je ne peux pas faire. Le duc se soulèverait aussitôt. Je ne peux pas prendre ce risque… Pas encore.

— Romen, que s'est-il passé ? murmura Jakub.

Wyl se sentit soudain coupable d'apporter la perturbation au sein de cette parcelle de paix dans le royaume. Il en avait déjà assez dit pour impliquer Jakub, si d'aventure Celimus parvenait à retrouver sa trace ici. Il espéra de toutes ses forces avoir suffisamment brouillé leur piste.

— Meurtre et trahison. Celimus précipite Morgravia vers des temps de cauchemar. Il convoite la couronne de Briavel et parle mariage avec la reine Valentyna, mais un crapaud est plus sincère que ce roi tout juste couronné.

Wyl s'interrompit, par crainte d'aller trop loin.

— Et Ylena et toi ?

Wyl regarda Jakub avec étonnement, puis comprit soudain.

— Nous sommes amis uniquement. J'étais lié avec son frère.

— Un frère et une sœur. Serais-tu sur le chemin de la rédemption, Romen ?

— Non ! s'exclama Wyl, bien trop brusquement.

Sa propre véhémence le plongeait dans la perplexité, tout comme les paroles du moine. Qu'avait-il voulu dire ?

— Ne t'emporte pas ainsi. Il n'y a aucune honte à avoir. Shar t'en remerciera.

Wyl se sentait trop perdu pour poursuivre cette conversation fondée sur la vie du Romen d'autrefois. Il aurait fallu qu'il tente d'en apprendre plus, mais il risquait fort, ce faisant, de se trahir lui-même. Le piège était immense.

— J'ai fait une promesse par mon sang, Jakub. Elle court un danger mortel.

— Qu'attends-tu de nous ? demanda le vieil homme en laissant subtilement de côté l'idée informulée contenue dans ses propos précédents.

— Votre protection. Personne ne sait que nous sommes ici – enfin une seule personne, mais ce n'est qu'un valet de Stoneheart. J'ai effacé nos traces. À Farnswyth, notre piste disparaît et aucun villageois de Rittylworth ne nous a vus.

— Nous l'offrons de grand cœur à dame Ylena. Le sait-elle ?

— Qu'elle va rester ici un moment ? Oui. Je sais qu'elle y sera bien. Par ailleurs, elle comprend très bien les dangers qu'elle courrait à retourner en Argorn ; je lui en ai parlé. Il lui faut du temps et du calme pour se remettre des atrocités qu'elle a endurées. Fais bien attention, Jakub, il lui arrive parfois d'être instable. Pendant notre voyage, j'ai vu passer dans ses yeux des éclairs qui étaient plus que de la colère contre les épreuves subies.

Il pouvait difficilement expliquer qu'il la connaissait si bien qu'il voyait que quelque chose au plus profond d'elle-même avait changé. Il devait s'en remettre à Jakub et à la confiance qu'il accordait à l'intuition de son ami.

— J'ai le sentiment qu'elle pourrait s'effondrer complètement si elle devait en passer par une nouvelle épreuve.

Elle doit être préservée de toute souffrance et de toute contrainte ; et pas uniquement du roi.

Le vieil homme hocha la tête comme pour signifier que tout cela serait fait.

— Et toi, Romen ? Où vas-tu aller ?

— Je recherche une vieille femme que j'ai rencontrée récemment à Pearlis, une diseuse de bonne aventure, pour lui remettre un message de sa famille.

Wyl mentait. Il n'avait aucune envie de dévoiler son plan de retourner en Briavel ; le vieux moine n'aurait pas été d'accord. Il se dépêcha de finir, malheureux d'avoir ainsi à leurrer un si brave homme.

— Ensuite Felrawthy pour rendre le corps du capitaine Donal à sa famille – même si je ne sais pas quand cela pourra avoir lieu.

Les yeux larmoyants de Jakub scrutaient Wyl avec une attention insoutenable ; Wyl se sentait mal à l'aise d'être ainsi étudié. Si seulement il avait mieux connu l'histoire de Romen. Faute de mieux, il hocha la tête.

— Je donnerai des nouvelles.

— Comme tu veux, dit Jakub. Mais n'oublie pas une chose, mon garçon, tu ne peux pas fuir tes propres démons. Ils te rattraperont toujours. Mieux vaut les affronter.

Wyl demeura bouche bée ; il ne savait que répondre. Finalement, il saisit son verre pour le vider d'un trait.

— Qu'est-ce qu'il y a de changé en toi ? se demanda Jakub à voix haute.

— Des cheveux blancs en plus ? répondit Wyl, avec un peu trop de précipitation.

Prudemment, le vieil homme ne releva pas, mais ses yeux disaient tout.

— Nous garderons la tête dans notre grotte secrète sous le monastère. Tu t'en souviens, j'imagine ? dit-il enfin en accompagnant ses mots d'un clignement de l'œil.

Wyl n'avait pas la moindre idée de ce que signifiait l'insinuation.

— Elle y sera en sûreté.

Chapitre 19

Après plusieurs jours de voyage, Fynch et Filou finirent par rallier Briavel à pied. Son cheval s'était brisé une jambe non loin de Sharptyn, à la frontière. Fynch avait laissé l'essentiel de l'argent de Romen à sa sœur, mais ce qu'il emportait lui avait permis de payer le palefrenier du village pour qu'il s'occupe du cheval jusqu'à ce qu'il revienne le chercher. Fynch n'avait pas la moindre idée de quand cela pourrait être, mais il n'avait aucune envie de vendre l'animal ; c'était un cadeau de Valentyna. Pour éviter toute question sur son cheval et sa bourse, Fynch expliqua qu'il était chargé de ramener le destrier à un marchand de Briavel, qui précisément l'avait pourvu de quelques pièces en prévision de soins pour l'animal. L'homme avait haussé les épaules sans paraître intéressé, se contentant d'attraper la pièce de bronze versée pour remettre la bête sur pied.

Une famille d'étameurs emmena l'enfant et le chien hors des murs de Sharptyn, mais Fynch comprit que Filou rendait leurs hôtes un peu nerveux ; au bout d'une demi-journée, il les remercia et poursuivit en marchant dans la campagne.

Le matin de leur arrivée, Valentyna était sur les remparts, en grande discussion avec Liryk, chef de la garde de Briavel – un brave homme, fidèle à son père. Le soldat s'émerveillait du calme de la reine et s'étonnait une nouvelle fois de voir combien elle était différente des autres femmes. Elle ne paraissait pas le moins du monde gênée que ses cheveux se soient évadés de la broche censée les retenir pour venir lui balayer le visage. Il se souvenait des craintes qu'il avait eues à son sujet, comprenant maintenant combien elles étaient infondées. Valentyna était sûre d'elle-même et tout à fait à l'aise dans son rôle de chef d'un royaume. En fait, à peine avait-elle su parler qu'elle s'était mise à rôder sur les remparts de la citadelle et, depuis le fâcheux incident en Tallinor lorsque le fils du roi Magnus avait détruit sa poupée, elle avait toujours préféré les jeux de garçon aux amusements tranquilles qu'on réserve d'ordinaire aux filles.

Il n'était pas le seul à l'admirer ainsi. Toute la garde appréciait la maîtrise avec laquelle elle dissimulait son chagrin. À la citadelle, mais aussi dans tout Briavel, on savait combien Valor adorait sa fille... et comme elle le lui rendait bien. En dépit du fait qu'elle n'était pas un fils, elle faisait un monarque digne d'éloges à tous égards. En fait, tout le monde oubliait qu'elle était une femme – du moins jusqu'à ce qu'elle paraisse dans une toilette plus féminine pour une occasion formelle. À ce moment-là, elle se révélait dans toute sa splendeur, bien loin du garçon manqué qu'elle était au quotidien. Désormais, elle était reine et Liryk se demandait à qui allait échoir le redoutable privilège de lui rappeler que sa vie précieuse devait être protégée à tout prix – et donc qu'elle ne pourrait plus partir dans de folles cavalcades sur la lande ni aller chasser au loin en passant des nuits à la belle étoile.

Il entendit crier le garde de faction au sommet de la tour de guet et attendit qu'on vienne l'informer. Une estafette arrivait et Liryk s'excusa auprès de la reine.

Quelques secondes plus tard, il se tournait tout sourires vers Valentyna.

— Le garçon et son chien sont de retour, Majesté.

— Fynch ! s'exclama-t-elle en se levant d'un bond. Vous m'excuserez, Liryk, mais nous finirons cette conversation plus tard.

Il fit une courte révérence pour exprimer son accord et Valentyna se mit en route, ordonnant qu'on amène ses visiteurs à la Passerelle – une petite galerie couverte reliant deux tours de la citadelle de Werryl. C'était l'une de ses retraites favorites, un endroit où elle venait se cacher enfant pour fuir ses nourrices, puis plus tard ses maîtres et plus tard encore tous ceux qui voulaient lui enseigner ce que doit faire une dame. L'endroit conservait un charme tout particulier pour elle – un petit paradis où elle pouvait crier tout ce qu'elle voulait aux quatre vents.

— Majesté, dit une petite voix qu'elle commençait à bien connaître.

Elle aperçut Fynch qui venait vers elle, mais Filou fut plus rapide ; en deux bonds, il était sur elle pour la saluer d'un coup de langue.

— Filou, petit démon ! dit-elle en riant.

D'un revers de main, elle essuya les marques de l'affection canine. Fynch la salua avec plus de retenue, mais Valentyna n'allait pas se contenter de ça – ils avaient vécu des moments terribles ensemble. Dès qu'il eut fini sa révérence, elle prit le garçon dans ses bras pour le serrer avec fougue.

— Je n'étais pas sûre que tu reviendrais un jour. Je me suis tellement fait de souci pour toi.

— Il n'y a vraiment pas de quoi, Majesté. Avec Filou à mes côtés, il ne peut rien m'arriver. Et ici, est-ce que tout s'est bien déroulé ?

Valentyna comprit qu'il parlait des funérailles de son père.

— J'ai survécu. C'était une cérémonie privée, ce qui m'a bien aidée.

» Asseyons-nous et raconte-moi tout, ajouta-t-elle en lui prenant la main.

Le visage de Fynch devint sombre.

— Je n'ai pas de bonnes nouvelles, Majesté.

— Dis-moi quand même. Je dois tout savoir.

Il lui raconta tout ce qui s'était passé ; ses épaules s'affaissèrent tout d'abord, puis elle se tendit comme une corde à mesure qu'il avançait dans son récit.

— Tu avais donc raison. Il ne nous a pas trahis et maintenant il est mort, dit-elle en laissant son regard se perdre au loin sur la lande.

— Je n'avais jamais douté de lui, Majesté. Wyl Thirsk est resté fidèle jusqu'à la mort. Le mercenaire Romen Koreldy et lui ont combattu pour protéger votre père.

Ses yeux s'emplirent de larmes à cette évocation, mais elle refusa de pleurer encore. Le roi était mort et aucune larme ne pourrait le ramener. Elle était reine désormais et elle se devait d'être forte pour Briavel. Les lamentations n'avaient plus leur place dans sa vie.

— Et tu fais confiance à ce Koreldy ?

Fynch eut un petit haussement d'épaules.

— Je… je ne sais pas quoi penser, Majesté. Si on s'en tient aux faits, il a tout de même ramené le corps de Wyl en Morgravia, ce qui était un véritable défi lancé à Celimus. Aucun doute, il s'est jeté dans la gueule du loup en retournant là-bas et je ne sais même pas comment il a pu s'en sortir. Il m'a assuré qu'il avait dit la vérité aux hommes de la légion de façon que le nom de Thirsk ne puisse pas être impliqué dans les manœuvres de Celimus. J'ai vu de mes yeux la sœur de Wyl de plein gré auprès de Romen.

» Mais plus que tout, je fais confiance à Filou, ajouta-t-il après une petite pause.

Elle se tourna vers lui, les sourcils arqués en signe d'interrogation.

— Je vous avais déjà parlé du comportement étrange de Filou envers tout le monde.

Valentyna confirma d'un signe de la tête. Fynch prit une profonde inspiration.

— Eh bien, j'ai désormais la conviction que ce chien n'accorde sa confiance qu'à ceux qui étaient sincères envers Wyl.

Un sourire monta aux lèvres de Valentyna ; elle avait soudain envie de l'ébouriffer, de lui dire que tout était dans son imagination, mais quelque chose la retint. Quelque chose en Fynch l'obligea à écouter avec attention et à entendre ses mots comme si c'étaient ceux d'un adulte. Sa capacité à engranger des informations et à les interpréter correctement l'avait déjà fortement impressionnée. Dans les heures sombres qu'ils avaient traversées ensemble, c'est Fynch qui l'avait soutenue ; il avait agi avec une maturité bien au-delà de son âge en la convainquant de ne pas retourner à la citadelle avant que sa sécurité soit assurée. Ce petit bonhomme de Morgravia y était allé seul et avait trouvé le courage de faire face aux soldats de la garde, qui certainement ne l'avaient pas cru. Sans doute même s'étaient-ils moqués lorsqu'il leur avait affirmé avoir laissé Valentyna dans un endroit sûr. Elle se souvenait maintenant qu'il avait su amener ses hommes jusqu'à sa cache et la convaincre de se montrer. Il avait tenu sa main lorsqu'elle – nouvelle reine de Briavel – était sortie face au commandant Liryk. Il lui avait même rappelé de se montrer forte malgré son chagrin.

— Briavel a besoin de voir sa reine comme une tour dans la tempête, même si son cœur est brisé par la peine, avait-il dit dans un murmure.

Elle n'avait pas oublié ces paroles d'encouragement. Tout en lui était marqué du sceau du courage et du sérieux. En sachant ce qu'il avait fait pour Wyl et pour elle aussi, personne ne pouvait le traiter comme l'enfant qu'il était pourtant. Non, elle n'allait pas l'ébouriffer et le traiter comme un gamin.

Elle vit qu'il guettait sa réaction.

— Continue, Fynch, je t'écoute.

— C'est difficile à expliquer, Majesté.

— Essaie quand même, l'encouragea-t-elle.

— Filou porte en lui la magie – je le sais ! C'est comme ça que je l'explique.

Elle ne s'était pas attendue à ça ; Valentyna s'efforça de ne pas montrer la surprise sur son visage.

— Je vous ai dit comment les yeux de Wyl avaient changé de couleur le jour où Myrren a été brûlée.

Valentyna confirma. Elle ne parvenait même pas à imaginer ce que pouvait être un tel supplice ; Briavel avait depuis longtemps interdit qu'on brûle les sorcières et magiciens.

— J'ai vu la chose se produire. Une autre personne l'a vue aussi, mais d'après Romen cette personne est morte aujourd'hui. Je suis l'unique témoin vivant.

— Et donc, où veux-tu en venir ? demanda Valentyna impatiente de savoir.

— Entre l'instant de la mort de Myrren, lorsqu'elle a fermé ses yeux dissemblables et où Wyl a ouvert les siens, transformés, je crois que Filou a été lié à Wyl et à ceux qu'il aime d'une façon… infiniment plus puissante que l'amitié.

Son esprit refusait d'entendre depuis que le mot « magie » avait été prononcé. C'était tout simplement trop alambiqué.

— Et comment tu relies ça avec ce Koreldy ?

— Je ne sais pas. Je suis simplement sidéré de voir Filou se comporter avec Romen comme s'il était Wyl. Je sais que vous allez penser que j'imagine tout ça, mais Romen parle au chien exactement comme le faisait Wyl.

Valentyna fit claquer sa langue en signe de désapprobation.

— Je crois que tu vas chercher trop loin, Fynch.

Elle ne pouvait pas s'empêcher d'être sceptique. Pourtant, lorsqu'elle observait le chien, le regard qu'il lui retournait avait une telle intensité…

— C'est possible, admit Fynch un peu déçu. Mais je ne parviens pas à m'expliquer autrement comment Romen Koreldy – un étranger, un mercenaire, un homme engagé pour tuer le général Thirsk – pourrait connaître le chien de Wyl.

Fynch commença à énoncer à voix haute pour les organiser tous les éléments qu'il avait notés.

— Lorsque le chien est entré dans la chambre, Romen l'a appelé par son nom. Comment pouvait-il le connaître ? Il ne l'avait jamais vu auparavant. Et qui plus est, puisque Filou se montre hostile envers tous ceux que Wyl n'aime pas, pourquoi faire la fête à quelqu'un qui aurait pu menacer sa vie ? En vérité, Majesté, j'ai même vu Filou montrer les dents à des personnes qu'il connaissait et que Wyl ne détestait pas.

Il leva sa petite frimousse sérieuse sur laquelle se lisaient toutes les interrogations du monde ; Valentyna n'avait aucune réponse à lui donner. Au fond, elle était assez perturbée qu'il lui demande d'engager toute sa confiance sur une simple intuition concernant un chien.

— Fynch…

— Non, écoutez-moi, Majesté ! s'exclama-t-il sans intention d'être impoli.

Elle laissa glisser, désireuse d'entendre ce qu'il avait à dire.

— Il se passe quelque chose d'étrange. Je ne saurais dire quoi précisément, mais tout en moi me crie qu'une chose impossible s'est produite – quelque chose qui défie la logique et tout ce que l'on croit connaître. Je n'ai aucune explication à avancer, mais je pense sincèrement que nous devons faire confiance à Romen Koreldy. Je sais qu'il ne vous fera aucun mal. Il a promis par son sang à Wyl Thirsk de vous protéger. On dirait que Romen a en quelque sorte…

Fynch marqua une pause, une main fourrageant dans sa tignasse, comme à la recherche du mot qui décrirait précisément ce qu'il ressentait.

— … qu'il a repris sur lui les devoirs de Wyl… et ses aspirations. Je ne saurais dire mieux, Majesté. C'est comme si Wyl Thirsk était toujours avec nous.

Voilà, il l'avait dit.

Valentyna ne savait absolument pas quoi dire. Ses yeux repassèrent sur Filou et, cette fois encore, ce fut comme si le chien pouvait voir au plus profond d'elle, jusqu'à ses moindres pensées. Elle se sentait transpercée par ce regard qui ne la lâcherait pas tant qu'elle n'aurait pas accepté l'idée.

Elle finit par hocher la tête.

— D'accord, Fynch. Je sais que *tu* ne me veux pas de mal – je te fais confiance. Je faisais confiance à Wyl et je sais que Filou veille sur nous deux, ce que je ne peux pas expliquer non plus. Eh bien, que Shar nous protège, nous allons faire confiance à ce Romen Koreldy.

Valentyna vit le corps du petit garçon se détendre, comme subitement allégé d'un grand poids. À cet instant, Filou se dressa sur ses deux pattes arrière pour venir poser ses pattes avant sur les épaules de Valentyna, puis plonger son regard au plus profond de ses yeux. Ensuite, il se remit à quatre pattes et commença à renifler ici et là comme n'importe quel chien ordinaire, comme si rien ne venait de se passer entre eux.

— Ce chien *est* vraiment étrange.

— Il sait plus de choses qu'on ne pense, Majesté. Faites-lui confiance.

— Il y a autre chose que tu voulais me dire ? demanda-t-elle, désireuse maintenant de mettre un terme à cette conversation pour le moins perturbante.

— Oui, répondit-il en fouillant dans son petit sac. Romen vous envoie cette lettre. Il dit que cela devrait vous éclairer un peu.

Elle la saisit, heureuse d'avoir enfin quelque chose de tangible de la part de ce mystérieux Koreldy. Elle la rangea pour la lire plus tard, une fois seule.

— Et toi, que vas-tu faire ? demanda-t-elle en espérant l'entendre dire qu'il allait rester.

— Je ne retournerai pas en Morgravia, Majesté, à moins que mon devoir envers vous m'y oblige. Si vous m'acceptez, je vous servirai de quelque manière que vous jugerez utile.

Elle le prit dans ses bras.

— Fynch, je ne me séparerais de toi pour rien au monde. À compter d'aujourd'hui, tu deviens sujet honoraire de Briavel.

Le garçon rayonnait littéralement, un grand sourire sur les lèvres.

— Pour bien faire, il faut que je crée une fonction spéciale pour toi. Je te nomme espion de la reine, dit-elle en roulant des yeux malicieux dans l'espoir de faire durer son sourire.

— Alors fini les latrines ? dit-il, toujours enthousiaste.

— En tout cas, fini de les nettoyer, répondit-elle avec une mine de conspiratrice.

» Chaque fois que je me sens aussi heureuse, j'ai envie de fêter ça. Viens, on va te rafraîchir un peu, puis nous mangerons ensemble. Je te raconterai tout ce qui s'est passé pendant ton absence. Si tu deviens l'espion de la reine, il faut que tu sois au courant de tout.

Plusieurs heures plus tard, ils allèrent ensemble, accompagnés de Filou, faire un tour pour voir un autre poulain tout juste né. En dégustant des mets délicieux comme il n'en avait jamais goûté, Fynch avait découvert la profondeur du chagrin que l'assassinat de Valor avait provoqué chez la reine. Après une courte cérémonie de couronnement, elle avait chevauché seule dans les rues de Werryl, pour que son peuple partage sa peine et comprenne combien elle était seule et avait besoin de son soutien.

C'était une idée inspirée qu'elle avait eue là – contre l'avis de ses conseillers d'ailleurs. Depuis, un vent nouveau de patriotisme soufflait sur Briavel. Le royaume entier était derrière elle, prêt à venger le meurtre du roi Valor.

En parallèle, elle avait aussi lancé et alimenté la rumeur selon laquelle les assassins n'étaient que des mercenaires déguisés en soldats de Morgravia. Elle avait décidé de battre Celimus à son propre jeu. Dans un premier mouvement, elle avait voulu partir en guerre ; puis sa rage s'était calmée et elle avait pris le temps de penser à tête reposée. La responsabilité de la mort de Valor ne pesait plus sur Morgravia ; personne n'attendait donc qu'elle cherche à se venger du royaume voisin. Elle avait excité le patriotisme de Briavel pour le transformer en soutien à sa personne. Jamais une reine n'avait gouverné encore. Elle avait besoin que son peuple lui fasse confiance et la soutienne sur le trône. D'ailleurs, son armée n'était pas encore assez forte pour partir au combat – et elle, pas assez expérimentée. Mais chaque chose viendrait en son temps. Non, la guerre ne serait *pas* sa première option, mais la ruse oui.

Bien plus tard, elle se souvint de la lettre de Romen Koreldy. Assise près du feu dans sa chambre, elle brisa le sceau qui la fermait. Romen Koreldy décrivait comment Wyl et lui avaient défendu son père, ne parvenant malheureusement pas à empêcher que survienne l'irréparable.

Il lui disait que les derniers mots de son père avaient été pour elle, puis qu'il était mort avec un extraordinaire courage ; Valentyna s'autorisa à verser quelques larmes. Ensuite, il expliquait qu'avant de succomber à ses blessures Wyl lui avait fait jurer par son sang d'être loyal à Briavel et de protéger sa reine contre Celimus. Romen annonçait son arrivée prochaine et lui demandait instamment de brûler cette missive. Il lui promettait son aide… et son épée. De la manière la plus ferme, il l'implorait de garder Fynch et Filou à ses côtés.

C'était reparti ; encore cette histoire avec le chien. *Au moins, Filou fait un bon chien de garde*, se dit-elle en le regardant couché à ses pieds. Le chien ouvrit un œil pour la regarder, comme s'il avait senti le poids de son regard sur lui. Elle ferait comme Romen le lui demandait ; et elle l'attendrait aussi. Il lui demandait de ne rien entreprendre et d'éviter toute agression. Elle était contente de voir qu'ils étaient du même avis.

… N'entrez pas dans le jeu de Celimus en répondant – refusez toute prise de contact en invoquant votre chagrin. Laissez votre père reposer en paix et sa mémoire s'estomper pendant que vous tisserez un réseau de fidèles autour de vous. Je viendrai bientôt et me mettrai à vos ordres, ma reine. Jamais mon attachement à votre égard ne vacillera. D'ici là, je me permets de vous offrir le chien Filou, sur la fidélité duquel vous pourrez toujours compter. Remettez-vous-en à lui et à son compagnon Fynch. Ils vous protégeront.

Soyez forte et courageuse, magnifique Valentyna.

Fidèlement vôtre, Romen Koreldy.

Les derniers mots la laissèrent bouche bée. Comment pouvait-il concevoir à quoi elle ressemblait ? Ils ne s'étaient jamais rencontrés. Elle évacua son interrogation en la considérant comme pure vanité de sa part. Bien sûr, Fynch avait dû donner d'elle une description flatteuse à ce Romen. Eh bien, elle ferait de même. Dès demain, elle ferait appel à la mémoire et aux talents de conteur de son tout nouvel espion pour se faire brosser un portrait du mercenaire repenti.

Ces considérations mises à part, cette lettre la confortait – le ton en était courtois, mais plein de force aussi. Cet homme qui lui offrait ses services était sûrement un meneur d'hommes. Valentyna jeta la lettre dans l'âtre, comme il le lui demandait, puis s'absorba dans la contemplation des flammes. Sa foi en l'avenir grandissait comme la lueur du feu.

Lorsqu'elle sortit de ses pensées, Filou avait disparu.

Chapitre 20

Pour la première fois depuis bien des jours, Wyl sentit son esprit s'alléger. Dire au revoir à Ylena n'avait pas été aussi difficile qu'il l'avait imaginé. Elle paraissait en paix au monastère et frère Jakub avait veillé au confort, pour ne pas dire au luxe, de ses appartements. Installées dans une aile particulièrement tranquille du monastère, les pièces qu'on lui avait attribuées étaient claires et spacieuses et donnaient sur le verger et les collines au loin. Elle n'avait pas pleuré quand Wyl l'avait saluée, mais elle avait serré Romen très fort dans ses bras. Elle l'avait exhorté de revenir vite, avant de lui glisser dans la main la broche que Wyl lui avait offerte.

— Elle vous portera chance.

Tout en chevauchant, il s'efforçait de s'ôter de la tête la pensée déplaisante que le jeune Jorn pourrait bien réduire ses plans à néant en révélant où Ylena avait trouvé asile. Il s'inquiétait des conséquences que cela aurait non seulement pour sa sœur, mais aussi pour les braves moines qui s'occupaient d'elle. Malgré cela, il était sûr d'avoir fait le bon choix en commençant par la mettre à l'abri dans un lieu où elle allait pouvoir se reposer au milieu de personnes qui savaient garder leurs distances, discrètes mais attentives. Une trop grande familiarité était susceptible de la ramener trop vite à elle-même et de raviver ses souffrances.

— Enterrer la réalité, c'est comme ça qu'elle se protège de la douleur. Tout le monde ne peut pas être héroïque comme toi qui fonces déjà tête baissée vers le danger après tout ce que tu viens d'endurer, avait dit Jakub à mots prudents.

Wyl n'avait pas compris le sens caché dans la fin de sa phrase, mais il était bien décidé à faire la lumière un jour sur tout ce qu'il pouvait y avoir entre Jakub et lui. Il avait la certitude que cela n'était pas étranger au départ de Romen de sa Grenadyne natale, pour s'en aller mener l'existence errante et pleine de dangers d'un mercenaire ; dans l'esprit de Romen, il ne trouvait rien qui puisse l'éclairer.

Jakub avait insisté pour qu'il troque sa rossinante fourbue pour un fier destrier – un rouan de toute beauté. Ensuite, après de vives protestations, Jakub avait fini par accepter quelque argent de son ami ; à titre de don à la communauté bien sûr. Wyl adorait les sensations qu'il retrouvait à chevaucher un animal de cette qualité. Il avait l'impression qu'un temps infini s'était écoulé depuis la dernière fois, alors qu'il ne s'agissait que de quelques jours. *Incroyable, la vitesse à laquelle une vie peut basculer*, songea-t-il. *Et devenir plus qu'étrange…*

Il avait fouillé son esprit de fond en comble pour retrouver d'où la vieille veuve Ilyk était originaire, mais ce n'est que récemment qu'il s'était souvenu qu'elle venait du nord. Même en admettant qu'elle ne soit pas rentrée directement chez elle, cela valait la peine de tenter le coup. Il pouvait toujours fureter dans les villes et les villages de la région – au demeurant peu nombreux et très dispersés dans ces confins proches des Razors.

Il mit son cheval au galop léger, pour s'enfoncer une nouvelle fois dans la campagne afin de n'être pas repéré. Avec des provisions en quantité, il avait l'intention d'avancer pendant plusieurs jours avec les bois à sa gauche, pour déboucher dans la petite ville d'Orkyld, réputée pour la qualité des épées et des couteaux qu'on y fabriquait. Les maîtres armuriers du royaume tout entier la considéraient comme la capitale de leur art et seuls les meilleurs d'entre eux étaient autorisés à aller y faire leur compagnonnage. Il lui fallut quatre jours pour rallier Orkyld – dans laquelle il fit d'ailleurs son entrée à pied, son cheval s'étant légèrement blessé à un sabot à une demi-lieue de là.

Il prit une chambre à l'auberge du Bois d'ifs et remercia Shar que dans cette partie isolée du royaume on ait l'habitude de voir des étrangers. Personne ne se retourna sur lui et on s'occupa bien vite de son cheval. Il s'octroya une pinte de bière et quelques pigeonneaux rôtis avant de se diriger vers les bains de la ville, où il s'accorda un second moment de détente. Pour ceux qui avaient les moyens d'y consacrer deux royaux d'argent, l'établissement proposait un « massage ». Avec ses muscles tout noués par la chevauchée, il se serait bien laissé tenter ; Wyl promit au corps de Romen de lui offrir bientôt ce petit luxe.

Pour l'heure, il avait surtout besoin d'armement et d'une paire de solides bottes. Il commença par le bas et, après un instant de réflexion, ajouta aux bottes une chemise de forte toile et une grande cape. Le nord pouvait se révéler bien froid en cette période de l'année.

Après quelques demandes de renseignements, les pas de Wyl l'amenèrent à un maître armurier nommé Wevyr, présenté comme l'un des trois meilleurs d'Orkyld. Il se souvenait d'avoir entendu son père mentionner ce nom, mais il ne l'avait jamais rencontré. Dans l'atelier de Wevyr, une vingtaine d'apprentis s'activaient sur des lames de toutes formes et de toutes tailles. L'un d'eux suspendit son geste pour s'approcher du comptoir.

— Messire ?

— J'aimerais acheter une épée, répondit Wyl.

— Je vais vous appeler maître Lerd. Qui dois-je lui annoncer ?

— Koreldy.

Wyl attendit tandis que le garçon disparaissait dans un dédale de petites pièces attenantes à l'atelier. Il reparut pour reprendre son travail, tandis qu'un autre homme venait au-devant de Wyl.

— Êtes-vous Romen Koreldy, messire ? demanda-t-il à Wyl.

— C'est exact.

— Alors si vous voulez bien me suivre.

— Pour quoi faire ? demanda Wyl avec toute la nonchalance de Romen, s'étonnant une nouvelle fois de son art pour formuler aimablement une question qui pouvait très bien sonner comme une offense.

— Eh bien, maître Wevyr préfère accueillir ses clients dans son cabinet de travail.

— Très bien. Je vous suis.

L'homme le conduisit dans une petite pièce inondée de lumière où un vieil homme examinait plusieurs armes à la loupe.

— Bonjour, Romen, dit-il sans même lever le nez de son travail.

Wyl hocha la tête, quand bien même l'autre ne pouvait pas voir son geste.

— Wevyr, répondit-il prudemment.

— Ne me dis pas que tu les as perdues ?

— Euh... non.

Il partit du principe qu'il devait s'agir d'armes et se lança à l'eau.

— J'ai dû les donner après une partie qui a mal tourné.

— Par les couilles de Shar ! Tu avais payé une fortune pour les avoir, s'exclama le maître artisan en relevant la tête.

Un large ruban ceignait son front pour maintenir une loupe devant l'un de ses yeux.

Wyl haussa les épaules en signe de fatalisme.

— Les enjeux étaient élevés.

— Tu es fou !

Wyl voyait que Wevyr n'était en rien impressionné par le statut ou la bourse de Romen.

— Je suis désolé. Ça ne m'arrivera plus.

— Exactement. Ça ne t'arrivera plus parce que tu n'auras plus jamais une de mes précieuses armes.

— Oh, Wevyr, je t'en prie. Tes lames sont les seules qui tuent à coup sûr.

La flatterie fut sans effet. Le vieil homme paraissait sincèrement froissé.

— J'ai passé ma vie entière à fabriquer des armes pour des gens comme les Thirsk d'Argorn. Dans son existence, Armyn Thirsk a tué trois cent soixante-dix soldats de Briavel avec une seule de mes épées et Fergys Thirsk lui-même a reconnu qu'il n'avait eu à affûter que deux fois l'épée que je lui avais faite il y a plus de trente ans.

Son monologue agacé s'acheva en quinte de toux.

Wyl était stupéfait d'entendre ici évoquer le nom de sa famille. Bien des fois, il avait admiré l'épée paternelle, qui avait été enterrée avec lui conformément à la tradition familiale. Lorsqu'il avait perdu son père, il n'était pas encore à l'âge où l'on sait ces choses essentielles, telles que où se trouvent les bons armuriers. Gueryn était parti avec toutes ces informations. D'entendre le nom de son père, son cœur se serrait. L'évocation de Gueryn l'avait ému aussi et il se demandait comment il pourrait bien faire pour aller s'enquérir de lui dans les Razors.

Il s'arracha à ses pensées.

— Pardon ?

— Je disais : ça va bien, Romen ?

— Oui, oui, excuse-moi. En t'entendant parler des Thirsk, j'ai repensé à la perte que vient de subir le royaume.

Le vieil homme poussa un soupir et sa voix s'adoucit quelque peu.

— Effectivement, une grande perte. Mais j'ai entendu dire que le fils serait mort lui aussi. Est-ce vrai ?

Wyl confirma de la tête.

— J'étais à Pearlis pour les funérailles.

— Quelle triste histoire. Le fils n'aurait jamais dû rejoindre son père si tôt. Je n'ai même pas eu le temps de forger une lame pour lui. Sais-tu comment c'est arrivé ?

— Une trahison, semble-t-il, répondit Wyl, incapable de tenir sa langue sur ce sujet.

— Ah bon ? Et de qui ?

— On dit que Celimus était jaloux de lui – qu'il voulait le voir mort.

Wevyr lui jeta un regard d'effroi.

— Moins fort ! Les murs ont des oreilles, même ici…

— Désolé, mais c'est ce que j'ai entendu dire.

— Je ne veux rien entendre de plus, proclama Wevyr, une main dressée devant lui. Je suis trop vieux pour les intrigues. Sinon, qu'est-ce que tu voudrais ?

— Une épée et deux couteaux.

— Suis-moi.

Le vieil homme retira sa loupe frontale, fit le tour de la table, puis emmena son client devant un présentoir qu'il ouvrit avec lenteur et majesté. Il en retira une épée somptueuse, dont la lame et la garde montraient de fines gravures absolument uniques.

— La plus belle que j'aie jamais faite.

— Et tu accepterais de me la céder ? demanda Wyl soudain incrédule.

Wevyr eut un petit rictus.

— Rares sont les hommes dont j'estime le talent suffisant pour simplement les autoriser à poser une main sur cette merveille, Romen. Et toi, tu as la chance de manier l'épée avec une telle maestria que tu mérites au moins quelque chose d'aussi beau, ajouta-t-il d'un ton renfrogné presque devenu acerbe.

Pour faire bonne mesure, Wevyr pointa un index menaçant sur la poitrine de Wyl. Bien évidemment, l'humeur du vieil homme ne se trouva pas améliorée par le large sourire de contentement apparu sur le visage de Romen.

— Merci.

Wyl prit la sublime épée en main ; son équilibre était parfait. C'était comme si la lame était animée d'une vie propre.

— Puis-je ? demanda-t-il en montrant de la main une porte menant à une petite cour intérieure.

— Bien sûr. Et il y a des couteaux qui vont avec.

— Montre-les, invita Wyl, émerveillé de la légèreté de l'épée et de la fluidité de sa prise en main.

Wyl démarra l'une de ses séries d'exercices habituelles et sentit aussitôt la patte de Romen ajouter du neuf à ses mouvements ; leurs talents immenses s'additionnaient, se conjuguaient pour créer des arabesques d'une grâce irréelle. Un rayon de soleil frappa la lame qui renvoya un éclat bleu. C'était fascinant.

— Cet enchaînement, tu l'as préparé pour quelqu'un en particulier ? demanda Wevyr arrivé dans son dos avec la paire de couteaux.

— Oui, pour moi. C'est l'aboutissement d'une vie de travail – en fait, on pourrait dire qu'il m'a fallu deux vies pour en arriver là. Tu sais, je crois que je vais la prendre, dit Wyl sous le charme.

— Elle est à toi. Bien sûr, le prix en est exorbitant.

— Naturellement, répliqua Wyl d'un ton amusé.

Il prit les couteaux.

Wevyr regarda en direction d'un mannequin de chiffons suspendu à une vingtaine de pas de là.

— Essaie-les, invita-t-il.

Avant même de les lancer, Wyl savait qu'ils atteindraient leur but. Le talent de Romen au couteau de lancer était absolument indiscutable, mais ces lames étaient tout aussi parfaites que l'épée. Elles filèrent dans l'air sans émettre la moindre vibration ; la première arriva dans le visage, la seconde dans la gorge. Il n'avait même pas visé, juste lancé d'instinct après une rotation sur lui-même.

— Si tu perds celles-ci, Romen Koreldy, ce n'est plus la peine de remettre les pieds à Orkyld.

Malgré sa bourse singulièrement allégée, Wyl se sentait regonflé d'avoir son épée au côté. Il avait également fait l'acquisition d'un baudrier spécial recommandé par Wevyr pour les couteaux – une pièce de tissu souple particulièrement bien conçue puisqu'elle se portait sous la chemise et rendait les lames parfaitement invisibles. En même temps, elles restaient à portée de main et il pouvait les tirer plus vite qu'un simple battement de cœur. Il avait hâte d'aller s'entraîner un peu dans les bois derrière Orkyld.

Wyl avait passé sa nouvelle chemise et commençait à s'habituer au contact de la ceinture sur sa peau. Confortablement installé devant une chope dans la salle commune de l'auberge du Bois d'ifs, il avait tout pour passer un agréable moment, mais quelque chose lui taraudait l'esprit ; une pensée indéfinissable et obsédante. Ses sens aiguisés de soldat et la nature naturellement suspicieuse de Romen s'unissaient pour le mettre en alerte. Le problème était qu'il se sentait profondément détendu – un musicien jouait approximativement et son plat de poisson préféré était au menu du jour. La sensation de danger s'évanouit instantanément lorsqu'une belle femme traversa la salle d'un pas décidé pour venir lui appliquer une gifle magistrale.

— Romen Koreldy, comment oses-tu encore venir ici ?

Wyl frotta sa joue cuisante, la bouche grande ouverte ; pivotant sur ses talons, elle repartit, magnifique de colère et de dignité outragée.

On riait de lui dans toute l'auberge. Une fille s'approcha pour débarrasser sa table.

— Arlyn est vraiment fâchée cette fois, Romen.

— C'est ce que j'ai cru comprendre, répondit Wyl en se demandant ce que Romen avait pu lui faire.

Il avait bien une petite idée.

— Est-ce que je peux faire quelque chose pour arranger ça ? se risqua-t-il à demander.

— Je ne sais pas : comment est-ce qu'on arrange ça avec une femme qui se préparait pour son mariage ?

C'était pire que ce que Wyl avait pensé.

— Je peux expliquer, dit-il une voix désemparée.

— Pas à moi, Romen. À elle !

— Où puis-je trouver Arlyn ?

La fille cala sa pile d'assiettes contre sa hanche pour poser sur lui un regard exaspéré.

— Déjà oublié ?

Il soupira.

— C'est-à-dire que la vie n'a pas été particulièrement simple ces derniers temps – je me disais que je pourrais… euh…

— Non, rien n'a changé. Elle en est toujours à travailler jusqu'à s'user les mains, là-derrière.

Wyl hocha la tête et la remercia, même si ce qu'elle venait de lui dire ne lui faisait aucun bien. Il avait besoin de reprendre un peu ses esprits ; un petit tour l'y aiderait. *Peut-être trouverai-je quelque chose à lui acheter pour faire la paix ?* songea-t-il.

Les rares fois où ses parents avaient eu des mots, c'est toujours son père qui avait fait le premier pas vers la réconciliation, le plus souvent avec un cadeau pour attendrir sa femme et l'incliner à écouter ses excuses. Wyl était désarçonné d'avoir ainsi à endosser les errements de Romen – tout ce qu'il pouvait faire, c'était de tenter d'adoucir l'affront par des excuses à la manière Thirsk. En même temps, un entretien avec Arlyn lui offrirait la possibilité d'en apprendre un peu plus sur cet homme dont il habitait désormais le corps.

Wyl sortit de l'auberge pour marcher dans la rue principale d'Orkyld, passablement animée. En plus de sa réputation en matière d'armes, la ville était le point de ralliement de tous ceux qui sillonnaient le nord. Tout en déambulant au hasard, il se demandait comment faire amende honorable auprès d'Arlyn sans se retrouver piégé lui-même.

« Le mariage ! Par Shar, quelle plaie ! » murmura-t-il entre ses dents. C'était vraiment la dernière chose dont il avait besoin.

Ils avaient été prudents. Jerico n'était pas homme à faire les choses au hasard et suivre Koreldy s'était révélé pour le moins ardu. La piste du mercenaire avait disparu à Farnswyth et, alors même qu'il détestait cette stratégie, il avait séparé ses hommes en quatre groupes. C'étaient tous des égorgeurs de première force, soigneusement choisis par lui, qui auraient ouvert la gorge de leurs propres grands-mères pour peu qu'on y mette le prix.

À Farnswyth, après un exposé précis de ce qu'il attendait d'eux, il les avait envoyés dans toutes les directions. Lui et deux autres avaient mis le cap au nord. L'unique raison de ce choix était une bribe de conversation qu'il avait saisie entre le roi – alors prince Celimus – et Koreldy.

Lorsque les espions du prince avaient repéré l'arrivée de Koreldy en Morgravia, le mercenaire avait été invité à rencontrer Celimus. Or, Jerico était l'un de ces espions richement payés par le prince ; il avait assisté, dissimulé dans un coin, à leur première entrevue. Celimus lui avait demandé sans ambages ce qu'il faisait dans le royaume. Koreldy avait bien essayé de rire pour ne pas répondre, de maintenir le mystère sur ses agissements, mais le prince avait insisté et le mercenaire avait fini par admettre qu'il fuyait une femme bien décidée à l'épouser. Celimus avait ri.

Cela aurait pu être une ruse, mais le ton amer de Koreldy clamait l'inverse. Donc, à l'intuition, Jerico et ses deux sbires avaient chevauché en direction d'Orkyld, où vivait la malheureuse dédaignée, selon ce qu'avait dit Romen. La joie intense qu'avait ressentie Jerico en voyant le mercenaire entrer dans Orkyld avec un cheval boiteux avait été extraordinaire. Il avait failli en pousser un cri de surprise. Koreldy scrutait attentivement autour de lui, mais ses yeux avaient miraculeusement glissé sur Jerico. Il faut dire que les deux hommes ne s'étaient jamais rencontrés, mais aussi que la grande force de Jerico tenait à son physique quelconque, duquel ne ressortait aucun trait caractéristique dont on puisse se souvenir. Il n'était ni maigre ni gros, ni grand ni petit; ses cheveux étaient d'une indéfinissable couleur sable et son visage sans être beau n'était pas laid. Sa voix raisonnablement basse n'avait rien de notable. En revanche, son esprit était aiguisé et tuer ne lui posait aucun problème de conscience.

Il s'était accordé la journée pour observer Koreldy – une chambre à l'auberge, un repas de pigeonneaux. Ensuite, il l'avait suivi aux bains, chez un tailleur, puis chez le célèbre maître armurier Wevyr. Il l'avait vu entrer dans les ateliers de l'artisan, mais jamais il ne l'en vit sortir. Après avoir attendu suffisamment longtemps, il était rentré furieux à l'auberge, en espérant ne pas avoir perdu sa proie.

Ses espoirs ne furent pas déçus; Romen Koreldy était rentré. Il fit passer le temps en vidant un pot de bière. L'un de ses compagnons surveillait la porte à l'arrière; pas question que le mercenaire leur fausse une nouvelle fois compagnie. En le voyant descendre de sa chambre, vêtu de neuf, une magnifique épée au côté, et souriant avantageusement à chaque serveuse, Jerico conclut que le brave Romen ne se doutait de rien. Son complice vint le rejoindre à l'intérieur.

Jerico avait immédiatement remarqué la lame somptueuse et décidé dans la seconde de se l'adjuger dès que Koreldy aurait été transformé en cadavre.

—Il aurait été mieux avisé de ne pas tant dépenser pour cette épée, murmura le complice, le dos ostensiblement tourné à Jerico de façon que personne ne puisse les croire amis.

— Ça, tu l'as dit, ricana Jerico. Mais n'oublie pas qu'on n'est que trois à se partager le butin.

— Quel dommage qu'on ne puisse pas couper cette épée en trois.

Jerico sourit pour lui-même ; il venait de décider d'omettre de préciser à ses compagnons que le roi avait proposé de doubler la prime promise pour l'assassinat de Koreldy.

— Dis-toi que tu pourras garder une part plus importante de son or puisque moi je vais prendre cette épée.

L'homme avait hoché la tête ; Jerico était retourné à sa bière et à sa surveillance du mercenaire, s'interrogeant pour savoir si mieux valait couper son doigt avec la chevalière pendant qu'il était encore en vie – pour profiter de ses cris – ou une fois qu'il serait mort – pour travailler au calme. Finalement, il opta pour la torture et, comme il élaborait un stratagème pour s'emparer de Koreldy vivant, une femme à la silhouette voluptueuse avait surgi de l'intérieur de l'auberge pour venir le gifler devant tout le monde. Elle lui avait ensuite parlé durement, avant de repartir outrée ; puis il y avait eu une conversation à voix basse entre le mercenaire et une serveuse. Enfin, Koreldy s'était levé, avait rajusté son épée et était sorti dans la rue. Jerico avait suivi sa proie, alertant ses acolytes d'un sifflement discret.

Et ils en étaient maintenant à le suivre dans ses déambulations, sans rien hâter de leurs manœuvres. Toujours prudent, Jerico n'oubliait pas qu'ils avaient tous deux assisté au repas des funérailles du général Thirsk. Pour éviter toute mauvaise surprise, il proposa à ses hommes d'aller marcher en tête ; lui couvrirait les arrières.

— Tu as un plan, demanda l'un d'eux.

— Fonctionnez à l'oreille ou bien offrez-lui une petite distraction pour capter son attention. Ensuite, on l'entraîne dans une ruelle ou un coin désert. Mais attention ! ajouta-t-il en levant un doigt. On ne commet rien ici. Nous serons mieux dans les bois pour œuvrer dans la tranquillité.

Les hommes partirent se mettre en place, un mauvais sourire sur les lèvres. L'un d'eux fourrageait dans ses poches à la recherche de la « petite distraction ».

Wyl était perdu dans ses pensées. Soudain, il releva la tête et aperçut un jongleur lancé dans une prestation à couper le souffle, avec pas moins de sept balles de bois. Fasciné, Wyl ralentit pour l'observer.

Il regarda quelques instants, puis éclata de rire lorsque l'homme exécuta un pas de gigue sans ralentir le rythme de ses mains. Il se dit alors que cet homme savait peut-être où se trouvaient les saltimbanques, coureurs de foire et autres diseuses de bonne aventure du royaume.

— Dites, l'ami, demanda Wyl. Par le plus grand des hasards, vous ne sauriez pas où je pourrais rencontrer les forains de Morgravia en ce moment ?

Sans cesser de jongler, l'homme fit une moue, comme sous le coup d'une intense réflexion. Wyl insista.

— C'est juste que j'ai rencontré quelqu'un à la foire du tournoi royal de Pearlis il y a peu et j'aurais un message à lui donner.

— Je ne saurais dire, messire. Je ne suis qu'un ménestrel itinérant tout seul sur son chemin.

— Tant pis, merci quand même, dit Wyl en lui lançant une pièce.

Il s'éloigna de quelques pas, avant de se retourner, sous le coup d'une inspiration subite.

— Au fait, l'ami, vous ne sauriez pas où je pourrais acheter une belle babiole pour une dame très en colère à cette heure de la nuit ?

Le jongleur rattrapa adroitement toutes ses balles et quelques passants applaudirent. Puis il sourit à Wyl.

— Je crois que je connais exactement l'endroit qu'il vous faut, messire. Pour quelques pièces, je suis tout prêt à vous y conduire.

— Bien. Il s'agit de quoi ?

— C'est mon cousin qui réalise de superbes bijoux en argent. Son échoppe est juste là-bas derrière. Il vous fera un bon prix… Je vous le garantis.

Wyl était fatigué. Il se sentait mal à l'aise vis-à-vis d'Arlyn, mais est-ce qu'il lui appartenait vraiment de solder les vieux comptes de Romen ? Et puis oui, décida-t-il ; qu'il le veuille ou non, il était désormais Romen Koreldy, pour le meilleur et pour le pire. Les langues vont bon train et s'il devait avoir ce corps et ce visage pour le reste de son existence, il aimait autant que toutes les femmes du royaume ne le détestent pas.

— D'accord. C'est loin ?

— Pas du tout, répondit le jongleur avec allégresse. Une minute ou deux, pas plus. Mais dites-moi, messire, c'est une fameuse épée que vous avez là…

Dans l'ombre, Jerico sourit en entendant le jongleur parler de tout et de rien, conduisant Wyl dans le piège comme un agneau à l'abattoir.

Pour Wyl, tout devint noir quelques instants plus tard.

Wyl reprit conscience abruptement, totalement désorienté. Il lui fallut plusieurs secondes pour prendre la mesure de la situation – ligoté par les pieds à une branche, la tête en bas, après avoir été méticuleusement battu. Son corps n'était plus qu'une plaie. Le hululement lugubre d'une chouette lui apprit qu'il n'avait guère à espérer qu'un promeneur passe par là en pleine nuit. La sensation cuisante accompagnée d'humidité sur son visage lui fit comprendre que ceux qui l'avaient enlevé venaient de soulager leurs vessies pour le ranimer.

Le procédé avait fonctionné. Il secoua la tête, notant avec satisfaction qu'au moins ses bras étaient libres. Après un coup d'œil alentour, il aperçut son épée bleue posée dans l'herbe à côté de son fourreau. *Ah non! Par le diable, pas question qu'ils la prennent.* Ses mains palpèrent du côté de sa poitrine et une vague de soulagement monta en lui – ils n'avaient pas encore trouvé les couteaux dissimulés. Une nouvelle fois, il s'émerveilla du travail de Wevyr; les lames étaient si fines et si minces qu'il n'était pas surprenant qu'elles leur aient échappé. Subrepticement, il défit un bouton de sa chemise, de façon à pouvoir les atteindre.

Les hommes se retournèrent.

—On dirait que l'heure de s'amuser a sonné, dit le jongleur.

Jerico s'approcha.

—Je suppose que vous avez déjà ma bourse et on dirait que vous avez aussi fait main basse sur mon épée, déclara Romen d'une voix posée. Dans ces conditions, que peut bien vous faire que je reste en vie?

—À nous, rien! répliqua Jerico.

Wyl sentit un frisson glacé courir le long de son dos; quelqu'un d'autre se cachait dans cette histoire.

—À qui alors?

Jerico eut un sourire.

—Des personnes bien plus haut placées – dont nous ne sommes que les bras armés.

—Bien, en ce cas, je vous paie le triple de ce qu'il vous verse.

—Non, Koreldy, assena Jerico. Je mets un point d'honneur à toujours mener correctement mes affaires. Je ne double jamais un client et je dois sûrement à cette sage philosophie d'être toujours en vie.

—En vie, mais pas riche, répondit Wyl pour essayer de gagner du temps.

Son esprit fonctionnait à plein régime. L'instinct de tueur de Romen lui disait qu'il fallait que les trois hommes s'approchent encore un peu, à la fois de lui mais aussi les uns des autres, avant qu'il puisse tenter quelque chose. Toutefois, au mieux, il n'aurait le temps que de couper la corde, se libérer et en éliminer un. Au pire, il en blesserait ou tuerait un, mais resterait pendu comme un porc qui attend d'être saigné.

Le jongleur éclata de rire et s'approcha.

— Et comment saurais-tu, mercenaire, ce que nous valons ?

— Je ne sais pas, reconnut Wyl.

— Et maintenant, dit Jerico en tirant une dague de sa ceinture, il faut en passer par cette horrible tâche de te couper un doigt.

— Pourquoi ?

— Parce que celui qui nous paie pour te tuer nous l'a demandé.

— Et je suppose que des misérables comme vous ont à cœur de se montrer honnêtes.

Jerico fit un pas vers l'avant.

— D'un assassin à un meurtrier, je trouve le mot « misérable » bien offensant.

Les trois hommes étaient en ligne. Il allait viser le chef. L'heure n'était plus à la réflexion – au moins il aurait la satisfaction d'en emmener un avec lui.

Ils étaient suffisamment proches maintenant ; même la tête à l'envers et le cœur dans la bouche, il était sûr d'en toucher un. D'un mouvement d'une fluidité presque imperceptible, Wyl croisa les bras, saisit les deux lames à sa ceinture et, dans le même mouvement, en lança une sur celui qui lui paraissait leur chef. À la même seconde, une ombre énorme jaillie des ténèbres enveloppa littéralement le jongleur, qui s'effondra au sol en hurlant.

Surpris, Wyl maintint son dernier couteau contre sa poitrine, paré à riposter à toute attaque. Il entendit le son qu'émet un homme mourant, couvert par le bruit guttural d'une bête taillant dans la chair. Il s'agita au bout de sa corde pour découvrir Jerico étendu raide sur le sol, à côté de son compagnon tordu par une intense souffrance et promis bientôt, lui aussi, à une parfaite immobilité. La bête poursuivait le troisième homme ; stupidement, celui-ci s'enfonçait au cœur du bois. Wyl entendit un hurlement étouffé, puis le silence revint sur la forêt.

— Filou ? demanda Wyl, plein d'angoisse, à l'obscurité.

Il sursauta lorsque le chien apparut soudain à ses côtés ; sa chaude haleine sentait le sang.

Wyl banda tout son corps pour attraper la corde au-dessus de ses pieds, et la trancha d'un coup. Il s'effondra et Filou fondit sur lui. Un flot de panique le traversa ; ce chien venait tout de même d'écharper deux hommes. Mais loin de lui faire subir le même sort, le chien s'assit et entreprit de lécher le visage de Wyl. Un feulement de plaisir s'échappait de sa gorge.

Wyl tremblait de la tête aux pieds. Ses yeux passèrent des cadavres au chien ; Filou venait de lui sauver la vie. *Mais d'où vient-il et comment savait-il où me trouver ?* Il essaya de s'asseoir ; en vain. Certaines de ses côtes étaient cassées et il en conclut que ses assaillants avaient dû s'amuser avec lui – même s'il n'en gardait aucun souvenir.

Filou partit fureter dans le sous-bois et revint avec une flasque. Wyl avait vu ce traître de jongleur y boire ; il avala avec ravissement une bonne lampée d'une eau-de-vie particulièrement corsée. Un incendie naquit dans sa bouche et sa gorge, puis une chaleur bienfaisante se répandit dans tout son corps.

Filou ne le quittait pas des yeux.

— Je suppose que Fynch n'est pas avec toi, dit-il.

Le chien s'allongea, le museau sur ses pattes croisées.

— Hmm, je m'en doutais. J'espère au moins qu'il a suivi mes instructions et est resté auprès de Valentyna. Et c'est d'ailleurs là que tu vas aller le rejoindre immédiatement.

Le chien grogna et s'approcha de lui.

Wyl fouilla les corps dans l'espoir de découvrir qui étaient ces hommes. Ils ne portaient aucun indice, mais Wyl reconnut l'un d'eux – un homme de Celimus ! Aucun doute, il le reconnaissait pour l'avoir vu au repas après ses funérailles.

Voilà qui expliquait sans doute la sensation d'une menace indistincte qui ne l'avait pas quitté de la journée. Maintenant, il se souvenait d'avoir aperçu le tueur à son entrée dans Orkyld. Un bruit – une exclamation vite étouffée – avait attiré son attention pendant une fraction de seconde.

C'était ça. Celimus avait envoyé les tueurs sur ses traces. C'était le roi qui voulait son doigt. Il observa ses mains par réflexe et remarqua sa chevalière. Cette bague et le doigt qui la portait étaient sans aucun doute les choses demandées comme preuve de sa mort. Wyl grogna contre lui-même ; la colère prenait le pas sur l'épuisement. Il allait donner matière à penser à Celimus.

Bon an mal an, il se remit sur pied, saisit son épée et, sans tenir compte des élancements qui traversaient son corps, fit sauter la tête de Jerico d'un seul coup. La langue saillait entre les dents. Il arracha la chemise du mort pour y fourrer la tête, espérant que le sang n'en goutte pas trop vite. Fort heureusement, c'était une chemise noire, qui pour un temps au moins camouflerait le rouge.

Avec un dégoût croissant, il roula les corps dans un taillis ; les loups et autres charognards les trouveraient bientôt. Wyl sortit du bois en titubant, la tête de Jerico sous le bras ; il avait déjà décidé qu'elle aurait une saveur toute particulière pour Celimus. Il passa une heure ensuite à chercher un réceptacle digne d'elle dans les ordures de la ville. Puis, satisfait de lui, il dissimula la boîte et son odieux contenu, dans l'idée de l'envoyer dès que possible.

Ce n'est qu'à ce moment-là qu'il s'effondra.

Chapitre 21

Cette fois-ci, lorsque Wyl reprit conscience, il était couché sur un lit. Des images atroces de la nuit l'assaillirent et il se dit qu'il devait rêver. Mais la courtepointe sous sa main était douce et chaude ; il ne pouvait pas être en train d'imaginer un confort aussi douillet, sans compter que le subtil parfum qui l'enveloppait ne pouvait appartenir qu'à une femme.

Celle qui le portait et qu'il connaissait très bien se pencha sur lui.

— Ne me frappe plus, Arlyn, coassa-t-il avec un sourire en biais.

Elle partit d'un grand rire.

— Ce n'est pas l'envie qui m'en manque, Romen. Par Shar, que t'est-il donc arrivé la nuit dernière ?

— Une longue histoire. Me croirais-tu si je te disais que tout ça est arrivé à cause de toi ?

— Non, parce que tu es un menteur, un moins que rien et une fripouille de la pire espèce, que je vais d'ailleurs évacuer de mon lit dès que tu seras capable de tenir debout.

Il grimaça de douleur.

— Ça ressemble à quoi ?

— Le médecin a dit qu'il ne fallait pas que tu bouges pendant deux jours au moins.

— Alors je suis à ta merci, dit-il tout surpris de se découvrir tant d'éloquence.

Wyl aimait les femmes, mais d'ordinaire elles lui faisaient perdre ses moyens. Ses pensées vagabondèrent vers Valentyna

– le frisson qui l'avait parcouru au contact de sa main sur son bras, cette sensation d'intense chaleur lorsqu'elle l'avait regardé. Et voilà qu'il était dans le lit de cette femme à faire le joli cœur avec cette assurance un peu friponne qui était tout entière la marque de Romen.

— Tu penses vraiment ce que tu dis ? demanda Arlyn en essorant un linge qu'elle venait de tremper dans un bol d'eau.

À gestes délicats, elle passa le linge humide sur le visage de Wyl, et elle prit une expression subitement tendre.

— Je me disais juste à quel point j'étais désolé, dit-il dans un souffle.

Arlyn suspendit son geste pour plonger ses yeux verts au fond des siens.

— Si tu savais comme tu m'as fait souffrir.

Wyl tendit la grande main de Romen pour l'attirer contre lui.

— Je sais. J'ai beaucoup de choses à expliquer.

— Pas maintenant, dit-elle en se redressant.

Elle attrapa un verre qu'elle lui tendit.

— Repose-toi pour guérir vite, tels sont les ordres du médecin. Et tiens, bois ça.

Il obtempéra, avant de faire la pire grimace de dégoût qu'on puisse imaginer.

— Dors maintenant, ordonna-t-elle avec un petit sourire.

— Arlyn, demanda-t-il d'un ton déjà somnolent. Comment suis-je arrivé ici ?

— Un énorme chien noir t'a tiré jusque devant ma porte, répondit-elle d'un ton indigné.

Il rit doucement ; ses paupières se faisaient lourdes.

— Il s'appelle Filou.

— Il pourrait s'appeler roi Celimus, pour ce que j'en ai à faire, l'entendit-il dire du fond d'une brume accueillante. Je lui ai dit de ne pas entrer. Il est dehors.

— Merci.

La seconde d'après, il dormait.

Deux besoins urgents réveillèrent Wyl au crépuscule. Il avait une faim de loup, mais surtout il fallait qu'il soulage sa vessie sans délai ; et il fallait qu'il fasse vite s'il ne voulait pas se donner en spectacle devant Arlyn. Il parcourut la chambre des yeux à la recherche du pot de chambre, puis s'arracha du lit. Arlyn l'avait sans doute entendu, car elle entra dans la pièce juste comme il finissait.

— Tu ne devrais pas être debout, le gronda-t-elle.

— C'était une urgence, dit-il d'un air penaud.

— Je t'amène à manger et nous parlerons ensuite.

La nourriture d'Arlyn était délicieuse. Il l'aurait bien questionnée tout en mangeant, mais il craignait de montrer son ignorance. Il était arrivé à la conclusion que Romen avait dû se sentir piégé et fuir les bras d'Arlyn, d'une manière pour le moins cavalière. Ses façons, sa faconde, tout en Romen clamait qu'il était un coureur de jupons. Wyl était son exact opposé. Il allait falloir qu'il tente de corriger cette image, au moins aux yeux d'Arlyn.

Après l'avoir aidé à manger, Arlyn apporta une cuvette d'eau parfumée pour qu'il se lave. Ensuite, elle s'assit sur le lit, près de lui.

— Alors, Romen ? Raconte-moi un peu ce qui s'est passé.

Wyl avait eu tout le temps de réfléchir à la situation et décidé de raconter une histoire si extraordinaire qu'elle ne pourrait jamais se reprocher d'avoir été si ignominieusement abandonnée. Il prit une profonde inspiration.

— Je suis un homme traqué. Si je suis parti d'ici, ce n'est pas parce que je ne voulais pas t'épouser, mais parce que c'était une question de vie ou de mort.

Il ne savait quelle excuse Arlyn attendait, mais celle-ci la surprit assurément.

— Le roi Celimus veut ma mort. Je crois que c'est à cause de l'amitié qui me liait avec son ancien général, Wyl Thirsk.

— Ancien général ?

— Il est mort. Assassiné par des hommes envoyés sur ordre du roi.

Elle fut sur le point de dire quelque chose, puis renonça.

— Mais il y a pire, poursuivit Wyl. Ce qui s'est passé hier soir n'est qu'une des agressions dont j'ai été victime. La première s'est produite après ma fuite d'ici. Ils m'ont retrouvé, battu et laissé pour mort. En fait, je n'étais qu'inconscient, mais quand j'ai recouvré mes esprits, j'avais perdu la mémoire.

C'était un peu gros, mais il avait su se montrer convaincant. Arlyn porta une main à sa gorge. Il se détestait d'avoir à mentir, mais il aurait préféré mourir que la faire souffrir de nouveau. Au moins, cette fable permettait à la jeune femme de se sentir moins humiliée.

— Je ne me rappelais même plus mon nom.

À ce stade, il pénétrait en territoire inconnu ; il allait devoir se montrer très prudent.

— Combien de temps suis-je resté parti ? demanda-t-il le plus naturellement du monde, comme s'il réfléchissait à voix haute.

Elle lui donna la réponse, sans deviner sa ruse. Wyl dut faire un effort sur lui-même pour ne pas la regarder les yeux pleins de pitié. Quel salaud ce Romen, tout de même.

— Tant que ça ? murmura-t-il. J'ai passé le plus clair de ce temps dans un monastère à soigner mes blessures, mais surtout à retrouver qui j'étais.

Il crut qu'elle allait fondre en larmes, mais elle s'accrocha vaillamment.

— Et ta mémoire ?

— Je n'ai pas encore tout retrouvé. C'est d'ailleurs pourquoi il faut que tu m'excuses si je te parais parfois confus.

Il aimait cette excuse qui lui permettrait de faire des erreurs.

—Oh, Romen, c'est horrible. Et moi qui croyais que… Non rien. Et la nuit dernière, ça a recommencé ?

Il hocha la tête.

—Tout s'est bien passé pendant un certain temps, mais j'ai sans doute péché par excès de confiance en revenant ici. Mais comment faire aussi, je me sentais attiré vers Orkyld. J'étais attiré vers toi, Arlyn, mais je dois avouer que je ne me souviens absolument pas de ce qui a pu se passer entre nous. Je me sens si honteux. Si désolé de t'avoir fait du mal.

Sa sincérité la faisait fondre ; Wyl se méprisait.

—Qu'est-il arrivé aux hommes qui t'ont attaqué hier soir ?

—Ils se sont enfuis lorsque Filou s'est jeté dans la bagarre.

Il se promit que ce serait son dernier mensonge.

—S'il n'était pas arrivé, je serais mort à l'heure qu'il est. Où est-il d'ailleurs ?

—En train de semer la terreur.

Il sourit, puis passa au point délicat qu'il ne pouvait passer sous silence.

—Je suis un fugitif désormais et je le serai tant que Celimus ne m'aura pas tué. Je ne suis déjà que trop resté ici. Il faut que je parte. En étant ici, je te mets en danger.

—Ils me tueraient aussi ?

Il haussa les épaules, provoquant un douloureux élancement dans ses côtes.

—Ils sont sans pitié. Le roi embauche des égorgeurs – des canailles sans scrupule. Sans honneur.

—Où vas-tu aller ?

—J'ai l'intention de me déplacer sans cesse. Peut-être vais-je voyager au-delà des mers. Mon amour, tu comprends maintenant pourquoi je ne peux pas t'épouser. Je ne sais quand je te reverrai, si jamais j'ai la chance de te revoir un jour.

— Romen, à mon tour d'être honnête. Je ne crois pas, après tout ce temps, que l'on puisse retrouver ce sentiment qui nous rapprochait auparavant. Cela fait trop longtemps maintenant.

Ses mots sonnaient comme de la musique aux oreilles de Wyl.

— Mais ne pourrais-tu pas te cacher par ici ? demanda-t-elle en lui prenant la main.

— Non. Trop dangereux. Ils sont sur ma trace. Il faut que je les sème de nouveau. Dès que je pourrai marcher, je partirai. Pardonne-moi.

— Peu importe ce que sont nos sentiments l'un pour l'autre aujourd'hui, mais j'ai détesté te voir dans un tel état hier.

— La prochaine fois, ils réussiront leur coup, dit Wyl en espérant que c'était là le dernier clou qu'il enfonçait dans le cercueil de leur relation.

Elle revint à la charge.

— Comment puis-je t'aider ? Tu as besoin d'argent ?

— Non, j'ai de l'argent. Le mieux, c'est que tu m'oublies. Efface toutes les traces de mon passage ici et préviens tous ceux qui sont au courant de garder le secret et de ne pas répondre aux questions.

— Personne ne t'a vu entrer.

— Parfait. Je partirai demain à la tombée du jour.

— Si tôt ?

— Me passerais-tu mon sac, s'il te plaît ?

C'était un sac de cuir pourvu d'une sangle, à porter en bandoulière. Elle le lui passa et il fouilla à l'intérieur. Il en sortit la broche d'Ylena ; le bijou ne ferait pas défaut à sa sœur et il porterait chance à une personne qui avait été bonne pour lui.

— C'est pour toi. Je me souviens de l'avoir choisie, mais je ne saurais plus dire ni quand ni où, dit-il en posant la parure sur sa main.

— Oh, Romen, c'est magnifique.

— Alors elle ne fera que rendre justice à celle qui la porte, dit-il, avec sincérité cette fois. Garde-la en souvenir de moi et de ce que nous avons partagé à un moment de nos vies.

Elle embrassa sa main, toujours posée sur la sienne, et sentit monter en elle une bouffée de désir pour ce beau viveur couché à moitié nu dans son lit.

— Alors il faut que je te fasse un cadeau moi aussi.

Une femme qui ferait un cadeau à un homme ? Wyl était tout à la fois étonné et heurté.

— Vraiment ? dit-il.

— Oui, la seule chose que j'aie à t'offrir, répondit-elle en commençant à délacer son corsage.

Le lendemain, les bras de Romen tenaient Arlyn serré contre lui, mais c'est Wyl qui l'embrassait avec tendresse. Pendant quelques heures, les attentions délicates et agréables de la jeune femme lui avaient fait oublier qui il était. Allongé contre elle, il goûtait la sensation incomparable de sa peau contre la sienne ; peu à peu l'exaltation de ses sens avait cédé le pas à une immense vague d'affection. Ses blessures ne les avaient pas empêchés de faire l'amour, mais elles avaient été une excuse imparable pour dissimuler son inexpérience. Sans elles, Arlyn n'aurait pas manqué de noter qu'il n'était pas Romen – du moins pas le Romen connu naguère. Wyl Thirsk n'avait pas eu depuis longtemps l'occasion de toucher une femme. La fois dont il se souvenait le plus, c'était avec une jeune marchande de savons de Pearlis qui approvisionnait Stoneheart. Cela avait été une brève histoire entre deux jeunes gens pareillement novices. Il l'avait remarquée à plusieurs reprises, ici et là dans le château, et il était présent lorsqu'un cheval emballé avait foncé sur elle. De frayeur, elle avait lâché son panier de savons et Wyl avait demandé à deux pages de les ramasser pour elle tandis que lui s'excusait gracieusement pour le cheval un peu nerveux. Avec un sourire charmant, la fille avait reçu son compliment en baissant les yeux.

Elle s'était montrée moins timorée la fois suivante ; il l'avait croisée dans l'une des meilleures tavernes de la ville, où elle livrait également ses savons. Elle l'avait invité à la rejoindre dans la chambrette où elle vivait avec son père au-dessus de leur échoppe. Là, elle s'était déshabillée d'elle-même. Cela avait été rapide, mais inoubliable quand même. Wyl avait poussé un gémissement au sommet de son extase et elle avait pris plaisir à le voir béat, à défaut d'avoir pu partager pleinement sa félicité.

Il l'avait remerciée, puis avait glissé quelques pièces dans sa main pour qu'elle s'achète du tissu pour une robe ou des rubans pour ses cheveux. Il avait pensé qu'ils se reverraient, mais leurs routes ne s'étaient plus jamais croisées. Une poignée d'autres accouplements tristes et sans joie – plus inspirés par la nécessité que toute autre chose – composaient l'essentiel de son expérience de l'amour. Ils n'avaient guère laissé de traces dans sa chair, son cœur et son esprit.

Mais Arlyn, elle, il ne l'oublierait jamais…

— Je ne pourrai pas revenir, murmura-t-il en la serrant contre lui.

— Je sais, répondit-elle, résignée depuis longtemps à voir Romen sortir de sa vie. Prends soin de toi.

Et, sur une ultime recommandation à la discrétion, Wyl partit. Tout comme lui, son cheval appréciait de quitter un espace confiné pour les grands chemins. Ils ne furent pas longs à être prêts. Pas une fois Wyl ne jeta un coup d'œil en arrière ; il savait qu'Arlyn le regardait sans doute.

— En route, dit-il à son cheval.

Ils tournèrent à l'angle de la rue et disparurent de sa vue. Comme il s'en était douté – sans savoir en quoi il pouvait en être si sûr –, Filou l'attendait à l'endroit où il avait caché la tête de l'assassin Jerico. Il s'assit par terre pour caresser le chien, s'interrogeant sur sa nature magique. Il aurait été vain de prétendre qu'il ne faisait pas partie de l'enchantement de Myrren ; et pourtant, si Wyl avait dû l'expliquer à quelqu'un, il ne se serait attiré que des sarcasmes.

Finalement, Wyl se mit à parler, soulagé de constater qu'il ne lui semblait plus si étrange de donner des instructions au chien. Filou paraissait toujours tout comprendre.

— Tu sais que tu dois y aller maintenant, dit-il d'un ton sévère. Va retrouver Fynch ! Ensemble, vous protégerez Valentyna jusqu'à ce que j'arrive.

Il espérait ne pas se tromper. La veuve Ilyk lui avait bien recommandé de les garder auprès de lui et pourtant il les envoyait tous deux au loin.

Filou braqua sur lui l'intensité de son regard, avant d'aboyer une seule fois. Wyl n'avait pas la moindre idée de ce qu'il voulait dire, mais quand le chien bondit ensuite après lui avoir léché la joue en guise d'au revoir, Wyl se dit que le chien devait maintenant savoir ce qu'il avait à faire. Il eut un petit pincement au cœur ; quelque chose en Filou l'emplissait de confiance, le faisait se sentir invincible. Mais c'était précisément pour cela aussi qu'il devait retourner auprès de Valentyna ; peut-être pourrait-il lui apporter le même réconfort.

Il revint dans la ville, sur la place d'où les grosses diligences partaient pour le sud. Un cocher accepta contre monnaie sonnante d'amener à Pearlis le sinistre colis, que Wyl avait soigneusement emballé sous plusieurs couches de toile forte.

— Où dois-je le livrer ? demanda l'homme.

— Au château de Stoneheart.

— À l'attention de qui ?

— Laissez-le aux gardes à la grande entrée. Ils l'attendent.

— Pas de message ?

— Il est à l'intérieur. C'est pour un noble de très haut rang, alors prenez-en grand soin et surtout ne l'ouvrez pas. Il vous le ferait payer très cher.

— Par Shar, qu'est-ce qu'il y a là-dedans ?

Wyl savait que l'homme serait immanquablement tenté d'inspecter le colis s'il ne lui fournissait pas une bonne explication.

— C'est un puissant talisman fait par une sorcière, dit-il, appréciant au passage la mine angoissée du cocher.

Parfait. La crainte des malédictions était encore vive au nord, malgré la disparition des zerques.

— Toute personne autre que le destinataire qui le regarde devient immédiatement aveugle, ajouta Wyl.

Shar merci, les vibrations naturelles de Romen lui permettaient d'enjoliver et d'inventer des histoires avec une aisance confondante.

Néanmoins, l'homme paraissait maintenant sur le point de jeter cette boîte loin de son attelage.

— Écoutez, dit Wyl. J'ajoute une pièce d'or supplémentaire pour le dérangement. Vous savez, moi non plus je n'ai pas regardé dedans. Je ne suis qu'un messager, tout comme vous.

L'argent atténua les scrupules du cocher.

— Combien de temps, demanda Wyl…

— Environ quatre jours, messire.

— Bon voyage !

Le temps devenait résolument plus frisquet à mesure que Wyl progressait vers les zones les plus septentrionales du royaume. Il se félicitait d'avoir acheté sa cape. Sur ce sol escarpé, le cheval allait lentement et d'un pas régulier, de façon à ne pas faire souffrir le corps de Romen plus que nécessaire. Arlyn avait eu la gentillesse de lui remettre quelques-unes des potions au goût si prononcé ; accompagnées d'un bon bouillon, elles étaient déjà difficiles à avaler, alors prises pures… Néanmoins, il s'obligeait consciencieusement à les prendre soir et matin, pour leurs effets bienfaisants. Il chevaucha pendant deux jours et demi, sur un terrain de plus en plus nu et rocailleux ; dans la région, les villages étaient fort éloignés les uns des autres et il n'y avait aucune ville d'importance. Son attention était tout entière concentrée sur Yentro, le village d'où la veuve Ilyk était originaire ; un petit bourg sûrement.

Une demi-journée plus tard, il eut la surprise d'entrer dans ce qui était à l'évidence une ville frontalière trépidante d'activité.

Totalement incrédule, Wyl arrêta son cheval ; tout autour de lui, les gens s'activaient et les rues grouillaient de vie. Il se rendit aux écuries, puis se mit en quête d'une auberge décente. La foule était si dense autour de lui qu'il ne prit aucune précaution ; il y avait tellement de gens différents qu'il était sûr que personne ne lui prêterait attention.

Il se trompait.

— C'est lui, je le jure ! dit l'homme d'un ton plein de déférence.

L'homme aux cheveux blonds à qui il s'adressait était en train de manger. À petits gestes méticuleux, il portait les aliments à sa bouche, puis les mâchait lentement, au rythme de ses pensées toutes entières occupées par la nouvelle qu'il venait d'apprendre. Ses hommes étaient fiables, en particulier Lothryn, son ami et conseiller avec qui il devisait présentement. De l'index, il gratta la barbe qu'il se laissait pousser pour dissimuler les traits de son visage.

Alors comme ça Romen Koreldy était de retour. *Pourquoi ?*

Ses yeux verts au regard impénétrable revinrent se poser sur Lothryn.

— Pourquoi maintenant ?

Lothryn haussa les épaules. Pourquoi diable Koreldy revenait-il par ici ? Cela n'avait aucun sens.

— Pour espionner ? proposa-t-il à l'instinct.

— Oui, c'est ce que j'aurais tendance à penser moi aussi. Pour le compte de Celimus probablement. Le jeune coq de Morgravia a sans doute soif de sang des Montagnes.

» Nous avons déjoué sa dernière tentative avec cette troupe pitoyable – qu'Haldor ait pitié du roi de Morgravia s'il n'a pas mieux que pareille bande de lourdauds. Il n'y avait que leur chef, le grand sec aux cheveux blancs, qui valait quelque chose. Écoute bien ce que je dis, Lothryn : nous les tuerons tous et nous étendrons le royaume des Montagnes bien au-delà des Razors !

Lothryn ne dit rien, attendant que son chef prononce la sentence qui allait venir immanquablement. Elle vint. L'homme blond repoussa son assiette pour se lever, étirant son impressionnante carrure. Il vint se placer devant son second, son ami depuis plus de trente ans.

— Prends Myrt et un autre avec toi. Suivez-le pendant quelques heures, histoire de voir ce qu'il fabrique. Ensuite, attrapez-le. Je vous attendrai à la Caverne.

Lothryn hocha la tête.

— Il en sera fait ainsi, seigneur.

Dissimulé dans l'ombre, Lothryn surveillait Romen Koreldy qui pénétrait dans l'auberge de la Plume rouge, pour s'entendre dire par le tenancier qu'il avait la chance de pouvoir prendre la dernière chambre libre. Elle n'était pas donnée, mais Wyl avait envie d'un peu de confort pour récupérer après ces dernières journées passées à cheval. Il avait vraiment besoin d'offrir un peu de calme à ses côtes abîmées. L'un de ses yeux était toujours à moitié fermé, ce qui lui valut d'ailleurs une petite question de l'aubergiste à l'esprit fouinard.

— Une femme qui n'a pas vraiment apprécié de me voir embrasser une amie à elle, expliqua Wyl le plus aisément du monde, en accompagnant son explication d'un clin d'œil.

Il n'avait pas remarqué qu'on l'avait pris en filature depuis qu'il était entré dans Yentro.

— Elle doit avoir une sacrée droite, messire. Je serais vous, je l'éviterais dorénavant, répondit l'homme en riant.

— Oh, je ne crois pas qu'elle m'aura de nouveau, dit Wyl avec malice. Encore qu'elle mériterait de risquer le coup.

Cette fois-ci, ils rirent à l'unisson.

— J'aurais bien besoin de me dénouer les muscles. Est-ce qu'il y a un établissement de massages dans les environs ?

— Oui, messire, juste à côté des bains. Lorsque vous serez installé dans votre chambre, je vous indiquerai comment vous y rendre.

Wyl acquiesça avant de partir tout doucement dans l'escalier ; il avait quatre volées de marches à gravir. Shar merci, elles n'étaient pas trop longues, mais il ne s'en écroula pas moins sur son lit, bien content de n'avoir qu'un maigre bagage. Il se défit de son fourreau, puis retira sa chemise pour déboucler sa ceinture et ses couteaux. Quel bonheur… Il s'allongea pour plonger instantanément dans un demi-sommeil. Au prix d'un grand effort, il s'arracha à sa torpeur ; il devait à toute force s'assurer de la présence éventuelle de la veuve Ilyk à Yentro. Le temps jouait contre lui. Il fallait encore qu'il retourne en Briavel voir la reine, qu'il tienne la promesse faite à sa sœur de transporter les restes d'Alyd de Rittylworth à Felrawthy. Ensuite, il entendait ramener sa sœur en Argorn, en sécurité chez les siens. Et après ça, restait toujours la question de son éventuelle trahison – allait-il chercher à renverser Celimus ? Mieux valait qu'il cesse de penser à tout ce qui l'attendait, au risque sinon d'être submergé. Le conseil que lui serinait toujours Gueryn lui revint en mémoire : une chose à la fois. Son maître lui avait enseigné à faire le vide dans son esprit pour se concentrer sur l'urgence la plus importante. « Hiérarchise tes priorités ! » Il entendait encore la voix du vieux capitaine. Et maintenant, la priorité c'était de dénicher la veuve Ilyk. Tout le reste était secondaire.

Après avoir bâillé et s'être étiré doucement, il dissimula ses armes dans son lit. Puis, rhabillé, il verrouilla sa porte et mit le cap vers l'entrée de l'établissement où l'aubergiste donnait ses ordres à quelques filles et garçons de salle.

Le tenancier l'aperçut.

— On ne chôme pas aujourd'hui, messire.

— Il se passe quelque chose de spécial ?

— Notre foire annuelle. Je pensais que vous étiez là pour ça. généralement, on ne vient pas à Yentro par hasard.

Wyl sentit la pointe inquisitrice sous le propos.

— Oui, effectivement. Du coup, vous pouvez peut-être m'aider. Je suis venu à Yentro à la recherche d'une certaine veuve Ilyk, une vieille femme d'ici. J'ai un message à lui remettre. Vous ne sauriez pas où je peux la trouver ?

— Pas vraiment, mais ça ne fait pas longtemps que je suis ici. J'ai repris la Plume rouge il y a quelques lunes seulement.

Wyl fit un geste de la main pour signifier que la chose était sans importance.

— Je vais chercher ailleurs, ne vous inquiétez pas. Sinon, pour les bains ?

Le tenancier prit le temps de lui faire un descriptif détaillé du chemin à suivre, si bien que finalement Wyl ne fut pas mécontent de pouvoir échapper enfin à son envahissante amabilité. Au moins, ses indications étaient claires. Tout au plaisir incomparable d'un bain chaud qu'il anticipait déjà, Wyl ne remarqua pas l'homme brun qui le suivait à distance.

Bientôt, il put se détendre dans son cuveau d'eau chaude et parfumée. Il avait payé pour un salon privé, préférant ne pas exposer à d'autres ses bleus et contusions. Après s'être savonné les cheveux, il fit tinter une clochette et une jeune femme vint lui verser de l'eau propre sur la tête. L'eau sentait le gardénia ; la brusque sensation de reconnaître ce parfum l'envahit. L'impression était aussi floue qu'entêtante. Il parcourut ses souvenirs sans rien trouver et conclut que la réminiscence venait de Romen Koreldy.

À l'évidence, quelqu'un d'important dans la vie de Romen utilisait ce parfum.

Il mit cette pensée de côté, s'apercevant soudain que la jeune femme attendait qu'il sorte pour le sécher. Wyl s'efforça d'oublier qu'il était nu. Pour sa part, Romen n'aurait pas manqué de se montrer, voire de s'étirer voluptueusement devant elle ; lui trouva déjà le courage de rester immobile pendant qu'elle passait une serviette sur son corps.

— Excusez-moi, messire, mais je vois que vous êtes blessé, dit-elle les yeux écarquillés sur les plus visibles de ses contusions.

— C'est exact, répondit-il sans plus d'explications. Je vais d'ailleurs vous demander de faire très attention à mes côtes.

Elle hocha la tête avec gravité, puis l'invita à s'allonger sur la table, ce qu'il fit avec quelques difficultés. Elle alluma des bougies parfumées et mit un peu d'huile à chauffer. Elle s'en enduisit les mains et entreprit de le masser. Sous la chaleur de l'huile et la douceur des mains, Wyl sentit son corps se détendre. Elle opérait en silence, évitant la zone médiane, mais insistant sur ses reins, ses jambes et ses épaules. Ses doigts étaient à la fois puissants et habiles.

Au bout d'un moment, Wyl s'arracha à la torpeur béate qui le gagnait pour lui parler.

— Je suis à la recherche d'une personne qu'on appelle la veule Ilyk. Vous la connaissez ?

— Non, messire.

La réponse lui parut étrangement rapide.

— C'est dommage. J'ai un message à lui remettre de la part de quelqu'un au sud. J'ai promis à une dame du nom de Thirsk de le lui remettre.

Wyl pensait que si d'aventure la jeune femme connaissait la veuve, le nom de Thirsk pourrait bien être un puissant sésame. Il y eut une pause, comme si elle s'accordait le temps de la réflexion.

— Désolée, messire, je ne peux rien pour vous.

Il ne releva pas, certain désormais que les gens de Yentro connaissaient la veuve Ilyk. Il espérait bien que son instinct ne s'était pas trompé sur le compte de la jeune fille ; bientôt il eut la confirmation qu'il avait vu juste. Il prit le temps d'achever tranquillement sa séance. Après le massage, il plongea dans un bassin d'eau tiède et salée attenant à son salon privé ; une sensation d'énergie renouvelée monta en lui. Il s'habilla et sortit, notant bien vite qu'elle le suivait. Elle attendit qu'ils aient tourné le coin de la rue pour le rejoindre.

— Je connais la nièce de la veuve Ilyk, messire.

— Très bien.

— Je lui ai fait passer un message. La veuve Ilyk accepte de vous rencontrer aujourd'hui.

Il dissimula sa satisfaction.

— Merci, dit-il en lui glissant un duc d'argent.

Les yeux de la fille brillèrent ; elle n'avait probablement jamais eu une telle somme à elle.

— Comment puis-je la trouver ? demanda-t-il.

— Attendez ici. Sa nièce Elspyth va venir vous trouver à cet endroit. Je lui ai fait une description de vous.

Le sourire ravageur de Romen illumina son visage comme un soleil.

— J'espère que vous lui avez dit combien je suis bel homme ?

Malgré son naturel sérieux, elle ne put s'empêcher de rire.

— C'est exactement ce que j'ai dit. Adieu, messire.

— Merci, dit-il, avant d'ajouter d'une voix plus basse : Vous avez des mains très douces.

La masseuse partit en hâte, mais il eut le temps de voir le rouge monter à ses joues.

Lothryn était assez près pour noter lui aussi le trouble de la jeune femme. Il avait également vu l'éclat du duc d'argent ; jamais une masseuse n'était payée aussi cher, à moins qu'elle travaille dans un bordel et prodigue des services très particuliers. L'homme des Montagnes l'observa tandis qu'elle rangeait prestement la pièce – une sacrée somme pour une fille comme elle. Il réfléchit intensément et ses sourcils se rapprochèrent.

« Quelle information as-tu achetée, Koreldy ? » murmura-t-il pour lui-même.

La fille partie, le gibier ne parut pas pressé de s'en aller à son tour ; il restait dans cette rue battue par les vents.

« Donc on attend… », poursuivit Lothryn à mi-voix.

Il se tourna vers ses compagnons, discrètement assis devant une bière. D'un signe, il leur fit comprendre qu'ils attendaient. Ils accusèrent réception d'un hochement de tête imperceptible et regardèrent ailleurs.

Les trois hommes des Montagnes en train de filer Romen Koreldy se fondirent dans le décor. En temps normal, tel n'aurait pas été le cas ; dans leurs tenues habituelles, on les aurait vus de loin, mais les hommes de Cailech avaient pris la précaution de s'habiller de façon plus anodine. Lothryn ne s'illusionnait pas au point de croire que les habitants du nord de Morgravia ne les reconnaissaient pas pour ce qu'ils étaient, mais leurs déguisements permettaient à tous de faire comme s'ils étaient des négociants des monts avoisinants – des contrebandiers illégaux mais en aucun cas des guerriers barbares.

Sur le plan des affaires, la semaine avait été bonne. Le roi serait satisfait et, selon son habitude, il consacrerait l'or rapporté par la vente des étalons élevés dans les Razors à l'achat de denrées pour le Peuple des Montagnes, des semences notamment. Cette fois-ci, papiers et instruments d'écriture figuraient également parmi ses priorités – il avait décidé que les enfants de son royaume devaient avoir le matériel voulu pour apprendre à lire et à écrire. Ses ambitions pour l'avenir étaient grandioses – *Mais après tout pourquoi pas ?* songeait Lothryn. Cailech avait une vision pour son territoire désolé et si quelqu'un pouvait la réaliser, c'était bien lui.

Lothryn avait grandi dans l'amour de Cailech et même s'il ne s'appesantissait jamais sur la question, il savait que ce sentiment était réciproque. Depuis qu'ils avaient commencé à marcher, ils avaient toujours été ensemble et jamais leurs destins ne s'étaient séparés. Aujourd'hui, Cailech régnait. C'était un roi magnifique qui s'était couronné tout seul ; et Lothryn était son second, d'une indéfectible loyauté. Lothryn eut un sourire ; la vie était bonne. Elle pourrait même être parfaite, sans les accrochages incessants causés par le nouveau roi de Morgravia.

En envoyant une troupe d'espions sur le territoire du roi des Montagnes, Celimus avait déjà mené ce qui ressemblait fort à un acte de guerre. Connaissant le tempérament de Cailech, Lothryn avait toutes les raisons de craindre qu'ils n'aillent tout droit vers des temps plus troublés. Déjà, il faisait sienne l'idée selon laquelle ceux de son peuple méritaient de s'emparer des riches terres du sud, pour les cultiver et y élever leurs enfants. C'était un rêve grandiose et audacieux, que Lothryn était loin de partager. Maintes et maintes fois, il avait plaidé pour que le Peuple des Montagnes reste à l'abri dans les Razors. Les terres cultivables y étaient rares mais fertiles, les animaux sains et bien nourris et les gens y vivaient heureux ; mais il savait que Cailech en voulait davantage. Dès son plus jeune âge, il avait toujours vu grand ; et aujourd'hui, il voulait montrer au nouveau souverain de Morgravia ce que c'était que d'être roi. À dire vrai, quitte à s'attaquer aux terres du sud, lui était partisan de prendre d'abord le royaume de Briavel, moins bien défendu, pour encercler Celimus.

Lothryn secoua la tête pour se purger l'esprit de ses pensées guerrières. Tout ce qu'il souhaitait maintenant, c'était repartir dans ses Montagnes, assister à la naissance de son fils. Il reporta ses yeux sur Koreldy qui battait le pavé dans le froid ; l'homme s'était ramolli au sud. Une jeune femme venait à sa rencontre. Lothryn ne l'avait jamais vue auparavant dans Yentro, mais cela n'avait rien d'étonnant. *Elle est jolie*, se dit-il. *Petite mais charmante.*

« C'est parti… », murmura-t-il.

La belle s'était arrêtée à la hauteur de Romen pour lui parler. Lothryn se tourna vers ses acolytes et hocha la tête. La chasse était lancée.

CHAPITRE 22

Elspyth arriva dans le dos de l'homme qu'on lui avait décrit. Elle l'avait observé quelques instants, se demandant ce qu'il pouvait bien vouloir à sa tante. Son histoire était une fable, elle en avait la certitude. Pourtant, sa tante avait reconnu le nom de Thirsk – à dire vrai, elle avait même été effrayée de l'entendre – et avait accepté de rencontrer l'homme. Elspyth n'aurait su dire d'où lui venait son mauvais pressentiment.

Sa tante venait juste de rentrer à Yentro ; elle était faible et fragile. Elspyth, elle, était fatiguée – épuisée par la foire qui s'achevait et lasse de la vie sur les routes. Elle adorait le nord et la ville paraissait avoir doublé de volume pendant leur absence. Elle doutait qu'au sud on sache combien cette région se développait ; en revanche, elle était sûre de vouloir être ici pour en profiter. Elle aimait leur chaumière dans les collines et se satisfaisait de sa vie solitaire, même si elle rêvait de fonder un jour une famille.

Pourquoi ai-je le sentiment que cet étranger nous apporte des ennuis ? se disait-elle en approchant.

— Koreldy ? demanda-t-elle.

L'homme se retourna pour baisser son regard amusé sur elle. Son amie ne lui avait décidément pas menti ; Elspyth voyait combien il était à l'aise au contact des femmes.

— Vous êtes la nièce, demanda-t-il avec affabilité.

Elle hocha la tête.

— Merci d'être venue, ajouta-t-il en saluant d'une courbette.

Elspyth n'était toutefois pas disposée à le laisser user de son charme sur elle.

— Suivez-moi !

— C'est loin ? demanda-t-il tandis qu'elle s'éloignait déjà d'un pas vif.

— Pourquoi ? Vous avez une jambe de bois ?

Elle n'avait nullement l'intention d'être impolie, mais ce sourire qu'il affichait à tout bout de champ lui tapait sur les nerfs.

Il n'en prit pas ombrage et rit, au contraire.

— Non, mes jambes vont bien. Mais je suis tout de même blessé.

D'une mimique interrogative, elle l'invita à donner quelques explications.

— J'ai été attaqué par des malandrins qui m'ont rossé. J'ai quelques côtes cassées.

— Nous habitons dans les collines.

Voilà qui n'éclairait guère Wyl, mais il s'abstint de protester.

— Je m'en sortirai.

Ils marchèrent en direction du nord jusqu'à l'extérieur de la ville, puis mirent cap à l'est. Wyl regrettait de n'avoir pas sur lui au moins ses couteaux ; il n'avait vraiment pas pensé en quittant sa chambre qu'il s'éloignerait de la ville peu après. La dénommée Elspyth trottinait devant, mais la longue foulée de Romen lui permettait de rester au contact. Il mit à profit d'être derrière elle pour admirer la courbe de ses reins et leur délicat balancement. Finalement, il la rattrapa.

— Encore un quart de lieue, prévint-elle.

— Ça fait longtemps que vous êtes rentrées chez vous à Yentro ?

Il avait posé cette question pour faire la conversation, mais il vit tout de suite que c'était une erreur.

— Comment pouvez-vous savoir que nous étions parties ?

Oui, comment Romen pourrait-il le savoir ? Idiot !

—Euh… j'ai vu votre tante au tournoi royal à Pearlis.

—Ah ?

—Elle a rencontré un ami à moi, ajouta-t-il en espérant que cette explication suffirait.

—Ma tante est devenue souffrante le soir du tournoi. Nous nous sommes mises en route le lendemain.

—La campagne est magnifique par ici, dit Wyl dans un effort pour réorienter la conversation. Je comprends que vous ayez eu hâte de rentrer chez vous.

—Vraiment ?

—Personnellement, je n'aime pas trop les villes non plus.

Il eut l'impression de parler sincèrement pour la première fois depuis bien longtemps.

Elspyth demeura silencieuse et Wyl commença à ressentir la douleur au côté.

—Qu'est-ce que c'est ? demanda-t-elle en revenant vers lui.

Il s'était arrêté pour boire une rasade d'un petit flacon tiré de sa poche.

—Quelque chose pour calmer la douleur, répondit-il en grimaçant tandis que le goût infect se répandait dans sa bouche et sa gorge.

Les sourcils de la jeune femme s'arquèrent.

—Vous avez mal à ce point-là ?

Il confirma d'un hochement de tête.

—Vous permettez que je voie ? demanda-t-elle en tendant la main vers le flacon.

Wyl le lui remit et elle le passa sous son nez.

—C'est fort. J'ai autre chose à vous proposer. Moins agressif pour l'estomac. Si vous voulez essayer.

Il la remercia volontiers. Ses yeux venaient d'apercevoir un toit de chaume dissimulé derrière un petit tertre et quelques grands arbres. Shar semblait décidé à lui sourire ; ils étaient arrivés. Elspyth le fit passer de la brillante lueur du dehors à la pénombre à l'intérieur.

— Je ne serai pas longue, dit-elle en désignant de la main une table et des chaises méticuleusement briquées.

Elle disparut dans un petit couloir menant vers l'arrière de la bâtisse, pour revenir quelques instants plus tard.

— Ma tante va vous recevoir.

Wyl remarqua à cet instant qu'il retenait sa respiration. Tendu comme un arc, il suivit Elspyth dans la chambre, encore plus sombre que la maison. L'odeur familière de l'encens lui rappela la tente de la diseuse de bonne aventure à Pearlis.

— Bienvenue, dit la vieille femme d'une voix brisée.

Wyl fit une courte révérence, par courtoisie et déférence ; la veuve Ilyk était aveugle. Toutefois, il avait le sentiment qu'elle était capable de déceler et apprécier ses bonnes manières.

— Elspyth, ma douce, irais-tu nous chercher du vin s'il te plaît ?

En quittant la pièce, la nièce lança à Wyl un regard qu'il interpréta comme une supplique de ne pas trop la fatiguer. Le vin devait être l'excuse habituelle de sa tante pour demander qu'elle la laisse seule.

— C'est aimable à vous de me recevoir, dit Wyl.

La vieille femme se balança doucement ; ses yeux blancs regardaient au loin derrière Wyl.

— Je ne connais pas le nom de Romen Koreldy, mais celui de Wyl Thirsk m'est familier. Cet homme avait une aura.

Wyl sentit un frisson lui parcourir l'échine. La veuve Ilyk avait décidément un vrai talent.

— Et moi, je n'ai pas d'aura ?

— Pas que je puisse déceler, répondit-elle avec un petit sourire. D'où venez-vous ?

— De Grenadyne. Du moins, à l'origine…

— Oui, j'entends une petite pointe d'accent. Une belle voix appartenant à un bel homme, à ce qu'on m'a dit.

Son sourire s'accentuait.

—Tout est dans l'œil de celle qui regarde, répondit galamment Wyl.

—Vous avez fait du chemin pour me voir. En quoi puis-je vous aider ?

—Prenez mes mains, suggéra Wyl.

—Pourquoi ?

—C'est bien ce que vous faites habituellement, non ?

—Parfois oui. D'autres fois, j'écoute.

—Et qu'écoutez-vous ?

—Oh, les voix tout autour, l'aura qui vous entoure… Vous êtes tout près maintenant, non ?

—Prenez mes mains, s'il vous plaît.

—Si cela vous fait plaisir, dit-elle en tendant les siennes. J'imagine que…

Elle ne put aller plus loin. Dès que leurs mains se touchèrent, les mots rentrèrent dans sa gorge et elle ne put rien émettre d'autre qu'un hoquet de terreur.

—Veuve Ilyk ?

Elle tremblait. Sous ses doigts, il sentait la peur courir en elle ; sur son corps maigre, ses vêtements s'agitaient comme un linceul dans le vent. Ses lèvres bougèrent, mais aucun son ne sortait.

—Veuve Ilyk ? répéta-t-il plus fort.

—C'est vous, Wyl Thirsk, murmura-t-elle dans ce qui n'était guère plus qu'un souffle. C'est arrivé.

Il éprouva un intense sentiment de soulagement.

—Vous vous souvenez ?

Il y avait comme une note de tristesse dans sa voix.

—Je ne pourrai jamais vous oublier. Quand est-ce arrivé ?

Wyl lui raconta tout ce qui s'était passé.

—Une malédiction ou un don, Wyl Thirsk ? demanda-t-elle.

— Je ne sais pas. Cela m'a sauvé la vie, mais a pris celle d'un autre.

— Lui aurait pris la vôtre.

— C'est vrai. Mais c'était un homme bon, du moins me semble-t-il.

— Vous en ferez un homme meilleur, dit-elle pour le réconforter. Vous êtes venu me poser des questions ?

— Oui.

— Je vous répondrai de mon mieux, mais je ne sais pas grand-chose.

Il hocha la tête.

— Êtes-vous une sorcière ?

Elle eut un petit rire.

— Non, mon fils. Je ne maîtrise pas la magie. Je vois seulement des choses.

— Donc vous trompez délibérément vos clients.

La vieille femme haussa les épaules.

— Je ne pouvais pas me permettre de dire la vérité. Vous avez vu vous-même ce qu'on faisait subir à ceux qu'on soupçonnait de maîtriser la magie. Shar merci, ces temps-là sont révolus, mais je trouve toujours plus simple de cacher mes talents que de les afficher. Si les gens pensaient que je peux effectivement lire dans leurs vies, je crois qu'ils auraient peur de ce que je pourrais leur dire. Ils préfèrent de loin croire que la bonne aventure n'est qu'un amusement sans conséquence.

— D'accord. Maintenant, dites-moi ce qu'est le Souffle, le Dernier Souffle ?

La veuve poussa un profond soupir. Elle se redressa sur sa chaise et relâcha ses mains.

— Ce n'est pas facile à expliquer. Je ne peux pas vous donner une réponse telle que vous l'attendez. Tout ce que je peux vous dire, c'est que le Souffle n'éprouve rien, ni remords ni empathie... Et que vous n'avez aucun contrôle dessus.

— Je peux m'en débarrasser ?

— Non.

— Je vais donc être Romen Koreldy pour le reste de mon existence, murmura-t-il.

Ce n'était pas une question. Le chagrin s'abattait sur son âme ; et pourtant, au fond de lui, il l'avait toujours su.

— Je n'ai pas les connaissances voulues pour confirmer ou infirmer, dit-elle tristement.

Wyl se leva pour arpenter la chambre à grands pas. Il ne savait que dire.

— Elspyth ! appela la veuve. Apporte le vin, ma douce.

La jeune femme entra avec un plateau. Après avoir servi, elle se retira silencieusement.

— Buvez ! Cela va vous aider.

Wyl s'exécuta. Il avait envie de sentir se répandre en lui la douce chaleur du vin doux. Elle avait raison ; il se sentit mieux.

— Pourquoi Myrren m'a-t-elle fait ça ?

— J'imagine qu'elle a vu quelque chose en vous, Wyl. Un besoin ? Un élan particulier ? Qui sait ? Peut-être même attendait-elle quelque chose de vous... quelque chose qu'elle voulait que vous fassiez.

— Tout ça pour une gorgée d'eau, dit-il en riant tristement sur son sort.

— Il y a sûrement autre chose, mais quoi ? Je ne sais pas.

Wyl avala deux nouvelles gorgées. En se mêlant à la potion qu'il avait prise, le vin lui faisait la tête légère. Il se rassit.

— Que pouvez-vous me dire sur le chien ?

Elle arrondit sa bouche comme s'ils étaient sur le point de pénétrer un territoire sacré.

— Lui... il est très puissant.

— Il est enchanté ? demanda-t-il comme s'il s'agissait de la plus raisonnable des hypothèses.

— Pas en lui-même.

— C'est-à-dire ?

— Il est un gué par lequel passe la magie.

Wyl n'était pas sûr de comprendre, mais il poursuivit néanmoins.

— Quoi d'autre ?

— Gardez-le près de vous. Je vous l'ai déjà dit d'ailleurs. Et ça reste vrai aujourd'hui.

— Et le garçon ?

— Étrange.

— C'est un garçon étrange ? s'étonna Wyl à haute voix.

— Non, c'est étrange que je ne parvienne pas à le lire. Un enfant complexe avec une âme d'éveillé. Il est très réceptif à la magie, même s'il ne le sait pas encore. C'est pour cette raison que le chien noir l'a choisi. Faites confiance au garçon, écoutez-le. Il commence à comprendre le chien – et à vous comprendre.

Elle paraissait être en train de sombrer dans la transe, mais Wyl insista. Il était effrayé, mais tout autant déterminé à tirer jusqu'à la plus petite parcelle d'information possible.

— Ma sœur…

— … est en grand danger. Vous pensez l'avoir cachée, mais il la trouvera.

Wyl n'en croyait pas ses oreilles. Comment pouvait-elle savoir ces choses ? Une vague de violence monta en lui. Il avait envie de hurler contre les murs, contre la vieille, contre cette horrible chaumière où ils étaient. Ylena était en sûreté… en sûreté avec frère Jakub.

La voix de la veuve Ilyk s'était soudain faite plus lointaine.

— Jakub ne peut pas la protéger, ni même se protéger lui-même, débita-t-elle d'un ton monocorde. Quant à l'autre femme – la reine –, elle est forte mais son royaume est faible. Elle est vulnérable.

Ce n'était pas une révélation pour Wyl, mais le fait de l'entendre le dire l'effrayait au plus profond de lui-même.

— Ne parlez jamais de ça à quiconque !

— Je ne suis qu'une saltimbanque de foire, dit la veuve Ilyk de retour de ce côté-ci de la réalité. Personne ne prend au sérieux ce que je dis.

— Est-ce qu'il y a quelqu'un qui pourrait m'aider ? demanda-t-il avec du désespoir dans la voix.

— Cherchez le père de Myrren !

La voix de la vieille sonnait soudain plus dure et plus grave.

— Le médecin ?

— Non ! Ce n'était pas son vrai père, dit la veuve avec colère. Cherchez le sorcier !

Wyl sentit son monde vaciller ; cela faisait vraiment beaucoup. Il était sur le point de lui demander d'autres renseignements sur ce mystérieux « père » lorsqu'elle se mit à hurler.

— Wyl ! Attention au barbare ! Il sait pour toi. Il vient. Il vient pour toi ! Pour toi !

Sa voix s'éteignit et elle s'écroula sans connaissance.

— Elspyth ! appela Wyl.

La jeune femme se précipita dans la chambre. Penchée sur sa tante, elle souleva l'une de ses paupières, puis frictionna ses mains glacées.

— Elle m'interdit toujours d'assister à ces séances, mais regardez quel bien ça lui fait ! Elle n'a plus de forces. Ça va la tuer. Vite, passez-moi la couverture... Elle est gelée.

Wyl fit ce qu'on lui demandait ; ils emmaillotèrent le petit corps de la vieille femme dans un épais plaid de laine.

— Elle va s'en tirer ?

— J'espère bien. Mais elle a été trop loin cette fois – elle a voulu voir trop de choses. Maintenant, elle va dormir pendant des heures... Elle ne vous donnera plus rien, ajouta-t-elle.

Son ton paraissait le défier.

Wyl déglutit. La veuve lui avait déjà donné beaucoup ; rien de bien plaisant.

— Elle voit. Elle a vraiment un don, dit-il en agitant la tête.

La pauvre petite chose recroquevillée sur le lit sous un monceau de couvertures ne cessait de l'étonner.

— Si vous en parlez à quiconque en dehors de cette maison, je viendrai vous punir moi-même, Koreldy, murmura Elspyth. N'oubliez pas que c'est vous qui êtes venu la chercher.

Il se sentit soudain pris de vertige.

— Je n'aurais pas dû boire ce vin après ma potion, dit-il en cherchant à tâtons quelque chose pour s'appuyer.

Elspyth l'attrapa par le bras.

— Sortons prendre l'air, proposa-t-elle, pressée qu'il s'en aille.

À l'instant où ils passaient au-dehors, sous un ciel crépusculaire de fin d'après-midi, le monde de Wyl devint tout noir pour la deuxième fois en trop peu de jours. Le bâton le heurta si fort qu'il n'eut même pas le temps de réagir – ni celui d'entendre Elspyth se mettre à hurler. Mais cela ne dura pas ; un coup de poing à la mâchoire précisément ajusté stoppa net le cri dans sa gorge. Inconsciente, elle s'écroula à côté du corps tassé en chien de fusil de Romen Koreldy.

— On les emmène tous les deux, dit Lothryn qui regrettait déjà que son compagnon ait frappé la jeune femme. On part immédiatement pour la forteresse.

Chapitre 23

Celimus était fatigué de la fille et de ses manières serviles ; et fatigué aussi des sourires et courbettes entendus de ses parents. Croyaient-ils qu'il allait s'embarrasser de leur fille pour l'éternité ? *Imbéciles !* Elle n'était rien d'autre qu'une distraction ; mais le plaisir de la nouveauté s'en était allé.

Il la repoussa.

— Laisse-moi ! ordonna-t-il sans tenir compte le moins du monde de sa moue boudeuse.

» Maintenant ! hurla-t-il ensuite comme elle ne partait pas assez vite.

Il eut l'intense satisfaction de voir la frayeur passer sur son visage, tandis qu'elle ramassait ses affaires à toute allure.

Sur ces entrefaites, Jessom s'annonça ; c'était l'homme qui occupait la toute nouvelle position de chancelier de Stoneheart. Âgé d'une quarantaine d'années, il était venu, quelques semaines auparavant, présenter ses lettres de recommandation au roi. Celimus n'avait que faire de ses antécédents professionnels – au demeurant suspects ; seule comptait sa volonté à le servir. Sur ce plan-là, Jessom avait démontré l'étendue de sa ruse et son goût de l'intrigue ; il était donc parfait pour Celimus.

— Dois-je faire renvoyer ses affaires à sa famille, Sire ? demanda Jessom en posant un petit plateau de pâtisseries accompagnées d'un jus de parillion – les douceurs préférées du roi.

Le verre de jus était frappé ; exactement comme il aimait.

— J'ai pris la liberté d'annoncer que je vous apportais votre petit déjeuner moi-même, poursuivit Jessom en ouvrant en grand les doubles rideaux de la chambre.

Celimus était charmé ; Jessom avait rapidement et parfaitement compris ce qu'il attendait de lui.

— Renvoyez donc ses affaires : elle devient pénible. Ah, et elle n'est plus autorisée à paraître ici.

— Il en sera fait selon vos désirs, Sire. Je serai dans votre cabinet de travail, dit le chancelier en se dirigeant vers la porte.

— Non, attendez. Dites-moi, quelles nouvelles avons-nous de Briavel ? demanda Celimus, escomptant à l'avance qu'il n'y en aurait pas.

Celimus se leva et Jessom lui tendit sa robe de chambre.

— Rien de neuf, Majesté. Notre deuxième messager est rentré avec les mêmes mots de courtoisie. Sa Majesté la reine Valentyna remercie Sa Majesté le roi Celimus – et bla, bla, bla…

Celimus eut un petit rire. Jessom était décidément l'homme parfait – il savait quand se permettre des libertés et quand jouer les courtisans rampants.

— Quel est son plan d'après vous, Jessom ?

— Je ne vous livre que mon opinion, Sire, mais je pense qu'elle veut vous mettre aux abois.

— Mes propositions sont si détestables que ça ?

— Absolument, Sire, répondit Jessom en tendant au roi son verre de jus de parillion.

Celimus s'approcha de la fenêtre et but une gorgée.

— Pourquoi cela ? Elle ne m'a vu qu'une seule fois et elle n'était encore qu'une gamine.

— Je subodore que feu le général pourrait ne pas être étranger à son attitude, Sire.

— Non, je n'en crois rien. D'après mes sources, Thirsk avait obtenu l'accord de son père.

— Mais il n'avait pas obtenu celui de Valentyna.

— Parce qu'il n'a pas eu l'occasion de lui en parler, objecta Celimus.

— Il aurait peut-être dû effectivement, dit Jessom en présentant gracieusement le plateau de pâtisseries.

D'un signe de la main, Celimus déclina.

— C'est vrai. Mais là n'est pas la question, n'est-ce pas ?

Jessom haussa les épaules et Celimus comprit qu'il avait plus à dire, mais qu'il retenait sa langue.

— Parlez librement, invita Celimus.

— Eh bien, cette jeune femme est reine désormais et elle n'a personne pour la conseiller – ni père, ni mari, ni aucun parent. Elle règne seule dans son royaume, sans personne pour la contester. J'irais jusqu'à dire qu'elle pourrait bien aller jusqu'à choisir elle-même celui qu'elle veut comme soupirant.

— Mais elle ne me connaît pas, protesta Celimus d'une voix chevrotante.

— C'est exactement ce que je voulais dire, Sire.

Le propos était délibérément sibyllin. Jessom remit délicatement un bibelot à sa place ; il attendait la question qui ne pouvait pas manquer de venir.

Celimus savait que son serviteur attendait. Il pensa qu'il accordait une bien grande valeur aux avis de Jessom depuis quelque temps et regretta d'être devenu si dépendant.

— Expliquez-vous, Jessom. Que voulez-vous dire ?

— Uniquement ceci, Sire. Peut-être l'heure est-elle venue de ne plus vous en remettre à des messagers. Allez en Briavel en personne, Majesté. Montrez-vous à elle. Une femme doit être courtisée. Faites-lui penser qu'elle est particulière à vos yeux. Qu'elle est désirée… aimée…

Jessom s'était échauffé en parlant ; il était maintenant le maître s'adressant à l'élève.

— Ce n'est pas une fille que vous voulez mettre dans votre lit. Elle est votre égale. Elle est la souveraine du royaume que vous voulez conquérir. Pour ce faire, vous devez y aller directement et en personne. Je mets au défi n'importe quelle femme de rester insensible à votre allure et votre charme. Alors utilisez-les à bon escient. Si vous voulez que Valentyna vous épouse, demandez-le-lui. Tentez-la avec de belles paroles et des présents somptueux. Apportez toute la grandeur et la pompe de Morgravia en Briavel. Faites qu'elle voie votre grandeur et comprenne tout ce que son royaume a à gagner d'une union avec le vôtre.

Il marqua une petite pause, le temps de reprendre sa respiration.

— Elle veut la paix, Majesté, reprit-il. Vous pouvez en être sûr. Je pense que Valentyna sait déjà parfaitement que vous seul pouvez la lui garantir. Elle joue les vierges effarouchées ? Alors faites-lui la cour comme il se doit.

Celimus était soufflé. Il scrutait attentivement son chancelier : Jessom avait raison. Le temps des missives et des messagers était révolu ; lui, roi de Morgravia, devait passer à l'action.

— Les nouvelles en provenance du nord indiquent que Ceux des Montagnes sont de plus en plus puissants, Sire. Je dirais que Cailech se prépare à sortir des Razors pour un premier raid.

— Vous croyez vraiment ?

Jessom hocha la tête. Celimus savait qu'une telle éventualité pouvait arriver. Outre les rapports des troupes stationnées sur les frontières du nord sous le commandement du duc de Felrawthy, son propre père l'avait mis en garde contre ce risque. Quelques semaines avant sa mort, Magnus lui avait fermement conseillé de ne plus voir Briavel comme une priorité.

« Il y a une nouvelle menace, avait dit le vieux souverain. Cailech commence à s'agiter dans sa forteresse des montagnes. »

Bien sûr, Celimus savait tout cela depuis longtemps, mais il lui convenait de faire croire à son père qu'il ne comprenait rien à la situation politique entre Morgravia et ses voisins. En vérité, il enrageait à la simple pensée que Cailech ait des rêves d'empire. Un barbare ! Et puis quoi encore ?

Pire, la facilité avec laquelle Cailech et ses Montagnards déboulaient en Morgravia pour en repartir indemnes le mettait hors de lui. La mission confiée à Gueryn visait notamment à découvrir les chemins que Ceux des Montagnes empruntaient pour leurs raids – un travail dangereux, promis à l'échec presque à coup sûr. En fait, l'intention de Celimus était bel et bien que Gueryn et sa troupe se fassent prendre. Les ordres qu'il avait donnés au duc de Felrawthy – de tuer sans sommation tout Montagnard surpris du mauvais côté de la frontière, quelle qu'en soit la raison – visaient eux aussi délibérément à attiser la colère du roi des Montagnes. Felrawthy et la légion s'étaient refusés à massacrer des femmes et des enfants innocents, aussi Celimus avait-il embauché des mercenaires pour procéder aux exécutions publiques.

En apprenant quel traitement cruel on infligeait aux siens, Cailech ne pouvait manquer de faire de même à tout natif de Morgravia surpris dans les Razors. Tout s'était déroulé selon les plans et Celimus avait même eu un frisson de bonheur en apprenant que Gueryn et ses espions avaient été capturés et certainement transformés en charognes pour les loups des montagnes. Une autre idée fascinait Celimus : s'il était si simple de manipuler la fureur de Cailech, en tuant par exemple quelques catins et quelques mioches, comme il allait être aisé de le faire partir en guerre contre Morgravia ; ou, mieux, Briavel.

Son esprit matois commençait à jouer avec cette idée. S'il parvenait à ses fins, il pourrait faire en sorte que Morgravia vienne à la rescousse de Briavel ; Valentyna lui serait alors immensément redevable. Celimus ne doutait pas un instant que la légion serait capable de repousser n'importe quelle armée que Cailech pourrait lever, pour ne rien dire de Briavel toujours aussi faible aujourd'hui. Ainsi, il aurait réduit deux monarques d'un seul coup, s'épargnant même la nécessité d'un mariage. Pour autant, cela ne pouvait pas nuire de prévoir d'autres solutions ; il allait donc poursuivre assidûment dans le sens d'une union avec Briavel.

Un discret raclement de gorge de Jessom le tira de ses complots.

— Je vais faire une visite d'État en Briavel, dit-il d'un ton résolu. Mais inutile de terrifier la reine, j'irai sans la légion. Ce sera une visite moins formelle et comme ça nous en profiterons pour accentuer la pression sur les frontières du nord.

Jessom hocha la tête et Celimus se haït de se sentir fier de son assentiment.

— C'est une sage décision que vous prenez, Sire, dit Jessom. Souhaitez-vous que je m'occupe des préparatifs pour partir en Briavel ?

Celimus se sentit heureux de retrouver sa place.

— Oui, faites, ordonna-t-il. Et tenez-moi informé. Je veux partir dès que possible.

— Quelques jours seront nécessaires, Sire.

— Ce qu'il faudra, dit le roi en faisant un petit geste de la main pour indiquer que ces détails n'étaient que peccadilles à ses yeux.

Comme Jessom faisait une courte révérence avant de se retirer, on frappa à la porte. C'était l'un des innombrables secrétaires du roi. L'homme glissa quelques mots à l'oreille de Jessom, qui referma ensuite la porte.

— Un paquet à votre intention a été laissé à la porte principale du château, Sire.

— Eh bien ? Faites-le venir, qu'attendez-vous ?

— Apparemment, c'est un peu effrayant, Majesté. La garde préférait que je vous prévienne avant.

— Effrayant ?

— C'est une boîte contenant une tête, si j'ai bien compris, expliqua Jessom avec la même aisance que quelqu'un parlant d'une boîte de friandises.

— La tête de qui ? interrogea Celimus tout en retirant sa robe de chambre pour s'habiller.

— Je ne saurais vous dire, Majesté.

Celimus fit une moue dubitative ; il réfléchissait intensément.

— Je veux voir cette tête.

— Comme vous le souhaitez, Sire. Je vous accompagne.

On apporta la boîte dans le jardin privé du roi, dont Magnus avait tant pris soin. Celimus, lui, n'en avait cure, mais connaissant l'importance des apparences, il avait chargé toute une armada de jardiniers de s'en occuper.

Nerveux et gêné, un officier parmi les plus anciens de la garde de Stoneheart vint poser la boîte devant le roi.

— Qui ? demanda Celimus.

L'officier passa un bout de langue sur ses lèvres sèches.

— Mille excuses, Majesté, mais je ne connais pas cet homme.

— Y a-t-il une lettre avec, ou un message quelconque ? demanda Jessom comme s'il s'adressait à un imbécile.

— Je suis désolé, Majesté, dit le garde en s'adressant intentionnellement au roi plutôt qu'à cet intrigant nouvellement arrivé et déjà unanimement détesté. Nous avons préféré ne plus toucher au colis dès que nous nous sommes rendu compte de ce qu'il contenait.

— Très bien, dit Celimus sans prêter plus attention à cette question. Voyons cette tête alors.

L'homme ouvrit prudemment les sacs pour atteindre le précieux contenu. Puis il sortit la tête de Jerico.

Celimus sentit la rage et la haine le prendre au ventre ; Romen s'était échappé. Et maintenant qu'il savait que

Celimus l'avait trahi, il allait devenir un ennemi mortel. Le roi prit conscience que tous les regards étaient posés sur lui et il se félicita d'avoir maintenu autant que possible le secret sur la présence de Jerico ; même si Jessom en savait sûrement plus long qu'il ne voulait bien le laisser croire.

—Regardez s'il y a un mot ! ordonna le chancelier.

Le garde s'exécuta ; il n'y avait rien.

Celimus prit sur lui pour hausser les épaules avec naturel.

—Et personne n'a une idée de qui il peut bien s'agir ? demanda-t-il à la ronde.

Les deux autres gardes présents secouèrent craintivement la tête.

—Ce malheureux est inconnu de notre roi et de nous tous. Ce doit être une mauvaise farce. Débarrassez-vous de cette tête. Brûlez-la ! ordonna Jessom.

» Majesté, je mènerai personnellement une enquête sur cette insulte qui vous est faite, ajouta-t-il en se tournant vers le roi.

Mais Celimus s'en allait déjà. La colère bouillait en lui ; son jus de parillion caillait dans son estomac. Lorsqu'il se fut suffisamment éloigné, il s'arrêta dans une petite cour.

—Jessom, c'était la tête d'un assassin que j'avais chargé de s'occuper d'un dangereux traître – un certain Romen Koreldy.

Le chancelier avait parfaitement deviné que le roi connaissait celui à qui appartenait cette tête, même si lui-même ne l'avait pas reconnu. C'était ennuyeux, mais il se réjouissait que Celimus le mette dans le secret de ses manigances.

—Sire, n'avez-vous pas déjà mentionné ce nom, Koreldy ?

—Si fait. Il a quitté Stoneheart peu avant que vous arriviez. Je veux qu'il meure, Jessom. Et je vous charge expressément de cette tâche. Embauchez qui vous voulez, payez ce qu'il faut. Tuez-le et vite. Vous vous sentez de taille ?

D'un geste de la main, le chancelier indiqua à son suzerain que c'était là peu de chose.

— Bien sûr, Majesté. Je vais m'en charger. Euh… puis-je me permettre une suggestion, Sire ?

Celimus fronça ses sourcils superbement dessinés.

— Allez-y.

Jessom jeta un coup d'œil furtif alentour.

— Je connais quelqu'un. Un espion d'un tel talent qu'il peut passer inaperçu dans n'importe quel cercle de personnes. Sire, je pense que ce dont Morgravia a besoin… ce dont vous avez besoin, c'est de quelqu'un qui vous tienne informé des allées et venues en Briavel. Ainsi, vous pouvez vous consacrer tout entier à la question du nord, ou à d'autres choses plus proches et plus importantes – telles que ce Koreldy.

— Et qui est cette personne ?

Le chancelier mit son index sur ses lèvres.

— Mieux vaut que je ne vous le dise pas, Majesté. Moins vous en savez, plus la Couronne est protégée. Laissez-moi m'occuper de ça pour vous. Vous ne savez rien de ce qui se trame et vous pouvez l'affirmer en toute sincérité.

Celimus reconnaissait le bien-fondé de ces arguments.

— Et cette personne peut traquer Koreldy si je le lui demande ?

— En partant du principe que ce traître retournera certainement en Briavel pour nous créer des problèmes en cette période de délicates négociations, notre espion nous avertira dès qu'il mettra le pied sur le sol de Briavel.

— Et cet espion, peut-il tuer ?

— Mieux qu'aucun homme sur terre, Sire.

— Eh bien c'est d'accord. Payez-lui ce qu'il demande, ordonna Celimus avant de s'éloigner à grands pas.

Jessom sourit pour lui-même. C'était chose parfaite que le roi pense que l'espion était un homme. *Elle* allait en être enchantée…

Chapitre 24

Elspyth fut la première à reprendre connaissance.

Elle était sur un cheval, solidement attachée au cavalier assis devant elle. La nuit était claire et froide ; elle sut immédiatement qu'elle n'était nulle part près de chez elle. Il n'y avait que dans les Montagnes qu'on trouvait un air si vif. Elle n'avait pas vu les hommes qui les avaient assommés. Elle n'avait pas la moindre idée de ce qui lui valait ce traitement, mais elle sentait confusément que ça n'avait rien à voir avec elle ; tout était la faute de l'étranger du sud. Oui, c'était à cause de Romen Koreldy qu'elle était là, entravée, à se geler sur un cheval qui s'enfonçait toujours plus loin dans le territoire interdit des Razors. Elle pensa à sa tante. Tout lui revenait maintenant – sa transe, puis son sommeil profond. Elle allait dormir toute la nuit et une bonne part de la journée du lendemain. Ensuite, elle serait trop faible pour se lever. Elle aurait faim et très soif ; elle serait épuisée et presque incapable de tenir debout. Elspyth sentit son chagrin se muer en colère.

Comment osaient-ils ? Comment osaient-ils faire irruption chez elle, la frapper, l'attacher et l'emporter au loin comme un animal ? Elle essayait de reconstituer la trame des événements. Pourquoi étaient-ils sortis de la maison, déjà ? Ah oui, l'étranger se sentait mal. Elle s'était dit qu'il allait s'évanouir et qu'elle n'aurait ni le courage ni la force de tirer son corps hors de chez elle ; d'où la proposition d'aller dehors. S'il s'était effondré à l'intérieur, elle aurait eu à s'occuper de lui ; or, elle ne voulait rien avoir à faire avec ce Koreldy.

Elspyth rêvait depuis si longtemps d'avoir un compagnon à ses côtés qu'elle s'était souvent demandé si elle connaîtrait jamais la joie de vivre avec un homme et de dormir avec lui. Pour elle, le mariage n'était pas si important, mais la famille l'était. Elle n'avait que sa tante. Lorsque la vieille femme viendrait à mourir, elle serait seule ; seule dans sa chaumière. Partager sa vie avec une famille à elle, voilà l'idée qu'elle se faisait du bonheur sur terre.

Son amie masseuse lui avait fait une description à couper le souffle de l'homme qui voulait voir sa tante. Mais pour Elspyth, de Koreldy, il n'en était pas question. Oh, il l'avait bien lorgnée avec des yeux charmés, mais elle ne voulait à aucun prix risquer d'avoir le cœur brisé par un enjôleur tel que lui. Elle regarda autour d'elle à la dérobée pour voir où il était – ah oui, en travers du cheval sans cavalier. Elle se demanda s'il avait repris conscience ; probablement pas, avec le coup qu'il avait reçu.

— Si tu es réveillée, tu peux peut-être cesser de t'appuyer sur moi, grogna l'homme devant elle.

Elle se redressa immédiatement.

— Qui êtes-vous ?

— Mon nom est Lothryn.

— Jamais entendu.

— Il n'était pas fait pour que tu l'entendes.

L'homme murmura ensuite quelques mots d'encouragement à son cheval, lui indiquant d'emprunter le plus haut des deux chemins qui allaient se présenter à eux.

— Pourquoi suis-je ici avec vous ? demanda-t-elle.

— Et pourquoi pas ?

— Pourquoi m'avez-vous emmenée contre mon gré ? Nous n'avons aucun compte à régler.

— Ça ne va pas durer si tu continues à geindre comme ça.

— Répondez ! ordonna-t-elle d'un ton furieux.

— J'ai pensé qu'il ne valait mieux pas laisser un témoin derrière nous.

— Vous avez laissé ma tante !

— J'ai pensé qu'elle n'apprécierait pas une chevauchée dans les Montagnes.

— Eh bien moi non plus je n'apprécie pas !

Il rit et ne dit rien de plus. Elle aperçut alors deux autres cavaliers qui les accompagnaient. Tous étaient des hommes solidement bâtis ; les chances de s'échapper paraissaient bien maigres. Néanmoins, c'était Koreldy qu'ils voulaient, pas elle.

Elle tenta une approche conciliatrice.

— Pourquoi ne pas me laisser partir ? C'est lui que vous voulez, non ?

Il demeura silencieux.

— Je n'ai pas d'argent, pas de richesse. Je n'ai rien qui puisse vous intéresser en quoi que ce soit.

À ces mots, Lothryn fut secoué d'un rire joyeux.

— Je crois bien que Myrt là-bas n'est pas tout à fait du même avis.

Ce fut au tour d'Elspyth de se taire. Elle n'avait pas envisagé que les choses prennent cette tournure. Quelle bécasse ! Trois hommes seuls ; des Montagnards qui plus est. Comment n'y avait-elle pas pensé ? Et qui s'en soucierait ? Soudain, Romen Koreldy apparaissait comme le seul ami qu'elle avait.

Lothryn parut lire dans ses pensées.

— Rassure-toi, personne ne te touchera. Du moins, pas pour l'instant.

— Et jusqu'à quand ? osa-t-elle demander.

— Jusqu'à ce que Cailech l'autorise.

Elspyth fut tétanisée. Cailech ! Le roi de la Horde des Montagnes. Tant d'histoires couraient sur son compte qu'elle avait toujours pensé qu'il n'était qu'une légende. Personne à Yentro ne l'avait jamais vu ; et d'ailleurs comment sauraient-ils qu'ils l'avaient vu ? Un nombre toujours croissant de Montagnards se jouait des patrouilles de la légion pour passer dans les villes frontières. Elle-même en avait vu entrer et sortir impunément de Yentro. Comme ils restaient entre eux et ne causaient pas d'ennuis, les gens de Yentro finissaient par s'accoutumer. Il aurait été abusif de dire que la confiance régnait, mais leur or était volontiers accepté sur les marchés et dans les tavernes. Commercer était leur unique but – vendre leurs peaux et fourrures, leur artisanat et leurs bijoux.

Pour ce qu'elle savait, Cailech pouvait très bien visiter discrètement une ville frontière sans que quiconque sache qu'il était là.

Comme elle supposait juste en cet instant.

— Pardonnez-moi, dit-elle, intriguée malgré sa situation périlleuse. Je ne pensais pas qu'il existait vraiment.

— Oh si, il existe. Tu peux me faire confiance, répondit Lothryn avec un reniflement.

Wyl en avait plus qu'assez d'être assommé. Cette fois-ci, il dissimulait délibérément le fait qu'il avait repris conscience. Il faisait nuit et très froid. Il était allongé au sol, près d'un petit feu, mais ses mains et ses jambes étaient entravées. Il voyait Elspyth en train de boire quelque chose, perdue dans ses pensées, les yeux plongés au cœur des flammes. Il entendait des hommes parler non loin, mais sans pouvoir les voir. Il se demandait combien ils pouvaient être.

Conscient qu'il ne pourrait plus guère collecter d'autres informations depuis sa position, il roula sur lui-même.

Elspyth releva la tête.

— Enfin.

— Ma tête me fait un mal de chien.

Il sentit une lame se poser sur sa nuque.

— Je n'ai pas la force d'aller où que ce soit, ajouta-t-il et la pression de l'épée disparut.

On le saisit par les bras pour l'asseoir. Son esprit était tout embrumé.

— Buvez ça, dit Elspyth en lui tendant une tasse. Ah, et je vous présente Lothryn.

Wyl battit des paupières pour chasser le brouillard qui dansait devant ses yeux ; face à lui se tenait un homme au torse large comme une barrique, dont la silhouette lui disait quelque chose. Lothryn lui souriait.

— Désolé pour le coup de bâton, mais j'ai pensé que tu ne viendrais pas sans ça.

— Tu aurais quand même pu essayer de demander, répliqua Wyl.

— C'est vrai, j'aurais pu, concéda Lothryn en hochant la tête.

— Pourquoi avoir emmené la fille ?

— Apparemment, ils ne voulaient pas laisser de témoins, expliqua Elspyth.

Wyl pensa à la veuve Ilyk ; il savait qu'Elspyth allait s'inquiéter pour elle.

— Laissez-la partir.

— Ce n'est plus possible, expliqua Lothryn. On n'a pas de cheval à lui donner et c'est trop loin et trop dangereux pour rentrer à pied – on ne peut quand même pas la laisser se perdre pour mourir dans les Montagnes, non ?

— En revanche, dans la forteresse ce sera possible, je suppose.

Wyl arracha un sourire au colosse.

— Ravi de voir que tu n'as pas perdu ton sens de l'humour, Romen, dit Lothryn.

— Vous le connaissez ? s'exclama Elspyth. Vraiment touchantes, vos retrouvailles ! aboya-t-elle.

Sa remarque acerbe fit de nouveau sourire Lothryn, ce qui porta la fureur de la jeune femme à son comble.

Wyl passa son esprit au crible, à la recherche d'un détail

dans les souvenirs de Romen ; en vain. L'homme lui était indubitablement familier, mais rien de concret ne remontait à la surface. L'évocation de la forteresse faisait également naître en lui un mauvais pressentiment. Wyl ne parvenait pas à cerner la raison pour laquelle il éprouvait soudainement un sentiment de terreur. Romen lui avait pourtant donné à penser que Cailech et lui étaient plus ou moins en bons termes.

L'expression sur le visage d'Elspyth était aussi ardente que les flammes du feu qui l'éclairait.

— Mon cas n'intéresse personne, alors laissez-moi partir. Je m'occuperai de survivre toute seule, merci. Les Montagnes ne m'effraient pas.

— Elles devraient, pourtant, répondit Lothryn. Elles tuent sans remords.

L'avertissement ne la dissuada pas le moins du monde.

— C'est lui que vous voulez, dit-elle en désignant Wyl du menton, pas moi. Il faut que je rentre pour m'occuper de ma tante.

Lothryn secoua tristement la tête.

— Myrt est allé la voir : elle était mourante. Elle est probablement morte à l'heure qu'il est.

Les mots lui firent l'effet d'une gifle.

— Vous mentez ! cracha-t-elle.

Il ne répondit pas, se contentant de maintenir son regard sombre sur elle. Elle sentait qu'ils éprouvaient de la compassion et elle détestait ça. Elspyth jeta le contenu de sa tasse dans les flammes, puis quitta le cercle du feu. Elle n'allait pas leur offrir le spectacle de ses larmes. Myrt la suivit comme un gros chien obéissant.

— Pourquoi suis-je ici ? demanda Wyl.

Lothryn lui lança un regard empli de surprise.

— Tu pensais vraiment qu'il allait nous laisser te croiser sans te ramener ? C'était vraiment stupide de ta part de revenir dans le nord, Romen.

Wyl ressentit de nouveau la peur s'insinuer en lui. De quoi parlait-il ? De Cailech, forcément.

— Alors Cailech a ordonné qu'on me capture ?

Wyl se maudissait d'être ainsi perdu.

Lothryn confirma d'un signe de tête.

— Et où est-on maintenant ?

— Ça fait deux jours que tu n'as pas repris connaissance. Tu étais drogué. Nous atteindrons la Caverne demain. Et maintenant, mange – on t'a gardé quelque chose.

Deux jours. En ajoutant les deux jours de voyage jusqu'à Yentro, Wyl supposa que la tête de Jerico avait dû parvenir à Celimus. Il sourit pour lui-même, même si au fond sa situation ne lui offrait guère de satisfaction. Son détour dans les Montagnes risquait fort de coûter son royaume à Valentyna. Il fallait qu'il s'échappe – et vite. Ils lui détachèrent une main pour lui permettre de manger et de s'étirer. Ensuite, toujours sonné par le coup qui lui avait laissé un véritable œuf de pigeon derrière l'oreille, il sombra dans un sommeil agité.

Le lendemain matin, Elspyth n'articula guère plus de deux mots entre leur réveil et le moment où ils se mirent en route. Elle ruminait toujours ses sombres pensées et Wyl pensa qu'il valait mieux laisser les choses ainsi. Lui-même avait suffisamment à méditer. Et pour commencer, il fallait qu'il obtienne le plus d'informations possible sur Cailech – l'homme qui avait ordonné sa capture.

Le paysage alentour devenait douloureusement familier et Wyl retint son souffle. Il sentait que le voile obscurcissant le passé de Romen était sur le point de se déchirer. Les Razors le faisaient remonter ; chaque pas vers le repaire de Cailech effilochait un peu plus les liens qui retenaient ce secret dans les ténèbres de son esprit.

Jessom attendait patiemment. La taverne de la Vieille Charrue à Sheryngham était un établissement apprécié des négociants qui faisaient la navette entre Morgravia et Briavel. Toujours très fréquenté et plein d'étrangers, c'était l'endroit idéal où la rencontrer. Il commanda à manger, sans prendre la peine de l'attendre. De toute façon, comme à son habitude, elle arriverait sans s'annoncer ; tout à coup, elle serait là, tout simplement. L'assiette de viandes rôties accompagnées d'une purée de panais était absolument délicieuse ; il en commanda une seconde portion, histoire de satisfaire sa faim de loup.

Depuis un certain temps déjà, elle observait l'homme sec et nerveux qui, elle le savait, ne se souciait pas de la guetter. Elle aimait connaître les habitudes des gens ; pourtant épier ses clients comme ses victimes jusque dans leurs manies à table ou dans leur chambre était une pratique dont bien des collègues à elle se seraient gaussés.

Le message qu'avait envoyé Jessom était lapidaire ; il avait certes coutume de donner ses instructions de vive voix, mais elle en avait déduit qu'il avait quelqu'un à faire éliminer plutôt qu'à surveiller. Au demeurant, peu importait ; du moment qu'il y avait de l'or à la clé, elle ne connaissait aucun état d'âme. Malgré elle, elle s'émerveillait des quantités de nourriture qu'un homme si maigre était capable d'engloutir. Après qu'il eut commandé et avalé la moitié de sa deuxième assiette, elle décida qu'il était temps pour elle de prendre contact. Tout en s'assurant discrètement que ses cheveux postiches tenaient bien en place, elle tira sur sa bouffarde puante et s'approcha en traînant les pieds pour s'asseoir à sa table.

Il leva les yeux sans paraître en rien perturbé par ce qu'il avait en face de lui.

— Puis-je vous offrir une pinte de bière ?

Elle hocha la tête.

— Impressionnant, le déguisement ! J'avais bien remarqué le vieillard, mais je me suis dit qu'il était peut-être trop voyant pour que ce soit vous, dit-il pour saluer son talent. J'aimerais vraiment voir à quoi vous ressemblez vraiment.

— Parlons plutôt affaires, coassa-t-elle d'une voix éraillée. Son sourire révélait quelques chicots noirâtres.

Il cligna des yeux, s'essuya les lèvres à l'aide du fin carré de batiste qui ne le quittait jamais, puis repoussa son assiette.

On apporta la pinte de bière et ils levèrent leurs verres.

— Au succès, dit-il.

Elle reposa sa pinte et retira la mousse de ses lèvres d'un coup de langue suffisamment délicat pour ne pas déranger sa fausse barbe ; elle l'avait commandée et fait venir à grands frais de Rostrovo.

— Alors, quel est le travail et qui paie ?

Jessom s'appuya sur ses coudes et vint poser son menton rasé de frais sur ses mains croisées.

— Le plus haut commanditaire qui soit.

— Je vois. Et l'or ?

— À l'endroit habituel. Trois sacs cette fois, ce qui devrait plus que couvrir vos frais.

Il sourit et elle se dit qu'il avait tout l'air d'un vautour. Elle ne lui rendit pas son sourire.

— Laissez-moi juger de cette question, dit-elle de sa voix contrefaite. De qui s'agit-il ?

Jessom se concentra.

— Il s'agit d'un noble de Grenadyne qui a récemment embrassé la carrière de mercenaire. Attention, il est très fort – redoutable à l'épée et soldat avisé. Son nom est Romen Koreldy.

— Et qu'a-t-il fait ?

— Il transporte des informations dangereuses dans sa tête – de celles qui peuvent nuire à la Couronne. Il a également tué le commandant en chef de la légion de Morgravia, le général Wyl Thirsk.

La remarque lui fit hausser un sourcil interrogateur.

— J'ai entendu dire qu'il était mort dans des circonstances douteuses.

— Koreldy a également enlevé une pupille de la Couronne. La sœur de Thirsk a disparu avec lui.

Elle ne chercha pas à en savoir plus sur ce point ; cela ne la concernait pas.

— Quelles sont les instructions ?

— Nous avons des raisons de croire qu'il va passer en Briavel pour entrer en contact avec la reine Valentyna. Je veux que vous guettiez son arrivée et, lorsque l'occasion se présentera, que vous le tuiez.

— Je vais avoir besoin de temps, dit-elle en prenant une nouvelle gorgée de bière. S'il est aussi bon que vous le dites, il va me falloir une autre couverture. Vous allez devoir vous armer de patience.

— Pas de problème. Jusque-là, je n'ai jamais remis en question vos méthodes.

— Jusque-là, vous ne m'avez jamais demandé de tuer pour le compte d'un tiers.

— C'est vrai. Alors, vous vous en chargez ?

— Décrivez-le-moi.

Jessom était lui aussi un observateur de première force. Avant d'obtenir la place qu'il occupait auprès du roi, il avait passé quelque temps à étudier les allées et venues à Pearlis, et en particulier autour de Stoneheart. Il avait assisté à l'arrivée de Romen, puis à son départ en compagnie de Wyl. Bien sûr, personne – pas même le roi – n'était informé de cela.

— Avec pareil sens du détail, vous feriez un excellent espion, dit-elle.

— Merci.

Elle tira une longue bouffée sur sa pipe, avant de laisser s'échapper un long filet de fumée du coin de sa bouche. Il sourit presque de l'incroyable audace de cette femme ; son imitation d'un vieux bonhomme était à s'y méprendre.

— Concernant le paiement…, commença-t-elle.

— Oui ?

— Ce n'est pas assez. Triplez la somme.

— Par Shar ! Vous êtes folle !

— Pas du tout. Il en a les moyens et je parierais qu'il n'a fixé aucune limite.

Jessom examina les yeux de la jeune femme qui l'observaient derrière la broussaille de vieux sourcils gris. Elle était absolument sans rival ; elle valait le prix qu'elle demandait.

— Je vais m'arranger.

— N'essayez pas de reprendre contact avec moi. Je vais disparaître pendant un certain temps.

— Comment saurons-nous si vous avez réussi ?

— Vous saurez quand ce sera fait, dit-elle en se levant lentement comme un vieillard le ferait.

Elle lâcha un pet sonore et se mit à trottiner, ne faisant aucun cas des insultes d'un voisin de table offensé. Sans se retourner une seule fois, elle sortit de l'auberge en claudiquant.

En file indienne, ils engagèrent les chevaux dans le plus étroit des passages qu'on puisse imaginer entre deux rochers ; cette fois-ci, Elspyth était assise devant sur la selle de Lothryn. Soudain, un flot d'émotions submergea Wyl. Il ne parvenait pas à les rattacher à un fait ou un événement précis, mais le nœud habituel était bien là dans son ventre. C'était de la peur – mais une peur mêlée de désespoir et de culpabilité. La sensation ne se dissipait pas ; au contraire, elle se renforçait à chaque pas en direction de la forteresse des Montagnes.

Myrt, d'ordinaire silencieux, poussa un cri dont les échos partirent entre les parois encaissées. Quelque part, des sentinelles devaient déjà savoir qui arrivait et passer le mot.

Ils débouchèrent de la passe face à l'implacable façade de roches de la forteresse de Cailech. Ceux qui vivaient là l'appelaient la Caverne, mais c'était en fait une construction de pierres à couper le souffle, accrochée à la paroi de la falaise sur laquelle ils se trouvaient.

Oubliant ses inquiétudes, Elspyth béait d'admiration devant ce spectacle. Accoutumés depuis toujours à ce panorama, les hommes des Montagnes étaient simplement heureux d'être de retour chez eux. Wyl, quant à lui, s'effondra inexplicablement sur son cheval, tandis que le poids du secret de Romen l'écrasait littéralement. Frappé de stupeur, en état de choc, il fut secoué de haut-le-cœur qui lui retournaient littéralement les tripes ; pourtant, la vérité continuait à se dérober. Des hordes d'images fugaces dansaient dans son esprit – des visions horribles de morts atroces. Puis elles disparurent aussi vite qu'elles étaient arrivées, le laissant pantelant et vidé, absolument sans rien. Il plongea fouiller au cœur de son désespoir, mais rien ne venait – les souvenirs de Romen n'avaient aucune réponse à lui donner. C'était terrifiant. Comment pouvait-il espérer continuer à tenir le rôle d'un homme qu'il connaissait si peu, au milieu de personnes qui le connaissaient si bien ? Un nouveau spasme le secoua. S'il ne parvenait pas à tenir son rôle, Ylena et Valentyna étaient mortes ; tout ce qu'il chérissait serait détruit par le fou cruel assis sur le trône de Morgravia.

— Romen ! s'exclama Elspyth, alarmée par son état.

— Laisse-le, dit calmement Lothryn. De sombres souvenirs hantent cet endroit – et en particulier les coteaux de Racklaryon.

Elle se retourna pour faire face à son ravisseur. Il parlait peu, mais elle pouvait sentir la douceur en lui, malgré ses efforts pour la dissimuler sous sa rudesse. Elle la voyait de nouveau dans ses yeux posés sur elle ; il tourna la tête vers Romen avant de regarder au loin.

— M'expliquerez-vous ? demanda-t-elle.

À sa grande surprise, l'homme des Montagnes répondit.

— Il y a eu des morts inutiles, ici dans les Razors. Et il s'estime responsable.

— Et c'est le cas ?

— Oui.

Elle sut qu'elle n'obtiendrait plus rien de lui sur ce sujet.

— Alors c'est la première fois qu'il revient – et c'est pour ça qu'il ne se sent pas bien ?

— J'imagine.

Il était inutile d'explorer plus loin le passé de Romen ; en revanche, maintenant que Lothryn s'était décidé à parler, elle n'entendait pas le lâcher si facilement.

— Vous avez une famille ?

— Oui.

— Une femme ?

— J'ai une épouse. Et notre fils doit être né maintenant. Il n'était pas en avance…

— Comment ?

— Elle… Non, rien.

— Vous semblez inquiet – c'est le cas ?

— Non.

Une nouvelle fois, son ton était sans appel ; néanmoins, elle s'étonnait d'avoir obtenu autant de lui. D'après les légendes, Ceux des Montagnes mangeaient les enfants. Pourtant, tout massif et imposant qu'il était, Lothryn serait probablement le plus aimant des pères ; elle en avait l'absolue conviction.

Il fit un grand geste à l'intention du garde qui entreprit de relever la gigantesque herse barrant l'entrée.

— Une seule sortie ? dit-elle.

— Une seule entrée et pas de sortie, répondit Lothryn.

La grille d'acier protesta en s'arrachant du sol sous la traction des chaînes. Les chevaux franchirent un passage de pierres pour déboucher dans une basse-cour à l'intérieur du mur d'enceinte. Les dimensions de la forteresse étaient impressionnantes. Des hommes venaient vers eux – certains pour s'occuper des chevaux, d'autres pour emmener les prisonniers.

— Je vous laisse maintenant, dit Lothryn une fois que Wyl, pâle et encore tremblant, les eut rejoints.

Myrt avait déjà disparu.

—On va vous conduire à des chambres où vous pourrez vous rafraîchir, ajouta-t-il.

Wyl hocha la tête sans rien répondre.

—J'espère que votre femme et votre enfant vont bien, cria Elspyth à Lothryn qui s'en allait.

Il ne dit rien, ni ne se retourna. Wyl tourna la tête vers elle comme pour l'interroger, mais elle se contenta de secouer négativement la tête.

—Je suppose que vous avez un plan pour nous sortir d'ici? dit-elle.

Les gardes n'avaient que faire de la réponse qu'il pourrait donner. Ils les firent avancer – s'enfoncer plus profondément dans la toile de Cailech.

Chapitre 25

On les conduisit dans deux chambres séparées, toutes deux gardées. À l'intérieur, des foyers d'argile surélevés à quelques pieds du sol répandaient leur douce chaleur ; la fumée s'évacuait par des conduits habilement dissimulés. Des fresques décoraient les murs blanchis à la chaux ; le plafond lui-même était orné d'une frise représentant une vigne subtilement alambiquée qui en faisait tout le tour. Des peaux d'animaux recouvraient le sol et des couvertures de laine aux couleurs vives étaient jetées sur les lits sculptés. Étonnamment, dans ces confins inhospitaliers, l'art et la beauté étaient partout.

Wyl s'assoupit quelques instants, avant de se réveiller en sursaut. L'eau et le morceau de savon gras laissés à son intention lui firent le plus grand bien. Une fois les cheveux de Romen lavés et soigneusement noués à l'arrière de sa tête, il fourragea d'un doigt dans sa barbe ; il aurait aimé pouvoir se raser. Pour ses vêtements, il n'y avait pas grand-chose qu'il pouvait faire, aussi tira-t-il une chaise près de la fenêtre pour s'abîmer dans la contemplation du sublime panorama ; d'immenses prairies s'étiraient au-delà d'un lac. Soudain, il sut – par les réminiscences de Romen sûrement – que ces prairies donnaient sur une baie avec une plage de sable. C'était un souvenir important pour lui ; mais pourquoi ? Il cala son dos au fond de sa chaise et fit le vide dans son esprit comme Gueryn lui avait appris à le faire avant un combat ; les images et souvenirs remontaient sans ordre en lui. Il éleva une courte prière à Shar pour que la vérité jaillisse du passé de Romen plongé dans l'obscurité.

Il demeura ainsi quelques instants sans que rien ne vienne. Immobile, il fixait au-dehors un point qui avait eu de l'importance, il le savait, pour celui dont il avait pris le corps. C'était quelque part au-delà des prairies, mais avant la mer. L'évocation précise se refusait toujours à lui, alors même qu'il la sentait toute prête à se révéler. Wyl entendit du bruit sous la fenêtre et perdit le contact avec l'histoire intime de Romen. En se penchant, il aperçut des hommes en train de rouler des barriques. Il se laissa retomber sur sa chaise ; son cœur battait soudain la chamade. *Du vin !* Qu'avait dit Lothryn un peu plus tôt ? C'était flou, mais essentiel ; et cela avait à voir avec le vin. Un endroit appelé Racklaryon – à cause duquel, selon lui, Romen éprouvait un tel malaise physique à revoir la forteresse. Wyl se souvenait maintenant à quel point l'esprit de Romen en lui avait inconsciemment réagi à ce nom. Pourquoi ?

Racklaryon. Le nom sonnait douloureusement familier, mais il ne parvenait pas à saisir pourquoi. Il se leva d'un bond pour appeler le garde à sa porte.

— Où se trouve Racklaryon ? demanda-t-il.

— Les plaines sont là-bas, après les prairies, répondit l'homme d'un ton bourru.

— Avant la mer ?

— Ouais, les coteaux descendent jusqu'à la mer.

Wyl sentit son cœur bondir dans sa poitrine. Des coteaux. C'était tout proche maintenant.

— Est-ce que je pourrais aller là-bas ?

— Je ne sais pas. Je vais voir, répondit l'homme en laissant Wyl sur le seuil.

Le garde murmura quelque chose à un autre homme qui passait.

— Il faut attendre, dit-il ensuite à Wyl.

Wyl rentra dans sa chambre ; peu après, le garde frappa à la porte.

— Tu es autorisé à y aller. Ensuite, tu verras le roi.

Wyl hocha la tête. Il avait aussi besoin de quelqu'un pour lui montrer le chemin, et se doutait qu'on ne le laisserait pas aller et venir seul.

— Vous m'accompagnez, je suppose ?

— Oui. Je vais faire préparer les chevaux.

Pendant qu'ils s'éloignaient de la forteresse, Wyl tenta d'engager la conversation avec son compagnon, mais ses courtes réponses, par monosyllabes bien sèches, le dissuadèrent de continuer. Ils chevauchèrent donc en silence ; deux hommes derrière fermaient la marche.

Wyl tenta de le rassurer.

— Je n'ai aucune intention de m'en aller.

— Les ordres ! répondit l'homme.

La promenade était plaisante néanmoins et permettait à Wyl de se changer les idées. C'est peut-être d'ailleurs la raison pour laquelle la première vision des coteaux de Racklaryon, entraperçus à travers un rideau d'arbres, lui causa un choc d'une telle intensité.

Il passa au franc galop, contournant le bosquet ; son escorte suivait à la même allure. La vue des vignes à flanc de colline qui s'étageaient doucement jusqu'à l'anse de sable clair fit sauter l'ultime verrou des souvenirs enfouis de Romen. La puissance de l'impact causé par cette vision déchira le voile qui maintenait la mémoire de Romen inaccessible à la conscience de Wyl. L'intégralité du drame horrible le submergea et ce fut comme s'il se jouait de nouveau sous ses yeux.

Wyl bondit de son cheval pour s'écrouler sur la terre riche et fertile de Racklaryon. Là, à genoux, il leva les bras au ciel pour hurler son désespoir tandis que déferlaient sur lui les secrets hideux et tragiques de celui dont il avait investi le corps.

Un temps qui lui parut infini s'écoula avant qu'il parvienne à se ressaisir. Rétrospectivement, il se félicitait que son escorte ait été là pour le tirer des coteaux, le remettre en selle de force et le ramener dans sa chambre, où il demeura sans bouger jusqu'à ce qu'on vienne le chercher. Les hommes ne dirent que le strict nécessaire pour lui demander de les suivre. Heureusement, ils s'exprimaient dans sa langue; la leur n'était qu'une version gutturale et abâtardie de l'ancienne langue des territoires du nord-est d'où étaient venus les ancêtres de Ceux des Montagnes. Wyl supposait que Romen connaissait leur idiome, mais il ne voulait plus replonger dans ce passé. Il aurait tout donné pour oublier ce qu'il avait appris ce jour.

Tout comme ceux de sa première escorte, ces hommes ne portaient rien de plus chaud que des chemises et des pourpoints de cuir sans manches, sur des chausses de grosse laine rentrées dans des bottes fourrées. Pour sa part, il était bien content de porter encore les multiples couches qu'il avait enfilées à Yentro. Il mit rapidement de l'ordre dans sa tenue, pour être présentable devant le roi.

Dans cette partie de la forteresse, il n'y avait pas d'escaliers; des rampes taillées à flanc dans la roche permettaient de passer d'un étage à l'autre. À intervalles réguliers, des torchères fixées au mur donnaient de la lumière; il se dit qu'elles devaient brûler en permanence pour éclairer les vastes espaces creusés dans la montagne. Rapidement, il perdit tout sens de l'orientation. Les hommes le menèrent par un large couloir sombre jusqu'à une énorme porte de chêne gardée par deux colosses, qui s'écartèrent à leur arrivée. L'un d'eux frappa sur le panneau massif, que quelqu'un ouvrit de l'intérieur.

De toute évidence, Cailech était un chef prudent.

À l'intérieur, la vaste pièce n'avait plus rien à voir avec l'austérité qui régnait dans les couloirs. D'immenses fenêtres laissaient entrer des flots de lumière et offraient une remarquable vue sur le lac, où nichaient des milliers d'oiseaux. Dans le lointain, il apercevait les sommets enneigés de montagnes dont les flancs déchiquetés descendaient dans la vallée jusqu'aux pâtures que dominait la forteresse.

Des pins immenses partaient à l'assaut des cimes ; dans l'herbe verte, les premières fleurs du printemps formaient comme des tapis aux couleurs mouvantes. Après la pénombre du couloir, Wyl cligna des yeux sous la lumière éblouissante ; il restait saisi par la beauté du fabuleux panorama.

La pièce dans laquelle il se tenait maintenant était immense.

Une voix familière l'accueillit depuis l'un des innombrables recoins.

— Romen Koreldy. *Tss, tss*... Je t'avais dit pourtant ce qui t'attendait si nos chemins venaient à se recroiser.

Wyl pivota sur sa droite, là où se tenait Cailech, roi de Ceux des Montagnes, debout devant un âtre immense dont le manteau s'ornait de fines sculptures représentant bêtes et oiseaux. Un semblant de sourire flottait sur ses lèvres. Ses longs cheveux blonds flottaient librement sur ses épaules ; un lacet de cuir ceignait son front pour les empêcher de tomber devant son long visage. Il était glabre, mais Wyl songea qu'une barbe lui irait tout aussi bien. Il ne portait qu'un pourpoint de cuir à même sa peau tannée par le soleil et le vent. Ses bras solidement musclés se terminaient par des mains larges et puissantes.

Le roi tendit l'une de ses mains, paume vers le bas, pour le salut des Montagnes.

À l'intuition, Wyl s'avança pour placer la sienne, paume vers le haut, contre la main calleuse du souverain sous laquelle elle disparaissait entièrement. Dans le même mouvement, il s'inclina, en signe de respect pour ce roi qui s'était couronné tout seul.

— Pour être exact, seigneur Cailech, je ne suis pas venu de mon plein gré sur votre chemin. Vous m'avez fait enlever en Morgravia.

Wyl se releva sous le regard dur des yeux verts et impénétrables de Cailech. Pendant une fraction de seconde, il craignit d'être percé à jour.

— Que faisais-tu si loin au nord, Romen ?

La voix de Cailech était chaude et agréable, mais sa question mordante ; telle était sa manière.

Romen l'avait prévenu : on ne badinait pas avec Cailech.

— C'est une longue histoire, commença-t-il.

— Raconte-la-moi s'il te plaît. J'ai tout mon temps et tu n'es pas près de partir.

Cailech jeta un coup d'œil à ses hommes qui s'éloignèrent, mais sans quitter la pièce.

Ils s'assirent et on leur apporta immédiatement du vin.

— Faim ? demanda Cailech.

Wyl secoua négativement la tête ; son estomac n'avait pas encore retrouvé tout son aplomb.

— Mais je boirais volontiers un verre de vin avec vous, seigneur Cailech.

Voilà, il allait commencer par un sujet familier et naturel ici. Il avait vu les barriques et remarqué la vigne peinte dans sa chambre – c'était un thème qui ferait une excellente mise en bouche.

— Les dernières vendanges ont été bonnes ? demanda-t-il.

— Plus que généreuses. Et cette année promet d'être aussi bonne. Celui-ci est un de nos meilleurs millésimes des plaines de Racklaryon.

Wyl tressaillit à ce nom ; par-dessus le bord de son verre, il scruta le visage en face de lui. Son père l'avait mis tant de fois en garde contre la menace venant du nord ; tant de fois, il avait dit de ne pas sous-estimer la ruse du roi des Montagnes. Wyl mesurait maintenant combien cela était vrai. Cailech le regardait, le visage figé, pareil à une statue taillée dans le granit de ces Montagnes qui étaient son foyer.

Wyl sentit qu'il ne fallait plus qu'il montre combien le nom de « Racklaryon » le perturbait.

— Au fait, quel âge avez-vous, seigneur Cailech ? demanda-t-il en renouant avec la tranquille assurance de Romen, qui avait si souvent sauvé Koreldy.

— Étrange question, répondit le roi en souriant.

Une lueur brillait dans son regard, donnant une touche amusée à son attitude figée.

— Je dirais que nous avons à peu près le même âge, poursuivit Cailech.

Wyl hocha la tête. Trente-cinq printemps environ.

— Vous avez déjà réalisé tant de choses pour quelqu'un d'aussi jeune.

Cailech renifla.

— Je ne me sens pas jeune.

— Dites-moi comment tout cela est arrivé… comment vous êtes parvenu à réunir les tribus.

— Je croyais qu'on parlait de toi. Et puis, je suis sûr que d'autres t'ont déjà rapporté cette histoire pendant ton dernier séjour.

— J'aimerais tant l'entendre de votre bouche, dit Wyl prudemment.

— Pourquoi ?

— Vous avez bien dit que vous n'étiez pas pressé et vous ne m'avez jamais beaucoup parlé de vous, risqua Wyl en retenant son souffle.

Cailech but une gorgée, sur le qui-vive, tout en examinant soigneusement la question de Wyl.

— Il n'y a pas grand-chose à raconter, finit-il par dire. Nous ne sommes qu'une bande de racailles. Des charognards tout prêts à nous étriper les uns les autres pour une misérable chèvre plutôt que de regarder du côté des royaumes voisins

– plutôt que de nous battre pour quelque chose qui en vaille la peine.

—Tel que ?

—Des chevaux, des terres, des richesses.

—Et ensuite ?

—Nous étions partis pour rester à jamais des vandales dont le plus haut fait de gloire serait une razzia sur une tribu voisine. Et j'ai eu une vision.

—Quel âge aviez-vous lorsque c'est arrivé ?

Plongé dans sa réflexion, Cailech s'était mis à tapoter son verre du bout des doigts.

—Enfant déjà, je savais ce qu'il fallait faire. Dès que j'ai été assez grand pour manier l'épée et participer aux raids, j'ai commencé à dire à tous ce que je voyais pour notre peuple. Chaque fois que possible, je demandais à mon père – le chef de notre tribu – de convoquer des assemblées. Après chaque raid, réussi ou pas, il s'asseyait avec les autres chefs pour discuter de ce qu'on pourrait appeler les « conditions de la guerre ». Ensuite, l'habitude s'est propagée. Mon père et moi visitions les tribus en tant que médiateurs de ces assemblées. Quand ma voix est devenue celle d'un homme, je crois que tout le monde a commencé à faire attention à ce que je disais. Mais ça, tu vois, ce n'était que le début de ma vision. Mon plan avait toujours été de réunir toutes les tribus en un seul peuple, sous la bannière d'un seul chef pour un seul objectif.

Il s'arrêta soudain et haussa les épaules.

—Mais tout ça c'est de l'histoire ancienne. Il m'a fallu presque vingt ans de ma vie pour bâtir cette forteresse.

—Elle m'a impressionné pendant toutes ces années, seigneur Cailech. Et sa beauté ne cesse de me sidérer aujourd'hui.

—Merci, dit le roi. Mais ta petite escapade à Racklaryon, alors ? Comment s'est-elle passée ?

Cette fois-ci, il n'hésita pas.

— Ça a été pénible.

— Je pensais bien que ça le serait, ajouta Cailech, avant de changer de sujet aussi facilement que le vin coulait dans la gorge de Wyl.

» On se demandait pour quelle raison Morgravia t'utiliserait pour venir nous espionner.

Wyl roula des yeux ronds ; la surprise était peinte sur son visage.

— Je n'espionne pas pour Morgravia, seigneur Cailech. S'il fallait égorger Celimus, je serais le premier volontaire.

Ce fut au tour de Cailech d'être surpris.

— Et pourquoi ça ?

— Il m'a causé du tort. C'est pour ça que j'étais au nord.

Cailech haussa un sourcil goguenard.

— Eh bien, Romen, à ton tour. Raconte-moi ce que tu es venu faire si près de la frontière.

Wyl poussa un soupir de soulagement ; voilà au moins quelque chose dont il pouvait parler sans risque de se tromper.

Après s'être lavée et avoir rafraîchi ses vêtements, Elspyth mangea de bon appétit un repas composé de pain chaud accompagné de fines tranches d'une viande qu'elle ne reconnut pas. Comme elle dégustait un verre d'un vin à la fois léger et moelleux, on frappa à sa porte. Elle prit une profonde inspiration et traversa sa chambre d'un pas décidé, tout en époussetant les ultimes miettes oubliées. Elle fut ravie de voir Lothryn qui était venu la chercher.

— Comment va votre femme ? demanda-t-elle avant toute chose.

L'expression sur le visage de Lothryn ne varia pas, mais il était touché au plus profond du cœur par les manières aimables de la jeune femme.

— Aussi bien que possible. La mise au monde a débuté peu avant notre arrivée. Elle n'est toujours pas finie.

Elspyth pouvait sentir en lui l'inquiétude malgré les efforts immenses qu'il faisait pour la dissimuler.

— Alors d'ici peu, vous pourrez fêter la naissance de votre fils, dit-elle avec un grand sourire lumineux.

— Si Haldor le veut, répondit-il doucement, en s'en remettant au dieu de Ceux des Montagnes.

— On m'a fait appeler ?

— Pas encore. Mais j'ai pensé que ça vous intéresserait de voir à quel point nous sommes barbares.

Elle fronça les sourcils, incertaine de ce qu'il voulait dire.

— Allons marcher, si vous le voulez bien.

La proposition la surprit, mais Elspyth transforma bien vite l'étonnement en sourire sur son visage.

— Oh oui, avec plaisir.

Il lui fit découvrir les différentes parties de la forteresse. Elspyth fut charmée par les superbes décorations sur les murs et les plafonds, les poutres de bois et les tissus.

— Vous êtes un peuple très artiste, observa-t-elle en toute sincérité. Bien plus doué que nous autres en Morgravia.

— Le talent s'est transmis de génération en génération au fil des siècles, expliqua-t-il, sans montrer combien son compliment le touchait.

À l'extérieur, ils passèrent devant les cuisines agitées d'une intense activité.

— On prépare une fête – ce qui explique la frénésie.

Ils passèrent ensuite devant les étables et écuries, puis dans les vergers et potagers. Ils étaient immenses et une véritable armée s'en occupait. Il la laissa seule un instant pour aller cueillir deux pommes tardives. Lothryn croqua dans l'une et lui offrit l'autre. Ils déambulèrent en silence pendant qu'ils mangeaient.

— Parlez-moi de Koreldy, demanda Elspyth tout à trac.

— Je ne vois pas ce que je pourrais dire que vous ne sachiez déjà, répondit-il prudemment.

— Je vous en prie, Lothryn. C'est un étranger. J'ai déjà bien assez de mal à comprendre ce que je fais ici. Si j'en savais plus, peut-être pourrais-je vous aider à obtenir ce que vous voulez.

Lothryn s'arrêta, comme pour essayer de savoir si elle cherchait à le tromper ou pas.

— Nous voulons savoir si Koreldy constitue une menace pour nous.

— Mais vous le connaissez déjà, non ? Et puis, comment un homme seul peut-il constituer une menace ?

— Nous le connaissons depuis longtemps effectivement. Mais Cailech aimerait savoir ce qu'il fait en Morgravia.

— Ça, je peux vous le dire. Je ne sais pas trop comment, mais il était en relation avec ce général mort il y a peu.

— Thirsk ?

— C'est ça.

— Oh lui, c'était un vieil homme fait pour mourir sur le champ de bataille. Non, relation ou pas, je crois que c'est autre chose que notre roi veut savoir.

— Non, je parle de son fils, Wyl Thirsk.

— Wyl Thirsk est mort ?

De toute évidence, la nouvelle était un choc pour lui.

— Oui. Ma tante et moi avons appris la nouvelle de ses funérailles pendant que nous rentrions de Pearlis à Yentro. Je me souviens qu'elle a dit que nous n'avions pas fini d'entendre parler de lui, mais je n'ai pas compris ce qu'elle voulait dire exactement.

Elle avait éveillé l'intérêt de Lothryn.

— Quels étaient au juste les rapports entre Koreldy et Thirsk ?

— Je n'en ai pas la moindre idée, mais ma tante le savait sûrement. Elle avait accepté de recevoir Romen uniquement parce qu'il avait mentionné le nom de Thirsk.

— Et qu'est-ce que votre tante avait à voir avec feu le général de la légion de Morgravia ?

— Pas grand-chose. Elle lui avait fait une « lecture » pendant que nous étions à Pearlis pour le tournoi royal.

— Une « lecture » ?

— Oui, c'est une voyante. Elle dit aux gens ce qu'elle lit en eux… Bien sûr, je ne dirais jamais ça d'elle en Morgravia.

— On brûle encore les sorcières et magiciens là-bas ?

— Pas depuis plusieurs années, mais les vieilles craintes ont la vie dure au sud. Au nord, on croit aux pouvoirs. On y a toujours cru.

— Nous aussi, grogna Lothryn en jetant son trognon de pomme dans l'herbe. Et qu'a-t-elle lu en Thirsk ?

— Je ne sais pas, je n'étais pas là. Mais ce n'était pas sérieux. Elle disait juste la bonne aventure pour quelques pièces.

Lothryn hocha la tête avec gravité.

— Que savez-vous d'autre ?

— Rien. Nous étions rentrées depuis peu de temps à la maison quand Koreldy est arrivé à Yentro pour voir la veuve Ilyk – ma tante.

— On aurait peut-être dû emmener la vieille, murmura Lothryn d'un ton lugubre.

Elspyth mit à profit les bonnes dispositions de Lothryn à son égard.

— Pour apprendre ça, il suffisait de demander – je vous aurais parlé bien volontiers. C'était inutile de m'assommer pour m'amener ici.

Il ne répondit pas, mais elle sentait que ses récriminations l'amusaient. Ils continuèrent à marcher ; Elspyth revint à la charge.

— Alors, c'est quoi le secret de Romen ?

Lothryn lui lança un regard d'incompréhension, auquel elle répondit par une mimique d'exaspération.

— Allons, c'est clair qu'il cache quelque chose que vous savez. Vous vous êtes parlé comme de vieilles connaissances

– alors expliquez-moi comment un Montagnard peut connaître un noble de Grenadyne ?

— Grenadyne n'est pas très loin d'ici par la mer.

Elspyth secoua la tête comme s'il avait été un écolier.

— Vous ne répondez pas à ma question.

— Peut-être devriez-vous attendre qu'il vous raconte son passé.

Elle souffla avec dédain.

— Lothryn, vous ne m'avez pas fait venir ici pour prendre l'air. Je parierais que Cailech vous a chargé d'apprendre ce que je sais – et je vous ai dit ce que je savais. Et je crois aussi que cette promenade vous permet de ne pas penser à votre femme. C'est votre premier enfant, n'est-ce pas ? Alors, vous avez quelques heures à attendre. Rien ne presse. Parlez-moi – j'accepte de vous tenir compagnie, mais uniquement si vous êtes honnête. Moi, je vous ai dit la vérité.

Comment ne pas l'aimer, celle-là ? Lothryn appréciait son naturel ardent et plein d'allant. Il espérait que Cailech n'ordonnerait pas qu'on la souille pour faire un exemple, même s'il le savait capable de pareille brutalité – en particulier depuis que le jeune roi de Morgravia s'était montré bien plus agressif que feu son père. Magnus avait laissé au général Fergys Thirsk le soin d'assurer la dissuasion par la présence de la légion à la frontière ; et Fergys n'avait jamais abusé de sa puissance. En revanche, par le massacre d'innocents passés par inadvertance de l'autre côté de la frontière, Celimus avait plongé Cailech dans une humeur imprévisible. Tout aurait pu s'arranger si Celimus avait transmis des excuses, mais le silence de Morgravia restait assourdissant et accablant.

Lothryn espérait que son influence serait de quelque poids dans ses entretiens avec le roi – peut-être parviendrait-il à détourner l'orage qui couvait. Il s'arracha à ses pensées en constatant qu'Elspyth le fixait toujours en attendant qu'il parle.

— D'accord. Après tout, ça ne peut faire de mal à personne. Asseyez-vous, dit Lothryn en désignant un muret bordant une pâture où broutaient les moutons de la forteresse.

— Il est originaire de Grenadyne. Il est le fils d'une famille noble extrêmement riche. Il avait un frère aîné – l'héritier – et une sœur jumelle. J'ai cru comprendre qu'il était le plus dissipé de tous, celui qui entraînait sa sœur dans les ennuis. Son tempérament frondeur n'est pas allé en s'arrangeant avec le temps et son frère l'a bien souvent tiré d'embarras.

Elspyth sourit. Elle n'avait jamais eu de frères et sœurs avec qui partager ce genre d'amour.

— Ils étaient très proches alors ?

Lothryn hocha la tête.

— À voir votre expression, j'ai le sentiment que l'histoire ne finit pas bien.

— Effectivement, admit Lothryn.

» L'île la plus au sud de Grenadyne n'est pas très éloignée de notre territoire. Cailech a édicté une loi interdisant à toute personne de pénétrer chez nous sans autorisation. C'était essentiellement une mesure contre Morgravia et Briavel où on considère Ceux des Montagnes comme des barbares.

— Si seulement ils savaient, dit-elle pour atténuer la colère qui montait en lui contre les riches royaumes du sud.

— Je ne crois pas que Cailech craignait quoi que ce soit de la part de Grenadyne. Jamais nous n'avons eu de querelle avec eux – ils n'ont jamais voulu prendre nos terres et nous avons toujours été en bons termes.

— Jusqu'à ?

— Jusqu'à ce que des gens de chez nous fassent naufrage sur une plage de Grenadyne. Pris de panique, un imbécile quelconque là-bas est allé crier partout que des barbares venaient les envahir. C'était grotesque. Les nôtres n'étaient qu'une poignée dans un canot à rames, mais il faisait nuit et les habitants appelés à la rescousse étaient ivres. Je suppose qu'ils ont voulu se charger eux-mêmes de l'affaire. Les nôtres se sont battus avec vaillance, mais sans armes ou presque ils se sont fait massacrer. Y compris les enfants cachés dans le canot. L'un d'eux était la petite cousine du roi – une fillette qu'il adorait.

Lothryn lança une pierre devant lui. Il resta silencieux quelques instants, au point qu'Elspyth se demanda s'il allait continuer.

—Cailech n'a pas réagi comme on le pensait – à dire vrai, il nous a tous surpris. J'imagine que les habitants de Grenadyne ont dû retenir leur souffle dans l'attente d'une attaque qui ne vint jamais. En fait, ses instructions étaient simples. À partir de cet instant, toute personne de Grenadyne surprise sur notre sol serait immédiatement exécutée sans la moindre miséricorde – tout comme les nôtres l'avaient été.

Elspyth n'avait pas besoin d'entendre la suite : elle devinait ce qui avait pu se passer. Mais maintenant que sa langue était déliée, Lothryn paraissait se faire un devoir d'aller jusqu'au bout.

—Nous avons fait passer le message en Grenadyne et tout le monde là-bas l'a écouté. Tout le monde excepté Romen Koreldy. Arrogant et fougueux, tout plein de ce sentiment d'invincibilité qu'ont tous les hommes au sortir de l'enfance, il a lancé un défi aux jeunes de son île – l'or du brave à celui qui rapportera une grappe du raisin de Cailech de ses vignobles de Racklaryon.

—Inutile de continuer, dit-elle en posant doucement sa main sur le bras de Lothryn.

Sans qu'elle sache s'il avait senti ou pas son geste, il poursuivit néanmoins.

—Plusieurs le prirent au mot, mais sans y parvenir – les courants dans le détroit entre l'île et nous sont heureusement très forts. Mais Romen m'a raconté qu'il a aiguillonné sa sœur à l'excès. À ce que j'ai compris, elle n'avait peur de rien

– son double parfait en quelque sorte. Elle était en tout point une aventurière de sa trempe, perpétuellement désireuse de prouver sa valeur.

» En bref, Lily – c'est ainsi qu'elle s'appelait – a relevé le défi. Bravache en diable, Romen a annoncé qu'il l'accompagnait. Ils ont traversé le détroit à la rame – le destin était avec eux, les eaux étaient calmes ce jour-là. Lorsque leur frère aîné a appris la nouvelle, la fureur l'a pris et il s'est lancé à leur poursuite.

Lothryn enfouit son visage dans ses mains.

— Elle y est presque arrivée, vous savez. Elle tenait une grappe dans sa main lorsqu'on l'a découverte. Son frère aîné avait eu la présence d'esprit d'emporter une épée, qu'il maniait bravement au demeurant. J'étais là. Je l'ai vu se battre pour leurs vies.

— Et Romen ? demanda Elspyth.

— Ah, le nœud de cette triste histoire. Il s'est effondré et s'est caché dans un taillis près des coteaux, d'où il nous a vus prendre la vie de son frère et de sa sœur. Cailech a ordonné leur mort, immédiatement. Notre roi a pris la bonne décision – la seule qu'il pouvait prendre dans ces circonstances – mais ce jour-là, j'ai eu l'impression que nous méritions d'être appelés « barbares ». Nous avons crucifié ces deux jeunes gens sur les coteaux de Racklaryon pour une simple grappe de raisin – rien d'autre.

» Le ciel était limpide et clair. À la lunette, les gens de Grenadyne pouvaient certainement voir les deux croix dressées et leurs victimes accrochées. Le frère est mort le premier, mais elle a tenu un jour et une nuit – son calvaire a été notre punition à tous. Elle a appelé Romen, l'a supplié de venir la sauver. Pauvre petite Lily, si tragique. Elle a lutté contre la mort jusqu'à son dernier souffle et lui a entendu chacun de ses gémissements, suivi chaque seconde de son agonie.

Elspyth était crispée de la tête aux pieds, totalement retournée par cette terrible histoire.

— Que s'est-il passé ensuite ?

— Le lendemain, leurs corps ont été descendus de leurs croix et brûlés. Nous avons dispersé leurs cendres sur les eaux qui les avaient amenés à nous. Romen a tout vu. Quand tout a été fini, son ardeur de combattant lui est revenue.

— C'est-à-dire ?

— Il a essayé de tuer Cailech.

— Quoi ?

— C'est la vérité. Vous saviez que Romen était un lanceur de couteaux hors pair ?

Elle secoua la tête en signe de dénégation.

— Cailech était près du bûcher où on brûlait les corps – du moins, c'est ce qu'on croyait. Les couteaux l'ont touché tous deux dans le cœur et l'ont tué net… du moins l'auraient tué net si l'homme avait bien été Cailech.

— Je ne vous suis pas, dit Elspyth.

— La veille, Rashlyn – la prêtresse du roi – lui avait tiré les Pierres et l'avait prévenu qu'on attenterait à sa vie le lendemain. Cailech est très attentif aux signes donnés par les Pierres ; il a donc pris des précautions. À distance, n'importe quel homme de sa taille avec de longs cheveux blonds pouvait tromper un intrus. Le lancer de Romen était parfait – il a tué l'homme sans faillir et est tombé des nues en apprenant la vérité.

— Comment a-t-il fait pour survivre jusqu'à aujourd'hui ?

— Un miracle, je dirais. Peut-être Cailech en avait-il assez de semer la mort. Il peut être sans pitié, ne vous y trompez pas, mais c'est un homme profond qui voit très loin. Je crois qu'il a admiré le courage finalement démontré par Romen. Ils étaient plus ou moins du même âge et Cailech l'a épargné. Il l'a autorisé à vivre parmi nous pour surmonter son chagrin. En fait, je crois qu'il n'y est jamais parvenu. Lorsqu'il a été prêt, on lui a rendu ses armes et on l'a escorté jusqu'à la frontière au sud. Il a juré qu'il ne rentrerait jamais en Grenadyne.

Cailech lui a dit qu'il le tuerait s'il remettait les pieds dans les Razors.

Elspyth passa sa main dans ses cheveux.

— C'était il y a combien de temps ?

— Une dizaine de printemps environ.

— Et vous l'avez reconnu quand même ?

— Un homme tel que Romen ne s'oublie pas facilement.

Elle hocha la tête ; il n'avait pas tort.

— Est-ce que Cailech va vraiment le tuer ?

— Ça, je ne sais pas. Rentrons maintenant. Il va certainement vouloir vous parler.

— Tu espères me faire croire que tu travaillais pour le compte du roi de Morgravia, mais que tu ne lui étais fidèle en rien ?

— C'est vrai, répondit Wyl avec circonspection. Si je vous disais que je peux unir Briavel et le peuple des Montagnes contre Morgravia, est-ce que vous me croiriez ?

— Non, répondit le roi. Et je ne ferais pas confiance non plus à ceux de Briavel. Et je ne te fais pas confiance – ton histoire est vraiment tirée par les cheveux.

— Qu'est-ce que vous ne croyez pas ?

Cailech s'adossa à sa chaise ; il faisait tourner son verre dans sa main, un air de grand amusement sur les traits.

— Tu as été embauché par Celimus pour assassiner Wyl Thirsk – ce que tu dis avoir fait. Ensuite, tu as ramené son corps à Pearlis pour veiller à ce que le nom du général ne soit pas sali car tu pensais que Celimus dirait partout qu'il s'était acoquiné avec Briavel…

» Tu sens à quel point tout cela paraît incroyable, Romen.

Cailech fit une pause pour se gratter la tête d'un geste théâtral, avant de poursuivre son résumé en forme de réquisitoire.

— Tu as assisté aux funérailles... ah non, attends, il y a d'abord une autre intrigue. Tu as tiré la sœur de Wyl Thirsk du cachot où Celimus la faisait croupir, tout ça en lui racontant que tu voulais couvrir de boue le nom des Thirsk en couchant avec elle.

Wyl hocha la tête d'un air sinistre. Dit ainsi, cela paraissait effectivement tiré par les cheveux – pourtant ce n'était que la triste vérité.

— Mais c'est maintenant que le meilleur arrive. Tu t'es échappé de Stoneheart parce que tu savais que Celimus ne tiendrait pas parole et qu'il allait donc tenter de te faire tuer. Comme de juste, tu avais raison et tu as échappé à la mort alors même qu'une bande d'assassins entraînés était à tes trousses.

Wyl n'avait bien sûr rien dit de la participation de Filou ; cela aurait été demander vraiment beaucoup à la patience de Cailech.

Le roi but une gorgée, puis sourit.

— Tu les as tués et tu as envoyé la tête de l'un d'eux à Celimus... Pourquoi ? Pourquoi lui faire savoir que tu t'en es sorti ? Mais passons plutôt au point le plus intrigant.

Wyl vit que Cailech prenait grand plaisir à la situation.

— Tu es remonté dans le nord pour rencontrer une diseuse de bonne aventure qui t'a fait une prédiction et dont tu voulais obtenir des informations, c'est bien ça ?

— C'est exact, confirma Wyl, terrifié à l'idée des trous béants dans son récit.

Cailech explosa d'un rire sonore, puis se leva pour venir s'appuyer au manteau de la cheminée.

— Impayable ! Mais j'ai bien peur que ça ne suffise pas, Romen. Il va falloir que tu trouves quelque chose de plus plausible si tu veux continuer à vivre.

Un serviteur fit son entrée puis, sur un signe du roi, vint lui glisser quelques mots à l'oreille.

— Fais-la entrer, dit Cailech.

Quelques secondes plus tard, Lothryn entrait accompagné d'Elspyth, qui vint mettre un genou en terre devant le roi des Montagnes.

— Seigneur Cailech, dit-elle d'une petite voix apeurée.

Le roi jeta un coup d'œil en direction de Lothryn ; Wyl capta son coup de tête discret en réponse à l'interrogation muette. Il n'avait aucune idée de ce que cela pouvait signifier.

— Tu es la fille de la voyante, c'est bien ça ? demanda Cailech.

Elspyth répondit sans relever la tête.

— Non, seigneur. Je suis sa nièce, Elspyth.

— Ah oui, c'est vrai. Dis-moi, Elspyth, qu'a dit ta tante à Romen lorsqu'ils se sont rencontrés la première fois ? Et relève-toi, s'il te plaît.

Elle s'exécuta, levant les yeux sur l'homme immense qui se tenait devant elle. Il était encore plus gigantesque que Lothryn. Une flamme d'intelligence brûlait dans son regard ; et ses yeux ne manquèrent pas de noter l'étonnement sur le visage de jeune femme.

— Seigneur, je ne comprends pas.

— Tu veux que je répète la question ?

Wyl sentit les poils se dresser sur ses bras ; la situation devenait périlleuse. *Vite, Wyl, trouve quelque chose.* Comme il ouvrait la bouche pour parler, Cailech le devança, plaçant un index impérieux sur ses lèvres.

Les yeux d'Elspyth allaient nerveusement de l'un à l'autre.

— Non, seigneur, je… Je ne comprends pas, c'est tout. Ma tante n'a vu Romen qu'une seule fois.

Cailech jeta un coup d'œil entendu à Romen, sans cesser de parler à la jeune femme.

— Ah ! Et je suppose que c'était dans votre chaumière… dans les collines ?

— Oui, seigneur. Il y a quelques jours.

— Et à ta connaissance, est-ce que ta tante avait déjà rencontré cet homme ?

— Je dis la vérité. Elle m'a dit qu'elle ne le connaissait pas – pas même son nom.

Wyl savait que Cailech allait maintenant braquer sur lui son regard dur et inflexible ; les mots qui allaient franchir les lèvres de Romen avaient intérêt à être sacrément convaincants.

Il n'avait plus le choix. Il prit un ton légèrement embarrassé.

— Je suis désolé, Elspyth, mais elle vous a menti.

La jeune femme tourna vers lui son visage courroucé.

— Comment osez-vous ? Pourquoi aurait-elle fait ça ?

Il haussa les épaules, les paumes tournées vers le haut, en signe d'impuissance.

— Comment pourrais-je le savoir ? Elle et moi nous étions vus brièvement à Pearlis. C'était l'après-midi du jour du tournoi – on venait juste de sonner la pause de la mi-journée pour le déjeuner et les allées de la foire étaient noires de monde. Vous, vous n'étiez pas là, sinon je me serais souvenu de vous.

Wyl pouvait voir la colère monter en elle à mesure qu'il insistait.

— Si ma mémoire est bonne, poursuivit-il, j'ai aperçu Wyl Thirsk avec un ami à lui, un homme de son âge que je connaissais comme étant le capitaine Alyd Donal. Je ne pense pas qu'ils soient entrés dans la tente de la veuve Ilyk à cet instant, parce que je les ai entendus dire qu'ils repasseraient plus tard, si tout allait bien – ou quelque chose comme ça.

Sur le visage d'Elspyth, la fureur cédait le pas à l'embarras. Soudain, elle baissa les yeux d'un air suprêmement gêné. Lorsqu'il perçut son trouble, Lothryn eut de la pitié pour elle.

— Seigneur Cailech, je me suis peut-être trompée – Romen dit la vérité. Ma tante m'a effectivement raconté que Thirsk était avec un compagnon, le capitaine Donal, et qu'ils étaient déjà passés plus tôt dans la journée. Elle me l'a dit parce qu'elle a été étonnée qu'ils n'entrent pas la première fois et, en plus, parce qu'elle était sûre qu'ils reviendraient.

— Et toi, où étais-tu pendant ce temps ? demanda Cailech.

— J'étais au tournoi.

Pour être agréable au roi des Montagnes, Elspyth lui raconta la remise au goût du jour par Celimus de l'ancien rite du sang d'une pure.

— Et c'est nous qu'ils traitent de barbares, murmura Lothryn dans sa barbe.

Le sourire de Cailech à cet instant disait la même chose.

— Continue, l'invita-t-il, fasciné par son récit.

— J'étais suffisamment proche pour entendre ce qui s'est dit après la victoire du prince, poursuivit-elle, les yeux posés sur Romen, tandis que Wyl défaillait intérieurement d'avoir à réentendre ce qui s'était passé ce jour-là.

» À ce que j'ai compris, le général avait contrarié les plans du prince en mariant sa sœur la veille. Il était évident que Celimus comptait bien la mettre dans son lit – mais certainement pas par amour. Bien sûr, c'est une femme magnifique ; mais il n'aime que lui-même, dit ma tante.

Cailech hocha la tête.

— Donc, Celimus avait de bonnes raisons de haïr Thirsk. L'humiliation est une arme fantastique, n'est-ce pas Lothryn ?

Le conseiller du roi des Montagnes confirma le propos d'un signe de tête.

Wyl saisit l'occasion pour enfoncer le clou.

— Leur haine l'un pour l'autre remontait à leur enfance, d'après ce que j'ai entendu. Elle a macéré pendant une dizaine d'années, puis d'autres éléments sont venus tout compliquer. Leurs pères étaient frères de sang et le roi Magnus adorait Wyl alors qu'il ne s'était jamais entendu avec son propre fils.

Il doit encore y avoir autre chose, mais Celimus ne m'en a pas dit plus.

— D'accord. Admettons que j'accepte grosso modo ton histoire. Cela ne me dit toujours pas ce que tu es venu faire dans le nord.

— Cailech, vous imaginez plus de choses qu'il n'y en a en réalité, dit Wyl en renouant spontanément avec le ton familier que Romen devait avoir eu avec le roi à une certaine époque.

» La veuve Ilyk avait prédit que ma vie serait mêlée à celle d'une reine et que je devais consacrer mon existence à défendre sa cause. Pour moi cela ne voulait rien dire – aucun des royaumes que je connais n'avait de reine alors. Puis je suis allé en Briavel pour le compte de Celimus et j'ai rencontré Valentyna.

» Tous ces éléments se sont aussitôt mis en place et, lorsque son père le roi Valor est mort, j'ai compris qu'elle était la reine dont la voyante m'avait parlé.

— Et tu es venu ici pour en connaître plus long sur sa vision ?

— C'est aussi simple que ça. Je n'ai pas vraiment eu l'occasion d'en apprendre plus étant donné que la veuve Ilyk n'a pas cessé de clamer « Le barbare arrive ! » Si seulement je l'avais écoutée.

Cailech et Lothryn eurent tous deux un sourire entendu.

— Sans compter qu'il n'était pas bien à cause de la potion qu'il prenait, et que je lui avais servi du vin. J'ai bien cru qu'il allait s'évanouir. C'est d'ailleurs pour ça qu'on était en train de sortir, dit Elspyth à toute vitesse, les mots se bousculant dans sa bouche.

Tous les yeux se tournèrent vers Cailech. Il avala ce qui restait de vin dans son verre, pas le moins du monde perturbé par l'attente fébrile de toutes les personnes présentes. Il fit même durer le plaisir.

— Comment va ta femme ? demanda-t-il à Lothryn.

— Je vais peut-être aller voir comment elle se porte si nous en avons fini ici, répondit Lothryn d'un ton naturel, comme si la conversation n'avait pas dévié.

Cailech hocha la tête et son conseiller partit.

Le roi revint au sujet, surprenant une nouvelle fois Wyl par l'agilité de son esprit.

— Pourquoi t'intéresses-tu tant à Thirsk et à Briavel ? demanda Cailech d'un ton où perçait maintenant l'exaspération.

— Parce que Wyl Thirsk, comme je l'ai découvert, était un homme honnête. Je suis un étranger, mais j'ai vu que Thirsk était fidèle à Morgravia – aussi fidèle au roi Magnus que Lothryn l'est envers vous. Vous aimez l'honnêteté et la sincérité ; pour ces seules qualités vous auriez aimé Wyl Thirsk. En outre, il exécrait la torture sous toutes ses formes, dit Wyl tout en s'enflammant à mesure qu'il parlait du sujet qui lui tenait le plus à cœur.

» S'il avait dû aller au combat, il aurait épargné des vies chaque fois que possible. Ce n'était pas un va-t-en-guerre – en fait, il n'était pas très différent de ce que vous êtes. Votre vision était bien de parlementer plutôt que s'entre-tuer, de résoudre les conflits par la parole.

— Tu sembles en connaître un rayon sur lui – vous avez dû devenir très proches en très peu de temps ?

Cailech vit Romen cligner des yeux, comme pris au dépourvu subitement. Puis Wyl secoua la tête avec lassitude.

— Nous avons passé quelques jours attachés l'un à l'autre, puis nous avons combattu côte à côte pour sauver la vie d'un roi. Enfin, nous nous sommes battus l'un contre l'autre, car même lui avait compris qu'un seul de nous deux pourrait s'échapper vivant de Briavel. Il est mort vaillamment et je lui ai fait le serment de protéger Valentyna.

— Je te le redemande : en quoi tout cela t'importe-t-il ?

Wyl n'avait plus rien à répondre. Tout cela était important pour lui parce qu'il aimait la reine de Briavel et que son amour pour elle était aussi ardent que sa haine pour Celimus, le roi de Morgravia.

Cailech soupira, tout comme s'il était en train de sermonner un enfant.

— C'est encore cette histoire de noblesse, hein ?

— Elle court dans mes veines, répondit Wyl avec sincérité, heureux de cette excuse inattendue.

» Et puis j'ai fait un pacte avec lui – nous avons mêlé nos sangs. C'est sacré, seigneur Cailech. En plus, je dois bien dire que ma loyauté va plus volontiers à Briavel qu'à Morgravia.

Ce dernier mensonge acheva d'épuiser Wyl. Il se sentait soudain vidé et l'esprit confus ; il détestait penser qu'il n'était plus loyal envers sa patrie.

Cailech voyait tout – il avait noté que la tension venait de disparaître de cet homme, pour lequel il éprouvait une certaine affection malgré lui.

— Nous en reparlerons plus tard. Je dois d'abord réfléchir à tout ce que tu m'as dit. D'ici là, vous êtes tous deux nos hôtes ici. N'essayez pas de quitter la forteresse – nos archers seraient obligés de vous utiliser comme cibles d'exercice. Mes gardes ont pour ordre de vous exécuter immédiatement si vous vous trouvez là où vous ne devez pas être. C'est compris ?

Elspyth et Wyl hochèrent la tête de conserve.

— Ce soir, j'organise une fête. Il y a un plat spécial au menu qui devrait t'amuser, Romen… Toi un peu moins, ma chère enfant, ajouta-t-il à l'intention d'Elspyth.

» Vous me ferez plaisir en venant assister à ces intéressantes festivités.

Chapitre 26

Wyl profita de l'après-midi pour dormir d'un sommeil peuplé d'images de cauchemar, dans lesquelles une jeune femme suspendue à une poutre le suppliait de le sauver. Les choses devinrent encore pires lorsque son visage, qu'il reconnaissait vaguement sans savoir à qui il appartenait, fit place à celui d'une autre qu'il connaissait ô combien. C'était Ylena maintenant qui le suppliait depuis le plafond ; elle criait, lui demandant pourquoi il n'avait su la protéger.

Il s'éveilla en sursaut ; ses draps étaient trempés de sueur. *Il faut que je m'échappe de ces montagnes !* La veuve l'avait prévenu du danger qui planait sur sa sœur ; et les échos de cette menace venaient à présent hanter ses rêves. Pour calmer son angoisse, il se traîna jusqu'à la table de toilette où une bonne âme avait laissé une chemise propre. Lavé et rafraîchi, il retrouva suffisamment de sérénité pour se concentrer sur la fête de Cailech. Si le roi était de bonne humeur ce soir, peut-être pourrait-il négocier sa libération.

Incapable de dormir, Elspyth déambulait sans but dans la forteresse ; pourtant, sa présence n'était nulle part bienvenue et tous les regards pesaient sur elle. Devant tant de sourde inimitié, elle éprouva une véritable joie en apercevant le visage familier de Myrt, qui pourtant n'invitait guère à l'amabilité.

— Bien le bonjour, Myrt.

Il grogna une vague réponse, mais s'arrêta malgré tout.

Elle essuya nerveusement la paume de ses mains sur sa robe.

— Hmm… Savez-vous où je pourrais trouver Lothryn ? Euh… il est allé voir si sa femme allait bien…

Myrt bougonna quelques indications qu'elle espéra pouvoir retenir. D'après Myrt, Lothryn disposait d'appartements privés à l'intérieur de la forteresse. Elle avait déjà compris qu'il était bien plus qu'un simple soldat de Cailech – elle avait désormais la confirmation qu'il était au moins l'un de ses ministres. Au passage, elle cueillit un bouquet de fleurs sauvages pour faire plaisir à la jeune maman.

Elle se perdit plusieurs fois, mais trouva toujours le courage de demander son chemin à des personnes encore moins loquaces que Myrt. Finalement, elle aboutit au passage qu'elles avaient décrit, menant à une petite cour intérieure autour de laquelle étaient bâties plusieurs maisons de pierre. Sur le seuil de l'une d'elles, une petite foule s'était rassemblée ; elle en conclut que ce devait être le voisinage et les amis venus fêter la naissance du premier fils. Pourtant, à mesure qu'elle approchait, Elspyth se rendait compte que l'ambiance n'était pas aux réjouissances – bien au contraire. En fait, tous affichaient une mine sinistre. Sous leurs coups d'œil et les murmures, elle finit par se sentir mal à l'aise, plantée comme un poteau à l'écart.

Elspyth se dit que mieux valait sans doute qu'elle n'aille pas plus loin ; après tout, c'était peut-être une commémoration privée. D'une voix douce, elle appela donc pour attirer l'attention, en se présentant et demandant où était la famille.

Une vieille femme – une parente peut-être, se dit Elspyth – tourna vers elle un regard plein de haine.

— Fous le camp, raclure de Morgravia ! cria-t-elle en crachant sur sa robe. Tu as amené le *barshi* avec toi !

Le barshi ? Elle n'avait pas la moindre idée de ce dont il pouvait bien s'agir. Elle ne voyait pas ce qu'on lui reprochait, mais elle trouva quand même le courage de demander où était Lothryn.

La vieille femme hurla un chapelet de mots dans une langue inconnue d'Elspyth. Elle réitéra donc sa demande à une jeune fille aux yeux rougis par les larmes.

—Il faut que je trouve Lothryn. J'ai un message pour lui, mentit-elle.

—À la Pierre de tristesse.

Elspyth commença à s'éloigner – elle ne voulait plus attiser l'animosité contre elle.

—C'est où ? demanda-t-elle par-dessus son épaule.

Quelqu'un pointa un doigt en direction d'une petite colline et Elspyth partit comme le vent. La peur et une sourde angoisse s'installaient au creux de son ventre; elle se mit à courir. Après deux chutes dans la pente raide et plusieurs égratignures aux coudes et aux genoux, elle finit par le trouver, agenouillé sur un vaste rocher de granit plat, les yeux tournés vers la mer.

Il chantait une mélopée funèbre. Le vent emportait ses pleurs vers le large. Elle ressentit au plus profond d'elle-même l'immense douleur qui le ravageait.

Le poids d'un insoutenable chagrin s'abattit sur elle et plusieurs minutes s'écoulèrent avant qu'elle remarque le petit paquet qu'il tenait dans ses bras. Elle comprit soudain que le bébé était là ; et elle s'approcha. Elle risquait d'encourir sa colère, mais elle voulait partager sa peine. Peu lui importait qu'il se rende compte de sa présence, ou même qu'il veuille ou non qu'elle soit là ; Elspyth s'avança sur la Pierre de tristesse, enserra son dos massif entre ses bras et se mit à pleurer. Son désir d'avoir une famille était si fort qu'elle ne pouvait qu'être déchirée du deuil qui le frappait.

Il ne recula pas à son contact, mais se mit à les bercer tous trois au rythme de son chant de douleur. Il serrait le petit paquet si fort contre son vaste poitrail qu'Elspyth ne pouvait voir le visage du bébé. Elle craignait que le pire ne soit arrivé – qu'Haldor, le dieu auquel croyait Lothryn, n'ait repris la vie de l'enfant. Elle perdit la notion du temps. Des torrents de larmes s'écoulaient d'elle ; elle pleurait pour la terrible perte du Montagnard, mais aussi pour sa tante et pour l'horrible tragédie de Romen.

Le vent se calma peu à peu et, soudain, elle entendit le son unique entre tous du gazouillis d'un nouveau-né.

D'un bond, elle fut debout. *Le bébé vit!* Les larmes lui vinrent de nouveau. *Il ne faut pas qu'il les voie.* Elspyth fit le tour de Lothryn et tendit les bras pour prendre l'enfant.

— Lothryn, c'est Elspyth. Est-ce que je peux le prendre ? Je ne lui ferai pas de mal…

Le colosse tourna vers elle un visage tellement ravagé par la douleur qu'elle sentit toute force la quitter. À cet instant, elle fut sur le point de s'enfuir – et elle l'aurait fait s'il ne lui avait pas tendu son fils avec des gestes d'une douceur infinie. Elle prit le précieux petit paquet contre elle et sentit monter une irrépressible vague de chagrin. De le tenir ainsi, elle mesurait le vide béant de sa vie sans personne à aimer. Le bébé la regardait ; sans y penser elle plaça l'extrémité de son auriculaire dans sa bouche et il se mit à téter.

— Votre fils a faim. Il faut l'allaiter, dit-elle.

La réponse de Lothryn la cingla comme un fouet.

— Sa mère est morte. Elle s'est battue pour rester avec nous, mais elle avait trop saigné. Personne n'a pu l'empêcher.

Elspyth déglutit avec difficulté.

— Je suis tellement désolée.

Elle fut incapable de parler davantage. Elle craignait de dire ce qu'il ne fallait pas. Elle posa une main sur son bras ; son contact dirait peut-être mieux combien elle partageait sa peine.

Il plaça son énorme main sur la sienne.

— Merci, dit-il.

Il reprit son fils et s'éloigna, laissant Elspyth seule et vidée sur la Pierre la tristesse où il était venu confier l'esprit de sa femme au vent et à la mer.

Plus tard, de retour dans sa chambre, Elspyth épuisée contemplait tristement les étendues vertes par sa fenêtre. Elle vit deux cavaliers qui s'éloignaient ; l'un d'eux était Lothryn et l'autre le roi. Elle espéra que Cailech saurait apporter à son ami plus de réconfort qu'elle-même ne l'avait fait.

— Elle a donné un fils à notre peuple, Loth. Nous devons nous réjouir du cadeau qu'elle nous a fait plutôt que pleurer sa mort, dit Cailech, les yeux perdus sur ces vertes collines qu'il aimait tant.

— Au moins, toi, tu as une bonne raison de te réjouir de la naissance de ce garçon, répliqua Lothryn d'un ton plus sec qu'il ne l'avait voulu.

Cailech tourna la tête vers son meilleur ami et compagnon – l'homme en qui il avait une confiance absolue. Il ne répondit rien ; le regard qu'ils échangèrent disait tout. Quoi qu'il y ait entre eux sur cette question, mieux valait qu'ils le taisent à jamais. Le roi inclina la tête en témoignage de son respect pour son conseiller, puis ils repartirent au pas de leurs chevaux.

— De toute façon, elle ne m'aimait plus à la fin, finit par dire Lothryn dans un soupir. Je regrette surtout de ne pas avoir su la rendre heureuse – ça et puis le fait que le garçon n'ait pas de mère.

— Nous prendrons soin de lui. Il ne manquera de rien.

— Je sais.

Les deux hommes allaient en direction du lac. Le roi aimait longer ces berges ; ici tout était si calme et si serein.

Selon son habitude, il changea abruptement de sujet.

— Je voulais te parler des prisonniers de Morgravia.

— Ah, j'avais hâte de connaître ta décision à leur sujet.

— J'ai attendu, Loth… Attendu que ma colère s'apaise.

Le conseiller au corps si massif parla d'une voix très douce.

—Cailech, les nôtres n'étaient pas du bon côté de la frontière...

—Peut-être bien, mais ils étaient perdus. Et je suis sûr qu'ils l'ont dit à ceux qui les ont assassinés.

—Si nous réagissons trop durement, cela pourrait bien déclencher la guerre entre nous et Morgravia.

—Trop durement? Alors qu'eux ont sauvagement massacré une dizaine des nôtres – des jeunes pour la plupart.

Lothryn ne dit rien. Il pouvait voir les signes avant-coureurs de la colère chez son roi; le mieux était encore de se taire. Il savait combien Cailech admirait les jeunes du clan des Montagnes et les encourageait en toutes choses. C'était grâce à lui si bon nombre atteignaient aujourd'hui l'âge d'homme au lieu de mourir dans d'inutiles guerres tribales. Par son exemple et son dévouement inlassable, il les avait incités à mettre leur énergie au service de l'agriculture et de l'élevage. Depuis, son peuple ne mourait plus de faim. Les récoltes étaient abondantes et les stocks de nourriture pour les temps difficiles bien mieux organisés. Depuis l'instant où il s'était proclamé roi, Cailech n'avait eu de cesse que l'on n'enseigne aux enfants la lecture et l'histoire de leur peuple, plutôt que l'art de tuer son prochain. Cailech favorisait les arts, la musique, le chant, la danse. Il était toujours disponible pour les jeunes et son âme était déchirée lorsque l'un d'eux venait à mourir d'accident ou de maladie – alors une dizaine sauvagement exécutés...

Lothryn savait mieux que personne que Cailech exigerait le prix de leurs vies. À dire vrai, il n'avait guère d'espoir pour les hommes de Morgravia qui avaient été capturés, mais il se ferait un devoir au moins d'essayer.

Du doigt, Cailech montra un petit bosquet d'arbres au bout d'une prairie.

— Loth, faisons la course jusque là-bas.

Ils lancèrent au galop leurs chevaux, spécialement élevés pour être rapides et adroits sur ces terrains accidentés et sous ces rudes climats. Comme on pouvait s'y attendre, Cailech arriva le premier sur sa magnifique jument.

— Elle est rapide, n'est-ce pas ? demanda-t-il, le souffle encore court de l'excitation de leur chevauchée.

— Magnifique, répondit Lothryn, lui aussi hors d'haleine, tout en flattant l'encolure de son cheval qui avait vaillamment couru.

» Alors, quelle est ta décision ? ajouta-t-il, bien décidé à ne pas oublier le sujet.

Cailech redevint sérieux.

— Je vais faire un exemple avec eux.

— Je t'en supplie, Cailech, réfléchis encore.

— C'est tout réfléchi ! Pendant que tu traquais Koreldy, j'ai retourné la question dans tous les sens. Je n'ai pas pris cette décision à la légère.

— Mais ces hommes dans nos cachots sont innocents eux aussi. Ils ont déjà assez souffert. Faut-il vraiment que nous nous montrions aussi inhumains que nos ennemis du sud ?

— Ce sont des soldats, pas des innocents !

— L'un d'eux seulement est un soldat, Cailech. Les autres ont combattu comme des paysans tout juste capables d'égorger un mouton.

— Que veux-tu que je fasse ? rugit le roi des Montagnes.

Lothryn attendit quelques instants pour répondre – le temps que retombe un peu la colère de son ami.

— Relâche-les. Montre-toi magnanime, sois meilleur que le roi de Morgravia.

Cailech secoua la tête avec rage.

— C'est comme ça qu'il agit, lui ! Magnus n'aurait jamais ordonné un tel massacre, mais son fils est un fou. Tous nos espions disent que le peuple de Morgravia le méprise de plus en plus. Non, cette fois-ci, je ne laisserai pas passer – je veux une vengeance. Celimus va connaître l'étendue de ma fureur et saura qu'il ne doit plus dormir tranquille. Un jour, j'irai prendre ses terres.

Lothryn poussa un profond soupir ; c'était la vieille antienne qui revenait. Malgré son aura de philanthrope charismatique, Cailech conservait l'esprit d'un conquérant. Il demeurait un guerrier animé du désir d'étendre son territoire et son influence. Lothryn craignait que ce tempérament signe un jour sa perte. Bien souvent, il l'avait averti des dangers de cette fascination – mais le moment n'était sans doute pas opportun pour répéter sa mise en garde.

Au ton de sa voix, il était évident que la décision du roi l'affectait profondément.

— Qu'as-tu en tête, seigneur Cailech ?

Et le roi lui fit part de son plan. Il n'y avait aucune joie dans sa voix ; Cailech parlait durement, refusant d'avoir à se justifier. Jamais Lothryn n'avait senti un tel vide se creuser en lui – jamais il n'aurait pu imaginer que Cailech entraîne son peuple si bas.

— C'est de la folie, dit-il, incapable de retenir ce qui pouvait sonner comme une offense.

— Je vais…

— C'est de la folie, Cailech. Je te le dis ! Veux-tu donner à nos ennemis un prétexte pour lancer des représailles ?

— Nous sommes prêts, grogna le roi.

— Prêts à faire mourir les nôtres ? Es-tu sûr de toi ? Si tu fais ça, la guerre viendra ici. Ou alors, c'est que tu as perdu la tête.

— Fais attention, Loth.

Le conseiller du roi tint compte de la recommandation.

— Cailech, on se connaît depuis toujours. Je t'ai suivi dans tous tes efforts pour devenir roi et je n'ai jamais failli à mes devoirs envers toi. Personne ne t'est plus loyal que moi.

— Je sais ! aboya Cailech.

— Mais je ne suis pas d'accord avec ce que tu entends faire. À mes yeux, cela te rabaisse, dit Lothryn, avant de poursuivre d'un ton devenu suppliant.

» Seigneur Cailech, ce n'est pas toi. Tu vaux tellement mieux que ça.

Cailech prit une expression gênée.

— Je veux leur donner une leçon qu'ils n'oublieront jamais. Loth, ceux de Morgravia ont assassiné nos enfants – je vais leur répondre de la seule manière qu'ils comprennent. C'est horrible, je le sais, mais je ne vais pas laisser mon peuple se faire piétiner par ce roitelet arrogant de Celimus. Si je ne réponds pas maintenant et avec la même vigueur, il me croira faible – et vulnérable.

— Et après ? S'il le croit, que nous importe ? Il n'est rien pour nous.

— Si, c'est important !

— Mais pourras-tu vivre seulement après une chose pareille ?

— Tu me connais assez pour savoir que oui.

Soudain, Lothryn vit clair.

— Ce n'est pas ton idée, hein ? Ton esprit ne fonctionne pas comme ça.

Cailech eut un rapide haussement d'épaules.

— Et alors ? Qu'est-ce que ça peut faire que le plan vienne de Rashlyn ? Il a raison, ça suffit.

Lothryn eut une grimace. Rashlyn était le *barshi* du roi. Ceux des Montagnes avaient toujours cru en la magie. Pour un souverain, avoir son propre *barshi* – son sorcier – était une bénédiction, tant ces personnages étaient rares. Pourtant, Lothryn avait détesté Rashlyn dès l'instant où celui-ci avait mis le pied dans les Razors pour s'insinuer dans les bonnes grâces de Cailech.

Rashlyn avait su se montrer patient – des années d'attente et de conseils avisés, à jouer sur la propension du roi à la superstition, jusqu'à gagner pleinement sa confiance. Aujourd'hui, il se considérait comme intouchable ; il savait que Lothryn se méfiait de lui, mais qu'il bénéficiait de la protection du roi. Chaque année, son influence sur Cailech devenait plus grande – et sa dernière idée était une abomination.

Lothryn passa une main nerveuse dans ses cheveux épais, couleur de sable mouillé, puis assena son ultime argument.

—Si tu fais ça, ils nous prendront pour des barbares.

Cailech eut un rire plein d'amertume.

—Les gens de Morgravia et de Briavel ? Mais ils nous prennent déjà pour des barbares ! Et maintenant, je n'en ai plus rien à faire.

—Mais là, ils auront une bonne raison de le croire, seigneur Cailech. Dans cette affaire, tu ne tiens aucunement compte de ton peuple – et tu décides quand même de commettre cette horreur, certain qu'ils te suivront comme des moutons… comme toi tu suis Rashlyn, n'est-ce pas ?

Cette fois-ci, Lothryn avait bel et bien dépassé les bornes ; il s'attendait à une explosion de colère.

Cependant, il n'eut droit qu'à un regard aussi froid qu'une source de montagne en hiver. Les mots de Cailech furent comme de la glace au contact du désespoir incandescent de Lothryn.

—Laisse-moi, Loth. Pars avant de dire quelque chose que nous regretterions tous les deux. Et ne te tourmente pas pour la réaction des nôtres. Ce soir, Rashlyn mettra ce qu'il faut dans le vin – ils seront tous avec moi.

Lothryn ne répondit rien ; il savait que les mots qu'il dirait à son souverain seraient définitifs. Il aurait donné sa vie sans hésiter pour Cailech, mais jamais un plan ne l'avait horrifié à ce point – jamais son ami ne l'avait autant déçu. Il était grand temps de faire quelque chose concernant Rashlyn. Jamais il ne lui avait accordé la moindre confiance ; dorénavant, il avait de bonnes raisons de souhaiter sa mort.

— Assure-toi que Koreldy et la fille seront bien là, dit la voix du roi dans son dos.

Lothryn sentit la colère flamber en lui tandis que lui parvenaient ces mots – et la menace qu'ils contenaient.

Chapitre 27

Ils étaient réunis dans la Salle de la Montagne, une immense caverne sur laquelle la forteresse proprement dite avait été édifiée, et d'où lui venait son nom. C'était le cœur du bastion – un endroit aujourd'hui paré aux couleurs de la fête. Des torches enflammées illuminaient le passage descendant jusqu'à la grande rotonde où on avait dressé des dizaines de tables sur tréteaux. Il n'y avait pas de foyer central, mais de nombreux petits âtres disséminés sur le pourtour pour maintenir une douce chaleur ambiante. D'innombrables quantités de fleurs-lanternes – typiques de ces régions du nord – avaient été coupées et enfilées sur des ficelles tendues entre les murs, bien haut au-dessus des têtes. Un lumignon enflammé placé dans la corolle de chacune d'elles les transformait en lampes aux reflets vifs et mouvants, et diffusait en les chauffant leurs subtiles fragrances fleuries. Le cadre était majestueux et féerique. Les royaumes du sud, tout imbus de leur supériorité supposée, auraient eu beaucoup à apprendre de ces « barbares ». Une nouvelle fois, Wyl était émerveillé de ce qu'il découvrait.

Le centre de la salle était dégagé et une foule de danseurs s'y étaient lancés dans une farandole endiablée. L'ambiance était légère et pleine de l'énergie tonique de la fête ; la musique jouée très fort rebondissait sur les murs et noyait toutes et tous sous une pluie de notes. Vêtus de costumes aux couleurs vives, les danseurs bougeaient leurs pieds à la cadence folle du rythme du grand Tambour des Montagnes, battu par deux membres de la tribu, parmi les plus colossaux.

Installé sur une estrade, Cailech était resplendissant dans une tenue sombre qui mettait en valeur sa haute taille et faisait ressortir la blondeur dorée de ses cheveux. Sous sa courte veste, il portait une chemise ; autour de son front, un bandeau d'argent avait remplacé le fil de cuir. Dans toute sa magnifique simplicité, il avait l'allure d'un véritable roi. L'éclairage tamisé des fleurs-lanternes adoucissait ses traits anguleux ; Wyl retrouvait le visage du jeune idéaliste que Romen avait connu naguère. En ces instants, Cailech était un homme fier et puissant, plein de ce charisme qui en faisait un véritable chef. Et il était tout à la joie ambiante aussi, chantant avec les siens, unis dans l'ivresse de la musique et de la fête.

Wyl était assis à sa droite, comme il sied à un invité d'honneur – il savait pourtant n'être guère plus que le prisonnier du roi des Montagnes. Il aperçut Elspyth, pâle et immobile, assise un peu plus loin à une autre table. Elle le salua d'un signe de tête ; elle ne parlait pas et souriait à peine. Elle était assise à côté de Myrt ; Lothryn n'était apparemment pas là.

La musique se tut et un tonnerre d'applaudissements, entraînés par Cailech, emplit la salle. Une troupe d'enfants entra ; ils venaient chanter pour leur roi et lui montrer leurs petites frimousses. Wyl profita de l'instant pour s'enquérir de Lothryn.

— Ah, un bien triste malheur. Sa femme est morte aujourd'hui en donnant le jour à leur petit, répondit Cailech dans un murmure, sans cesser de sourire aux enfants. Mais c'est un garçon, solide et fier. Un nouveau guerrier pour mener la guerre contre le sud, ajouta-t-il en regardant Wyl dans les yeux, un sourire aux lèvres.

C'était un sourire fait pour signifier plus que ce qui était dit, mais Wyl ne releva pas ; il n'avait nulle intention de poursuivre dans cette voie.

— En tout cas, j'espère que Lothryn ne va pas tarder à nous rejoindre, ajouta Cailech.

— Vous semblez bien peu sensible à sa douleur.

— Quelle douleur ? répliqua Cailech un peu abruptement. Ces deux-là formaient un couple mal assorti. Ils n'étaient pas faits pour être heureux ensemble. Je le lui avais dit avant qu'il l'épouse, mais elle portait un enfant et il était déterminé à en devenir le père. L'enfant est mort quelques jours après sa naissance, tout comme le suivant. Elle n'a jamais retrouvé le sourire – chaque jour de son existence paraissait une épreuve pour elle. Loth espérait que ce troisième enfant apporte un peu de joie dans sa vie – et moi aussi d'ailleurs. Elle était d'une excellente lignée. Son père et le père de son père étaient de grands chefs de tribu.

— Vous pensez donc que sa mort est un bienfait.

— Je n'ai pas dit ça, Koreldy. Lothryn va souffrir, c'est sûr, car il l'aimait à sa manière. Mais il s'en remettra. Il va falloir que je l'aide à trouver une mère pour le garçon.

Wyl secoua la tête.

— Et vous, seigneur Cailech ? Aucune femme n'a jamais su toucher votre cœur ?

À cette question, une ombre passa fugacement sur le visage du roi. Ses yeux se voilèrent un instant… et ce fut tout.

— Je n'aimerais pas que Loth manque notre événement spécial ce soir, se contenta de répondre le roi.

Wyl laissa filer – après tout, peu lui importait de savoir si le cœur de Cailech avait jamais éprouvé de l'amour pour quelqu'un.

— Quel événement spécial ?

— Chut, les enfants sont prêts, répondit Cailech en se tournant vers le centre de la salle.

Les bambins chantèrent joliment – une ballade émouvante sur le triste sort du peuple des Montagnes au temps où les tribus s'entre-déchiraient en d'incessants combats. Wyl n'y prêta guère attention, mais vit néanmoins combien Cailech semblait fasciné par la chanson ; de toute évidence, il adorait les jeunes et les enfants de son peuple. En fait, Wyl mit à profit ces instants pour réfléchir au moyen de négocier sa libération. Il fallait qu'il reconquière la confiance de Cailech – et pour ce faire, qu'il le convainque qu'ils haïssaient pareillement le royaume de Morgravia. Les enfants avaient fini leur chant et saluaient sous les ovations. Cailech était debout, applaudissant à tout rompre.

L'exubérance festive de la foule rassemblée n'était pas dénuée d'une certaine fièvre ; Wyl le remarquait soudain. Pour être exact, c'était le sens aigu de l'observation de Romen qui relevait comme une note fébrile dans les yeux brillants, les rires trop brusques et trop bruyants. Il mit cette pensée de côté comme le roi se rasseyait pour braquer de nouveau son regard sur lui.

Un groupe de musiciens entonnaient une nouvelle chanson ; on servait du vin et un plat de poisson fumé était apporté.

—J'espère que tu es en forme pour une longue nuit de fête… et même deux, pour être exact. La fête continue encore demain, dit Cailech.

» Goûte à ces poissons. Ils ont été pêchés dans mes rivières.

Wyl pensa que mieux valait accompagner le roi – se mettre au diapason de sa gaieté. Après le poisson, on apporta de délicieuses terrines de viandes, aux saveurs relevées d'épices et d'herbes.

L'heure paraissait venue pour une première tentative.

—Seigneur Cailech, croyez-vous encore que j'espionne pour le compte de Celimus ?

Cailech but une gorgée, toujours aussi impassible face aux questions inattendues.

— Qu'aurais-tu d'autre à dire pour me convaincre ?

— Il n'y a que la haine entre Celimus et moi... Ça, je peux vous le jurer sur ma vie.

— Et pourtant, tu as travaillé pour lui. Tu as trempé dans ses ignobles complots...

— Oui, je l'ai fait, mais pour de l'or, Cailech – et pour cette seule raison.

Wyl dut baisser la voix, par crainte d'attirer l'attention.

Cailech ne répondit rien, mais Wyl sentit le poids de son regard peser sur lui ; il était jaugé et cela le mettait mal à l'aise.

— Que voulez-vous de moi ? demanda Wyl, essayant une nouvelle approche. Comment puis-je prouver que je ne suis loyal à personne d'autre qu'à moi-même ?

— Oh, je suis bien convaincu que tu as des griefs contre Celimus. Tout le monde est d'accord là-dessus. Mais qu'en est-il de toi et de la reine de Briavel ?

— Si je peux déstabiliser Celimus en lui apportant mon aide, je le ferai.

— Pourquoi faire ça, Romen – puisque l'argent semble être devenu ta motivation aujourd'hui ?

— Pour la vengeance.

— Pour te venger de quoi ?

Wyl poussa un profond soupir.

— Celimus est plus qu'un homme assoiffé de pouvoir, je le sais. Certes, il est dans la nature de l'homme de vouloir toujours plus de terres, plus de richesses, plus de puissance.

Cailech écoutait attentivement, sans rien dire. Wyl poursuivit.

— Si personne n'aide Valentyna, Celimus envahira Briavel. La légion est puissante, tandis qu'elle n'a aucune expérience de la guerre. Je suis peut-être de Grenadyne, mais depuis sa trahison, je ne supporte pas l'idée qu'il s'empare ne serait-ce que d'un arpent de terre, d'une seule pièce d'or à ajouter à son trésor.

Le roi prit le temps d'examiner l'argument avant de répondre.

—Ce serait folie pour Celimus que de sous-estimer la jeune reine, aussi inexpérimentée soit-elle. Souvent, la passion fait tout.

Wyl admit le bien-fondé de cet avis, qui lui rappelait le tempérament ô combien déterminé de Valentyna. Si une jeune reine devait un jour conduire victorieusement ses armées à la bataille, elle était celle-là. Il objecta néanmoins, poussé par le désir de détourner la conversation de Valentyna.

—Quoi qu'il en soit, si mes services peuvent l'aider à lutter contre Celimus, je les lui offre bien volontiers – même si mes tarifs ont augmenté ces derniers temps.

Cette dernière pointe visait à conforter Cailech dans l'idée que Wyl ne prenait parti pour aucun royaume en particulier.

—C'est donc là que tu comptes aller, Koreldy ? En Briavel ? Pour mettre ton épée au service de la jeune reine contre des sommes extravagantes ?

—Oui, répondit Wyl, en espérant très fort que ce soit là la réponse que le roi des Montagnes attendait.

Wyl vit que quelqu'un venait de faire un signe à Cailech. Peu de chose échappait aux yeux de Romen, toujours en alerte.

—Je vois. Alors avec toute cette haine que tu as en toi contre Morgravia, je pense que tu vas apprécier ma surprise.

Le roi interrompit là leur conversation, coupant court aux questions que Wyl brûlait de poser. Cailech se leva, cognant sa chope contre la table.

—Braves gens ! clama-t-il pour obtenir le silence. Mes gens ! poursuivit-il d'un ton de patricien.

» J'ai une surprise pour vous ce soir afin d'honorer la mémoire de nos morts. Ceux des nôtres dont les vies innocentes ont été volées il y a une lune de cela par ceux de Morgravia. J'ai donc demandé aux cuisines de préparer un plat spécial pour nous souvenir d'eux et les saluer.

Il marqua une pause ; le silence planait sur la salle. Wyl sentit une peur irraisonnée s'insinuer en lui – peut-être savait-il trop combien ce roi était imprévisible.

Cailech poursuivit ; aucun sourire ne flottait plus sur son visage.

— Au menu ce soir, vous allez avoir quelque chose de nouveau – quelque chose de différent.

Il abattit derechef sa chope sur la table, invitant les siens à faire comme lui.

Ils l'imitèrent. Le Tambour des Montagnes sonnait lentement ; tous se joignirent à son rythme lancinant. Wyl n'avait pas la moindre idée de ce qui se tramait. Rien dans les souvenirs de Romen ne l'éclairait sur le sens de cette cérémonie. Il imaginait qu'on allait présenter au roi quelque plat fabuleux. Quelqu'un avait parlé d'un cygne – en Morgravia, c'était un mets de roi. Est-ce que c'était ça ?

Le son lugubre d'une corne de chasse des Montagnes vint se mêler au rythme du tambour.

— Regarde, murmura Cailech, avec une morne sauvagerie dans la voix. Ils arrivent.

Wyl suivit la direction indiquée par le roi et ce qu'il vit était une telle vision atroce qu'il se sentit vaciller. À quelques pas de lui, Elspyth avait plaqué ses mains sur sa bouche ; ses yeux étaient écarquillés d'horreur et d'incrédulité.

Amenées sur des tables de présentation, il y avait cinq personnes – quatre hommes et une femme – encore vivantes mais nues et préparées comme des animaux morts, prêts à être mis à la broche au-dessus des braises. La femme était écartelée sur la table, mains clouées et pieds attachés, entourée de salade et de légumes. Trois des hommes, bridés comme des volailles, étaient attachés à d'énormes broches que portaient deux montagnards. Enfin, pieds, mains et cou enchaînés, le dernier homme fermait cet odieux défilé. Il avançait tête basse, en traînant misérablement les pieds.

Un poids énorme pesa soudain sur la poitrine de Wyl ; il ne parvenait plus à laisser l'air entrer en lui.

— Cailech, dit-il en un pitoyable coassement que le roi des Montagnes ne daigna pas entendre.

— Mes frères ! hurla Cailech à son peuple. De la viande de Morgravia pour vos estomacs.

Et tous ces gens, dont Wyl avait admiré l'inventivité et le sens artistique, commencèrent à chanter et hurler contre les victimes. À cet instant, il prit définitivement la mesure de l'ambiance qui régnait en ces lieux ; ces gens devaient avoir été drogués. Son attention fut alors attirée par un homme intégralement vêtu de noir. Ses petits yeux, noirs également, suivaient la cérémonie avec une joie ardente, comme affamée. Il tenait ses mains serrées l'une contre l'autre devant lui ; sa longue barbe dissimulait sa bouche et ses grands cheveux tombaient en lourdes boucles devant son visage. Ses yeux couraient des prisonniers à Cailech. Wyl le vit hocher la tête et le roi donna ses ordres à cet instant.

— Badigeonnez-les d'huile ! rugit Cailech. Attisez les flammes !

Il avala le contenu de sa chope, puis la fracassa sur la table avant de s'essuyer la bouche d'un revers de manche. Ses yeux brûlaient d'une lueur que Wyl ne parvenait pas à décrypter.

— Emmenez-les et attendez mon signal ! ordonna le roi. Tous sauf l'homme enchaîné. Lui, il reste. Attachez-le au fond que je puisse le dévorer des yeux.

Wyl chercha l'homme habillé de noir ; il n'était plus là. Il eut la certitude que c'était lui qui orchestrait tout ça. *Qui est-il ? Pourquoi Cailech ferait-il ce qu'il demande ?*

Les tables furent remportées et le dernier homme, le visage battu par ses longs cheveux graisseux, fut enchaîné au mur du fond, tout comme s'il avait été un chien.

— Musique ! hurla Cailech.

Et le peuple des Montagnes repartit dans une furieuse

sarabande. Cailech se rassit pour reprendre sa conversation avec Wyl le plus naturellement du monde.

—On va servir du cygne ensuite. C'est notre spécialité – tu t'en souviens sans doute, Romen ?

Un sourire sinistre flottait sur les lèvres du roi.

La foule dansait, chantait, parlait, riait comme si de rien n'était – comme si ce qui venait de se passer était monnaie courante dans une fête de Montagnards. L'intuition qu'avait eue Wyl – que toutes ces personnes étaient droguées – revenait s'imposer à lui. À les voir danser, n'importe qui aurait remarqué leur frénésie presque surnaturelle.

Toujours trop secoué pour soutenir une conversation cohérente, Wyl observait Lothryn qui avait finalement rejoint Elspyth et Myrt. De toute évidence, il avait vu ce qui s'était passé ; son visage n'était qu'un masque de suprême dégoût. À ses côtés, Elspyth paraissait sur le point de défaillir.

Wyl s'éclaircit la voix ; ses nerfs à vif étaient tendus à se rompre.

—Cailech, dit-il d'une voix étrangement douce. Qui sont ces gens ?

—Ils viennent de Morgravia. Tu devrais te réjouir avec moi au lieu de te préparer à vomir ton poisson.

Wyl dut serrer les poings sous la table pour ne pas exploser. *Des gens de Morgravia !* Quelle horreur.

Il fallait qu'il en apprenne plus ; il contraignit sa voix au calme.

—Des soldats ?

Cailech confirma d'un signe de tête tout en mâchant du pain.

—La femme est leur chienne.

—Comment avez-vous…

—Naguère, Fergys Thirsk contenait les patrouilles sur la frontière. Aujourd'hui, Celimus passe à l'offensive en envoyant des troupes d'espions, avec l'intention sûrement d'en faire les têtes de pont pour lancer des raids. Ils s'imaginent connaître les Montagnes, ajouta-t-il d'un ton railleur. Ils ne connaissent rien ! Ces imbéciles que nous avons capturés ne sont guère que des paysans.

— Et vous voulez les manger ?

— Peut-être. Qui peut savoir ce qui se passe dans la tête de barbares qui se dévorent entre eux, répondit Cailech d'une voix pleine d'abomination.

— Mais pourquoi agir ainsi ? Vous voulez prouver quelque chose ?

— Exactement ! répondit Cailech d'une voix sourde pleine de colère. Celimus a ordonné qu'on tue à vue tout Montagnard passé en Morgravia. Et il n'est pas regardant – les femmes et les enfants aussi. Il n'y a pas si longtemps, ils ont massacré une dizaine d'innocents. Au moins, moi, je me limite aux soldats !

Wyl n'avait pas entendu parler d'un tel décret pris par Celimus, mais tout cela ne sonnait que trop vrai ; de sa part, rien ne le surprenait.

— Cailech, au sud de Morgravia, là où vivent la plupart des gens, rares sont ceux qui savent à quoi ressemble un Montagnard – et plus rares encore ceux qui savent que vous existez vraiment.

— Eh bien, il semblerait que le roi prenne notre existence au sérieux. Depuis qu'il règne, il a fait tuer je ne sais combien des nôtres – des enfants pour la plupart. Tu entends bien, Romen, des enfants qui avaient eu le malheur de franchir par accident une ligne invisible. Des enfants !

Cailech était à présent sur le point de hurler. Des Montagnards se retournaient pour voir ce qui pouvait bien mettre leur roi dans cet état.

Wyl calma les choses ; il ne pouvait pas se permettre d'énerver Cailech. Les souvenirs de Romen lui soufflaient combien le roi des Montagnes devenait imprévisible et dangereux dans ses colères.

— Je vous en prie, seigneur Cailech. Vous allez inquiéter les vôtres. Ce soir est une fête, n'est-ce pas ?

Le roi finit son vin, s'efforçant au silence pendant que le calme revenait en lui.

Il y eut une petite pause dans l'agitation, que Wyl s'empressa de meubler.

— Sincèrement, vous n'avez pas l'intention de les manger ?

Le roi ne dit rien.

— Cailech, vous avez dit vous-même que ces gens n'étaient que des paysans, pas des soldats ! Vous ne pouvez pas leur infliger ça – même à la guerre, il y a des règles qu'on respecte. C'est Celimus qui est coupable, pas eux !

Wyl sentit que sa voix s'était faite implorante. Cailech porta sur lui son regard intimidant.

— Et tous ceux que j'ai perdus, ils étaient coupables peut-être ?

— Je n'ai pas dit ça.

— C'est ce que tu impliquais.

— Pardonnez-moi, seigneur, ce n'était pas mon intention. Au moins, les soldats méritent une mort honorable. Quant à la femme, elle ne mérite pas de mourir du tout.

— Pour quelqu'un de Grenadyne, je trouve que la vie de ceux de Morgravia t'importe beaucoup.

— En vieillissant, je me suis mis à accorder de l'importance à toutes les vies.

À cet instant, une femme entonna une douce mélopée, d'une voix magnifique et aérienne ; au soulagement de Wyl, sa ballade semblait avoir un effet apaisant sur la foule.

— Je croyais que tu tuais sans remords, pour de l'argent ? dit Cailech en s'absorbant dans la contemplation de la chanteuse.

— Ce qui ne m'oblige pas pour autant à aimer ça.

Cette dernière remarque arracha un sourire au roi. Il était sincèrement amusé ; et Wyl profondément soulagé.

— Décidément, tu ne cesseras jamais de me surprendre, Romen. C'est probablement pour ça que je t'ai laissé vivre aussi longtemps.

— Je vous remercie de votre mansuétude, seigneur, répondit Wyl avec gravité en levant son verre à l'intention du roi.

» Puis-je parler au prisonnier ?

Dans le fond, Wyl était soulagé que Cailech n'ait rien répondu sur ses intentions de manger ou non les prisonniers. Après tout, tout cela n'était peut-être qu'une mise en scène pour souder son peuple autour de lui.

— Vas-y. C'est un coriace. On a bien essayé de le briser, mais son esprit est fort.

— Qui est-il ?

Cailech haussa les épaules.

— Quelle importance ? Quelqu'un d'un rang élevé à en juger par sa manière de parler au nom des autres… et d'accepter leurs souffrances.

C'était une phrase bien sibylline ; Wyl laissa filer.

— Que comptez-vous faire de lui ? demanda Wyl, subitement horrifié à l'idée de la réponse.

— Rashlyn propose qu'on le cuisine morceau par morceau. On va commencer par ses mains et pieds, puis prélever chaque jour un autre bout. D'ailleurs, je vais peut-être m'inspirer de ton exemple, Romen, et renvoyer sa tête à Celimus – cuisinée, bien sûr… Comme ça, il saura qu'il dit vrai lorsqu'il affirme que nous mangeons nos ennemis !

Wyl préféra ne pas poursuivre dans la voie de la rhétorique.

— Qui est Rashlyn ?

— Mon *barshi*. Mon conseiller, en quelque sorte.

Le mot *barshi* lui était inconnu, aussi le mit-il dans un coin de sa mémoire pour interroger Lothryn plus tard ; pour autant, il avait déjà une idée très précise de ce qu'il pouvait bien signifier.

— La fête de ce soir, c'était une idée à lui ?

Cailech ignora la question. Le roi des Montagnes était indubitablement un chef doté d'une poigne de fer, mais Wyl avait le sentiment qu'il était trop intelligent pour s'abaisser de lui-même à commettre quelque chose d'aussi horrible ; quelqu'un avait dû l'influencer. Or, ce Rashlyn jouissait sans conteste d'une certaine aura auprès du roi.

Après une courte révérence à Cailech, Wyl s'éloigna de la table, juste au moment où on apportait, sous les cris et les applaudissements, un cygne farci, rôti et artistiquement paré de ses plumes pour la présentation. Afin de se donner contenance, Wyl s'arrêta à la hauteur de Lothryn pour lui présenter ses condoléances.

Le Montagnard hocha la tête, avant de revenir abruptement aux événements qui se déroulaient en cet instant.

— Je suis désolé que vous ayez assisté à pareils agissements, dit Lothryn.

— Apparemment, vous ne les approuvez pas.

— Je doute que Cailech me reparle un jour après avoir entendu mon avis sur la question.

Wyl eut une mimique pleine de compréhension.

— C'était bien Rashlyn, l'homme en noir avec une barbe et de longs cheveux ? demanda Wyl.

— Oui. C'est un homme très dangereux.

— Je suppose que cette soirée est à son initiative ?

— Malheureusement.

— Où est Elspyth ? demanda Wyl en s'apercevant qu'elle avait disparu.

— Je crains que la surprise de Cailech n'ait été de trop pour elle.

— Cailech se trompe, dit Wyl, confiant dans la sagesse de Lothryn. Ce qu'il fait est une folie.

— Je n'approuve pas non plus, mais j'ai déjà dit tout ce que je pouvais à ce sujet. Il est déterminé à se venger à sa manière – vous savez comment il est. Ces derniers temps, nous avons déjà perdu bien des nôtres et malgré tout ce que je peux dire, il reste inflexible. Bien sûr qu'il est dans l'erreur – tout ça n'aboutira qu'à d'autres morts – mais il est fier aussi, et le meurtre de nos enfants a été un déchirement pour lui. Ils les ont tués pour le plaisir… Pour ceux de Morgravia, les Montagnards ne sont guère plus que des animaux.

Wyl soupira ; il lui paraissait impossible que les hommes de la légion aient pu commettre de telles horreurs. *À la nuance près qu'ils ne sont plus sous tes ordres*, se rappela-t-il à lui-même. Il regarda en direction de l'homme pitoyable, enchaîné nu contre la muraille. Quelque chose venait gratter à son esprit ; une impression entêtante mais qu'il ne parvenait pas à identifier tant ses pensées étaient embrouillées.

— Vous voulez bien veiller sur Elspyth ? Elle ne mérite pas d'être mêlée à tout ça.

Lothryn hocha la tête, de nouveau plongé dans le silence. Wyl le remercia, puis s'avança vers l'homme de Morgravia, tout recroquevillé par terre, la tête entre ses genoux. À ce qu'il pouvait juger, c'était un homme de grande taille, mince et aux muscles noueux – un de ces hommes qui ont passé leur vie à s'entraîner. Comme il s'approchait, il sentit de nouveau comme une ruade dans son esprit. *Que se passe-t-il ? Qu'est-ce que mes pensées essaient de faire ?*

Il sentait maintenant l'odeur infâme entourant le soldat. Il repensa à sa sœur dans son cachot et la colère flamba en lui. Il se demandait combien de coups cet homme avait endurés pour les éviter aux autres. Wyl allait se pencher sur lui lorsqu'un garde s'interposa.

— C'est bon, Borc ! dit une voix dans son dos.

C'était Lothryn qui venait de parler.

— Cailech ne veut prendre aucun risque, remarqua Wyl avec sarcasme, amer d'être ainsi pisté par Lothryn.

— Jamais, Romen. Vous devriez le savoir.

Wyl hocha la tête. En lui, la fureur le disputait au désespoir – mais un reste de sagesse lui hurlait de ne pas répondre. Ignorant le garde, il s'accroupit. La puanteur infecte faillit le faire se relever, mais il tendit la main pour relever le visage ravagé d'un homme qu'il connaissait presque aussi bien que lui-même.

— Gueryn !

— C'est toi, mon garçon ? C'est toi, Wyl ? coassa l'homme, en proie à la plus grande des stupeurs.

Il ne pouvait plus voir ; ses paupières étaient cousues.

— Vous le connaissez ? demanda Lothryn, stupéfait.

Wyl était incapable de répondre, à l'un comme à l'autre. Il ne supportait pas de voir Gueryn ainsi réduit – lui, le brave d'Argorn, fidèle à Morgravia, dévoué jusqu'à la mort à la maison Thirsk, et qui avait été pour lui comme un second père.

— Wyl ? demanda-t-il de nouveau, avant de laisser sa tête retomber entre ses genoux.

— Il passe son temps à demander après un certain Wyl. Ça doit être son fils, dit le garde. J'aurais bien aimé qu'on l'attrape aussi, celui-là.

Le rire gras par lequel le garde avait escompté ponctuer sa remarque ne franchit jamais sa bouche ; la main puissante de Romen s'était refermée sur sa gorge. L'homme battit des bras, envoyant valser le plateau chargé d'un cygne que portait une femme. Il y eut un grand bruit et un début d'agitation. Une poigne plus forte encore que la sienne saisit Wyl par-derrière, l'empêchant de commettre l'irréparable.

— Vous êtes fou ! s'exclama Lothryn en garrottant littéralement les bras de Wyl entre les siens.

Il était déjà trop tard. Cailech avait bondi de l'estrade pour s'approcher à grands pas.

— Par le cul poilu d'Haldor ! Que se passe-t-il ici ? rugit-il.

Un silence de plomb s'était abattu sur l'immense salle. On n'entendait plus que le murmure de la femme qui se désolait sur son plateau renversé.

— Koreldy ! hurla Cailech en forçant Wyl à le regarder en face. Tu oses t'en prendre à l'un de mes hommes dans ma forteresse ?

— Il m'a offensé, seigneur Cailech ! répondit Wyl.

Son esprit cherchait à toute allure une excuse imparable pour expliquer son geste.

— Il connaît le prisonnier, cracha Borc en se massant le cou.

Les mâchoires de Cailech pulsaient furieusement sur ses joues.

— Emmène-le ! ordonna-t-il.

Lothryn emmena Wyl sans ménagement à l'écart, loin des oreilles indiscrètes.

Borc tentait toujours de retrouver son souffle.

— Qui est-il ? demanda le roi.

— Il s'appelle Gueryn Le Gant, répondit Wyl, heureux de ne plus voir son pauvre ami réduit à l'état de loque humaine.

En lui, l'art de Romen pour tisser des fables reprenait le dessus.

— Il est originaire de Grenadyne. J'ai grandi avec lui, ajouta-t-il.

Gueryn n'avait guère qu'une dizaine d'années de plus que Romen – Wyl ne devait pas l'oublier.

— Que faisait-il alors sous les couleurs de Morgravia ?

Le regard de Wyl se posa sur Lothryn, qui se tenait impassible à côté de Cailech. Il n'avait aucun secours à attendre de lui ; il chercha à gagner du temps.

— Je n'en ai pas la moindre idée. Cela fait des années que je ne l'ai pas vu, c'est à lui qu'il faut le demander.

— Va le chercher, ordonna Cailech.

Lothryn obéit. Wyl constata que le sourire de Romen, toujours si prompt à venir sur ses lèvres, lui faisait maintenant défaut ; Cailech l'avait vu lui aussi.

— Koreldy, si tu me mens cette fois-ci, ce sera la dernière. Tu subiras le même sort que ton ami.

On traînait Gueryn, nu et tremblant, devant le roi ; sans doute s'attendait-il à être battu encore. À la lueur des torches, Wyl découvrit les marques de coups sur tout son corps. L'expression de Lothryn disait combien il désapprouvait le goût de la vengeance de son souverain – Wyl conclut que les paupières cousues étaient une autre des idées de Rashlyn.

Un bruit d'agitation monta derrière lui et Wyl se retourna – Elspyth tentait de se frayer un passage parmi les gardes pour s'approcher. Cailech lança un regard interrogateur et Lothryn murmura quelque chose.

— Qu'elle approche !

Elspyth les rejoignit. Elle évitait de regarder en direction du prisonnier, maintenant au contraire ses yeux fixés sur Cailech.

— Elspyth, je t'avais dit que les festivités de ce soir ne seraient peut-être pas à ton goût, mais tu vas pouvoir nous aider. Veux-tu poser une question pour moi au misérable qui est là, s'il te plaît ? Je me rends compte qu'il répondra peut-être plus volontiers à une voix féminine.

» Nous aurions dû y penser avant, Loth ! ajouta Cailech à l'intention de son conseiller.

Lothryn ne répondit rien.

Elspyth tourna la tête et saisit une expression étrange sur le visage de Romen. Il éprouvait de la peine assurément, mais elle n'était pas sûre de savoir ce qu'il attendait d'elle à cet instant.

— Parle-lui avec douceur, indiqua Cailech. Demande-lui qui est Romen Koreldy, ajouta-t-il en vrillant sur Wyl un regard entendu, plein de menaces informulées.

Elle porta ses yeux sur le vieil homme tremblant. Ce n'était pas la peur qui le faisait ainsi grelotter, mais la maladie et la faiblesse. Pas étonnant d'ailleurs, au vu de ce qu'il avait dû subir. Le cœur d'Elspyth se serra pour ce brave soldat qui avait su garder pour lui ses secrets ; s'il avait pu se tenir droit, il aurait été un homme fier et de belle prestance. Elle vit ses paupières cousues, les plaies sanguinolentes et les rigoles de sang séché sur ses joues ; les yeux de la jeune femme s'emplirent de larmes. La mort serait une délivrance pour lui.

Soudain, elle sentit le poids des regards sur elle et mit bien vite ses tristes pensées de côté.

— Comment s'appelle-t-il ? demanda-t-elle à Wyl.

D'un geste, Cailech interdit à Romen de parler – ce qui l'étonna. Une heure auparavant, ils semblaient dans les meilleurs termes et voilà que la tension entre eux était à son comble.

— Il s'appelle Gueryn, répondit Lothryn, avec un pauvre sourire dans lequel elle puisa un peu de courage.

— Gueryn, vous m'entendez ? demanda-t-elle.

Immédiatement, Gueryn leva vers elle ses yeux martyrisés.

Une expression de contentement apparut sur le visage de Cailech – enfin, l'homme allait parler. Tout ce qu'il fallait, c'était une touche féminine.

— Gueryn, je m'appelle Elspyth. Je suis de Morgravia, d'une petite ville qui s'appelle Yentro.

Gueryn avait reconnu la pointe d'accent et une petite larme perla entre ses paupières mutilées ; le cœur de Wyl se déchira à cet instant. C'était plus qu'il ne pouvait en supporter. Un cri jaillit de sa poitrine.

— Ensemble, Gueryn !

Il aurait dû anticiper ce qui se passa ensuite, mais il avait été tellement focalisé sur l'idée d'arracher Gueryn à son gouffre de désespoir qu'il avait tout oublié. Le poing de Cailech s'écrasa sur ses côtes qui éclatèrent une nouvelle fois sous le choc. Wyl s'écroula au sol, plié en deux ; la douleur explosait en lui en une myriade de points lumineux. L'air ne parvenait plus jusqu'à ses poumons – il espéra qu'aucun éclat d'os ne les avait transpercés. Depuis son brouillard de souffrance, il vit que Gueryn s'était redressé – sa bouche avait retrouvé cette ligne déterminée qu'elle avait pour réprimander le jeune Wyl Thirsk naguère. Le cri de guerre de la maison Thirsk avait réalisé quelque chose de bien plus important que quelques côtes brisées.

Tout était arrivé si vite qu'Elspyth n'avait même pas eu le temps de crier.

— Un seul son, jeune fille, et je te fais la même chose, cracha Cailech entre ses dents serrées.

— C'est tout ce à quoi vous êtes bon, seigneur Cailech. Frapper des femmes, torturer des gens. Pendant un moment, j'ai cru que vous étiez un autre, mais je vois maintenant à quel point vous n'êtes au fond qu'un barbare dans tous les sens du terme. Vous n'avez aucun sentiment, aucune compassion pour les êtres humains. Tuez-moi s'il le faut, mais je ne ferai rien pour vous aider dans vos actes ignobles. Oui, je suis de Morgravia et j'en suis fière ! Je ne me rabaisserai plus devant Ceux des Montagnes. Plutôt mourir que trahir les miens. Vous pouvez me croire quand je dis que je hais mon roi, mais que j'aime ceux de mon royaume. Je ne vous veux aucun mal, ni à vous ni à votre tribu, mais je ne vous laisserai plus faire de mal aux miens. Je ne vous aiderai pas à persécuter ce pauvre homme ou humilier le mercenaire. Si vous voulez apprendre quelque chose, débrouillez-vous avec vos méthodes de barbare.

La longue tirade d'Elspyth avait pris tout le monde de court – raison pour laquelle elle avait pu aller jusqu'au bout. Ses yeux lançaient des éclairs de fureur ; son souffle était court et sa poitrine palpitait. Si Wyl en avait eu la force, il aurait applaudi. Il était sûr désormais que le roi allait la frapper après pareille insulte.

Il n'en fit rien, se contentant d'un ricanement.

— Emmène-les tous trois au cachot, Loth. Ils partageront le même sort sur la braise, demain. Pour ce soir, franchement, je n'ai plus d'appétit.

Chapitre 28

Un observateur aurait fort logiquement pu penser que le roi des Montagnes était seul dans la pièce, à broyer du noir devant un feu qui brûlait dans la cheminée, dont à dire vrai il n'avait ni envie ni besoin pour se chauffer ou s'éclairer. À côté de lui était posée une coupe de vin à laquelle il n'avait pas touché.

Cailech était en colère – toujours sous le coup de la fureur qu'avaient fait naître en lui les critiques de Lothryn avant même le début de la fête. Cailech adorait Lothryn ; jamais il n'aurait sujet plus loyal ni ami plus proche et plus fidèle. Toutefois, il semblait clair désormais qu'ils ne partageaient plus la même vision. Lothryn était heureux de tout ce qui avait déjà été accompli. Il savait que son ami lui conseillerait de vivre heureux et de se contenter de régner sagement – de prendre soin des siens et de prospérer dans les montagnes. Pour un peu, c'était comme si Lothryn avait été là à lui dire le fond de sa pensée.

Mais Cailech voulait plus ; son ambition n'était pas morte. Il était dans sa quatrième décennie, mais le feu en lui n'avait toujours pas faibli. Sans le savoir, Celimus et lui partageaient un même rêve : conquérir un empire bien au-delà des frontières de leurs royaumes. Dans l'idéal, celui de Cailech irait du nord jusqu'au sud du continent, en englobant à l'ouest Morgravia la prétentieuse, et à l'est la naïve Briavel – toutes deux accordaient si peu d'attention à leurs frontières du nord. Avec à leur tête des héritiers frais émoulus, aucun de ces deux royaumes n'avait jamais été aussi vulnérable. En fait, unir leurs destins par un mariage et joindre leurs forces était une simple question de bon sens.

Rashlyn avait raison. Si Cailech voulait s'emparer de certaines des terres fertiles au sud des Razors pour établir une partie de son peuple sous des climats moins rudes, il lui fallait agir vite. *Est-ce que c'est vraiment ce que je veux ?* se demandait-il. *Est-ce que je veux vraiment que mon peuple s'amollisse dans un milieu plus clément* ? En cet instant, s'il avait été honnête avec lui-même – ce qui précisément n'était pas le cas –, il aurait dû reconnaître que ce qu'il voulait vraiment, c'était humilier et faire rendre gorge au jeune roi de Morgravia. Celimus était une menace pour la paix et la prospérité de tous – et Cailech savait pertinemment que s'il épousait Valentyna, il n'aurait de cesse qu'il n'ait dompté le peuple des Montagnes. D'après tous les rapports qu'il avait reçus, Celimus était ambitieux et certainement pas un lâche ; encore inexpérimenté peut-être, mais animé de la volonté de se tailler un empire. Son but était sûrement d'asseoir son fils sur un trône embrassant les deux royaumes du sud, mais aussi le royaume des Montagnes.

Le cas de Romen Koreldy s'insinua dans ses ruminations. Un bien curieux mercenaire, qui avait imploré la clémence pour les prisonniers de Morgravia, dont prétendument il n'avait que faire et auxquels il ne devait rien, et qui en outre avait offert ses services à Valentyna.

— Tout cela est bien généreux, bien vertueux, murmura le roi pour lui-même. Mais que caches-tu, Koreldy ?

Cailech était convaincu que Romen ne lui disait pas la vérité ; il lui faisait l'effet de ne plus être le même homme aujourd'hui. Certes, bien des années s'étaient écoulées, mais ce Koreldy-là ne collait pas. L'ancien était d'un égoïsme forcené et terriblement sûr de lui. La mort de sa sœur l'avait profondément affecté, mais son caractère était demeuré. Or, le Romen d'aujourd'hui n'avait plus la même arrogance. La personnalité conquérante était toujours là, mais comme marquée d'une touche de retenue et d'hésitation qu'il ne parvenait pas à sonder. Et puis il y avait autre chose – et c'était ça le plus étrange : Koreldy ne l'avait toujours pas défié dans une partie d'*agrolo*. Or, ni le temps, ni la maturité n'auraient pu émousser le sens de la compétition entre eux à ce jeu d'adresse pratiqué sur une planche avec des pierres en guise de pièces. L'*agrolo* exigeait une grande concentration, ainsi qu'un certain goût du risque ; seuls ceux prêts à perdre tout ce qu'ils misaient avaient des chances de l'emporter. Lorsqu'ils étaient plus jeunes, Cailech avait appris à Romen à y jouer et ce dernier était devenu un adepte forcené.

Romen était un homme perpétuellement animé du désir de vaincre ; il ne pouvait avoir oublié leur dernière partie, lorsque Cailech l'avait étrillé. Le roi lui avait pris jusqu'à sa dernière pièce – et avait même emporté les terres de Koreldy en Grenadyne, qu'il n'avait bien sûr jamais réclamées.

Non, songeait Cailech, *soit Koreldy a subi une extraordinaire transformation, soit il s'agit d'un imposteur.*

Sans s'en rendre compte, le roi avait haussé la voix.

— Non, ce n'est pas un imposteur, seigneur Cailech, dit une voix depuis un coin sombre de la pièce. Je l'ai sondé. C'est bien Koreldy.

— Tu en es sûr ?

— Comment pourrait-il en être autrement ? Tu penses qu'il pourrait s'agir d'un enchantement ?

— La chose serait possible ?

— Non, Cailech. Un tel sort nécessite un talent immense, répondit la voix, d'un ton soudain moins obséquieux. Et qui pourrait posséder un tel pouvoir ?

Le roi haussa les épaules.

— C'était juste une idée.

— C'est impossible. À ma connaissance, une seule autre personne possédait un tel pouvoir, mais elle est morte.

— Elysius.

Une forme noire sortit des ténèbres; les flammes jetèrent des lueurs mouvantes sur le visage de Rashlyn.

—Qui d'autre? Et puis n'oublie pas que je connais Koreldy aussi bien que toi.

—Peut-être, mais tu ne l'as jamais vraiment fréquenté, n'est-ce pas?

—C'est vrai, mais je l'ai bien observé. Je le saurais, s'il s'agissait d'un autre homme de chair et d'os.

—Est-ce vraiment le même homme, Rashlyn? Je suis comme toi, je crois que je le saurais si c'était un autre. Néanmoins, il y a quelque chose que je ne comprends pas. Bien sûr, je n'ai pas tes connaissances, dit Cailech, désappointé de ne pouvoir mieux cerner son ressenti.

—Je ne vois rien en lui – si ce n'est qu'il nous apporte des ennuis.

—Il ne peut rien faire. Il est au cachot.

—Et Lothryn, seigneur Cailech? Peut-on lui faire confiance?

Pour la première fois depuis le début de leur conversation, le roi porta les yeux sur son *barshi*. C'était un regard plein de fureur et de violence.

—Pardonne-moi, seigneur, murmura le sorcier la tête baissée en signe de contrition, avant de se retirer.

Ils étaient tous les trois dans la même cellule – une pièce assez grande, mais dépourvue de tout, hormis un simple baquet d'eau. Une petite ouverture apportait un peu d'air. Les murs étaient couverts d'humidité gluante. Lothryn leur avait fait la grâce d'allumer une petite chandelle, mais avait refusé de leur dire quoi que ce soit, même à Elspyth. Wyl avait senti toutefois que le colosse était profondément affecté par la tournure des événements.

Les gardes leur avaient lié les mains, mais Lothryn avait dénoué la corde enserrant les poignets d'Elspyth, allant même jusqu'à masser sa peau endolorie. Puis il était parti, sur un ultime regard à Koreldy que Wyl n'avait pas su déchiffrer, malgré son intuition et son expérience.

La lourde porte de chêne avait ensuite claqué sur lui.

— Détachez-moi, demanda Wyl, avant de jeter un regard plein d'inquiétude sur Gueryn.

Elspyth entreprit de défaire les nœuds.

— Je suppose que vos côtes sont de nouveau brisées.

Il hocha la tête.

— Ne vous inquiétez pas.

Elle se hérissa.

— C'était particulièrement idiot de votre part d'énerver le roi. Qu'est-ce qui vous est passé par la tête ?

— L'amour, la loyauté, l'amitié.

Elspyth entendit la tristesse dans sa voix.

— L'amour ! Mais pour qui ?

— Pour lui.

Ses mains étaient enfin libres. Il plaça un doigt sur ses lèvres pour intimer le silence à la jeune femme.

— Gueryn ? murmura-t-il.

Le vieux capitaine ne réagit pas. Wyl appela de nouveau – sans plus de résultat.

Elspyth, incapable de rester silencieuse bien longtemps, décida d'intervenir.

— Gueryn ? C'est Elspyth. Nous sommes seuls maintenant. L'homme qui vous parle, c'est…

Wyl ne la laissa pas finir.

— C'est moi, Gueryn. C'est Wyl.

Elspyth se rassit, étonnée ; Romen l'ignora, entièrement concentré sur le visage de Gueryn. Sa réaction ne tarda pas ; il tourna son visage ravagé en direction de la voix.

— Wyl ?

— Je suis ici.

— Quand… Comment… Ta voix… C'est…

— Je sais. J'ai beaucoup de choses à t'expliquer, mais tu dois me faire confiance.

— Comment le pourrais-je ?

Wyl réfléchit intensément.

— Tu as donné un petit chaton blanc à Ylena le jour où notre père est mort. Moi, tu m'as tenu dans tes bras dans le bureau de mon père – je ne l'ai jamais oublié. Tu regrettais tellement de n'avoir pas été sur le champ de bataille avec lui. Mais tu aimais notre famille… tu m'aimais suffisamment pour renoncer à ta carrière afin de m'éduquer et me former en l'absence de mon père. Et je t'aime pour tout ce que tu as fait.

» Je crois aussi que tu admirais ma mère un peu plus que ton devoir ne l'exigeait – et je crois qu'elle le savait. Elle…

— Stop ! dit Gueryn. Ça suffit… ça suffit, ajouta-t-il d'une voix qui heurta Wyl plus que le vieux soldat ne pouvait l'imaginer.

» Il t'a fait du mal ?

— Bien moins qu'à toi, mon vieil ami.

À leur immense surprise, Gueryn émit un rire douloureux qui sonnait comme une crécelle.

— Wyl… mon garçon… Je n'aurais jamais cru te revoir.

— On m'a dit que tu étais mort.

— Celimus ?

— Oui.

— C'est ce qu'il croit, dit Gueryn, avant d'être pris d'une quinte de toux.

— Donnez-lui votre veste. Il est malade, murmura Elspyth d'un ton cassant, tout en essayant de décrypter le sens de cette conversation.

— Pas moyen de sortir d'ici, Wyl. J'ai essayé, dit Gueryn lorsque Wyl étendit son manteau sur lui.

Wyl retint l'information sans s'appesantir sur le sujet.

— Pourquoi t'ont-ils cousu les yeux ?

—Parce que Cailech n'aimait pas la manière dont je le regardais. Il a dit qu'il ne voyait dans mon regard que du mépris – et il n'avait pas tort.

—Je suppose que tu as de la chance, il ne te les a pas fait enlever, dit Wyl d'un ton lugubre.

—Il garde ça pour demain soir. Apparemment, il n'en enlèvera qu'un seul. Il a dit qu'il fallait absolument que je les voie en train de me manger.

» Dans quoi s'est-on fourrés, Wyl ? On va servir de pitance aux barbares, dit le vieux soldat en se balançant d'avant en arrière.

—Raconte-moi tout ce qui s'est passé, demanda Wyl.

Gueryn raconta son aventure depuis l'instant où Celimus lui avait ordonné de partir en mission dans le nord.

—C'était un piège. Celimus voulait que ça se passe ainsi.

Wyl hocha la tête.

—Au nom de Shar, poursuivait Gueryn, il m'a délibérément envoyé en reconnaissance dans les Razors avec des hommes que je ne connaissais pas. Felrawthy aurait été furieux d'apprendre ça, mais tout a été fait dans son dos. Tout le monde sait que toi tu n'envoyais que les meilleurs pisteurs et les soldats les plus expérimentés pour une mission pareille. Ceux qu'on m'avait donnés ne connaissaient rien – tout juste sortis de leurs champs je dirais. Ils faisaient un bruit incroyable et ne comprenaient rien au déplacement sur ces terrains. La question n'était pas de savoir si on se ferait prendre, mais quand. Je l'ai su à l'instant où j'ai reçu les ordres. La femme était sans doute une petite douceur accordée par Celimus. J'ai appris qu'elle avait été payée pour nous suivre.

Wyl posa une main affectueuse sur l'épaule de son ami et Gueryn plaça la sienne dessus ; ce fut un instant d'intense communion entre eux, unis dans le désespoir qui leur venait à l'évocation de ce que Celimus faisait à leur chère légion. Liés au roi, ils n'avaient pas d'autre possibilité que de commettre les infamies qu'il ordonnait.

—Et Elspyth à la si jolie voix… qui es-tu, ma chère enfant ?

—Une pauvre prisonnière dans la toile de votre ami Koreldy, j'en ai peur, répondit-elle. Encore que je ne sache plus trop qui il est vraiment.

—Tu as changé d'identité, Wyl ?

—Oui, répondit Wyl, ravi de pouvoir utiliser cette excuse.

—Et toi, que t'est-il arrivé ? Me raconterais-tu ?

—En temps et en heure, Gueryn. Pour l'instant, tu dois te reposer. Ta respiration devient courte et sifflante. Il faut que tu dormes.

—Il a raison, confirma Elspyth. Vous tremblez de fièvre, messire.

—Parfait. J'espère que j'ai la peste. Qu'ils me mangent et que la maladie emporte toute cette racaille des Montagnes !

Tout d'abord, Wyl avait fait semblant de dormir. En fait, il n'avait aucune envie de parler – ou plus exactement de donner des explications à Elspyth. Elle le laissa tranquille, mais il sentit peser sur lui son regard agacé, jusqu'à ce que finalement elle constate elle aussi les bienfaits du sommeil. Tous s'assoupirent et ils auraient pu croire que de nombreuses heures s'étaient écoulées depuis que la porte avait été refermée sur eux.

C'est alors qu'il y eut un bruit.

Un coup sourd. Instantanément réveillé, Wyl tendit toute sa volonté pour sonder le silence. Voilà, ça recommençait – un coup plus fort, accompagné d'un grognement. Il entendit aussi des clés cliqueter et vit bouger, à la lueur de la chandelle mourante, le lourd anneau de la porte. Aussi silencieusement que possible, il se mit sur ses pieds, cherchant frénétiquement autour de lui quelque chose pour frapper la première tête qui franchirait le seuil. Son poing seul ne suffirait pas ; il n'y avait que le baquet, heureusement vide. Il le saisit, souffla la chandelle et se mit en position derrière la porte. Déjà, la clé tournait dans la serrure.

Une silhouette massive, éclairée de derrière par les torches du petit couloir, pénétra dans la cellule en repoussant la porte. Le battant était si imposant que Wyl dut le contourner pour venir abattre son arme – Shar merci, Romen avait de longs bras. Le baquet se fracassa sur une tête et une grosse voix lâcha un juron. Elspyth poussa un cri.

— Par les couilles d'Haldor, Koreldy ! Tu avais vraiment besoin de faire ça ? souffla Lothryn dans un murmure.

D'une main, il se frottait le crâne.

— Que voulais-tu que je fasse ? répliqua Wyl, surpris d'entendre cette voix familière. Que je me laisse gentiment emmener au four ?

— Eh bien, avant de me refrapper, demande-toi pourquoi je parle à voix basse.

Elspyth avait déjà compris. D'un bond, elle vint se jeter dans les bras de Lothryn.

— Je savais que tu ne me laisserais pas mourir, dit-elle.

— Comment le pourrais-je ? répondit Lothryn d'une voix soudain devenue douce. Je ne supportais pas l'idée que tu puisses souffrir.

— Je sais, répondit Elspyth en plongeant ses yeux dans les siens, comme s'ils avaient été seuls.

— Lothryn, c'est très touchant tout ça, mais au nom de Shar que se passe-t-il ? souffla Wyl entre ses dents serrées.

— Je suis venu vous chercher. Dépêchez-vous, aidez votre ami à se relever. Je vous ai apporté des vêtements chauds.

Wyl allait s'activer quand une pensée soudaine le retint. *Lothryn, trahir Cailech ? Sûrement pas !*

Le Montagnard parut lire en lui.

— Romen, je ne suis pas d'accord avec Cailech. Moi aussi je pleure nos morts, mais torturer nos ennemis pour faire un exemple ne fera que nous ramener à notre époque la plus noire.

Wyl secoua doucement Gueryn ; le vieux soldat s'arracha péniblement des limbes, toujours en proie à la fièvre.

— Loth, c'est un suicide pour toi, dit Wyl.

— Je sais. Tiens, voici la clé pour lui ôter ses chaînes. Passez vite ces habits – il faut que vous ayez l'air d'être de la tribu. Ensuite, on se dépêche. J'ai drogué les gardes, mais on ne sait jamais comment la chance peut tourner.

— Qui est l'homme qui nous aide ? demanda Gueryn.

— Lothryn, répondit Elspyth, avec un peu trop de fierté dans la voix au goût de Wyl.

— C'est bien toi, Lothryn, qui as essayé de me briser.

— Oui. Mais j'ai échoué et je m'en réjouis. Ta loyauté, Gueryn, est plus forte que la mienne.

— Je salue ton courage pour ce que tu fais.

— Tu me remercieras plus tard – si nous sommes toujours en vie.

— Peut-on aller aider les autres ? demanda Gueryn en claquant des dents.

— C'est trop tard pour eux. On mettrait nos vies en danger pour sauver les leurs.

— On ne peut quand même pas laisser Cailech les manger !

Lothryn soupira.

— En vérité, je ne crois pas qu'il le fera. Ce soir, il était en rage – tu sais bien comment il est, Koreldy. Mais il les tuera, pour sûr. La fuite est notre seule chance. Tout le monde est prêt ?

Tous hochèrent la tête. Gueryn nageait en pleine confusion ; il savait que Wyl n'avait jamais rencontré Cailech auparavant.

— Des armes ? demanda Wyl.

— Aucune à l'exception de la mienne – il n'y aura pas de tuerie. Soit nous parvenons à sortir sans faire de mal à l'un des miens, soit nous mourons. Voilà vos affaires.

Wyl hocha la tête ; il ne pouvait rien faire d'autre.

— Alors, nous sommes parés, dit-il.

— As-tu apporté mon sac, celui avec mes affaires ? demanda Elspyth à leur sauveteur.

Wyl ne put s'empêcher de rire – c'était bien une préoccupation typiquement féminine en cet instant. Elspyth comprit sa pensée.

— Vois-tu, Romen Koreldy – ou qui que tu sois –, je me suis dit que tu aurais peut-être besoin de mes potions contre la douleur. Mais on peut très bien s'en passer. Ça ne m'empêchera pas de dormir.

Wyl marmonna une excuse, qu'elle choisit purement et simplement d'ignorer. Lothryn lui tendit son sac qu'il avait bel et bien pensé à prendre.

— Tiens, dit-elle en fourrant la bouteille dans les mains de Wyl. Fais-en ce que tu veux.

Il but quelques gorgées et commença immédiatement à ressentir l'effet apaisant. Ensuite, il en fit boire à Gueryn également ; ça n'aurait aucun effet contre la fièvre, mais au moins ses autres douleurs seraient atténuées.

— En silence, prévint Lothryn, tandis que Wyl et lui-même prenaient Gueryn entre eux pour le soutenir.

Les petites heures de l'aube jouaient en leur faveur. Les lieux étaient faiblement gardés, tant était grande la foi de Cailech dans l'inviolabilité de sa forteresse. En Morgravia, bien rares étaient ceux qui connaissaient son existence – hormis ce qu'en disaient les légendes – et plus rares encore ceux qui auraient su comment y arriver. Au demeurant, ceux-là auraient eu toutes les chances de mourir d'une flèche dans la gorge, tirée par les guetteurs postés par Cailech tout le long des passes menant à la Caverne.

Sur la pointe des pieds, le groupe passa devant quelques gardes profondément endormis, assommés par la drogue que Lothryn leur avait administrée.

— J'ai fait savoir aux gardes à l'entrée que je devais quitter la forteresse avec trois hommes. Alors silence. Je parlerai. Elspyth, cache tes cheveux sous la capuche et dissimule ton visage. S'ils se doutent de quoi que ce soit, nous sommes tous morts.

— Toi aussi, Gueryn, couvre bien ton visage, murmura Wyl.

Le plan de Lothryn était bien conçu – ils portaient les lourdes capuches utilisées par les Montagnards pour monter vers les sommets.

— Tu comptes nous faire partir à pied ? demanda Wyl.

— Non. Des chevaux ont été préparés. Est-ce que tu penses qu'il peut monter ?

— Ne parle pas de moi comme si j'étais sénile. Bien sûr que je peux monter. Et dix fois mieux que vous deux – même sans mes yeux ! grogna Gueryn.

Lothryn les amena aux écuries, où un jeune garçon tentait de chasser le sommeil de ses yeux en les frottant vigoureusement.

— C'est tard pour partir, Loth, dit le gamin.

— Mission secrète, mon gars, je te l'ai déjà dit. Et tu dois garder ça pour toi. Ne dis rien à personne, compris ?

— Pas même au roi ? répondit le garçon pour plaisanter.

— Ne t'inquiète pas, lui saura.

Et tous d'imaginer à l'avance le souffle de la colère de Cailech fondant sur eux.

Pendant que les trois prisonniers montaient en selle, Lothryn occupa le garçon en lui demandant de fermer ses fontes. Bon an, mal an, Gueryn parvint à se hisser sur son cheval. Le pied d'Elspyth glissa de l'étrier, mais la peur lui donna les ailes voulues pour s'installer vite et sans encombre sur sa monture. Quant à Wyl, il musela la douleur en lui pour monter avec grâce et naturel ; pour autant, il savait que ses côtes lui feraient souffrir le martyre bien avant que le soleil paraisse.

Lothryn glissa une dernière recommandation au garçon, puis agita la main en guise d'au revoir. Le garçon salua sans conviction, avant de se hâter en bâillant vers un tas de foin.

— Ça, c'était la partie facile, murmura Lothryn à Wyl. Maintenant, suivez-moi et faites exactement ce que je dis.

Ils sortirent au pas du vaste complexe des écuries, derrière Lothryn qui les menait vers la salle des gardes à l'entrée. Ils tirèrent leurs capuches encore plus bas sur leurs visages.

— Hé ! cria Lothryn à l'intention de la tête ensommeillée passée par la fenêtre.

— Qu'est-ce qui se passe ? demanda le garde.

— Mille excuses pour l'heure tardive, Dorl. C'est une mission pour le roi.

— Ah oui ? Et on peut savoir de quoi il s'agit, Lothryn ?

— Tu ne t'occupes jamais de tes affaires, Dorl. Un de ces jours, ça va t'attirer des ennuis, répondit Lothryn avec une pointe d'amusement dans la voix.

— C'est mon boulot de m'occuper des affaires des autres, répondit Dorl.

— Peut-être, mais pas de celles de Cailech.

— D'accord, d'accord. Juste un instant, s'il te plaît. J'étais sur le point d'aller manger – j'attendais la relève.

— Ah, et qui est de garde après ? demanda Wyl sur le ton de la conversation.

Il suivait scrupuleusement l'exemple de Lothryn, convaincu que trois cavaliers silencieux finiraient par paraître suspects.

De toute façon, Dorl ne faisait pas vraiment attention, occupé qu'il était à tourner l'énorme roue commandant l'ouverture de la herse.

—Je crois que c'est Borc qui vient maintenant. Il ne devrait plus tarder d'ailleurs.

Wyl et Lothryn échangèrent un coup d'œil entendu – Borc pourrait bien leur poser problème.

—Mais j'ai entendu dire qu'il y avait comme un problème à la fête. Il a été blessé je crois bien, poursuivit Dorl.

—Ah bon, je n'ai rien entendu dire, mentit Lothryn. Allez, un peu de nerf, Dorl! ajouta-t-il.

En réponse, le garde émit un bruit réprobateur; lentement, la lourde grille s'élevait, dans un concert de grincements sinistres.

Bien décidé à ne pas attendre plus longtemps, Lothryn éperonna les flancs de sa bête. Rétif, le cheval refusait d'avancer tant que la herse n'était pas entièrement relevée, mais le colosse insista et l'animal finit par s'engager, la tête baissée. La monture d'Elspyth suivit tout naturellement, au grand soulagement de la jeune femme.

—Par la colère d'Haldor, vous êtes vraiment pressés, cria Dorl.

—Les missions du roi n'attendent pas, répondit Lothryn, en espérant que Gueryn suivrait sans problème.

Ce fut le cas. Wyl passa en dernier, saluant le garde d'un geste aimable de la main.

—Qu'Haldor vous guide! cria Dorl derrière eux.

Lothryn répondit par une même formule; un formidable sentiment de soulagement le submergea lorsque la herse se rabattit.

—En route! ordonna-t-il par-dessus son épaule.

Ils s'engagèrent au galop sur le sol rocailleux de la première passe.

—Elspyth, ne regarde pas en bas! cria Lothryn à la jeune femme.

—J'y veillerai, répondit-elle, les mains crispées sur les rênes, les yeux rivés sur le dos du Montagnard.

— Penses-tu qu'ils nous suivront ? demanda Wyl.

— Bien sûr qu'ils nous suivront. À partir de maintenant, Cailech nous traquera jusqu'à son dernier souffle.

Une quinzaine de minutes s'étaient écoulées lorsque Wyl entendit un bruit de cavalcade derrière lui. Le terrain se dégageait devant eux.

— Ils arrivent ! Foncez ! cria-t-il.

Personne ne se le fit dire deux fois – les quatre chevaux s'élancèrent dans un galop furieux. Wyl dirigeait Gueryn de la voix, mais le vieux soldat paraissait sans crainte malgré sa cécité ; son cheval suivait les autres. Les capuches avaient été rabattues par le vent et on distinguait parfaitement leurs traits sous la lueur de la pleine lune.

Poussant un cri de fureur, Borc fondait sur eux à une vitesse ahurissante, une épée brandie. Lothryn tira la sienne du fourreau et fit volter son cheval.

Wyl tourna bride lui aussi, mais il se sentait démuni sans arme. Les deux autres fuyards avaient ralenti et Elspyth emmena Gueryn sous l'abri relatif d'un surplomb rocheux. Wyl hurla à Lothryn de lui confier son épée.

— Ne le combats pas. Laisse-moi faire. J'ai des raisons de le tuer que tu n'as pas.

— Je n'ai pas l'intention de le tuer.

— Je comprends, mais laisse-moi faire, supplia Wyl, parfaitement conscient du déchirement que devait éprouver Lothryn.

Finalement, Lothryn lança son épée à Wyl, qui l'attrapa au vol, avant de sauter à bas de sa selle. Quelques secondes plus tard, Borc arrivait au contact de son ancien ami Lothryn. Il frappa à la tête, manquant de peu sa cible et, sans Wyl qui courait sur lui l'arme en avant, il aurait sûrement exécuté celui qui à ses yeux était devenu le plus immonde des traîtres. Au lieu de cela, il bondit à terre pour faire face à son adversaire.

— Maudit traître ! hurla Borc à Lothryn tout en décrivant des cercles autour de son nouvel adversaire. Pourquoi fais-tu ça ?

— Parce que Cailech a tort !

— Tort de tuer nos ennemis ?

— Tort d'assassiner des innocents.

— Et depuis quand te soucies-tu des âmes de Morgravia ?

Wyl laissait faire. Pendant que Borc tournait autour de lui, il avait eu tout le temps de noter combien il était pataud ; le fossé séparant leurs talents d'escrimeur respectifs était immense. À coup sûr, Borc allait se précipiter sur lui. Wyl n'avait absolument rien à craindre de ce guerrier.

— Depuis maintenant, répondit Lothryn.

— Si tu veux la baiser, tu n'as pas besoin de faire tout ça, Loth. Vas-y directement, je t'aiderai. Tu sais sinon qu'il n'y aura aucun pardon à attendre de Cailech.

— Plus un mot sur elle, Borc ! Sinon, je prends cette épée et je te tue moi-même.

— Parce que tu crois que j'ai peur de toi ? cracha Borc.

— Non, mais tu devrais être mort de peur devant moi, Borc. J'ai toujours des insultes à te faire ravaler, intervint Wyl, que cette conversation commençait à lasser. Au fait, comment va ta gorge ?

Les yeux de Borc se rapprochèrent sous l'effet de la colère.

— Quand j'en aurai fini avec vous tous, je la violerai sous tes yeux, Lothryn.

Wyl fit ce petit bruit avec la langue que font les parents lorsqu'ils grondent leur enfant.

— Qu'est-ce que c'est que cette manière de parler, Borc ? Voyons voir si tu as l'épée aussi pointue que la langue.

Les lames sifflèrent et s'entrechoquèrent quelques fois ; l'instant d'après, Borc gisait au sol, gémissant, les mains serrées sur une jambe blessée. Des muscles étaient sectionnés et la plaie saignait abondamment. Son bras d'épée était lui aussi entaillé.

— Voilà qui devrait le ralentir, dit Wyl.

Lothryn le regardait avec des yeux ronds.

— Je savais que tu étais bon, Koreldy, mais pas à ce point-là.

— Un nouvel ami m'a enseigné quelques trucs, répondit Wyl. Je suppose que tu préfères qu'on le laisse en vie ?

Lothryn hocha la tête.

— Oui. Et laisse-lui de l'eau aussi.

Ils se remirent en selle immédiatement ; derrière eux, Borc hurlait insultes et malédictions.

Lorsqu'ils furent hors de vue, Lothryn fit halte.

— Qu'est-ce qui ne va pas ? demanda Wyl.

— Nous devons mettre à profit ce qui reste de la nuit pour avancer le plus loin possible, attaqua Lothryn. Dès que Borc s'est lancé après nous, Dorl a sûrement couru prévenir Cailech. Dans tous les cas, les gardes ont sûrement donné l'alarme et réveillé tout le monde. Cailech ne va pas perdre de temps – il a déjà dû lancer une troupe à notre recherche.

Elspyth sentit la peur revenir en elle.

— Que veux-tu dire ?

— Il veut dire qu'il va nous falloir prendre le chemin le plus difficile, c'est bien ça ? dit Gueryn d'une voix d'outre-tombe.

Lothryn confirma d'un hochement de tête en regardant Wyl.

— Alors laissez-moi, ordonna Gueryn. Je vais vous gêner sinon.

— Arrêtez ! cria Wyl. Personne ne restera derrière. Lothryn... dis-nous tout.

— Il va falloir passer par les montagnes, mais les chevaux ne peuvent pas y aller. En grande partie, nous allons devoir marcher – et c'est très dangereux.

— Des guetteurs ?

— Ce ne serait qu'un moindre mal, répondit-il sombrement. Non, notre plus grande menace viendra des zerkons.

— Tu veux dire qu'ils existent vraiment ?

Wyl n'en avait jamais entendu parler.

— Des zerkons ?... C'est une autre tribu ?

Lothryn s'esclaffa.

— Une autre espèce. J'espère que tu n'auras jamais à en voir – et encore moins à en combattre...

» Tiens, tu en auras sans doute besoin, ajouta-t-il en tirant de ses fontes un paquet produisant un son métallique très réconfortant.

— Mon épée et mes couteaux ?

Le colosse confirma de la tête.

— Je les ai récupérés dans ta chambre à l'auberge de Yentro. Pour tout dire, j'avais espéré les garder pour moi, mais ces armes sont trop belles pour le style d'escrime des Montagnes.

— Est-ce que les couteaux sont bien aiguisés ?

C'était une bien étrange question que posait Gueryn.

— Comme des rasoirs, répondit Wyl.

— Parfait. Alors fais sauter ces points qui tiennent mes yeux fermés.

Les trois compagnons échangèrent des regards étonnés ; le ton du vieux soldat n'avait pas été des plus aimables.

— Fais-le ! ordonna Gueryn d'un ton sans appel dont Wyl ne se souvenait que trop bien.

— Je vais le faire, proposa Elspyth. J'ai la main sûre.

Wyl lui tendit délicatement l'une des dagues.

— Seule la lune éclaire – je n'y vois pas très bien, souffla-t-elle à son patient.

— Eh bien, nous sommes deux dans le même cas, répondit-il d'un ton bourru. Fais ce que tu peux.

Il s'allongea et Elspyth remercia Shar du brillant de la lune cette nuit-là. Les fils avaient séché et Gueryn endura un vrai martyre. Elle fit de son mieux pour les assouplir en les rinçant à l'eau, mais les conditions compliquaient cette tâche bien délicate. Heureusement, la lame de Wevyr était une vraie bénédiction ; il suffisait de toucher le gros fil noir pour le trancher. Lentement, douloureusement, les paupières gonflées de Gueryn furent libérées.

— Ce n'est pas parfait, dit Elspyth.

Des petits bouts de fil pendaient encore entre ses cils.

— Pour moi ça l'est. Merci ma chère enfant. Et je dois dire que tu es en tout point aussi charmante que je l'avais imaginé à écouter ta jolie voix.

Elle sourit sous le compliment. Gueryn cherchait maintenant des yeux celui qui prétendait être Wyl, son élève bien-aimé ; il ne voyait qu'un étranger de haute taille.

— Tu n'es pas Wyl.

La déception et l'amertume déferlaient sur le vieil homme blessé.

— Gueryn… c'est une si longue histoire et nous avons si peu de temps.

Gueryn Le Gant parut comprendre quelque chose.

— Garde tes mots pour une autre fois. Merci de m'avoir aidé. Je présume que tu es ce Romen Koreldy que Cailech voulait que je reconnaisse à tout prix. Si tu n'avais pas poussé le cri de la maison Thirsk et prétendu que tu étais Wyl dans le cachot, j'aurais sans doute cessé de lutter – contre lui, contre la fièvre, contre la douleur.

Gueryn trouva la force de sourire.

— Tu sais, poursuivit-il, tu ne ressembles pas du tout à Wyl Thirsk. Et pourtant, par bien des côtés, tu me rappelles celui qu'il était.

Wyl était juste capable de secouer la tête. Il mourait d'envie de tout dire à Gueryn – de lui raconter l'extraordinaire vie qu'il menait depuis qu'il avait été tué et qu'il n'était pas mort, mais il savait qu'en cet instant son ami ne le croirait pas. Il lui faudrait du temps et des trésors de persuasion.

Les yeux de Gueryn s'étaient maintenant posés sur Lothryn.

—Nos regards se croisent de nouveau, dit-il de son ton sec si caractéristique. Si j'en avais la force, je te défierais en duel.

Le Montagnard sourit et tendit la main pour aider Gueryn à se relever.

Wyl s'inquiétait de l'état de faiblesse de son mentor.

—C'est d'accord, dit-il. Tentons notre chance par les montagnes.

Lothryn acquiesça.

—Il ne s'attendra pas à ça. Il suivra la piste la plus logique en imaginant qu'on cherche à fuir au plus vite.

—Il enverra deux groupes à nos trousses, c'est sûr, intervint Elspyth.

Lothryn jeta un coup d'œil à Wyl – Elspyth avait raison, mais il ne voulait pas les décourager. Entre les hommes de Cailech et les zerkons, leurs chances de s'en tirer par la route périlleuse des sommets étaient minces, mais infiniment supérieures que par la piste directe à travers les Razors.

—Cailech n'enverra pas deux groupes s'il suit la piste nette de quatre chevaux, dit Gueryn avec autorité, en s'efforçant de ne pas tousser.

—C'est-à-dire ? demanda Wyl.

—Koreldy, telles que je vois les choses, vos chances de survie s'amenuisent à chaque seconde. Si on leur offre une piste qu'ils n'ont aucune raison de mettre en doute, ils la suivront aveuglément – sans jeu de mots.

—Non ! dit Wyl, comme il comprenait enfin ce que Gueryn suggérait.

—Si ! contre-attaqua Gueryn avec au moins autant de détermination. Vous trois partez à pied par les montagnes – ils ne verront rien si vous prenez des précautions. Moi, je prends les chevaux et je les emmène tout droit vers le sud.

Ainsi, vous gagnerez une journée, voire deux si vous vous dépêchez. Et sans moi, vous irez d'autant plus vite.

— Gueryn, je ne peux pas te laisser faire ça.

— Et pourquoi ça ? Que je sache, je n'ai aucun compte à rendre à quelqu'un de Grenadyne. Je ne dois rien à personne, mais je peux faire ça pour vous si j'en ai envie. Partez vous mettre en sûreté et prévenez la légion que Cailech n'épargne plus les prisonniers. Inutile que les hommes de la légion viennent se faire décimer inutilement – peut-être saurez-vous persuader Celimus de faire preuve de bon sens.

Wyl avait tellement de choses à lui dire ; il sentit la tristesse s'abattre de nouveau sur lui.

— Tu vas mourir, Gueryn ! Et ça ne servira à rien.

Gueryn sourit d'une manière qui rappela à Wyl toutes les raisons qu'il avait d'aimer cet homme.

— Plutôt que de mourir sur la braise, je mourrai en piégeant ces salauds – excuse-moi, Lothryn. Je les obligerai à me tuer et je rirai quand leurs lames me transperceront. Maintenant partez ! Laissez-moi faire ça pour vous remercier de m'avoir tiré du cachot.

Lothryn était attristé de la peine que ressentait Koreldy.

— C'est un bon plan, Romen.

Wyl regarda en face son mentor et ami, refoulant au fond de lui les émotions, priant pour que ne coulent pas les larmes qui lui piquaient les yeux ; il n'aurait pas pu en expliquer la cause.

— Qu'il en soit ainsi.

Gueryn offrit sa main à serrer à Wyl.

— Je vais emmener ces chevaux aussi loin que ma faible vie me le permettra – et plus loin encore. À l'évidence, tu as connu quelqu'un qui m'est très cher – quelqu'un appelé Wyl Thirsk. J'ai grande hâte de t'entendre me dire comment il va et ce qu'il fait. Cette pensée m'encouragera à vivre. Peut-être nous reverrons-nous, Koreldy... dans cette vie ou la suivante.

Chapitre 29

Gueryn quitta ses compagnons, emportant leurs chevaux derrière lui. Lorsque Wyl l'aperçut pour la dernière fois, Gueryn buvait une rasade du flacon qu'il lui avait mis de force dans la main. Le vieux soldat l'avait accepté avec gratitude, pour endormir sa douleur et y puiser un peu de force. Personne n'osa dire que la fièvre le terrasserait avant que ses poursuivants le rattrapent, mais tous le pensaient.

Pour l'heure, Wyl préférait ne plus trop y songer. Il fit le vide dans son esprit et se mit à marcher dans un silence sinistre ; il fermait la marche derrière Lothryn et Elspyth. Chacun d'eux veillait à mettre soigneusement ses pas dans les pas de celui qui le précédait ; à l'aide d'une branche, Wyl effaçait de son mieux les traces qu'ils pouvaient laisser. Pour ne pas penser, pour oublier la douleur dans ses côtes et le vent qui leur fouettait le visage, il comptait ses pas, afin d'en mettre le plus possible entre lui et la forteresse de Cailech.

Quand apparurent les premières lueurs de l'aube, Lothryn fit halte.

— Nous devons prendre deux heures pour nous reposer. Il y a une grotte non loin où nous pourrons nous allonger.

— On peut vraiment se permettre ça ? demanda Wyl.

— Il le faut si on veut garder assez d'énergie pour affronter le terrain et l'air plus rare. Ici, ce n'est rien encore.

— Génial, dit Elspyth d'une voix qui démentait ses paroles.

Ils défirent leur paquetage et trouvèrent quelques aliments séchés que Lothryn avait eu la clairvoyance d'emporter. Aucun d'eux n'avait faim, mais le Montagnard insista pour qu'ils absorbent quelque chose.

— Faim ou pas faim, votre corps a besoin de nourriture, même lorsque votre tête vous dit le contraire. Forcez-vous à manger.

Ils avalèrent donc un peu de viande et de fruits séchés – longuement mâchés – ainsi qu'un quignon de pain.

Ils burent à satiété ; l'eau abondait sur le chemin.

— Maintenant, reposez-vous. Deux heures, pas plus.

Wyl se retourna, tandis qu'Elspyth se pelotonnait sans fard dans les bras de Lothryn. Elle s'y sentait en sécurité – mais elle sentait aussi qu'elle y était à sa place. Le sommeil les cueillit tous trois presque instantanément.

Il rêvait. Il était dans une pièce qui lui était familière, où flottait une odeur de sueur, de peur, d'urine, de déjections… et, chose curieuse, l'odeur du désir aussi. Wyl était de nouveau lui-même – roux, jeune et effrayé. Attachée à l'ignoble dispositif connu sous le nom d'Ange Noir, Myrren était hissée vers le plafond. Il entendit le craquement des épaules à l'instant où ses articulations si délicates cédèrent sous la traction, mais elle ne cria pas. Elle n'émit pas un son – pas même lorsque les coudes cédèrent à leur tour. Les spectateurs faisaient tous les bruits, tremblant et se tassant tour à tour, mimant les mille tourments qu'elle endurait sans avoir à les partager.

Bien sûr, elle était nue – condition impérative pour la satisfaction du public exclusivement mâle. Wyl voyait les lueurs de désir dans leurs yeux, mais Myrren ne paraissait pas s'en soucier. Son regard ne voyait qu'une seule personne – Wyl, et nul autre. Pendant tout le temps que durèrent ses atroces tourments, elle maintint ses yeux fermés ; de temps à autre, ses paupières s'entrouvraient et, toujours, son regard éperdu venait se river au sien. Il n'avait jamais remarqué jusqu'alors que ses lèvres remuaient doucement, pour prononcer une litanie de mots silencieux – des mots qu'elle seule connaissait. Des mots de sorcière, comprit-il soudain.

Wyl entendit l'ordre terrible – « Lâchez-la ! » – et elle chuta cent fois moins vite que dans la réalité. Dans son sommeil, il grimaça une nouvelle fois ; il savait quelle infâme torture ils allaient lui infliger. À mi-course de sa chute, elle fut brutalement stoppée ; une atroce grimace d'agonie découvrit ses dents à l'instant où ses membres, ses muscles et ses tendons se déchiraient.

C'est à ce moment qu'un nouvel élément s'inséra dans le rêve. Dans la salle des tortures, tout se figea, comme si le temps s'était arrêté. Myrren ouvrit grands ses yeux injectés de sang et lui parla – à lui, Wyl.

— Trouve mon père ! ordonna-t-elle.

Wyl s'éveilla, tremblant de peur à l'intérieur du corps de Romen Koreldy.

Ils avaient dormi un peu moins de deux heures, mais c'était suffisant. Une nouvelle fois, Lothryn prit le temps de les faire manger – un peu de fromage et des noisettes avec une grande rasade d'eau. Après avoir soigneusement effacé toute trace de leur passage, ils se mirent en route. Elspyth donnait résolument la main à Lothryn – ce qui expliquait sans doute l'élan renouvelé dont elle faisait preuve. Wyl en prit note, sans plus ; ses pensées étaient avec Gueryn. Le reverrait-il jamais ?

Gueryn avançait avec une obstination de bête. La température s'adoucissait à mesure qu'il descendait, mais la fièvre avait pris possession de lui et se répandait partout dans son corps à l'agonie. Il but une nouvelle fois de la potion, tout en sachant pertinemment qu'elle ne ferait rien contre la fièvre.

Peu lui importait. Une seule et unique pensée l'habitait : rester en selle et faire avancer les chevaux, toujours plus loin. Chaque pas signifiait quelques secondes de vie supplémentaires pour ses amis. Il espérait qu'ils étaient loin désormais ; lui-même était surpris d'avoir pu chevaucher autant. À chaque instant, il s'attendait à recevoir une flèche dans la gorge.

Pour ne plus penser à la mort, il concentra son esprit sur le cas de Koreldy.

Un homme étrange que celui-là. Pourquoi donc l'avait-il regardé avec tant de compassion dans les yeux ? Non, pas de la compassion – le mot était trop faible. Avec de l'amour. Koreldy et lui étaient intimement liés par quelque chose que Gueryn ne parvenait pas à cerner. En tout cas, son idée de se faire passer pour Wyl avait été particulièrement brillante et bienvenue – de ça, il pouvait lui savoir gré.

Koreldy lui avait épargné l'indignité d'être mangé par Cailech. Cette simple pensée fit monter la bile dans sa gorge – quelle fin atroce cela aurait été. Maintenant, grâce à Romen et au courageux Lothryn, il pourrait mourir dignement, en ayant trompé ses ennemis. Au dernier moment, quand tout serait perdu, il pourrait même se retourner, faire face et se battre, pour mourir comme il sied à un soldat de la légion. Koreldy ne s'était guère dévoilé ; à dire vrai, il n'en avait pas eu le temps. Pourtant, l'homme avait manifestement beaucoup à dire et très envie de parler. Gueryn avait vu tout ça dans ses yeux gris argent pleins de tristesse. Pourquoi ?

Soudain, la vérité lui apparut : Wyl était mort. Oui, c'était forcément ça. Il s'était trompé sur la compassion de Koreldy ; il lui répugnait seulement de transmettre une nouvelle qui, il le savait, emplirait Gueryn de chagrin et saperait toute force en lui.

Wyl mort ? Non !

Gueryn se tassa sur sa selle. De quoi d'autre pouvait-il s'agir ? Si Celimus avait préparé un plan pour l'éliminer, lui, alors sa véritable cible devait être Wyl – Gueryn n'était pas assez important pour mériter une telle attention. Les brumes dans son esprit s'éclaircissaient et la colère montait en lui. Alors qu'il n'était encore que prince, Celimus l'avait délibérément écarté de Wyl ; ensuite, il s'était employé à détruire leurs vies.

Plus il y pensait, plus les choses lui paraissaient claires. Comment Celimus avait-il pu organiser le meurtre de Wyl ? Cela n'avait pas pu se passer sur le territoire de Morgravia – la légion était trop loyale à son général. Il y aurait eu un soulèvement si la troupe avait eu vent d'une telle trahison. Non, Celimus était trop intelligent pour ça. À la place, il avait dû envoyer Wyl hors des frontières du royaume et embaucher des étrangers pour commettre son odieux forfait. Avec suffisamment d'or, trouver des mercenaires n'était pas tâche bien difficile.

Des mercenaires ! Les mains de Gueryn s'amollirent sur les rênes. Est-ce qu'Elspyth n'avait pas appelé Koreldy « le mercenaire » pendant l'entretien avec Cailech ? Oui ! Gueryn revoyait la scène dans son esprit. Elle avait dit qu'elle refusait d'humilier le mercenaire – ou quelque chose de ce genre. Romen Koreldy, qui connaissait suffisamment bien Wyl pour pousser le cri de guerre des Thirsk, était donc un mercenaire. Gueryn percevait bien tout ce que son raisonnement avait d'hasardeux – peut-être même se fourvoyait-il complètement –, mais la tentation de penser que Romen détenait des informations vitales sur Wyl était trop forte. Il fallait qu'il vive, maintenant. Il fallait qu'il découvre ce qu'il était advenu de son si cher garçon… et d'Ylena. La jolie Ylena, elle aussi sûrement en danger. Au moins pouvait-il espérer qu'Alyd l'aurait emmenée loin de Stoneheart. Oui, son mari était sensé ; il ne mettrait pas sa vie en péril.

Pendant que son esprit enfiévré courait en tous sens, la flèche qu'il avait tant crainte vint finalement se ficher dans son dos, le projetant à bas de son cheval. Gueryn chuta comme une pierre. Sa tête vint heurter le sol gelé de la montagne avec suffisamment de force pour envoyer toute pensée dans le néant.

Wyl ouvrait la marche dans l'ascension délicate d'une pente abrupte – il n'était plus nécessaire désormais d'effacer les traces derrière eux. Dans son sillage, Elspyth et Lothryn suivaient sa trace. Soudain, Wyl s'arrêta.

— Romen, que se passe-t-il ? demanda le Montagnard.

Wyl écoutait – non pas un bruit dans le vent, mais une petite voix à l'intérieur de lui. Quelque chose l'appelait. Cela disparut aussi soudainement que c'était arrivé, laissant la place à une immense vague de tristesse qu'il ne pouvait expliquer.

— Gueryn est mort, annonça-t-il d'une voix morne, convaincu de la véracité de ce qu'il disait.

Elspyth prit sa main.

— Tu ne peux pas le savoir, Romen.

Lothryn s'efforça de faire écho à ses encouragements.

— Ses chances sont certes faibles, mais il a tout de même une bonne avance sur eux.

Wyl regarda ses amis ; les yeux de Romen fonçaient, devenant gris.

— Vous n'êtes pas moi, vous ne savez pas ce que je ressens… Vous ne savez même pas qui je suis !

Il vit les coups d'œil qu'Elspyth et Lothryn échangèrent, suggérant de le laisser tranquille. Wyl comprenait bien que ses mots n'avaient pas de sens pour eux.

— Je passe devant, dit Lothryn en s'avançant.

— Ils arrivent maintenant, dit Wyl, avant de retomber dans un morne silence.

Ils reprirent leur marche, chacun mettant de nouveau ses pas dans les pas de celui qui marchait devant. Les Razors implacables les engloutissaient.

— S'il est mort, je te ferai pendre par les couilles ! explosa Cailech, un doigt furieusement brandi en direction de l'archer.

D'un bond, il descendit de cheval.

— Va voir comment il va ! ordonna-t-il à l'homme le plus proche du vieux soldat tombé.

Tous retinrent leur souffle en attendant.

— Il est vivant, seigneur Cailech. Tout juste, mais il vit.

— Ramenez-le à la forteresse ! Faites venir les guérisseurs et trouvez-moi Rashlyn. Immédiatement !

Les hommes partirent dans toutes les directions. Ils enveloppèrent Gueryn dans des couvertures, en prenant soin de ne pas toucher la flèche fichée à la base de son épaule. Il fut couché en travers d'un cheval, puis ramené en direction de l'endroit qu'il avait mis tant d'énergie à fuir. Gorge nouée par la peur, l'homme qui menait le cheval du prisonnier blessé élevait prière sur prière à Haldor pour qu'il l'aide à l'amener vivant à bon port ; s'il mourait, nul doute que lui-même perdrait la vie.

Cailech se tourna vers l'un de ses hommes de confiance ; une nouvelle fois, cela lui fit mal de constater que ce n'était plus Lothryn.

— Alors, ils nous ont bluffés. Où ont-ils pu aller ?

Myrt n'avait pas l'habitude qu'on sollicite son opinion. Membre loyal de la tribu et fidèle soldat de Cailech, il préférait de loin l'époque où c'était le placide Lothryn qui avait à subir le regard du roi. Lothryn, lui, savait comment gérer Cailech et ses humeurs. Pour sa part, Myrt se considérait bien plus comme un guerrier que comme un conseiller. Les yeux vert clair du roi restaient fixés sur lui ; Myrt s'éclaircit la voix.

— Seigneur Cailech, si Lothryn est avec eux…

— Mais il est avec eux ! Le traître ! enragea Cailech.

Myrt reprit vaillamment et avec résignation.

— Donc, puisque tel est le cas, seigneur Cailech, je dirais qu'il va essayer de les faire passer par les passes d'altitude.

— Et pourquoi pas par la Jambe du Chien ?

Myrt n'avait pas voulu offenser son roi, mais cela avait été plus fort que lui : il avait haussé les épaules. Heureusement pour lui, Cailech n'avait rien vu.

— Lothryn connaît la montagne comme personne, seigneur. Si j'étais à sa place, j'essaierais de prendre le chemin le plus difficile pour avoir une chance de m'échapper. Il connaît la passe d'Haldor.

Après quelques secondes de réflexion, pendant lesquelles tous retinrent leur respiration, Cailech hocha la tête.

— Je suis d'accord avec toi, Myrt. C'est un sage conseil.

Myrt soupira silencieusement. Son visage demeura néanmoins impassible, comme sculpté dans le marbre pendant qu'il attendait les ordres.

— Prends tes hommes et va à la passe d'Haldor – qu'il te préserve ! Si tu les trouves, tu peux tuer Koreldy et la fille de la manière qui te convient. En revanche, je veux Lothryn vivant. Je veux qu'il soit soumis à ma justice.

Cailech désigna un autre de ses hommes.

— Toi, Drec ! Prends dix hommes et va à la Jambe du Chien, juste au cas où.

L'homme salua d'une courte inclinaison et commença à désigner ceux qui allaient le suivre.

— Soyez de retour à la forteresse à la tombée de la nuit ! ordonna Cailech. Envoyez des oiseaux pour me tenir informé. Envoyez des oiseaux aux guetteurs également. Ils peuvent tirer pour tuer désormais, sauf Loth. Compris ?

Cailech n'attendit pas leur réponse. Il fit volter son cheval et mit le cap à bride abattue en direction de son repaire. Des réponses, il allait en obtenir de ce Gueryn Le Gant…

À l'abri sous un surplomb rocheux couronné de neige, le trio récupérait. Malgré leurs protestations, Lothryn avait insisté pour qu'ils prennent une heure de repos, leur assurant que c'était absolument nécessaire. Un après-midi de grimpe particulièrement ardue les attendait. Chacun d'eux savait avec certitude que Gueryn avait à présent dû arriver aussi loin qu'il pouvait aller. Les hommes de Cailech – voire le roi lui-même – l'avaient sans doute rattrapé… mort ou vif. Peu importait d'ailleurs, sa vie était arrivée à son terme, mais au moins il leur avait offert de précieuses heures d'avance. À eux de les utiliser avec sagesse.

Aux yeux d'Elspyth, Romen avait l'air hagard, avec sa mine renfermée pleine de colère et de chagrin. Peut-être pouvait-elle l'aider à reprendre pied ?

— Que voulais-tu dire tout à l'heure en affirmant qu'on ne sait pas qui tu es ? demanda-t-elle avec son naturel désarmant.

Il releva son regard triste obstinément fixé au sol.

— Oublie que j'ai dit ça, répondit-il.

Elspyth avait froid et peur aussi, mais par-dessus tout elle était en colère.

— Non, Romen ! aboya-t-elle. Ma vie a été mise sens dessus dessous à cause de toi… Et maintenant je vais peut-être connaître une mort horrible, toujours à cause de toi. Alors je ne vais pas oublier ce que tu as dit juste parce que tu me le demandes. Je ne suis pas à tes ordres. Depuis que je t'ai rencontré à Yentro, ton comportement a toujours été étrange. Ma tante a accepté de te recevoir uniquement parce que tu lui as jeté le nom de Thirsk en pâture. Et ensuite, tu as dit que tu étais Wyl Thirsk à ce pauvre Gueryn, qui t'a cru jusqu'à ce qu'il puisse voir de nouveau. À ce moment-là, il a su que tu mentais. Avec toi, chaque secret cache un autre secret. Pourquoi ne nous dis-tu pas la vérité ?

Lothryn tenta de s'interposer à sa manière, toute en douceur, mais elle repoussa fermement sa main caressante ; ses yeux brillaient de colère.

— Tout est mensonge et fausseté en lui ! Il pourrait tout aussi bien nous trahir alors que nous risquons nos vies pour lui.

— Alors ne les risquez pas, répliqua Wyl d'un ton dur.

— Avons-nous seulement le choix, Koreldy ? Lothryn a tout abandonné.

Elle criait, maintenant.

— Moins fort, tu vas faire tomber la neige sur nous, dit Lothryn sur le ton de la raillerie.

Elle entendait bien en dire plus, lancer encore quelques remarques bien senties à Koreldy, mais un sanglot monta dans sa gorge ; et ce furent les grandes eaux.

Immédiatement, Wyl eut honte de lui. Sa propre colère s'évanouit à l'instant où il la vit fondre en larmes. Lothryn ne dit rien – c'était inutile – mais le reproche était dans ses yeux.

— Elspyth, vous ne me croiriez pas, dit Wyl en haussant doucement les épaules, paumes tournées vers le haut pour marquer son impuissance.

— Essaie au moins, répondit-elle avec défi.

Sa voix restait dans le registre suraigu, mais l'étreinte de Lothryn la calmait quelque peu.

Wyl avait un tel besoin de partager ce fardeau qui l'accablait et l'effrayait qu'il se dit soudain que c'était la chose à faire. Après tout...

— Vous ne direz pas que je ne vous avais pas prévenus.

Et il raconta la fantastique histoire de Wyl Thirsk et de Romen Koreldy devenant une seule et même personne.

Lorsque Wyl eut fini son récit, le seul bruit qu'on entendait était le cri d'un aigle loin au-dessus d'eux. Elspyth regardait le bout de ses bottes, mais Lothryn fixait sur lui des yeux durs et pénétrants.

— La magie ! Pfff ! conclut Wyl, comme fatigué soudain de son propre drame.

— Je savais que tu n'étais pas le Koreldy dont je me souvenais, dit Lothryn, d'une voix pleine de sérieux.

Wyl attendit la suite.

— J'avais mis ça sur le compte des années passées, poursuivit le Montagnard, mais au fond de moi, je savais que ce n'était pas vraiment ça. Tu étais différent.

Lothryn haussa les épaules, expirant doucement comme s'il avait retenu sa respiration pendant très longtemps.

— Cailech l'a senti immédiatement, tu sais. Le visage était le même, un peu plus vieux et toujours un peu trop beau. La voix était la même et les attitudes à coup sûr celles de Romen Koreldy. Mais la personne à l'intérieur avait changé. Il le savait.

— Comment ça ? demanda Elspyth intriguée.

— Le Romen que j'ai connu était plein d'esprit, sociable, mais par-dessus tout exclusivement intéressé par lui-même. Celui que j'ai devant moi aujourd'hui est… compliqué, dit Lothryn, après avoir longuement cherché le mot juste.

» Ce que je veux dire, reprit-il, c'est que ce Romen-ci fait attention aux autres – pas le précédent. Ce Romen ne cherche pas à attirer l'attention. Avec celui d'avant, Elspyth, tu te serais retrouvée nue entre ses draps aussi vite que ses couteaux fendent l'air.

— Tant que ça ? dit-elle avec un air horrifié.

— Aucune femme des Montagnes, pas même la plus cynique, ne lui résistait, mais plus encore, lui succombait à toutes. C'était comme s'il avait fallu qu'il conquière chacune d'elles. Il ne les aimait pas – il n'éprouvait pas grand-chose pour elles. C'est d'ailleurs probablement pour ça que Cailech l'aimait tant. Ils étaient comme des jumeaux sur cette question.

— Mais j'aime les femmes, objecta Wyl, sourcils froncés.

— C'est vrai, tu ne m'as jamais courtisée, jamais fait la moindre proposition, remarqua Elspyth, les sourcils arqués à son tour. Je ne suis pas assez jolie ?

— Voilà, c'est exactement ce que je voulais dire, s'exclama Lothryn. Romen n'aurait pas réfléchi – il aurait tenté sa chance et advienne que pourra. Il contait fleurette pour le seul plaisir de jouer avec les sentiments des femmes, de gagner leur confiance. Toi, tu n'as essayé de séduire personne, ni à Yentro ni ici, alors que ça aurait été tellement facile avec Elspyth.

— Eh ! Je ne suis pas une fille facile, dit-elle en lançant un regard furibond à Lothryn.

» En même temps, je comprends ce que tu veux dire.

— Mais ce n'est pas tout, ajouta Lothryn qui maintenant sentait les arguments affluer dans son esprit. Romen était brillant au lancer de couteaux – personne ne pouvait rivaliser. C'était un escrimeur de première force aussi, mais certainement pas comparable à ce que je t'ai vu faire tout à l'heure avec Borc.

— Bah, il n'était pas bien adroit, dit Wyl en haussant les épaules, appréciant néanmoins que Lothryn lui retourne un sourire.

— Et pour en revenir aux Montagnes, il y a l'*agrolo*, ajouta le Montagnard. Cailech a bien vu tout ça.

— C'est quoi l'*agrolo* ? demanda Wyl à l'instant où le sourire s'accentuait sur le visage du colosse.

— Exactement ce que je disais.

— C'est pour ça que tu es venu voir ma tante ? demanda Elspyth.

Wyl confirma.

— Je ne sais pas pourquoi je suis Romen Koreldy. Je ne sais pas ce que je fais dans ce corps. Dans la citadelle de Briavel, j'aurais dû mourir – mon âme aurait dû aller à Shar. J'espérais que ta tante pourrait m'en dire plus.

— Et ?

— Rien. Elle savait que je n'étais pas Koreldy. Elle savait exactement qui j'étais lorsqu'elle m'a touché.

Il passa ses doigts dans ses longs cheveux, toujours extraordinairement émerveillé par leur contact soyeux.

— Elle m'a dit d'aller trouver le père de Myrren. Ce matin, lorsque nous nous sommes reposés dans la grotte, j'ai fait un rêve – ou peut-être un cauchemar – dans lequel Myrren m'a parlé. Elle m'a demandé la même chose – d'aller voir son père.

— Et où est-il ?

— Je n'en ai pas la moindre idée. Je ne connais même pas son nom. Je n'ai pas la plus petite piste, répondit Wyl, en espérant que le son de sa voix ne trahirait pas l'étendue de son désarroi.

Ses deux compagnons échangèrent un regard inquiet.

— On fait quoi maintenant ? demanda Lothryn en s'efforçant de conserver un ton optimiste.

— On s'échappe d'ici, on met ma sœur en sûreté, on retourne en Briavel protéger Valentyna. Rien de bien compliqué, non ?

L'esprit d'Elspyth était revenu au vieux soldat parti avec les chevaux.

— Et Gueryn a vraiment été ton ami et ton mentor ?

— Oui… Il a été comme un père pour moi.

— Je suis désolé, je n'aurais jamais dû le laisser partir seul, dit Lothryn.

— Ne t'accable pas, Lothryn, ce n'est pas de ta faute. Sans toi, nous aurions servi de repas à la tribu ce soir, dit Wyl avec un sourire.

» Alors, vous me croyez vraiment ? Tous les deux ? C'est inimaginable.

— Ma tante te croyait… et moi je crois à ce qu'elle voyait. Comment pourrais-je ne pas y croire ? dit Elspyth. Dans le nord, nous acceptons l'existence de la magie – même si jamais personne n'admettra une chose pareille.

Lothryn acquiesça.

— Sont à l'œuvre dans notre monde des forces plus puissantes que les rois et les reines, que les querelles de territoires. Haldor m'a parlé en me donnant un fils finalement. Cet enfant est un cadeau des dieux. Oui, je crois aux dieux et à leur magie.

Cette sorcière dont tu as parlé – Myrren – n'était qu'un canal permettant aux dieux de parler et d'agir ici sur notre terre.

— Merci, s'exclama Wyl, heureux d'avoir enfin pu dire la vérité à quelqu'un – et plus heureux encore que ses deux amis l'aient cru sans la moindre hésitation.

» J'aimerais seulement savoir ce qu'on attendait de moi en me transmettant le don du Dernier Souffle.

— Suis ton instinct, suggéra Lothryn avec sagesse.

— Et ce Rashlyn au fait – il a vraiment des pouvoirs ?

— Oh, c'est un sorcier, c'est sûr, répondit Lothryn. Mais son influence sur Cailech est mauvaise.

— D'où vient-il ?

— Personne ne le sait – et si Cailech est au courant, il ne me l'a jamais dit. Mais une chose est sûre, Rashlyn entoure tout ce qu'il fait d'un incroyable sens du secret.

Lothryn confirma l'interrogation muette apparue sur le visage intrigué de Wyl.

— Oui, il connaissait tout de Koreldy. Le fait qu'il n'ait pas détecté la magie en toi est effectivement étonnant. S'il avait soupçonné que tu puisses être un imposteur, il l'aurait dit à Cailech, qui n'aurait pas manqué de m'en parler.

Wyl haussa les épaules.

— Je n'y comprends rien.

— Comment devons-nous t'appeler ? demanda Elspyth.

— Jusqu'à ce que nous soyons en sûreté, je vous suggère de continuer à m'appeler Romen, répondit Wyl en ramassant son sac.

— Allons-y ! dit Lothryn tout en aidant Elspyth à regrouper ses affaires. On ne parle plus, on garde nos forces. Nous allons en avoir besoin pour la passe d'Haldor.

Chapitre 30

Gueryn naviguait dans un état de semi-conscience, ne revenant jamais suffisamment à lui pour réagir à ce qui l'entourait. De temps à autre, ses sens engourdis laissaient filtrer une lumière tamisée ou quelques bruits de voix étouffées. Dans ces brefs instants où il reprenait connaissance, la douleur se répandait partout en lui – ce qui le renvoyait immédiatement dans le cocon accueillant et sûr des ténèbres.

Ses périodes de conscience s'allongèrent peu à peu – jusqu'à ce que les voix finissent par appartenir à des visages aux contours flous et qu'il sente sur lui les mains qui l'auscultaient. Puis il comprit que c'étaient des chandelles qui produisaient la lumière entrevue à travers ses paupières. La douleur était toujours omniprésente en lui, mais il la supportait de plus en plus longtemps sans défaillir.

Il s'aperçut qu'il était allongé sur le ventre, la tête tournée sur le côté ; les voix qu'il entendait provenaient de personnes qui s'affairaient sur son dos. Lentement, très lentement, comme le sang finit par détremper un linge, la mémoire lui revint. Il avait été atteint par une flèche, qu'il avait longtemps attendue et qui était venue. À cet instant, il avait totalement accepté l'idée de mourir.

Pourquoi suis-je en vie ? Où suis-je ?

— Bois, ordonna une voix dans le lointain.

On le fit rouler sur le côté ; des éclairs de douleur le traversèrent. On introduisit un roseau dans sa bouche pour lui permettre de boire dans la tasse qu'on lui tendait.

— C'est quoi ? grogna-t-il.

C'était là tout ce qu'il avait pu forcer sa voix à dire.

Mais son marmottement avait été compris ; un homme lui répondit.

— Du pavot.

L'oubli l'enveloppa de nouveau. La peine refluait dans le sens contraire de celui où lui semblait aller. À intervalles réguliers, on le tirait de sa béatitude et cela l'ennuyait. Les doigts déchiraient ses vêtements, fouillaient dans sa blessure – il savait qu'ils cherchaient les traces de l'infection, guettaient l'odeur sucrée caractéristique. Apparemment, il n'y en avait pas et il le regrettait. La mort était son amie ; il le savait. La liqueur de pavot qu'il avait si volontiers avalée s'était diluée trop vite – la mort n'avait pas eu le temps de lui donner un baiser. Ils le forçaient à reprendre ses esprits. Ils voulaient qu'il les voie ; qu'il sente la douleur en lui… qu'il revienne.

À un moment, il se rendit compte qu'il était parfaitement conscient, en train de regarder le visage tanné d'un homme en face de lui – ni particulièrement vieux, ni vraiment jeune non plus, un homme sans âge en fait. Sa physionomie n'avait rien de particulier, hormis de longs cheveux et une barbe hirsute qui lui donnaient un air sauvage.

— Bonjour, dit l'homme.

Gueryn tenta de parler, mais il ne put rien émettre d'autre qu'une quinte de toux. La douleur fulgura de nouveau, le laissant pantelant et trempé de sueur.

— Ne parle pas. Je suis Rashlyn, le guérisseur du seigneur Cailech… entre autres choses.

Gueryn poussa un grognement. *Cailech !* Il était de retour dans la forteresse des Montagnes.

— Tu as la vie chevillée au corps, mon ami. Les premiers signes me laissaient penser que tu étais déjà dans les bras d'Haldor.

Qu'Haldor aille au diable ! songea Gueryn, regrettant de ne pouvoir crier ce qu'il pensait.

Rashlyn corrigea son propos.

— Mille excuses. Je suppose que tu appartiens à Shar. Eh bien, disons que tu n'aurais pas vécu sans ton extraordinaire volonté de vivre. Quel dommage. Je crois bien que la mort aurait été plus douce pour toi, ajouta-t-il avec un petit sourire navré que démentaient ses mots cruels.

— Alors tue-moi, murmura Gueryn dans un suprême effort.

Le guérisseur en fut amusé.

— J'aime trop la vie pour commettre une chose pareille, répondit-il avant de passer aux choses sérieuses.

» Cailech doit maintenant être informé de ton réveil. Sois brave, homme de Morgravia – il respecte le courage.

Gueryn fut roulé de nouveau sur le ventre et l'homme disparut fort opportunément de sa vue.

— Ce cataplasme doit être maintenu toute la journée, indiqua Rashlyn.

Gueryn ne répondit rien. En fait, il avait bien l'intention d'enlever les herbes médicinales dès qu'il en aurait l'occasion – que l'infection le gagne au plus vite.

Comme s'il avait lu dans ses pensées, Rashlyn ajouta une précision.

— Je suis désolé, mais tu vas être attaché… juste au cas où tu aurais dans l'idée d'empêcher ta guérison. Cailech ne serait vraiment pas content.

Rashlyn frappa dans ses mains et des hommes vinrent lier Gueryn à sa paillasse. Ils savaient y faire – jamais Gueryn n'aurait la force d'arracher ses liens. Il n'avait plus d'autre possibilité désormais que de rester là à attendre, allongé sur le ventre, pleinement conscient et avec tout le temps de méditer sur ce que Cailech allait lui réserver.

Il demeura des heures dans cette position ; son emplâtre refroidit au point de devenir humide et froid sur sa peau. Il s'endormit même – pour se réveiller en sursaut, le cœur affolé.

Le soleil avait entamé sa descente derrière les montagnes, nimbant le ciel de zébrures sanglantes.

Au crépuscule, Cailech fit son entrée. Il était seul, ce qui rendait sa présence encore plus sinistre pour Gueryn que lorsqu'il était entouré de ses séides.

Cailech ne s'embarrassa pas de fioritures.

— On se retrouve, soldat.

— Malheureusement, répliqua Gueryn d'une voix raffermie.

Il avait retrouvé toute sa détermination ; le courage ne lui ferait pas défaut. Sa nuque pourtant lui faisait un mal de chien d'avoir été si longtemps tordue. Il aurait donné sa main pour un peu de liqueur de pavot.

— Tes compagnons sont morts, dit le roi des Montagnes.

La peur planta un aiguillon en lui, mais Gueryn le musela bien vite. Il repoussa l'assaut de Cailech, qui sûrement bluffait.

— J'ai l'impression que c'est une ruse.

— Ah bon ? Pourquoi ça ? demanda Cailech.

Son ton paraissait sincèrement intéressé… et amusé, ce qui irritait Gueryn au plus haut point. Le sourire du roi ne disait en rien qu'il mentait.

— Pourquoi me maintenir en vie avec des médecines aussi puissantes si les autres – beaucoup plus importants à tes yeux – sont effectivement morts ?

— Tu te sous-estimes, Gueryn Le Gant. Tu es très important pour moi.

— À quel titre ? Il n'y a pas si longtemps – je ne sais plus quand, mais tu m'excuseras d'avoir perdu le fil du temps – tu voulais me rôtir à la braise.

— C'était avant que je me rende compte combien tu comptais aux yeux de Romen Koreldy, répondit Cailech d'un ton de plus en plus cauteleux.

Gueryn savait que l'autre jouait avec lui.

— Que veux-tu de moi, Cailech ? Je n'ai rien d'autre à t'offrir que le spectacle de ma mort.

— La mort est trop simple maintenant, soldat. Pour moi, tu as beaucoup plus de valeur vivant.

— Je ne vois vraiment pas pourquoi.

— Je te l'ai déjà dit.

— Pourquoi Koreldy est-il si important à tes yeux ?

— Il a trahi ma confiance.

Dans ses yeux, la lueur amusée avait été remplacée par un brasier de fureur. Même dans sa position, Gueryn pouvait voir la colère irradier du roi.

— Je ne peux rien pour toi, dit Gueryn d'un ton neutre.

S'il avait pu, à cet instant, il aurait tourné sa tête de l'autre côté.

— Parle-moi de Koreldy.

— Le plus drôle dans tout ça, c'est que j'en sais moins que toi sur lui, Cailech.

— Ce n'est pas grave, dis-moi ce que tu sais.

Gueryn ne saurait jamais d'où lui vint la force de rire, mais quand il en vit l'effet sur l'humeur du roi, il regretta de ne pouvoir faire durer son ricanement encore et encore.

— Je ne sais rien. Cet homme est un étranger pour moi.

— Tu mens ! J'ai vu comment lui t'a reconnu. Même un idiot aurait pu voir qu'il s'inquiétait pour toi – et je ne suis pas idiot, Le Gant.

— Alors je suis aussi étonné qu'il a dû l'être en me voyant, roi des Montagnes. Je n'avais jamais entendu le nom de Romen Koreldy avant qu'il me parle le soir de la fête. J'avais les yeux fermés, comme tu t'en souviens sans doute, et je n'ai vu qui c'était qu'après que mes paupières ont été libérées. Je peux te jurer que jamais mon regard ne s'était posé sur cet homme auparavant. C'est la vérité.

» Avant de le voir de mes yeux, je pensais que c'était quelqu'un d'autre, ajouta-t-il après un instant.

À l'instant où il disait ces mots, Gueryn vit le désarroi sur le visage de Cailech laisser place à la fascination, comme si une nouvelle pensée venait subitement de lui apparaître. Les lèvres du roi devinrent blanches ; à l'évidence, il faisait des efforts pour garder la maîtrise de lui-même. Gueryn s'attendait à ce que Cailech le frappe – ce dont il ne se souciait plus d'ailleurs, maintenant que la douleur revenait en lui.

— Tu parles par énigmes, Gueryn Le Gant, mais je saurai la vérité.

— Je viens de la dire. Je ne connais pas Romen Koreldy et je ne sais pas pour quelle raison il m'accorde autant d'intérêt, ni non plus pourquoi il s'est plongé dans les ennuis pour moi. Pas plus que je ne comprends pourquoi diable l'un de tes hommes les plus loyaux m'a aidé à m'enfuir.

Un sourire railleur venait jouer sur la bouche de Gueryn ; il jubilait d'utiliser la trahison de Lothryn à la manière d'un couteau dans une plaie.

Cailech grimaça, serrant ses poings convulsivement. *Ah, celle-ci a fait mouche*, se dit Gueryn, satisfait de ses efforts. Le roi fit un signe en direction de la porte, du côté où Gueryn ne pouvait pas voir. Le prisonnier entendit des bruits de pas, puis il fut détaché et redressé sur ses pieds par deux hommes gigantesques. Il était trop faible pour résister, trop amoindri pour se tenir debout tout seul et le spasme provoqué par son retour brutal à la verticale faillit le renvoyer dans les limbes. Seule l'arrivée d'une jeune femme terrifiée – au visage si douloureusement familier – accapara toute son attention et le retint de succomber à l'inconscience.

C'était Elspyth, en pleurs, couverte de marques de coups et les vêtements déchirés.

— Voici une autre créature de Morgravia, que j'ai autorisé mes hommes à… attendrir quelque peu, déclama Cailech en se tournant vers Gueryn pour l'observer attentivement.

» J'ai Lothryn également… Actuellement, il jouit de l'hospitalité de mes cachots. En revanche, Koreldy m'a échappé.

Gueryn l'ignora.

— Elspyth, murmura-t-il.

La jeune femme ne répondit pas.

Elle paraissait hébétée et totalement perdue. Son visage était constellé de bleus ; une profonde entaille sur son crâne avait inondé de sang un côté de son visage. En séchant, il avait formé des paquets brunâtres dans ses cheveux. Elle semblait tout à la fois anéantie et terrorisée. Sa bouche était toute gonflée et abîmée.

— On lui a coupé la langue, Le Gant. Tu l'excuseras donc de ne pouvoir te répondre, dit Cailech en adressant un signe au garde qui la tenait.

L'homme lui ouvrit la bouche, révélant une masse informe, noire et pleine de sang. Ses dents avaient été brisées.

Une rage indicible submergea Gueryn. Il sentait son désespoir marteler l'endroit de sa blessure. Il aurait voulu pouvoir déchaîner la violence qu'il ressentait contre cet homme haineux, capable de commettre de telles horreurs sur une femme… une innocente.

— Shar te fera pourrir en enfer pour ça. On pissera sur ton nom et il sera rayé de la mémoire des hommes, cracha-t-il, oubliant toute douleur en lui.

— Je n'ai pas peur de ton dieu, Le Gant. Mais toi, tu devrais avoir peur de moi.

— Que veux-tu entendre ? hurla Gueryn.

Sa blessure s'était rouverte. Quelque chose de chaud et de poisseux coulait sur son dos nu.

— Je veux savoir ce qui te lie à Romen Koreldy, répondit Cailech d'un ton neutre.

Avec une impression de profond ennui plaquée sur le visage, il tira un long poignard de sa ceinture, pour braquer ensuite un regard interrogateur sur Gueryn.

Les yeux de Gueryn passèrent du visage pitoyable et sanguinolent d'Elspyth à celui de l'homme qui à l'évidence allait être son bourreau. Cette fois-ci, rien dans l'expression de Cailech ne donnait à penser qu'il pouvait bluffer. La lame reposait sur sa main immense ; aucun doute, il s'en servirait sans hésiter.

Gueryn secoua la tête, en proie à la stupeur et l'incrédulité. Il était réduit à l'impuissance absolue – jamais il ne pourrait sauver la vie d'Elspyth ni même la sienne. Toutes ces années d'entraînement, tout son savoir-faire de combattant, toute la fierté qu'il éprouvait d'être issu d'une si noble lignée, auréolée de prestige et de puissance, tout cela soudain était devenu parfaitement dérisoire. Il ne pouvait rien pour elle. Elle allait mourir parce qu'il était impuissant… inutile… et vain.

Il plongea son regard dans celui, hermétique et sombre, du roi des Montagnes.

— Je t'en supplie, seigneur Cailech, laisse-la.

— J'ai épuisé toute ma patience avec toi, Gueryn Le Gant. Elle est de Morgravia – elle ne vaut rien pour moi.

Les mots s'enfonçaient en lui aussi profondément que s'ils avaient été la lame que Cailech tenait. La rage flamba en lui de nouveau.

— Romen Koreldy a connu un homme, Wyl Thirsk, pour la famille duquel je travaillais. Voilà tout. Je n'avais jamais vu Koreldy auparavant. Je ne peux rien dire de plus… et je ne le ferais pas si je le pouvais.

Il regretta son ton à l'instant même où ses mots claquaient. La colère qu'il savait si bien dompter d'ordinaire venait de les trahir, Elspyth et lui. Avec un sentiment d'horreur insoutenable, il vit Cailech se retourner calmement pour planter sa dague dans le ventre de la jeune femme. Comme elle se pliait en deux, il recula pour venir devant Gueryn essuyer ostensiblement le sang qui avait giclé sur son pourpoint.

— Qu'il voie, ordonna-t-il.

Les gardes redressèrent Elspyth et Cailech tira sur la lame toujours plantée pour lui ouvrir l'abdomen de bas en haut.

Le visage d'Elspyth devint blanc et cireux et un son atroce s'échappa de sa gorge. Elle produisait un horrible gargouillis tandis que le sang dégueulait de sa bouche ravagée. Calmement, Cailech retira son poignard dégouttant d'humeurs rouges, puis l'essuya sur les vêtements de la jeune fille. La tête d'Elspyth s'affaissa vers l'avant. Les gardes et le roi mirent un soin exagéré à éviter le sang répandu et froncèrent leurs nez offusqués par l'odeur qui montait des entrailles. Gueryn ne parvenait pas à détacher ses yeux de l'abominable tableau. Il voyait une rigole de sang qui, aussi lentement qu'inexorablement, s'approchait de ses bottes. Elle vint buter sur ses pieds, puis les contourna, les marquant à jamais de l'empreinte de la mort d'Elspyth. Lui rappelant pour toujours que Cailech avait tué la jeune femme.

Elle tressaillit une dernière fois et, dans un ultime grognement, laissa filer son dernier souffle. La fière Elspyth à la voix si charmante et si douce venait de mourir.

— Emmenez-la et jetez-la aux loups. Il faut les habituer au goût de la chair de Morgravia.

Alors qu'on emportait le corps, Gueryn prit les gardes par surprise en se jetant sur le roi. C'est le sang de la jeune femme qui le trahit ; ses pieds glissèrent et il chuta lourdement avant même d'avoir atteint Cailech. Une explosion de douleur suraiguë le transperça et il plongea dans les ténèbres. Lorsqu'il reprit connaissance, il vit que sa vie était devenue encore pire.

Cailech l'avait remis dans un cachot – et il n'y avait plus aucune évasion à espérer cette fois-ci.

Cailech remâchait de sombres pensées au-dessus d'un verre de vin aux épices. Dans un recoin sombre de la vaste pièce surplombant le lac, Rashlyn attendait patiemment.

Cela faisait déjà de longs instants qu'ils étaient ainsi ; c'était une scène à laquelle tous deux étaient habitués. Finalement, le roi jeta son verre de grès dans la cheminée où il explosa en mille morceaux, brisant le silence et clamant sa fureur.

Rashlyn intervint tout de suite.

— Le sortilège était efficace, seigneur Cailech. La ressemblance était extraordinaire.

— Mais ça n'a pas marché, Rashlyn ! Il n'a toujours pas cédé.

— Peut-être a-t-il été trop efficace ? dit le sorcier.

Cailech se retourna vers lui.

— Que veux-tu dire ?

— Uniquement qu'il n'y avait peut-être plus de raison pour lui de coopérer dès lors qu'elle était morte. Peut-être n'avait-il jamais pensé que tu le ferais vraiment, répondit Rashlyn avec un petit haussement d'épaules.

— Fais-moi confiance, il savait – et il l'a laissée mourir. Tu as raison sur un point, la ressemblance était sidérante. Jamais il n'aurait pu croire que ce n'était pas elle. D'ailleurs, c'était qui ?

— La putain de Morgravia que nous avions capturée avec eux.

Cailech hocha la tête.

— Mais pourquoi protège-t-il Koreldy ? s'exclama-t-il en donnant cette fois un furieux coup de pied dans un tabouret de bois.

— Du calme, seigneur. Envoie d'autres hommes à leurs trousses. Les Pierres m'ont dit qu'ils avaient pris la passe d'Haldor. Pendant ce temps, nous allons réfléchir. Ça va venir… nous allons trouver une solution.

Des heures plus tard – Gueryn ne savait pas si c'était le jour ou la nuit – la porte du cachot s'ouvrit et la silhouette de Cailech apparut dans l'embrasure. Gueryn fit semblant de dormir, mais Cailech ignora purement et simplement la ruse. Il savait pertinemment que l'espion de Morgravia l'entendait ; et puis, surtout, il débordait d'une énergie retrouvée. Le conseil de Rashlyn était bon : « Garde-le en vie. S'il est si important pour Koreldy, alors utilise-le comme appât. »

— J'espère que tu te plais ici, soldat, car ce cachot va devenir ta maison. Familiarise-toi avec les murs de granit, apprivoise l'humidité et jouit de l'obscurité. Il n'y a ni feu ni lumière pour toi. Et pour la pitance… juste de quoi te maintenir en vie.

— À quoi bon ? Koreldy t'a échappé, il ne reviendra pas, répondit Gueryn sans même se tourner vers le roi.

C'était la seule manière possible de montrer combien l'esprit de Morgravia subsistait en lui.

— Parce que tant que tu es en vie, je sais que Romen Koreldy sera attiré par ma forteresse comme une mouche par le miel.

— Je ne le connais pas, rugit Gueryn avec le peu de force qu'il lui restait.

— Oui, mais lui te connaît, Le Gant. Il t'a déjà sauvé une fois – il recommencera sûrement.

La porte claqua.

Gueryn se mit à sangloter. Rashlyn avait raison. La mort aurait été un sort bien plus doux.

Chapitre 31

Les trois fuyards avançaient péniblement, toujours plus haut dans la montagne. Lothryn les avait avertis des difficultés de la passe d'Haldor ; il n'avait pas menti. L'air était rare au point de décourager toute conversation – au-delà des grognements et autres bruits pour s'assurer mutuellement qu'ils allaient bien. Les pensées de Wyl étaient avec Gueryn. Autant Lothryn était convaincu que Cailech allait le tuer, autant Wyl était d'un autre avis. La présence de Romen en lui – aussi ténue et fragile fût-elle – l'assurait que Cailech n'était pas homme à éliminer quelqu'un pouvant présenter la moindre valeur.

Cailech a trop de flair pour faire une chose pareille, se disait Wyl à lui-même. Mais au fond, pourquoi épargner Gueryn ? Parce que jusqu'à ce que Romen avoue le connaître, Gueryn n'était rien d'autre aux yeux de Cailech qu'un officier de Morgravia qu'il serait bon d'exécuter. Depuis, raisonnait Wyl, Cailech pourrait bien avoir envie de le garder, ne serait-ce que pour tenter Koreldy.

Bien sûr, tout cela n'était que pure hypothèse. Wyl avait eu l'intuition que son mentor était mort – mais aucun d'eux ne pouvait savoir si Gueryn avait survécu à sa descente des montagnes. En outre, ses chances de ne pas mourir de la fièvre étaient bien minces. Pour autant, Wyl s'accrochait à l'idée que l'esprit de Gueryn était plus fort que son corps – et que le sens stratégique de Cailech le pousserait à différer son désir de vengeance. D'ailleurs, le roi des Montagnes pouvait aussi l'épargner pour lui faire dire ce qu'il savait

– quelle direction ses compagnons avaient prise par exemple. Son raisonnement s'appuyait sur un postulat : l'objectif de Cailech était Koreldy et, bien évidemment, Lothryn aussi. Pour le chef barbare, Gueryn était quantité négligeable par comparaison avec ces autres proies, mais s'il pouvait servir à les capturer, Cailech n'hésiterait pas à l'utiliser.

Wyl s'arracha à ses pensées embrouillées ; Elspyth réclamait une pause. Elle respirait avidement, sans tenir compte des conseils de Lothryn qui lui recommandait d'inspirer plutôt de courtes goulées d'air. Le Montagnard revint vers elle, à l'endroit où elle s'appuyait contre un rocher.

— J'ai besoin d'un instant, supplia-t-elle.

Lothryn accepta d'un hochement de tête. De toute évidence, il aurait préféré continuer, mais il n'allait pas gaspiller son souffle précieux à discuter. Du doigt, il désigna un cercle de rochers qui leur offrirait un semblant d'abri – au moins en brisant les bourrasques de vent glacé. Il aida Elspyth à se remettre sur pied, puis ils se traînèrent jusqu'à l'abri pour s'y laisser tomber.

— Si tu me demandes de manger quoi que ce soit, je vais être malade, dit-elle le souffle court, les yeux fixés sur Lothryn.

— Pas besoin de manger, mais il faut boire. C'est d'eau dont nos corps ont besoin.

Elle but quelques gorgées de l'outre qu'il lui passa.

— Je pense à quelque chose, dit Wyl, heureux de ne plus être en plein vent. Est-ce que Cailech a un guérisseur de confiance ?

— Mieux qu'un guérisseur, répondit Lothryn. Rashlyn.

— Oui, bien sûr. Que sais-tu de lui, Lothryn ?

Le Montagnard poussa un profond soupir.

— Il est dangereux, comme je l'ai déjà dit. Dans les temps anciens, quand nous ne formions pas encore une seule et même tribu, chaque clan avait son propre *barshi* – ou *barshimon* comme on disait alors – à qui on faisait appel pour bénir une naissance ou maudire un ennemi. Il dit l'avenir, interprète les visions, lit les Pierres, lance des sorts... et soigne.

—Pourquoi dans les temps anciens ?

—Peut-être la magie était-elle plus efficace à cette époque – ou plus vraisemblablement la majorité d'entre eux n'étaient que des charlatans. Au cours des siècles, nous nous sommes rendu compte que les véritables sorciers sont rares – au cours de leur vie, la plupart des gens ne rencontrent jamais quelqu'un ayant vraiment le don.

—Et Rashlyn ?

—Je te l'ai dit, c'est un vrai sorcier. Et il est ambitieux.

—Tu penses qu'il se sert de Cailech.

—J'en suis sûr. Et il ne l'utilise pas pour faire le bien, confirma Lothryn en hochant vigoureusement la tête.

Elspyth se mêla à la conversation.

—Une femme m'a appelée *barshi* lorsque je te cherchais après la naissance de ton fils.

Instantanément, elle regretta d'avoir évoqué l'enfant. Lothryn eut un sourire triste.

—Oui, on dit aussi *barshi* pour désigner le mauvais œil. Il leur fallait quelque chose ou quelqu'un à blâmer pour la mort de ma femme. Tu étais une cible facile... et une étrangère.

—Rashlyn est donc le *barshi* de Cailech, raisonna Wyl.

—Il est le *barshi* du Royaume unifié des Montagnes, confirma Lothryn.

—On dirait que tu n'approuves pas, constata Wyl, déjà certain de la réponse.

—Je le hais – il n'a pas d'âme. J'ai souvent regretté que Cailech se soit associé à un être d'une telle noirceur.

Wyl hocha la tête d'un air entendu ; c'était une information précieuse qu'il mit soigneusement de côté dans sa mémoire.

— Toujours est-il qu'il sait soigner ? demanda Wyl.

— Oui – et je crois que je commence à voir où tu veux en venir, Romen. Tu penses que Cailech va épargner Gueryn… qu'il va le sauver en fait grâce aux soins de guérison du *barshi* ?

— Tu lis en moi comme dans un livre !

— Rien n'est plus facile lorsque tu es pleinement Wyl Thirsk. Si tu veux déjouer Cailech, tu vas devoir apprendre à devenir plus souvent Romen Koreldy.

— Il a raison, intervint Elspyth en souriant. Et puisque Loth en parle, je trouve que tu flottes en permanence entre tes deux personnalités. On voit nettement qu'il y a deux personnes en toi – et tu parais nu à force d'honnêteté lorsque tu es Wyl.

Wyl réfléchit à ce qu'elle venait de dire.

— Un sage conseil, Elspyth. Je vais devoir m'en souvenir.

— Si tant est que ce soit une consolation, Rashlyn a sûrement le pouvoir de sauver Gueryn – si Cailech l'y autorise. Toutefois, le sort qui l'attendrait alors lui ferait sans doute préférer la mort. Néanmoins, Cailech ne fera ça que s'il peut en tirer parti.

— C'est le cas, dit Wyl. Il peut me faire revenir.

— Non, Romen ! cria Elspyth. Gueryn a fait son choix. Il a donné sa vie pour nous sauver – nous tous, mais surtout toi. Si tu envisages de retourner là-bas, tu rends son sacrifice totalement vain.

— Je n'ai pas l'intention d'y retourner maintenant, la rassura-t-il. J'ai juste le sentiment que Gueryn sera épargné pour la seule raison qu'il est susceptible de faire revenir Koreldy à la forteresse de Cailech. J'étais si transparent le soir de la fête – il était évident que je connaissais Gueryn et que son sort m'importait. Cailech est bien trop malin pour ne l'avoir pas remarqué.

— Rien ne lui échappe, confirma Lothryn.

—En tout cas, si Gueryn est vivant – ce que je préfère croire –, je pense qu'il sera gardé prisonnier pour attirer l'ennemi de Cailech là-bas.

—Si c'est ce que tu penses, alors ne tombe pas dans le piège, dit Elspyth.

—Je n'irai pas. Promis, répondit Wyl.

Mais ses yeux disaient le contraire à Lothryn.

—Nous devons nous dépêcher, avertit Lothryn.

Ils se remirent péniblement debout, pour retourner dans le vent glacé.

—Mettez les bords de votre capuche devant la bouche – il faut éviter que l'air glacé entre en vous, dit-il en reprenant la tête du groupe. Ah, une dernière chose. Nous entrons en territoire zerkon. Soyez sur vos gardes.

Le premier signe de la présence qu'une ou plusieurs bêtes rôdaient à proximité leur parvint quelque temps après ; Lothryn soudain se figea et renifla l'air autour d'eux.

—C'est quoi ? articula silencieusement Wyl, pour se faire comprendre sans bruit.

—Zerkon, répondit Lothryn de la même manière.

L'expression sur le visage d'Elspyth demandait comment il faisait pour savoir ça.

—L'odeur, murmura-t-il. Vous sentez ?

Wyl et Elspyth levèrent le nez, inspirant à petits coups. Une senteur lourde et musquée parvint à leurs narines ; ils hochèrent la tête.

—Pas assez près pour être une menace, mais si nous pouvons le sentir, croyez-moi, lui aussi nous a reniflés. Il va nous pister maintenant.

—Que peut-on faire ? demanda Elspyth.

—Avancer. Creuser la distance. C'est tout ce que nous pouvons faire. Mais si d'autres se joignent à lui...

Il préféra ne pas en dire davantage.

—En route ! dit Wyl.

Il prit la tête, à marche forcée.

Le groupe de chasse de Cailech avait bien progressé, mais le terrain devenait trop difficile pour leurs précieuses montures. Ils ne le savaient pas encore, mais ils se rapprochaient de leurs proies, qui avaient dû couvrir une bien plus longue distance à pied.

— Ils sont passés ici – et il n'y a pas longtemps, dit l'éclaireur au commandant en second de la petite troupe.

Il scrutait les empreintes au sol et quelques branches cassées dans un buisson proche du cercle de pierres où le trio s'était reposé peu auparavant.

— Envoie un oiseau. Préviens le roi qu'ils sont dans la passe d'Haldor et que nous sommes sur leurs traces.

L'homme auquel il s'était adressé acquiesça.

— Tout de suite.

Yeux plissés, Myrt – l'ami de Lothryn – scrutait la ligne de crêtes enneigées des Razors. Il détestait avoir à conduire cette mission, sachant pertinemment comment elle finirait inévitablement. Mais il exécrait encore plus la trahison de Lothryn et le fait qu'on puisse douter de sa loyauté. Ce n'était pas par hasard que Cailech l'avait choisi, lui, pour cette tâche ; le roi mettait à l'épreuve sa loyauté envers la tribu.

Myrt eut un rictus à cette pensée.

— Entravez les chevaux. On poursuit à pied, ordonna-t-il.

Wyl et Lothryn étaient en train de hisser Elspyth au sommet d'une barre rocheuse glissante lorsqu'ils entendirent un bruit ; Lothryn faillit lâcher la main de la jeune femme.

— C'est notre zerkon. Il en appelle un autre. Ils chassent souvent à deux.

— À quelle distance ? demanda Wyl en tirant Elspyth sur le replat.

— Bien trop proche. Ce n'est plus la peine de fuir. Ils sont plus rapides et plus sûrs que nous sur leur terrain.

— Peut-on se cacher ? demanda Elspyth toujours hors d'haleine.

— Ça ne sert à rien, répondit sèchement le Montagnard.

— Bon, s'il n'y a plus le choix…, dit Wyl en lâchant son sac pour tirer son épée bleue du fourreau qu'il portait maintenant dans le dos.

» On reste et on se bat, ajouta-t-il, en vérifiant d'un geste réflexe la présence des deux couteaux à sa ceinture.

Lothryn posa lui aussi son paquetage pour en extraire une arbalète.

— Je me demandais ce que tu pouvais transporter là-dedans, dit Wyl.

— Ça pourrait bien être plus efficace que tes armes magnifiques.

Les deux hommes échangèrent un sourire entendu – une mimique universellement partagée par tous les soldats qui ont besoin de courage pour aller au combat.

— C'était quoi, ce que tu as crié à Gueryn ? demanda Lothryn.

— Ensemble !… Le cri de guerre de la famille Thirsk, répondit fièrement Wyl.

— Alors : Ensemble, Wyl Thirsk ! clama Lothryn en se plaçant le dos contre celui de Wyl.

» Il n'attaquera pas immédiatement. S'ils sont deux, ils nous observeront pendant un moment.

— Elspyth, cache-toi, ordonna Wyl.

— Ça ne sert à rien, d'après Lothryn. Donne-moi plutôt une lame.

— Non ! cria Lothryn avec détermination. Nous sommes assez comme ça pour nous occuper d'eux. Tu te caches et tu cours dès que tu vois une ouverture. Et ne t'avise surtout pas de me désobéir sur ce point.

Le regard de Lothryn était suffisamment éloquent pour la dissuader de continuer à discuter. Elle ramassa leurs sacs et courut se terrer dans une anfractuosité.

Les deux hommes restèrent seuls sur le plateau glacé, attendant une mort certaine.

— Lothryn, je n'ai pas eu l'occasion de te dire quoi que ce soit au sujet de ton fils – je suis désolé que tu aies dû le laisser.

— Il est entre de bonnes mains.

Wyl aurait dû s'arrêter là, mais empêtré dans sa première tentative plutôt maladroite pour aborder le sujet, il poursuivit.

— Je crains que nous ne t'ayons contraint à faire le plus douloureux des choix. Le sang doit toujours parler avant le devoir.

Il y eut un instant de silence tendu, puis Lothryn parla d'une voix sourde.

— Il n'est pas de mon sang.

Les mots frappèrent Wyl de plein fouet ; heureusement, il s'appuyait sur le dos solide du Montagnard, fouillant des yeux les rochers alentour. Lothryn mit à profit cet instant de flottement pour s'expliquer.

— Ce n'est pas mon fils. Ma femme l'a mis au monde comme s'il était de moi, mais un autre en est le père. Le devoir a parlé avant le sang.

Wyl ne savait que penser.

— Que veux-tu dire ?

— Je le regrette, mais j'ai laissé ma femme agir ainsi – et aujourd'hui, je paie peut-être pour cette erreur de jugement.

— Je ne comprends pas.

— C'est le fils de Cailech.

— Quoi !

— Je ne l'ai jamais dit à personne. Je me déteste d'avoir été faible au point de laisser faire Cailech. Tu as partagé ton secret avec moi, je vais maintenant faire de même avec toi. Cailech m'a fait promettre de jurer que la mort de nos deux premiers enfants avait ruiné notre mariage, mais ce n'était pas vrai. En fait, ces tragédies nous avaient rapprochés ma femme et moi. Ensuite, Ertyl a vu ma soumission à Cailech comme une trahison. Elle m'a traité de bien des choses – dont la plus douloureuse était aussi la plus juste. Elle m'a dit que j'étais la marionnette du roi, que j'étais incapable de penser et d'agir par moi-même. À ses yeux, j'étais devenu moins qu'un homme.

— Pourquoi as-tu laissé faire une chose pareille ? demanda Wyl.

Il savait que ce n'était pas une question à poser, mais les mots étaient sortis tout seuls.

— Cailech me l'a demandé pour assurer la lignée. Le père d'Ertyl était le plus fort des chefs de tribu avant l'unification. Il croit dans ces choses-là – le mélange de son sang avec celui de la famille d'Ertyl doit donner un enfant très puissant.

— Je pensais que Cailech était quelqu'un de trop intelligent et respectueux – loyal même – pour demander un tel sacrifice.

Cette fois-ci, Lothryn poussa un grognement – accompagné d'un horrible rictus que Wyl bien sûr ne pouvait pas voir.

— Ce n'était pas son idée.

La lumière se fit dans l'esprit de Wyl.

— Par Shar ! C'est Rashlyn ?

— Il a dit qu'il avait eu une vision – et Cailech a obéi.

— Où est le garçon alors ?

— On me l'a pris. Cailech veut qu'il soit élevé sans subir mon influence. Il va le garder près de lui – être son père. Je l'aurais aimé comme le mien ; il est le fils d'Ertyl. Lorsqu'on me l'a pris, le jour même de sa naissance, quelque chose s'est produit... Ensuite, il y a eu la fête et tous les événements – l'excuse dont j'avais besoin, je suppose.

— Pour te venger, tu veux dire ?

— Pour lui faire comprendre que je ne suis le jouet de personne. Il m'a trop pris – ma femme est morte à cause de lui et mon fils n'a plus sa mère aujourd'hui.

— Comment s'appelle ton fils ?

— Il s'appelle Aydrech : « le guerrier doré ».

— Nous allons survivre, Lothryn, et nous verrons ton fils grandir. Je te le promets.

Le Montagnard poussa un grognement, mais avant qu'il puisse dire le fond de sa pensée, Myrt et ses hommes les aperçurent. Ils étaient en train de gravir l'escarpement menant au replat sur lequel ils se tenaient.

— Lothryn ! hurla Myrt. Traître !

— Cours, Elspyth ! cria Lothryn. Et toi aussi, Wyl. C'est notre seule chance.

Ils entendirent Elspyth bondir comme une biche effarouchée, puis dévaler l'arête jusqu'aux broussailles en contrebas.

Wyl refusa.

— On se bat ensemble !

À cet instant, les zerkons tapis à l'affût sur un surplomb jaillirent dans la mêlée et l'enfer se déchaîna.

Ce fut un bain de sang. Avec leurs corps longs et graciles, les zerkons se réceptionnèrent souplement. Leur pelage blanc était rayé de brun, ce qui les rendait presque invisibles dans cet environnement. Leurs grands yeux jaunes s'ouvraient au-dessus d'une vaste bouche hargneuse. Grâce à leurs pattes gigantesques et à leur échine solide, ils pouvaient se tenir debout sur leurs membres arrière. Leurs dents immenses, pareilles à des poignards, étaient terrifiantes, et le crochet venimeux à l'extrémité de leur longue queue fouettant l'air achevait de faire d'eux les créatures les plus mortelles que Wyl eût jamais pu imaginer.

Un instant foudroyé par leur irruption, il les vit tuer en une seconde deux des assaillants. Deux autres qui arrivaient l'épée brandie subirent le même sort.

—Ils devraient se méfier, dit calmement Lothryn, presque sur le ton de la conversation, tout en armant son arbalète d'un carreau à l'aspect menaçant.

» Myrt ! hurla-t-il. Utilisez vos arcs !

Myrt entendit le message et commença à aboyer ses ordres aux survivants de sa troupe. Un autre venait d'être tué.

—Wyl, appela Lothryn d'une voix calme.

Wyl ne parvenait pas à détourner les yeux du carnage.

—Wyl, va-t'en, reprit Lothryn. Tu te battras un autre jour. Emmène Elspyth. La passe débouche dans un endroit appelé Straplyn. Là, tu trouveras une piste qui t'emmènera dans ton royaume. Va te mettre en sûreté en Morgravia.

—Lothryn, je peux tuer tous ces hommes ! Battons-nous et fuyons ensemble.

—Non ! Pas de morts chez les miens – c'est ainsi que les choses doivent être. Pars avant qu'ils voient que tu es là. Sauve-la pour moi. Ils ne me tueront pas, Wyl. Cailech se réservera ce plaisir – je n'ai pas peur.

Myrt l'interpellait.

—Loth ! Tire !

Un homme hurlait tandis qu'un zerkon plongeait ses griffes dans sa chair. Wyl vit des charognards dans le ciel. Les mots de Lothryn doucement pénétraient dans son esprit.

—Il te torturera !

—Il n'a rien à tirer de moi. Non, il ne me torturera pas – mais il me fera payer, d'une manière ou d'une autre. Maintenant pars, Wyl, je t'en prie. Fais ça pour nous.

Le Montagnard l'avait appelé Wyl et ce nom le tirait de sa stupeur. Lothryn vit que ses paroles se frayaient un chemin ; il poussa Wyl d'un côté et s'élança de l'autre en direction de Myrt. Côte à côte de nouveau, ils tirèrent sur les zerkons ivres de fureur, tandis que les hommes mouraient autour d'eux. Finalement, Wyl tourna sur lui-même et s'enfuit ; en cet instant, il se haïssait. Personne ne le vit franchir l'escarpement battu par les vents – personne ne s'en souciait. Sauf lui. Il se fit la promesse de revenir un jour, récupérer Gueryn et Lothryn, s'ils étaient encore en vie. Et s'ils étaient morts, il infligerait au roi des Montagnes la plus terrible des vengeances.

Dix-huit hommes moururent ce jour-là sur les contreforts de la passe d'Haldor. Les zerkons tombèrent aussi, criblés de carreaux et de flèches. Seuls quatre Montagnards survécurent à l'attaque.

Dans le calme revenu, Myrt se tourna vers Lothryn.

— Nous devons te ramener vivant.

— C'est bien ce que j'avais pensé.

— Tu l'as laissé filer, bien sûr.

— Oui. Et je suis content de l'avoir amené si loin.

— Pourquoi, Loth ? demanda Myrt.

Et il ne parlait pas de la fuite de Koreldy.

— C'est compliqué, mon ami. Ne rentre pas là-dedans. Reste pur, reste fidèle à la tribu.

Lothryn offrit ses poignets ; à regret, Myrt ordonna d'un signe à un homme de les attacher.

— Est-ce que le soldat de Morgravia s'en est tiré ?

— Oui. Cailech l'a sauvé pour des motifs qu'il ne nous a pas expliqués.

Lothryn éprouva une bouffée de satisfaction à la pensée que Wyl avait vu juste.

— Et pour moi ? Est-ce qu'il a un plan ?

— Je ne crois pas qu'un seul d'entre nous ait envie de le savoir, Loth, répondit Myrt tristement.

Chapitre 32

Wyl s'inquiétait de ne pas rattraper Elspyth ; au crépuscule, son angoisse atteignait des sommets. Pour autant, il n'allait pas se risquer à faire de feu, de crainte d'être repéré par l'un des traqueurs de Cailech ou, pire, par l'un de ces zerkons. Il espérait qu'Elspyth aurait la même prudence. Il se mit en quête d'un abri avant que la nuit tombe complètement. Il avait maintenant rejoint la zone basse des Razors, si bien qu'il pouvait de nouveau respirer normalement dans un air heureusement plus doux.

Son ouïe aiguisée et ses instincts de combattant lui permettaient de sentir le danger avant même de le voir. Il y eut un petit bruit dans son dos ; la seconde suivante, il avait tiré l'épée de son fourreau et la pointait droit sur la gorge d'Elspyth.

— Par Shar, tu m'as coupée, se plaignit-elle.

La grosse branche qu'elle tenait à la main et l'éclat meurtrier dans ses prunelles disaient le mauvais sort qu'elle-même avait prévu de faire subir à cette ombre furtive qu'elle avait aperçue.

— J'ai cru que tu étais l'un de nos poursuivants. Shar merci, tu t'en es sorti.

Il remit l'épée au fourreau.

— Laisse-moi voir si c'est grave.

— Ça va aller, répondit-elle.

L'entaille n'était que superficielle ; le sang cesserait bientôt de couler. Elle avait l'air d'être aussi épuisée que lui l'était.

— Où est Lothryn ? Il arrive lui aussi ?

Les choses n'allaient pas être faciles.

— Non.

Elspyth lâcha sa branche pour serrer les poings à s'en rompre les articulations. Le sang avait quitté son visage, devenu blanc comme un linge.

— Mort ?

Il secoua négativement la tête. Une expression d'intense douleur envahit ses jolis traits.

— Il t'a fait partir, c'est ça ? Comme il a fait pour moi.

— Lothryn est trop courageux. Nous aurions pu nous enfuir ensemble mais il n'a pas voulu que je tue ne serait-ce qu'un seul des siens. Il a préféré aller affronter Cailech.

Ses épaules s'affaissèrent et elle se laissa tomber sur le sol couvert de feuilles, parmi les arbustes. Les larmes coulèrent silencieusement sur ses joues ; sa coupure était totalement oubliée.

Wyl la prit doucement dans ses bras pour la consoler.

— Je suis désolé, je sais combien vous vous aimez.

— Cailech le fera exécuter, murmura-t-elle dans un sanglot.

— Pas nécessairement, Elspyth. Je ne peux rien promettre, mais j'ai le même sentiment que pour Gueryn. Je crois que Lothryn lui sera plus utile vivant… une fois passée sa rage, bien sûr.

— Il va le faire souffrir.

— Sans doute, mais il est fort. Il survivra. Je le sais.

Elle s'essuya le visage, dans un effort pour se ressaisir.

— Alors on s'en va ? demanda-t-elle d'une voix redevenue calme.

— Pour l'instant, répondit-il, avec dans la voix toute la gentillesse dont il était capable. Mais je reviendrai les chercher. Je t'en fais le serment.

Elle tourna vers lui ses yeux trempés de larmes, cherchant la moindre trace de ruse.

— Jure-le !

— Je te le promets sur ce que j'ai de plus sacré. Je reviendrai.

— Avec d'autres hommes, n'est-ce pas ?

— Avec un plan et tout ce qu'il me faudra pour m'occuper de Cailech.

— Et que faisons-nous entre maintenant et ce moment-là ?

Wyl n'avait pas encore réfléchi au-delà de leur fuite ; maintenant que la liberté paraissait à portée de main, il examina la situation. En attendant, Elspyth fouilla dans son sac pour s'occuper les mains. C'était le sac de Lothryn qu'elle avait ramassé dans sa fuite. À l'intérieur, il restait un peu de nourriture. La faim l'avait quittée ; elle l'offrit à Wyl.

Lui non plus n'avait pas d'appétit, mais il se força à mâcher, sachant que son corps avait besoin d'être sustenté.

— Écoute, voici ce que nous allons faire. Dès qu'on rentre en Morgravia, on se sépare. Toi, tu ne dois surtout pas rentrer chez toi – c'est trop dangereux pour l'instant. Ils savent où tu vis…

— Mais ma tante, protesta-t-elle.

— Ils n'ont rien contre elle. Et si elle est morte…

Il vit combien ces mots la blessaient.

— Excuse-moi, reprit-il, mais ces choses doivent être dites. Il est possible qu'elle soit morte. Et si elle ne l'est pas, elle est en sûreté. Ce qui n'est pas ton cas.

— Alors où vais-je aller ?

— Va à un endroit appelé Rittylworth.

— J'en ai entendu parler, dit-elle en hochant la tête. Il y a un monastère là-bas, n'est-ce pas ?

— Exactement. C'est là que tu dois aller. Frère Jakub prendra soin de toi. Mais tu ne dois pas traîner en route, c'est d'accord ?

— Promis. Et ensuite ?

— Ma sœur, Ylena Thirsk, est au monastère. Emmène-la avec toi. Tu lui diras, ainsi qu'à frère Jakub, que Romen

Koreldy veut qu'elle parte. Surtout, ne parle pas de Wyl Thirsk. Tu as bien compris ?

Elle se hérissa.

— Tu parles la même langue que moi – bien sûr que je comprends.

— Excuse-moi, mais je m'inquiète pour Ylena autant que pour toi. Ensuite, vous partirez vers le nord-est. En aucun cas tu ne dois permettre qu'elle retourne chez nous en Argorn. Emmène-la à Felrawthy – je t'expliquerai quoi dire au duc à ton arrivée. Il est essentiel que tu lui communiques certaines informations. Je vais lui écrire une lettre. Il vous assurera la protection dont vous avez toutes deux besoin.

— Je suis un peu perdue.

— Fais-moi confiance.

— Et toi, où vas-tu aller ?

— En Briavel. J'ai fait une promesse à la reine que je dois tenir.

Elle croisa les bras et posa sur lui un regard plein de suspicion ; il ne dit rien de plus à ce sujet.

— Il faut que tu gardes mon secret, Elspyth. Ne dis à personne que Romen Koreldy est en réalité Wyl Thirsk, et surtout pas à ma sœur. Personne ne te croirait, ni n'essaierait même de comprendre – le fait que toi tu me croies est déjà un miracle en soi. Tu seras en sécurité à Felrawthy, aussi longtemps que tu ne diras rien. Je te donnerai des nouvelles dès que possible. Et je tiendrai le serment que je t'ai fait – il faut juste que tu sois patiente.

C'est en fin d'après-midi le lendemain qu'ils parvinrent à Straplyn. Comme Lothryn l'avait dit, la piste n'était guère plus que la trace d'un animal ; d'après les estimations de Wyl, elle entrait en Morgravia dans la région du nord-est. Heureux d'être parvenus jusque-là, ni l'un ni l'autre ne sentaient la fatigue ; ils décidèrent donc de marcher dans la nuit jusqu'à trouver où ils étaient exactement à l'intérieur du royaume. La lumière de la lune les éclairait et l'air était doux par comparaison avec le froid des Montagnes.

— Ça sent comme à la maison, dit Elspyth distraitement.

— Ça va aller pour la suite ? demanda Wyl.

— Ne t'inquiète pas pour moi. J'ai passé mon existence à n'avoir personne autour de moi, à l'exception de ma tante. Lothryn et moi n'avons même pas eu l'occasion de parler de ce que nous ressentons – mais une chose est sûre, nous ressentons quelque chose. Si Shar veut que nous nous retrouvions, nous serons de nouveau réunis.

— Tu es fantastique, Elspyth, tu sais ça ?

Elle lui jeta un petit coup d'œil et sourit, à l'évidence flattée.

— Sincèrement, c'est vrai, poursuivit Wyl. Tu es courageuse et honnête, endurante et loyale. Lothryn et toi avez beaucoup de qualités en commun – vous méritez d'être ensemble.

Il saisit ses mains dans les siennes.

— Je ne t'abandonnerai pas. S'il vit, j'irai le chercher pour toi.

Elle serra très fort les mains chaudes et amicales de Wyl.

— Tu es très beau, Romen Koreldy, mais je préfère l'homme à l'intérieur… Wyl Thirsk.

Ce fut au tour de Wyl de devenir évasif.

— Romen m'aide à devenir ce que je ne pourrais pas être sans lui.

— J'aurais aimé rencontrer celui qui fut Wyl Thirsk. Je t'ai vu combattre au tournoi. Tu es un escrimeur magnifique.

— Un peu petit tout de même, non ? répondit-il, toujours incapable de recevoir un compliment d'une femme comme Romen, lui, savait le faire.

Elle rit.

— Ne sois pas si dur avec toi-même. On dit qu'il existe une personne pour chacun dans le monde. Après tout, regarde Lothryn et moi – lui si gigantesque et moi toute petite.

— Je crois au coup de foudre.

— Y a-t-il une femme que tu aimes, Wyl ?

— Oui.

Il était incapable de dissimulation en cet instant. Maintenant qu'il était libre, la perspective de revoir Valentyna bientôt lui ouvrait tous les horizons.

— Mais elle est inaccessible, poursuivit-il, bien au-delà de ma condition. Une relation entre nous est impossible... Elle n'existera sans doute jamais que dans mes rêves. C'est un amour condamné à n'être jamais payé de retour, conclut-il avec un grand geste de la main, comme pour dédramatiser son propos.

— Ah, la reine, dit Elspyth, à l'intuition.

Il la regarda les yeux écarquillés, stupéfait qu'elle ait deviné cet autre secret.

— J'ai vu juste, n'est-ce pas ? dit-elle en se tapotant le nez de l'index. Une femme devine ces choses. Le sait-elle au moins ?

C'était une question épineuse. Il secoua négativement la tête, le cœur serré.

— Non. Elle m'a vu en tant que Wyl et elle me croit mort. Quant à Romen Koreldy, elle ne l'a jamais vu.

— Wyl... je peux t'appeler Wyl ?

— Bien sûr.

Comme il lui était agréable d'entendre quelqu'un dire son nom.

— Je te suggère de te regarder dans un miroir à l'occasion. Au risque d'être en dessous de la vérité, je dirais que ce corps que tu habites désormais est particulièrement agréable à regarder. Tu ne peux donc pas savoir comment elle te verra.

— C'est vrai, je n'en sais rien. En revanche, je sais qu'elle est en grand danger. Je dois absolument retourner en Briavel.

— Je comprends beaucoup mieux tes motivations maintenant. Merci de m'avoir expliqué.

Soudain, elle pointa du doigt une grosse borne de pierre au bord du chemin.

— Là ! Nous savons où nous sommes maintenant.

— Joli coup d'œil, dit-il.

Et ils coururent jusqu'au repère, sur lequel était gravée la mention « D. – 1 lieue ».

— « D. » ? De quel endroit peut-il s'agir ? Tu le sais ?

— Ce doit être Deakyn – ce qui signifie que nous sommes à environ cinq lieues de Yentro.

— Et à plusieurs jours de Rittylworth pour toi. Peut-on acheter des chevaux à Deakyn ?

— Je dirais que oui. Ce n'est qu'un village, mais il est sur l'un des grands axes qui vont vers le sud. Il y a une pension, l'auberge du Flûtiau, et trouver des chevaux ne devrait pas poser de problème.

— Le problème, ça va être de payer. Ces maudits m'ont pris ma bourse.

— Mais ils n'ont pas pris la mienne, dit-elle en glissant une main sous son jupon.

De joie, Wyl la serra dans ses bras. Ils rirent ensemble et, pour la première fois depuis longtemps, se sentirent enfin libérés.

— Marchons ! dit-il.

Elle hocha vivement la tête, un grand sourire aux lèvres.

— Bien volontiers. Et tu peux en profiter pour me raconter comment Wyl est devenu Romen. Je veux connaître toute l'histoire… et dans le détail cette fois.

Ils s'étaient débarrassés de leurs vêtements de Montagnards. Ce fut donc comme deux voyageurs couverts de poussière et un peu hagards qu'ils se présentèrent devant l'aubergiste pour lui demander une chambre, mais l'homme avait bien du mal à tenir ses paupières ouvertes. En cette heure fort matinale, l'auberge du Flûtiau dormait encore et le tenancier était bien trop occupé à bâiller à s'en décrocher la mâchoire pour s'intéresser vraiment à eux. De plus, ils avaient de l'argent pour payer et cela lui suffisait. Afin de ne pas attirer l'attention, Elspyth et Wyl partagèrent une chambre, où ils sombrèrent dans le sommeil.

Plus tard dans la journée, après s'être lavés et rendus présentables, ils apprécièrent un repas digne de ce nom. Elspyth consacra tout l'argent qui lui restait à l'achat d'un cheval pour le long voyage de Wyl.

— Merci pour tout, dit-il une fois le palefrenier payé. Ylena a de l'argent, n'hésite pas à t'en servir. Et n'oublie pas combien elle est encore fragile – elle n'est peut-être pas encore à même de prendre soin d'elle-même. Ta présence à ses côtés sera d'un grand secours.

Elspyth n'avait pas bien dormi; l'histoire de Wyl avait tournoyé sans fin dans son esprit, en un long cortège de craintes et d'interrogations. Le drame d'Ylena l'avait touchée aussi. Elle voulait croire que Lothryn survivrait à ses épreuves, mais ayant entendu le sort cruel qui avait été fait au mari d'Ylena, elle ne pouvait s'empêcher de frissonner.

— Tu as bien la lettre pour le duc? demanda-t-il.

Elle tapota la poche de sa robe.

— Comment pourrais-je l'oublier? Je t'ai vu suer sang et eau pour l'écrire…

— Je suis plus à l'aise avec une épée, répondit Wyl en souriant.

— Alors tu pars vraiment maintenant, demanda-t-elle en espérant que sa voix ne sonne pas trop triste.

— Il le faut.

— Ah au fait, j'ai oublié de te dire, ajouta-t-elle en rosissant. J'ai entendu des voyageurs à l'auberge ce matin – ils arrivaient de Pearlis. Il paraît que le roi prépare une visite d'État en Briavel.

Wyl était atterré.

— Quand ? demanda-t-il en la saisissant aux épaules.

— Je ne sais pas. J'ai eu l'impression que c'était imminent – si ce n'est déjà fait. Ils avaient l'air excités. Ils parlaient d'une union entre les deux royaumes, avec la paix pour bientôt.

L'esprit de Wyl fonctionnait à toute allure.

— Il faut que je parte. Essaie de voyager avec d'autres personnes. Si tu peux, rejoins un groupe de voyageurs allant au sud. Une femme seule est vulnérable.

— Wyl, je m'en sortirai. Envoie de tes nouvelles comme tu as dit. Je n'ai malheureusement plus d'argent à te donner pour le voyage.

— Ça ira, répondit-il.

Ses pensées étaient déjà en Briavel. Il se pencha pour l'embrasser et fut surpris et enchanté lorsqu'elle le serra très fort dans ses bras.

— Prends soin de toi, Wyl.

— Toi aussi, et veille sur Ylena. Allez à Felrawthy. Je vous rejoindrai là-bas.

Elle hocha la tête et le regarda partir en s'efforçant de sourire bravement.

Chapitre 33

Wyl ne ménagea pas son cheval. Une nouvelle fois, il s'en remettait à son intuition pour le guider et se félicitait que l'esprit de Koreldy survive encore en lui, même de manière très vague. Il chevaucha en diagonale vers le sud-est, jusqu'à la frontière de Morgravia et de Briavel. Dormir à la dure ne le dérangeait pas, mais il se dit qu'il devait avoir bien mauvaise mine lorsque la garde de Briavel lui tomba dessus après une demi-journée de cheval à l'intérieur du royaume de Valentyna. Au moins, sa rapidité d'action le rassurait ; la garde veillait au grain.

Sa tenue pitoyable et son apparence peu reluisante démentaient ses dires selon lesquels la reine l'attendait, mais sa prestance et son accent donnaient à penser qu'il pourrait bien être le noble qu'il prétendait être. Les soldats de Briavel acceptèrent donc de l'écouter. Il sut que la chance était de son côté lorsqu'un homme appelé Liryk reconnut son nom. Mieux, il avait reçu pour instruction de Valentyna d'amener Romen Koreldy à Werryl immédiatement s'il venait à se présenter en Briavel.

Avec la permission de Liryk, il se joignit donc à la troupe de gardes qui ralliait la capitale avec des lettres et des taxes perçues dans différentes villes. Ce furent ensuite deux journées de cheval particulièrement tranquilles, pendant lesquelles il put manger à sa faim et dormir sans crainte d'être assailli par des bandits de grands chemins. À dire vrai, il appréciait de retrouver la présence de soldats autour de lui. Il ne laissa pas la personnalité de Romen devenir trop envahissante et participa de bon cœur aux différentes corvées lors des haltes. En grande partie, il s'occupa de lui-même avec discrétion.

Ce n'est que vers la fin du voyage qu'il découvrit que Liryk n'était pas seulement un officier de haut rang, mais le commandant de la garde de Briavel. Il glana cette information au cours d'un repas dans une taverne où les soldats avaient manifestement leurs habitudes – à en juger par les sourires des filles de salle et les plaisanteries des hommes.

— Vous êtes d'un rang bien élevé pour ce genre de mission, observa Wyl tout en attaquant à belles dents un plat de poulet rôti.

Liryk avait opté pour une tourte à la viande et enfournait consciencieusement de grandes fourchetées. Il avait commencé par la garniture, gardant la pâte pour après, ce qui fit sourire Wyl ; Ylena avait la même manie. Il se demandait comment elle allait et priait Shar qu'elle soit suffisamment rétablie sur le plan émotionnel pour accueillir Elspyth dans sa vie. Il se rendit compte à cet instant que Liryk lui parlait.

— … mais j'aime bien faire ça. En fait, je déteste me retrouver enfermé au palais. Chaque fois que possible, je pars pour ces missions. Je crains d'ailleurs que les occasions se fassent bientôt plus rares. Il faut que je reste auprès de Sa Majesté la reine.

Wyl hocha la tête. Il appréciait déjà énormément cet homme et se réjouissait que Valentyna puisse compter sur son expérience et sa sagesse.

— En outre, poursuivait Liryk, c'est un vrai cauchemar que d'organiser le rapatriement de tant d'hommes sur Werryl. Je me suis personnellement chargé du regroupement car je veux disposer du plus grand nombre possible pour cette visite officielle du roi de Morgravia.

— Vous ne lui faites pas confiance ?

— Vous voulez dire, en plus du fait que nous sommes ennemis jurés ?

Les deux hommes éclatèrent de rire.

— Vous autres en Grenadyne qui n'avez pas d'ennemis, vous n'avez jamais compris l'animosité entre nos deux royaumes. Et voilà que soudain, nous devons agir avec courtoisie et diplomatie, quand quelques années auparavant nous nous étripions sur les champs de bataille. J'y étais – j'ai vu mourir des centaines de nos jeunes – et tout ça pour quoi ? Morgravia a pu clamer partout qu'elle avait gagné – bah ! Je n'aime sans doute pas le jeune roi, mais je suis favorable à ce mariage car il est synonyme de paix.

Wyl reposa le pilon qu'il était en train de rogner.

— Où en sont les négociations ?

Liryk fit une grimace.

— Désolé, Koreldy, mais je ne suis pas autorisé à parler de ces choses avec vous. Sachez seulement que la plupart des gens de Briavel sont favorables à cette union pour toutes ces bonnes raisons.

Wyl hocha la tête.

— Je comprends. Quand arriverons-nous ?

— Demain après-midi.

— Et le roi ?

— Il est attendu dans une semaine environ. Apparemment, il a fait ralentir sa marche pour visiter les villes sur son chemin.

— Pour que les populations courbent l'échine devant quelqu'un qu'elles détestent, dit Wyl en regrettant instantanément de l'avoir fait.

Liryk lui jeta un coup d'œil en biais.

— Nous ferons notre dernier arrêt à Crowyll. C'est une grande ville à quelques lieues de la capitale. Il y a là-bas le meilleur bordel de Briavel. Vous devriez aller y faire un tour, Koreldy... histoire de vous débarrasser de toute cette bile.

Liryk ne parlait pas en l'air. Wyl n'avait pas visité beaucoup de bordels dans son existence, mais il vit bien vite que l'élégant bâtiment de pierre de Crowyll, à l'enseigne du Fruit défendu, abritait l'un des établissements de sa catégorie les mieux tenus de tous les royaumes. Il lui apparut qu'en Briavel on était moins collet monté sur les questions de l'amour et du plaisir que chez son puissant voisin. Ici, les gens mettaient un point d'honneur à jouir de tous les plaisirs de la vie ; Wyl fut sidéré de voir que Liryk encourageait ses hommes, même mariés, à passer quelques heures en galante compagnie.

Comme Wyl lui en faisait la remarque, Liryk haussa les épaules.

— Ces hommes sont sur les chemins depuis plusieurs semaines. Ils ont besoin de se détendre un peu avant de s'occuper de tout ce qu'impose la visite royale. En temps normal, ils auraient quelques jours de permission, mais pas cette fois-ci. Ils ont bien mérité une nuit de… euh… détente. Ils n'en travailleront que mieux après.

Wyl sentait le poids de son éducation regimber en lui.

— Je me demande si leurs femmes seraient d'accord.

Liryk s'esclaffa.

— Vous m'étonnez, Koreldy. Vous avez pourtant l'air d'un homme qui en a vu d'autres. Ce que les femmes ignorent ne peut pas leur faire de mal.

— Et vous ? Comptez-vous prendre un peu de… détente ? demanda Wyl en jetant un regard à la ronde sur le Salon de bienvenue.

Ici, les hommes prenaient quelques verres de vin ou de bière, écoutaient des chansons, avant de passer à des activités plus intimes. En Briavel, comme en Morgravia d'ailleurs, ces activités commençaient d'ordinaire par un bain, suivi d'un massage aux huiles.

— Bien sûr, mais moi je ne suis pas marié et je n'éprouve pas la plus petite once de culpabilité, répondit Liryk. Je crois d'ailleurs que je viens de jeter mon dévolu sur cette intéressante créature, là-bas dans le coin… Elle m'a l'air très prometteuse – même si quelque chose me dit qu'elle n'a d'yeux que pour vous, Koreldy.

Wyl poussa un grognement en forme de fin de non-recevoir, mais se tourna quand même vers elle. C'était une jeune femme intrigante – pas une beauté classique comme Ylena qui tournait les têtes, mais un joli brin de fille dotée d'une indéniable présence. Tout en écoutant les fadaises d'un petit groupe d'hommes, avec force petits rires et coquetteries, elle ne le quittait pas des yeux. Contrairement aux femmes de Briavel qui aimaient les cheveux longs, elle portait les siens sur les épaules, ce qui allait bien avec sa haute stature.

Il l'observa, fasciné par ses manières félines. Il n'y avait pas d'autres mots pour décrire la fluidité de ses mouvements ; tous ses gestes étaient empreints de nonchalance, mais on sentait qu'elle devait pouvoir bouger avec une extrême rapidité. Elle alla prendre des verres et il vit qu'elle se déplaçait avec la légèreté aérienne d'une danseuse… ou d'une adepte de ce qu'on appelait le Simple Art. Gueryn ne l'avait jamais vraiment formé à ce style de combat sans armes, dans lequel on utilisait ses mains et ses pieds pour frapper – et sa vitesse et sa puissance pour se protéger. Wyl n'avait donc jamais appris les techniques, mais il en avait toujours eu l'envie. Bon nombre des jeunes soldats du rang s'étaient initiés au Simple Art ; lors d'une démonstration à Pearlis, Wyl avait vu de ses yeux les dégâts que ce talent pouvait infliger. Il s'était promis d'apprendre les techniques après la fin du tournoi royal. Aujourd'hui, il n'avait plus son corps jeune et agile – sans doute ne s'y mettrait-il jamais.

Les membres de la jeune femme étaient longs et déliés. Sur ses bras nus, les muscles saillaient sous la peau et son ventre était plat et ferme. Peut-être était-ce quelqu'un qui s'efforçait de garder un corps souple et musclé. Elle vit son regard sur elle et Wyl détourna les yeux. *Romen n'aurait pas tourné la tête*, se dit-il. Romen aurait soutenu son regard, avec une lueur de désir frisant dans sa prunelle.

Une nouvelle fois, Wyl se décevait. C'est alors qu'une pensée agaçante lui vint – plus il vivait dans le corps de Romen et moins il y avait trace de Koreldy. Au début, la personnalité de Wyl restait confinée dans un coin et celle de Romen occupait le reste. Depuis, c'était l'essence de Wyl qui s'imposait et il devenait de plus en plus difficile – et parfois impossible – de trouver Koreldy dans tout ça. Est-ce que cela signifiait la fin de Romen ? Est-ce que ce qui était resté de lui avait fini par s'évaporer ?

Les réponses à ces questions ne pourraient venir que du père de Myrren – le sorcier –, comme la veuve Ilyk l'avait dit.

Quelqu'un lui toucha accidentellement le bras, l'arrachant à ses pensées ; son regard dériva irrésistiblement vers la jeune femme. Ses yeux étaient d'une jolie teinte noisette, que rehaussait gracieusement sa chevelure blonde. Isolément, aucun de ses traits n'était particulièrement remarquable, mais ensemble, avec sa vivacité et son charme, ils composaient un tableau irrésistible. Elle irradiait la confiance en elle et les hommes autour d'elle riaient beaucoup, captivés par sa conversation assurément brillante.

Les hommes commençaient à monter avec les belles qu'ils s'étaient choisies. Elle déclina les avances de plusieurs d'entre eux et trouva finalement un prétexte pour s'approcher de Wyl.

— On dirait que vous n'êtes pas avec eux, dit-elle d'une voix grave, profondément attirante. Mais vous êtes le bienvenu. C'est un plaisir d'avoir la visite de quelqu'un d'aussi agréable à regarder.

Wyl ne savait quoi répondre à quelque chose d'aussi direct ; il espérait de toutes ses forces que Romen revienne en lui pour le tirer de son embarras. Son appel ne fut pas entendu; un petit sourire apparut sur les lèvres de la jeune femme.

—Vous venez d'où, étranger?

Il était heureux de revenir en terrain connu, avec une question à laquelle il pouvait répondre mécaniquement.

—De Grenadyne.

—Alors vous êtes loin de chez vous. Vous avez un nom peut-être?

—Koreldy! répondit quelqu'un à sa place.

C'était Liryk, soudainement en veine d'exubérance; Wyl était certain que ce n'était pas le même homme une fois rentré au palais.

—Ne vous préoccupez pas de lui, ma chère. Les hommes d'expérience sont bien plus intéressants, dit-il avec un clin d'œil.

Elle n'avait pas détourné son regard de Wyl, si bien qu'il se sentit obligé de répondre à une question dont il n'était pas sûr que quelqu'un l'avait posée.

—Écoutez, allez-y, moi je vais boire de cet excellent Alsava. Cela fait des mois que je n'ai rien bu d'aussi bon, mentit-il, en regrettant immédiatement sa pauvre remarque.

—Vous voyez, insista Liryk tout sourire. C'est quoi votre nom, ma jolie?

—Je m'appelle Hildyth, répondit-elle, ses yeux interrogateurs toujours fixés sur Wyl.

Liryk ne perdit pas plus de temps en vaine conversation.

—Allez viens, Hildyth, nous n'avons plus que quelques heures.

Elle le suivit, avant de se retourner vers Wyl.

—Dommage, dit-elle. Je suis sûre que nous nous serions bien entendus.

—La prochaine fois, peut-être, répondit-il en reprenant contenance.

—J'espère que c'est une promesse.

Sa voix faisait naître en lui des ondes de chaleur, dans des endroits qu'il aurait souhaités plus calmes.

Il hocha la tête et elle lui sourit une nouvelle fois ; puis elle tourna sur elle-même, le laissant seul avec son vin.

Après cela, Wyl avait perdu tout entrain. Il n'avait pas envie de rejoindre l'auberge où Liryk avait retenu des chambres. À la place, il marcha une lieue seul dans la nuit pour rallier la plaine où les fantassins de l'escorte avaient établi leur camp. À cet instant, il préférait être là avec ces hommes plutôt qu'en tête à tête avec une putain ou ses sombres pensées.

Le lendemain matin, lorsque toute la petite troupe fut réunie, Wyl éprouva une vraie surprise en découvrant un Liryk – lui d'ordinaire si net et si soigné – portant tous les stigmates de sa nuit de débauche.

Le vieux soldat, hâve et débraillé, l'aperçut à son tour et poussa une exclamation.

— Shar merci, Koreldy, vous êtes sauf !

— Bien sûr, pourquoi ne le serais-je pas ?

— Il y a eu un incident à l'auberge où nous étions. Et d'ailleurs où étiez-vous vous-même ?

— Je suis revenu ici. Je n'avais guère envie de compagnie la nuit dernière.

— Très bonne idée que vous avez eue là. Il y a eu un incendie et j'ai bien cru que vous étiez parti en fumée.

— Nous avons aperçu un nuage noir, dit Wyl en fronçant les sourcils. Est-ce que tout le monde s'en est sorti ?

— Oui. Heureusement que les hommes restent vigilants. Même dans ce genre de circonstances, je laisse des sentinelles – le feu a donc été rapidement repéré, répondit Liryk dans un soupir. En tout cas, vous avez été sacrément inspiré de revenir au camp.

— Comment ça ?

— Le feu a pris tout près de la chambre que vous deviez occuper. Il ne reste plus rien de cette aile de l'auberge. Votre chambre a été entièrement détruite, calcinée.

— Comment est-ce que ça a démarré ?

Liryk haussa les épaules en signe d'ignorance.

— Personne ne le sait. Une lampe à huile oubliée quelque part a dit quelqu'un, mais c'est juste une idée comme ça. Il n'y a aucune preuve.

» Allez, on lève le camp !

Wyl ne songea plus à l'incident – l'âme soudain ardente et impatiente à l'idée de revoir Valentyna.

L'assassin était dans la foule des spectateurs, à pousser les mêmes cris d'effroi et de dégoût qu'eux. Tous attendaient avec une excitation morbide d'apercevoir les restes calcinés des pauvres bougres que le feu avait piégés. Le tenancier était là lui aussi, clamant que son établissement était heureusement peu fréquenté la veille, à l'exception de quelques soudards éméchés. D'une main noircie, il frotta ses yeux rougis et épuisés – la nuit avait été longue à lutter contre les flammes. Heureusement pour lui, la partie endommagée était séparée du corps principal, auquel elle était reliée par une allée couverte.

— Nous avons vérifié ce matin et tous les clients s'en sont sortis. Sauf un.

— Qui ? demanda quelqu'un.

— Le commandant Liryk a dit que c'était un étranger – pas un soldat de la garde. Un homme de Grenadyne qui voyageait avec eux. Un nommé Koreldy, répondit fort obligeamment l'aubergiste, pressé d'établir que nul compatriote n'était mort dans sa gargote.

Ce serait tragique pour les affaires si le bruit venait à se répandre qu'il se montrait négligent avec ses lampes. D'ailleurs, il ne comprenait pas ce qui avait pu se passer ; la veille au soir, il avait lui-même tout vérifié avant de se coucher. C'était un rituel chez lui de passer dans tous les couloirs de tous les étages pour souffler les chandelles oubliées et moucher les mèches incandescentes. Plus étonnant encore pour lui, il y avait le fait qu'il ne possédait qu'un nombre limité de lampes à huile et qu'il n'en avait sorti aucune la veille. Peut-être l'une des servantes l'avait-elle fait, mais alors pourquoi la laisser près de cette chambre isolée ? Il allait devoir se faire à l'idée qu'il était trop fatigué pour retenir tous les faits et gestes, mais c'était tout de même étonnant qu'il ne se souvienne même pas d'avoir vu rentrer l'étranger disparu.

L'un des hommes qui s'activaient dans les décombres s'approcha de lui.

—Aubergiste Jon.

—Des nouvelles ? demanda le tenancier en s'arrachant à ses sombres pensées.

—Rien. On a tout retourné et il n'y a rien à sauver.

—Je m'en doutais. Et pour le... le corps ?

—Aucune trace. Si l'étranger de Grenadyne était dans sa chambre, il est parti en fumée.

L'assassin, qui tendait une oreille indiscrète, s'éloigna à cet instant. Il avait pris des risques la veille, mais ça valait la peine d'enflammer de l'huile sur la porte de Koreldy, ainsi que dans la chambre en dessous, heureusement vide. Et puis, le troisième foyer juste sous sa fenêtre était une idée de génie ; avec tout ça, il n'avait aucun moyen de s'en sortir. Et le résultat était là : Koreldy avait disparu corps et âme dans les flammes. Pourtant, l'assassin était trop méticuleux pour se contenter de présomptions.

Elle voulait l'autre moitié de l'or promis lorsque Jessom arriverait très bientôt en Briavel avec le roi Celimus. Elle voulait croire qu'elle avait réduit la victime en cendres, mais son instinct la poussait à douter. Elle laissa les badauds pour regagner sa propre chambre, toujours en proie à l'incertitude.

En chemin, sa petite voix intérieure acheva de la convaincre – mieux valait ne rien laisser au hasard. Elle conclut donc qu'elle allait rester ici jusqu'à ce qu'elle obtienne la certitude que ce Koreldy était bel et bien mort.

Chapitre 34

Fynch plongea ses petites mains dans l'amas de poils qui faisait comme une collerette de fourrure autour du cou de Filou. Le chien tourna vers lui ses yeux bruns qui voyaient et comprenaient tout ; c'était comme si l'animal avait pu sentir son humeur et ses pensées. Plus étonnant encore, le chien semblait de plus en plus aider Fynch à prendre des décisions. Lorsque le jeune garçon réfléchissait, il avait le sentiment que Filou s'insinuait doucement dans son esprit, pour peser sur ses pensées et les orienter.

Fynch n'aurait su dire quand tout cela avait commencé ; il n'essayait même pas de s'en souvenir. En revanche, il s'en était ouvert à Valentyna – et à elle seule. En parler à quelqu'un d'autre lui aurait juste servi à se rendre ridicule ; et puis à quoi bon, quand plus personne désormais ne croyait à la magie. Les histoires de magiciennes et de sorciers étaient devenues des légendes, des contes pour effrayer les petits enfants – des sornettes à mettre dans les chansons des bardes.

Pourtant, se disait Fynch, la magie avait bien dû exister à une certaine époque – sinon, pourquoi les gens superstitieux continuaient-ils à éviter les flaques afin que leur âme ne s'y reflète pas, ou bien lançaient-ils quelque imprécation pour détourner le mauvais sort lorsque le beurre devenait rance, le lait tournait ou que du sel était répandu ? De toutes les superstitions, sa préférée était l'obligation de porter du violet les veilles de pleine lune.

De son vivant, la mère de Fynch avait été particulièrement « sensible » – comme elle disait – au monde spirituel. Elle avait d'ailleurs senti chez le plus grand de ses fils quelque chose qui le rendait perméable au surnaturel – même si elle ne lui avait jamais dit quoi.

— Ils peuvent te parler, lui disait-elle.

Bien souvent, les gens disaient d'elle qu'elle était différente ; un jour, Fynch comprit qu'ils la tenaient pour folle. Il savait qu'elle ne l'était pas – que c'était juste sa « sensibilité » qui la faisait paraître bizarre. Elle entendait des voix, avait des visions, mais elle n'en avait jamais parlé à quiconque ; une fois seulement, elle s'était confiée à Fynch, son préféré. Oh oui, lui était bien l'un des rares habitants de Morgravia à croire en l'existence de la magie.

Sans doute moins hermétique que la plupart, Valentyna avait accepté l'idée que Wyl – ou son émanation – était présent parmi eux et que son lien avec Romen Koreldy était bien plus complexe que ce que l'homme de Grenadyne s'était efforcé de leur faire croire. Fynch pensait parfois qu'elle se moquait gentiment de lui, mais il avait pris le parti de croire qu'elle respectait son raisonnement, quand bien même elle ne le partageait pas. Jamais depuis leur discussion sur la passerelle, le matin même de son retour en Briavel, ils n'avaient reparlé du lien entre Wyl et Romen ; jamais ils ne l'avaient même évoqué.

Pour sa part, le chien Filou bénéficiait d'un statut indiscutable.

— Il a sûrement été « touché », avait-elle admis récemment, sans pour autant aller jusqu'à parler de sorcellerie ou d'enchantement.

— Il appartenait à une sorcière, avait répondu Fynch, sans aller plus loin.

— À certains moments, lui avait-elle confié lors d'une de leurs nombreuses promenades, j'ai l'impression qu'il lit en moi comme dans un livre. Est-ce que ça te paraît sensé ?

Fynch avait hoché la tête; il savait très exactement ce qu'elle voulait dire.

Cette confidence lui avait suffi. À sa manière un peu rigide, Valentyna avait admis la possibilité que Filou soit un chien magique – pour lui, la question ne faisait aucun doute. Ces dernières semaines, le comportement du chien était devenu de moins en moins prévisible. Peu après leur retour à Werryl, il avait disparu. Plus précisément, c'était le lendemain matin que son absence avait été constatée; Valentyna avait réveillé Fynch, inquiète de ne plus le voir alors qu'il avait dormi dans sa chambre, disait-elle. Pendant trois jours, Fynch avait été inconsolable, jusqu'à ce que Filou réapparaisse au palais, le matin du quatrième.

Passé les premiers instants d'excitation et les larmes de soulagement, Fynch avait grondé le chien dès qu'ils s'étaient retrouvés seuls.

— Où étais-tu passé ? s'était-il exclamé en tenant l'énorme tête entre ses petites mains.

Filou avait posé sur lui un regard étrange, qui l'avait d'abord effrayé. Ensuite, il avait ressenti un puissant vertige, dont le souvenir le faisait encore frissonner. Il y avait du sang partout; Romen coupait la tête d'un homme. Le mercenaire était blessé. Puis il avait vu Filou en train de tirer Romen inconscient ou sans vie dans un endroit qu'il ne connaissait pas. La vision s'était dissipée et il s'était retrouvé le regard noyé dans les yeux du chien.

— Tu étais avec Romen ! Il est blessé. Où est-il ?

Une voix lointaine avait alors parlé dans ses pensées – une courte phrase. *Il est en sûreté.* Puis ce fut tout. Fynch avait agité la tête – son imagination lui jouait-elle des tours ? Peut-être venait-il d'inventer tout ça pour se rassurer après sa vision de cauchemar ?

De sa grosse voix sourde, Filou avait poussé l'un de ses aboiements par lesquels il attirait l'attention du garçon.

C'était comme s'il avait alors voulu ramener Fynch dans le temps présent. Ensuite, le chien avait repris ses habitudes et on les voyait partout se balader ensemble. Pendant cette période, il y eut même des moments où Fynch se dit qu'il se racontait des histoires à croire ainsi que Filou était autre chose qu'une bonne grosse bête, pataude et drôle.

Valentyna aimait avoir Fynch à ses côtés et, souvent, elle lui confiait quelque course ou commission. Ce jour-là avait débuté comme les autres – par une tournée de messages de la plus haute importance à aller distribuer. Pour sa part, la reine Valentyna ne tenait pas en place, incapable de se concentrer sur les devoirs de sa charge. Elle avait donc proposé une promenade à cheval dans les magnifiques forêts de Werryl.

—J'ai bien l'intention que tu finisses par savoir tenir correctement en selle, avait-elle dit au tout début.

Depuis, elle se tenait à sa promesse et lui enseignait les rudiments de l'équitation au cours de sorties à cheval somme toute assez fréquentes – Valentyna n'avait jamais besoin de se faire prier longtemps pour sauter en selle. Ces temps derniers, ils étaient bien sûr escortés en permanence, mais la poignée de cavaliers savait se montrer discrète, si bien que Valentyna parvenait par instants à renouer avec une vraie sensation de liberté.

Sa relation avec le jeune garçon avait gagné en profondeur ; elle avait maintenant le sentiment qu'il était le jeune frère qu'elle n'avait jamais eu – qu'elle avait toujours voulu avoir. Malgré son jeune âge, Fynch faisait preuve d'une extraordinaire vivacité d'esprit qui venait compléter harmonieusement sa propre intelligence ; le garçon jetait des idées pêle-mêle, ouvrait des horizons, bref, l'aidait à trouver des solutions. Il s'agissait rarement de grandes questions touchant à la gestion du royaume – elle avait une armée de conseillers pour ces choses-là –, mais Fynch s'imposait peu à peu comme son âme sœur. Il était son meilleur ami, son plus fidèle sujet.

Ensemble, ils parlaient pendant des heures de tout – de la vie, de l'amour, de l'avenir de Briavel, de l'élevage des chevaux, du jardinage et, par-dessus tout, des mille et une façons de faire enrager le chef de la maison royale, si rigide et si guindé. Ce jour-là, ils ne prêtaient guère attention à l'escorte à laquelle le commandant Liryk tenait tant. Les bois autour de Werryl étaient magnifiques en cette époque de l'année – c'est là qu'elle aimait venir se promener, même si elle ne pouvait sous les arbres s'élancer dans l'un de ces galops endiablés qu'elle adorait. Ils allaient donc au pas tranquille de leurs chevaux. Valentyna corrigeait l'assiette de son élève ou la position de ses mains sur les rênes ; tous deux goûtaient un extraordinaire sentiment de paix et de liberté.

Plus tard, penchés sur l'encolure de leurs montures, ils les firent boire dans un ruisseau aux eaux claires et vives. Fynch se mit à raconter une anecdote de l'époque où il était garçon de commodités à Stoneheart. Valentyna riait de bon cœur, une main amicale posée sans façons sur le bras du garçon. Soudain, elle sentit sous sa main son corps devenir raide comme du bois.

Son sourire se figea.

— Fynch ?

Il ne disait rien. Sa main tendue avait saisi Filou – ce qui n'était pas étrange tant ces deux-là étaient inséparables –, mais le chien avait posé sur elle son regard mystérieux qui semblait la traverser et voir en elle. Elle touchait Fynch, qui touchait Filou, qui tenait fixés ses yeux sur elle – ensemble, ils étaient indissociablement reliés. Elle fit un effort sur elle-même pour détourner son regard de celui, fascinant, du chien ; la bouche de Fynch paraissait sans vie, ses yeux étaient perdus dans le vague, mais elle pouvait sentir la tension dans son bras. Un léger tremblement l'agitait.

Elle le saisit aux épaules.

— Fynch ! cria-t-elle. C'est Valentyna. Fynch, parle-moi, s'il te plaît.

Le petit corps du garçon s'effondra contre elle ; si elle n'avait pas été là pour le rattraper, il se serait écroulé au sol. Elle l'attrapa au vol – il était si léger – pour l'emporter sur l'herbe grasse à l'ombre d'un immense chêne.

Elle appela l'un des hommes de l'escorte.

— Rawl ! De l'eau, vite !

L'homme se précipita à ses côtés, une flasque à la main. Elle imbiba son mouchoir pour tamponner les tempes et les joues du garçon. À l'instant où Fynch ouvrit les yeux, elle renvoya Rawl rejoindre les autres. Comme d'habitude, Filou était assis à proximité – juste à côté de la tête du garçon. Elle lui jeta un coup d'œil en biais, pile comme Fynch faisait un effort terrible pour s'asseoir, enfouissant immédiatement sa tête entre ses mains, comme sous le coup d'une douleur intense.

— Qu'est-ce qui s'est passé ? demanda-t-elle. Tu m'as fait une de ces peurs.

— Ça recommence, murmura-t-il d'une voix à peine audible.

— Quoi ? Qu'est-ce qui recommence ? Regarde-moi. Que vient-il de se passer ?

Fynch tourna les yeux vers elle, avant de secouer la tête d'un air navré.

— Je ne peux pas l'expliquer.

— N'explique pas. Dis-moi seulement.

— J'ai eu une vision.

Elle ne s'était pas attendue à ça.

— Qu'as-tu vu ?

Il observa le visage de la reine, sans y déceler la moindre trace d'amusement ou d'incrédulité. Elle était sincèrement alarmée et tout aussi intéressée par ce qu'il avait à dire. Il choisit de lui raconter toute la vérité.

— Je vous ai vue.
— Moi ?
Il hocha la tête.
— Vous étiez avec Celimus.
Elle fit la moue.
— Et que faisions-nous ?
— Vous assistiez à une exécution.
Fynch vit qu'elle cherchait quelque chose à répondre. Il ne la laissa pas intervenir, poursuivant son récit.
— Et il vous a embrassée quand ça a été fini.
C'était trop pour elle. Valentyna était bien contente que l'escorte fût hors de portée d'oreille.
— Fynch, qu'est-ce que ça veut dire ?
— Je vous l'ai dit – je ne peux pas expliquer.
— Et tu me dis que tu as déjà eu une vision.
— Oui. La dernière fois, j'ai vu Romen qui – en même temps et d'une certaine manière – était aussi Wyl Thirsk.
Valentyna s'assit par terre, entourant ses genoux de ses bras pour les serrer très fort contre elle ; tout cela était très perturbant.
— Pourquoi ne m'en as-tu jamais parlé ?
— J'avais l'impression que j'avais tout imaginé… que je l'avais rêvé.
— Fynch, tu es la personne la plus équilibrée que je connaisse. Tu ne te laisserais sûrement pas duper par un rêve.
— C'était effrayant.
— Raconte-moi cette autre vision, dit-elle en se sentant soudain dans la peau de l'adulte qui réconforte un enfant.
— J'ai vu Romen. Il était blessé, mais était en train de couper la tête de quelqu'un. Je crois qu'il y avait une autre personne également morte, mais je n'en suis pas sûr.
Cela ressemblait à un cauchemar, mais Valentyna s'efforça à la patience.

— Tes rêves sont pleins de sang et de fureur – des exécutions publiques, des décapitations, remarqua-t-elle en secouant doucement la tête. Quoi d'autre ?

Fynch avait l'air désespéré maintenant, presque en colère contre lui-même.

— Je cherchais Romen, mais j'avais l'impression qu'il était Wyl.

— Tu sais que ça a l'air de n'avoir aucun sens, dit-elle en tâchant de ne pas paraître condescendante.

— Bien sûr, mais ça ne change rien à ce que j'ai vu ou ressenti en le voyant, Majesté.

— Tu m'as déjà dit que tu pensais que Wyl était d'une manière ou d'une autre puissamment associé à Romen. Ne penses-tu pas que ce que tu as vu était simplement ce que tu voulais voir ?

Elle détestait le petit ton conciliant qui enrobait ses paroles.

— Oui, Majesté, je me suis dit aussi que tout cela venait de moi.

Il n'y avait aucun sarcasme dans sa voix ; uniquement une immense sincérité.

Elle tourna la tête vers Filou, dont le regard intense pesait sur elle, puis revint nerveusement à Fynch.

— Mais tu ne le crois pas, au fond ?

Il secoua misérablement la tête, comme accablé.

— C'était comme si tous deux ne faisaient plus qu'un.

— Y a-t-il autre chose ? Tu parais hésiter…

— J'ai entendu une voix. Cette fois encore, c'était si faible et si distant que j'ai cru que j'avais tout imaginé. Elle a répondu à une question que j'avais posée au chien.

Valentyna prit une profonde inspiration.

— Explique-moi tout depuis le début, Fynch.

Ce fut son tour de soupirer.

— J'étais fâché contre Filou. Je lui reprochais de s'être

enfui et, vous savez, c'était comme quand vous parlez à vos chevaux…

Elle hocha la tête.

— Eh bien, je lui ai parlé comme ça, poursuivit le garçon. Je lui ai demandé où il était allé.

— Et ?

— Et la vision m'est apparue. J'étais sous le choc et j'ai dû dire quelque chose comme « Tu étais avec Romen et il est blessé ». Je crois que je lui ai aussi demandé où Romen se trouvait.

— Et une voix t'a répondu.

— Oui, elle a dit « Il est en sûreté », répondit-il avec une grimace. Je sais ce que vous allez dire maintenant.

— Ah bon ?

— Vous allez me demander si c'est Filou qui m'a répondu, puis vous penserez que je suis fou – comme ma mère.

Valentyna observait ses mains.

— Je ne savais pas pour ta mère, Fynch. Mais je crois que je te connais assez bien à présent pour dire que tu es un garçon intelligent et équilibré.

Il ne répondit rien ; elle sentit néanmoins qu'il était heureux de ce qu'elle avait dit.

Valentyna ne put toutefois retenir la question qui lui brûlait les lèvres.

— Donc ?

— Non, Filou ne m'a pas parlé, répondit-il avec une ombre de sourire sur les lèvres. C'était une voix d'homme. C'est tout ce que je peux dire.

La reine de Briavel n'avait aucune idée de ce qu'elle allait bien pouvoir dire ensuite. Ces histoires de magie la mettaient toujours sur des charbons ardents, aussi préféra-t-elle opter pour un repli stratégique sur les derniers événements.

— Et maintenant cette nouvelle vision, dans laquelle tu m'as vue avec Celimus.

Fynch confirma de la tête. Il avait choisi de ne pas parler, se contentant d'arracher les brins d'herbe autour de ses pieds.

— Rien d'autre que le baiser, Fynch ? demanda-t-elle en lui tendant la flasque pour qu'il puisse boire.

Il la prit sans la porter à ses lèvres.

— Je ne connais pas l'homme qu'il faisait exécuter, mais le bourreau utilisait une épée.

— Un noble alors ?

— Je suppose. En tout cas, le supplicié vous regardait.

— Je le connais ?

— Je ne sais pas.

Intriguée malgré elle, Valentyna reprit machinalement la flasque pour y boire une gorgée.

— Décris-le-moi.

— Je ne suis pas sûr de pouvoir.

— Allez, Fynch, fais un effort. Tu as le sens de l'observation le plus aiguisé qu'on puisse imaginer. Concentre-toi !

Fynch ferma les yeux ; des plis apparurent sur son front.

— Un homme grand et fort, le visage tanné. Des traits taillés à la serpe.

— Ses cheveux ?

Il secoua négativement la tête, les yeux toujours hermétiquement clos par la concentration.

— Je n'en distingue pas la couleur. Ils sont attachés derrière et assombris par la transpiration.

— Et on est sur le point de l'exécuter ?

— Oui. Je n'ai pas vu le moment où on lui tranche la tête.

Il rouvrit les yeux ; il n'avait rien à ajouter.

— Eh bien, on peut dire que je suis abasourdie.

— Ça ne vaut sûrement pas la peine de s'appesantir dessus. Vous avez déjà tellement à penser.

Elle fit une petite moue.

— Oui, il y a déjà Celimus qui vient… qui sera là d'un jour à l'autre. Je me doute de la tournure qu'il entend donner à nos royales discussions.

— Vous ne pouvez pas l'épouser, Majesté.

— Je le sais, Fynch, crois-moi.

Elle se mentait à elle-même autant qu'à lui. Ce mariage était l'unique solution pour garantir la paix ; elle sentait l'espoir monter dans son peuple. Tout le monde voulait cette union – tous voulaient que les jeunes gens de Briavel ne connaissent pas la guerre.

— Je ne veux pas l'épouser, affirma-t-elle encore.

— Et pourtant, je sens que vous allez le faire, dit Fynch d'une voix misérable.

Elle observa le garçon, accablée par la force de sa conviction. Elle vit à quel point ce n'était qu'un petit garçon effrayé, qui pourtant trouvait toujours un courage extraordinaire pour elle. Leurs yeux se rencontrèrent.

— Je suis désolé, Majesté.

Filou se rapprocha de Fynch ; le mouvement n'échappa pas à la reine. Par moments, le chien lui donnait un sentiment de confiance et de sécurité – à d'autres, comme maintenant, il l'impressionnait et la rendait craintive. Par ce simple petit mouvement, il leur communiquait quelque chose. Elle ne savait pas quoi exactement, mais elle avait l'impression qu'il lui disait : *Écoute ce que dit Fynch, tu peux avoir confiance en sa vision*. Elle savait qu'il lui fallait écouter la voix de la raison – elle savait qu'elle ne devait pas penser que sa vision n'était qu'un pur délire. Fynch ne l'avait jamais abandonnée ; et par-dessus tout elle l'aimait et lui faisait confiance.

— D'une manière ou d'une autre, il faut que je gagne la paix pour mon royaume sans offenser Morgravia. Je ne peux même pas envisager de mener une guerre – nous sommes bien trop faibles actuellement. Le mariage est la voix la plus diplomatique.

» Peut-être puis-je apprendre à l'aimer, ajouta-t-elle d'une voix pleine de tristesse.

— Non, Majesté, ce n'est pas possible. Vous ne pourriez jamais aimer le Celimus que je connais.

— Peut-être parviendrais-je à le changer ?

Ces mots sonnaient creux.

— Autant essayer de transformer un bœuf en biche, Majesté.

Un sourire apparut sur le visage maussade de la reine. Il n'avait pas eu l'intention de faire de l'humour, mais il était heureux d'avoir pu la dérider.

— Comment te sens-tu maintenant ? demanda-t-elle.

— Un peu mal à la tête, mais ça va. Mais oublions ma vision. Vous avez déjà assez à faire pour accueillir le roi de Morgravia comme il se doit – même si ses propositions ne sont pas les bienvenues.

Comme elle hochait la tête en souriant, un page du palais se présenta.

— Qu'y a-t-il ?

— Votre Majesté, dit le garçon en s'inclinant, les cavaliers reviennent. Le commandant Liryk et ses hommes sont à une demi-lieue d'ici. Il a envoyé un messager pour dire qu'un homme du nom de Romen Koreldy est avec eux.

Soudain, Fynch se sentit léger.

— Merci, Ivor, dit-elle au jeune homme avec un sourire.

C'était l'un des pages les plus efficaces et plus discrets du palais. Ses parents avaient été emportés par les fièvres avant même qu'il sache marcher et Valor l'avait accueilli parmi son imposante domesticité. De penser à son père, même fugacement, attrista la jeune reine. Elle savait qu'elle serait une bonne souveraine – elle avait été formée pour ça –, mais comme en ces instants son père lui manquait. Ô comme elle aurait aimé avoir ses conseils après ce que Fynch venait de lui révéler.

Aucun doute, Fynch était honnête et sincère – il ne pouvait en être autrement –, mais c'était précisément ce qui rendait ses dires si insondables et effrayants. *Celimus en train de m'embrasser!* L'homme qui avait orchestré l'assassinat de son père adoré. Et pourtant, au fond d'elle-même, Valentyna sentait qu'elle allait sans doute devoir unir son destin à cet homme qu'elle ne connaissait pas – et qu'elle n'aimerait jamais. Non! Elle le haïssait. Comment pourrait-elle jamais l'épouser après ce que Wyl Thirsk et Fynch lui avaient dit? Elle aurait donné n'importe quoi pour avoir son père à ses côtés. Même si elle répugnait à l'admettre, la nouvelle de l'arrivée de Romen lui mettait du baume au cœur – et peut-être même un peu plus que ça.

Les mots de sa lettre résonnaient encore dans son esprit.

Je viendrai bientôt et me mettrai à vos ordres, ma reine. Jamais mon attachement à votre égard ne vacillera. D'ici là, je me permets de vous offrir le chien Filou, sur la fidélité duquel vous pourrez toujours compter. Remettez-vous-en à lui et à son compagnon Fynch. Ils vous protégeront.

Soyez forte et courageuse, magnifique Valentyna.

Elle avait confiance en Fynch et, même s'il l'effrayait parfois, elle savait que Filou ne lui ferait pas de mal. Koreldy disait que ces deux-là la protégeaient – et voici qu'il arrivait en Briavel pour se mettre à son service. Son cœur en était comme allégé.

— Rawl, on rentre. Que tout le monde se dépêche.

Elle se remit en selle, puis tourna la tête vers Fynch.

— Romen est là maintenant. Ce n'est plus la peine de t'inquiéter.

Il eut un sourire, mais l'appréhension demeurait en lui.

— Je vous suis, Majesté.

Valentyna éperonna son cheval pour partir au grand galop, entraînant les cavaliers dans son sillage.

Fynch voyait la joie impatiente qui animait le chien.

— Tu es content de le voir, hein ?

Filou résista à la tentation de s'élancer – il attendait le signal de Fynch.

— Vas-y, Filou ! J'arrive.

Le chien partit ventre à terre à travers champs, ralliant le palais avant les cavaliers.

Chapitre 35

Valentyna laissa des instructions à son chancelier au sujet de Romen Koreldy, avant de gravir le grand escalier central du palais, jusqu'au premier étage. Elle ralentit délibérément le pas dans le couloir menant à la suite de pièces qui naguère servaient au roi Valor de bureau et de salon de réception pour les invités de marque.

C'était de là qu'elle gérait chaque jour les affaires du royaume, comme ses aïeux l'avaient fait avant elle.

Debout devant une fenêtre de cette vénérable pièce, elle passa une main pleine de nostalgie sur le dossier usé du fauteuil qui avait été celui de son père. De cet endroit, elle avait une vue directe sur la grande cour où arrivaient Liryk et ses hommes. Le vieux commandant lui avait cruellement manqué ces dernières semaines, mais elle comprenait qu'il tienne à s'assurer lui-même de la sécurité du royaume et qu'il ramène des hommes à Werryl en prévision de la visite royale. Apparemment, le roi de Morgravia n'amenait avec lui qu'une escorte légère – selon la norme de Celimus ; au total, cela représenterait tout de même une centaine de soldats de Morgravia sur son territoire. Elle comptait donc ne prendre aucun risque ; qu'un incident survienne ou qu'on cherche à la tromper et elle serait prête.

Elle chercha Koreldy du regard et, bien qu'elle n'ait de lui que la seule description que Fynch lui avait faite, elle le reconnut immédiatement. Certes, il était vêtu en civil, mais cela n'ôtait rien à la précision du portrait que le garçon avait donné. Une nouvelle fois, elle s'émerveilla de son sens de l'observation et du détail.

Je ne devrais plus m'étonner pourtant, se dit-elle. *Fynch n'a pas son pareil pour ces choses.*

On venait avertir Koreldy de sa convocation séance tenante auprès de la reine. Un garde du palais lui demanda poliment de remettre ses armes, ce qu'il fit obligeamment, tirant même deux couteaux étranges de l'intérieur de sa chemise. Un sourire lui échappa, sans qu'elle sut bien pourquoi. Elle imaginait que le garde avait dû s'excuser de la nécessité d'une rapide fouille – les ordres formels et tout ça. Puis Liryk s'était avancé, épargnant ces formalités à l'ancien mercenaire.

Quelques mots encore et le garde partit avec les armes. Elle se réjouit des marques de familiarité – d'amitié même – entre Liryk et Koreldy. Elle avait une confiance absolue dans le jugement de son commandant ; nul doute qu'il s'était arrangé pour lier connaissance avec cet étranger afin de le jauger. Initialement, Krell et Liryk s'étaient montrés plus que dubitatifs à son sujet et c'était Fynch qui les avait tous convaincus de la fidélité de Koreldy envers Briavel. On pouvait donc lui faire confiance.

Les deux hommes échangèrent quelques mots, rirent ensemble, puis Koreldy emboîta le pas d'un page.

Peu après, elle entendit un bruit de pas dans le couloir. Son visage ne trahissait rien, mais elle porta nerveusement une main à ses cheveux indisciplinés, regrettant de n'avoir pas pris au moins le temps de se coiffer. Toutefois, la vanité n'étant pas dans sa nature, la pensée s'enfuit aussi vite qu'elle lui était venue.

Après un coup discret à la porte, le chancelier entra.

—Votre Majesté, Romen Koreldy est ici.

—Merci, Krell. Faites-le entrer.

—Tout de suite, Majesté. Je vais faire apporter des rafraîchissements.

Elle le remercia d'un sourire; son intuition et son expérience lui étaient ô combien précieuses.

Valentyna demeura près de la fenêtre, un peu incertaine de ce qu'elle devait faire. Sa confiance naturelle en elle-même semblait lui faire défaut en cet instant et elle détestait ça. Elle venait tout juste de saisir pour quelle raison elle se sentait ainsi lorsque Romen Koreldy entra finalement. Ils restèrent un instant à se regarder – un tout petit peu plus longtemps que le protocole ne l'aurait exigé. Dans les yeux de Romen, elle vit une lueur de joie; c'était comme s'il la connaissait déjà et qu'il était heureux de la revoir.

Le silence s'éternisait et un sourire amusé monta à ses lèvres. Romen n'avait pas bougé depuis que la porte s'était refermée derrière lui. Soudain, il parut prendre conscience de sa gêne et s'empressa vers elle. Il mit un genou à terre et lui prit la main.

— Reine Valentyna, dit-il en posant ses lèvres sur sa main.

Une fois encore, elle se dit que cela durait plus longtemps que ne le voulait l'étiquette.

— Votre Majesté, je viens me mettre à vos ordres, comme j'en avais fait la promesse, ajouta-t-il.

Sa tête restait inclinée; sa main tenait toujours la sienne. De toute évidence, il n'avait aucune envie de la lâcher – et en toute honnêteté, elle n'était pas pressée non plus.

— Soyez le bienvenu, Romen Koreldy. C'est un plaisir de vous voir parmi nous.

Comme il se redressait, elle vit qu'il était plus grand qu'elle – ce qui n'était pas si fréquent. Le plus souvent, elle regardait ses interlocuteurs dans les yeux, voire baissait le regard sur eux. Cette fois-ci, pour croiser les yeux gris argent de ce Romen Koreldy, il lui fallait légèrement relever la tête. Une expérience pas si courante – et tout à fait agréable.

Diverses émotions, qu'elle était bien en peine d'identifier immédiatement, montèrent en elle, menaçant de lui faire perdre pied. À ce moment, elle sut ce qui déstabilisait sa nature d'ordinaire si imperturbable – c'était lui. Pour la première fois de sa jeune existence, Valentyna ressentait de l'attirance pour un homme.

Bien sûr, il lui était déjà arrivé de s'enticher de garçons plus âgés lorsqu'elle était petite fille. En fait, elle se souvenait d'avoir eu un faible pour un garçon d'écurie aux cheveux fauves, presque roux, lorsqu'elle n'avait qu'une dizaine d'années ; une fois, un écuyer qui faisait ses classes au palais s'était même risqué à lui donner un baiser. Lorsqu'elle avait douze ans, l'un des professeurs lui faisait battre le cœur chaque fois qu'il souriait ; mais depuis, plus rien. Aucun homme ne l'avait fait se sentir ainsi transportée sans qu'elle puisse y opposer sa volonté. Cela dit, ce sentiment de faiblesse l'exaspérait ; elle détestait avoir les genoux tremblants comme en cet instant. La faiblesse n'était pas bonne conseillère pour gouverner.

Il ne la quittait pas des yeux, avec son expression très légèrement ironique et un regard qui donnait l'impression de tout savoir. Elle s'était attendue à voir un homme plus arrogant. Krell, qui avait vu ce Koreldy rapidement lors de la visite du général Wyl Thirsk, l'avait décrit comme un homme conquérant et sûr de lui, au rire facile – quelqu'un d'accoutumé à tailler sa route. Or, ce n'était pas du tout ce sentiment-là qu'elle avait en cet instant. Koreldy s'éclaircit la voix et elle se rendit compte que le silence s'était bien trop éternisé entre eux ; il fallait absolument qu'elle dise quelque chose.

— Merci d'être revenu.

À ces mots, il eut un large et franc sourire qui le changea radicalement. Une étincelle aimable brilla dans sa prunelle et quelques rides charmantes apparurent au coin de ses yeux et de sa bouche.

— Je ne pouvais pas rester au loin, répondit-il.

Je pourrais me perdre dans ce sourire, songea Valentyna. Un coup frappé à la porte vint la sauver ; c'était Krell annonçant les rafraîchissements que portait un serviteur.

Une vague de soulagement la submergea.

—Vous devez être assoiffé après cette chevauchée, dit-elle.

—Vous pardonnerez ma tenue, Majesté. Cela fait plusieurs jours que nous sommes sur les chemins.

—Ne vous excusez pas, dit-elle en remerciant le serviteur d'un hochement de tête. J'étais moi-même sortie à cheval ce matin.

Elle aurait voulu ajouter qu'elle appréciait son apparence de voyageur, la poussière sur ses vêtements, l'odeur de la route et des chevaux, ses joues mal rasées, ses longs cheveux bruns sur ses épaules.

Voilà un homme digne d'être aimé.

À cette pensée, Valentyna eut une petite toux embarrassée. Wyl était enchanté du sang-froid à toute épreuve de Koreldy ; sans cela, il aurait bégayé comme un adolescent. Le caractère imprévisible de sa présence en lui ne cessait de l'étonner. À certains moments, l'essence de Romen se faisait évanescente, presque imperceptible ; à d'autres, comme maintenant, elle s'affirmait dans toute sa puissance. Il regarda la reine et son âme et son cœur s'élevèrent une nouvelle fois. Il ne pouvait imaginer être plus heureux qu'en cet instant où ils étaient ensemble, tous les deux, enfin réunis. Son cœur cognait dans sa poitrine et son souffle s'était fait court. Il se souvenait de la première fois qu'il l'avait vue. *Elle est si belle – exactement comme dans mon souvenir avec ses cheveux un peu défaits, ses manières franches et directes, sa tenue de cavalière.*

Oh, comme vous m'avez manqué, Valentyna. Je vous aime plus que je ne saurais jamais le dire. Voilà ce qu'il brûlait de lui déclarer. Au lieu de cela, il inclina doucement la tête pour répondre à son aimable invitation à s'asseoir avec elle à une petite table près de la fenêtre. Il espérait de tout son cœur que les joues de Romen ne s'empourpraient pas aussi facilement que celles de Wyl.

— J'en suis toujours à essayer de m'habituer à cette pièce. C'était le bureau de mon père, vous savez. Je sens encore souvent sa présence, dit-elle avec un sourire.

Il sentait une certaine nervosité en elle, qui ne lui était pas habituelle.

— C'était un homme brave, répondit-il. Nous avons cédé sous le nombre. Je suis désolé, Majesté, d'avoir dû vous laisser ce jour-là…

— Non, dit-elle en posant sans y penser sa main sur son avant-bras pour calmer son inquiétude.

Sans réfléchir une seconde, Romen plaça sa main sur la sienne. Un frisson la parcourut. Elle ne la retira pas, s'abandonnant au contraire à la sensation que faisait naître le contact de sa paume chaude et sèche sur le dos de sa main. Elle vivait là l'instant le plus sensuel de son existence. Elle inspira profondément ; ces yeux à l'éclat minéral la fixaient bien trop intensément.

Valentyna résista à la tentation de s'éclaircir une nouvelle fois la voix et pria pour que sa voix ne tremble pas.

— Je sais que Wyl Thirsk et vous avez vaillamment combattu pour le sauver. Je vous remercie du fond du cœur. Quelle ironie, quand on y songe. Un général de Morgravia et un homme de Grenadyne pour sauver le roi de Briavel…

Wyl ne répondit rien ; la douleur de la reine était évidente. Un instant de silence s'étira doucement.

— Il y a un petit garçon et un gros chien noir qui meurent d'impatience de vous voir, s'exclama-t-elle joyeusement en s'efforçant tout à la fois de changer de sujet et d'échapper au contact de Koreldy.

— Fynch… Comment va-t-il ?

D'abord surprise par ses manières si franches et si honnêtes – si éloignées de ce qu'avait rapporté Krell –, Valentyna ne l'apprécia que plus à cet instant de se soucier d'un enfant qui lui tenait tant à cœur.

— Il va bien… apparemment.

La reine n'était pas si sûre d'elle.

— Comment ça ? demanda-t-il en retirant sa main.

Elle éprouva comme un déchirement de ne plus sentir son contact.

Pour dissimuler son désappointement, elle lui tendit un verre de vin, en espérant de tout son cœur n'avoir pas introduit le doute en lui. Il lui parlait comme s'ils étaient de vieux amis, mais au fond elle ne le connaissait pas suffisamment bien pour lui livrer tous ses secrets.

— Il va bien, ne vous inquiétez pas, affirma-t-elle en le gratifiant d'un sourire irrésistible.

» Goûtez ce vin, je vous en prie. C'était l'un des préférés de mon père.

Wyl trempa ses lèvres dans le nectar, oubliant momentanément Fynch, tout au plaisir de ce sourire.

— Il est divin.

Valentyna apprécia le compliment.

— Mon père disait toujours que ce vin est meilleur jeune, dit-elle en buvant à son tour.

Elle prit une profonde inspiration ; l'heure était venue de parler de choses sérieuses.

— Romen, puis-je vous parler franchement ?

— Bien sûr. Je préfère.

— Eh bien, voilà, je me trouve dans une situation délicate vis-à-vis de vous. Vous vous êtes battu pour sauver la vie de mon père – alors que rien ne vous y obligeait –, et ce faisant vous vous êtes rangé aux côtés d'un homme en qui nous avions pleine confiance. Un homme que vous étiez chargé d'assassiner… Or, Wyl Thirsk est mort ce même jour et nous n'avons que votre parole que les choses se sont passées comme vous le dites. Bien sûr, il y a le fait que vous auriez pu vous contenter de fuir, au lieu de quoi vous avez ramené son corps en Morgravia et vous avez mis sa sœur dans un endroit sûr

– ce qui à nos yeux marque votre sincérité. Et maintenant, je dois croire à la sincérité de votre loyauté envers Briavel…

» … et envers moi, ajouta-t-elle en rosissant.

Il se prépara à dire quelque chose, mais elle l'interrompit d'un geste péremptoire.

— Laissez-moi finir, s'il vous plaît. Votre sincérité est primordiale, car si je ne vois pas bien ce que vous avez à gagner dans tout cela, je sais en revanche tout ce que je peux avoir à perdre en plaçant ma confiance en vous.

— Votre Majesté, commença Wyl en lui prenant de nouveau la main – et en résistant de toutes ses forces à l'envie de la caresser.

» Lorsque j'ai écrit dans ma lettre que j'étais à vos ordres, je le disais en toute sincérité. Et je vous le réaffirme maintenant tout aussi sincèrement. Valentyna, reine de Briavel, je suis votre dévoué.

— Mais pourquoi ?

— Parce que Celimus est un serpent qui n'a de loyauté envers personne si ce n'est lui-même. Moi, je n'ai plus de patrie, Majesté, dit Wyl, le cœur déchiré de dire une chose pareille.

» Je n'ai plus rien, plus de terre ni de racines. Wyl Thirsk était un homme que j'estimais entre tous, à qui j'ai fait le serment sacré de vous protéger au prix de ma vie.

— C'est ce qu'on m'a dit en effet. Mais pourquoi vous a-t-il demandé une telle chose ?

C'était sa chance – peut-être allait-il pouvoir dire, en tant que Romen, ce qu'il n'aurait jamais pu avouer en tant que Wyl.

— Parce qu'il vous aimait d'amour, Majesté.

La bouche de la reine s'ouvrit, mais aucun son n'en sortit. Elle la referma, les yeux agrandis par la surprise.

— Mais nous étions des étrangers, parvint-elle finalement à murmurer. Cela faisait deux heures à peine que nous nous étions rencontrés.

—Avez-vous déjà éprouvé cette incroyable sensation où le cœur s'arrête de battre à l'instant même d'une première rencontre, lorsque vous savez instantanément que la personne que vous voyez est celle que vous attendiez de toute éternité ?

Wyl avait parlé d'un ton léger pour ne pas paraître condescendant, accompagnant ses mots de ce petit sourire envoûtant que Romen faisait si bien.

Valentyna était devenue toute rouge ; elle espérait qu'il ne puisse pas lire dans ses pensées.

—J'en ai entendu parler, répondit-elle, par crainte de dire la vérité.

Sans paraître voir son trouble, Wyl poursuivit, arrangeant l'histoire à sa manière.

—J'ai aimé Wyl dès l'instant où nous nous sommes rencontrés. J'ai vu de mes yeux les monstruosités que Celimus a fait subir à sa famille et j'ai décidé de ne jamais lui nuire en quoi que ce soit. Toutefois, j'étais déjà très impliqué et je ne pouvais laisser savoir à Celimus que j'étais devenu un traître. Wyl connaissait mes instructions – il les avait apprises par Fynch.

» Ensuite, pendant le voyage jusqu'en Briavel, plus j'étais amené à le côtoyer et plus ma détermination à l'aider grandissait. Ensemble, nous avons alors élaboré un plan. Bien sûr, il ne vous connaissait pas encore, Majesté, sans cela le plan aurait été tout différent.

Valentyna se sentait mal à l'aise, mais elle était intriguée.

—Continuez, s'il vous plaît.

—Dès qu'il vous a vue, tout a changé. Plus question de vous encourager à épouser Celimus, même si l'échec des négociations signifiait la perte de sa sœur.

Elle hocha la tête.

—Oui, il nous a dit tout ça. Sa haine pour Celimus explique sans doute pourquoi il était prêt à se battre pour le roi de Briavel. C'était le plus brave des hommes – trahir son royaume a dû être un véritable crève-cœur pour lui – dernier héritier des Thirsk.

— C'est ô combien vrai, dit Wyl, touché par sa compréhension du drame qu'il avait vécu.

» Thirsk avait vu décapiter son meilleur ami. On avait forcé sa sœur, qui venait tout juste d'épouser cet ami, à s'agenouiller sur la dépouille de son mari. Leur mariage n'aura duré que quelques heures à peine, poursuivit Wyl d'une voix si nouée qu'il dut tousser pour l'éclaircir.

» Ylena a ensuite été jetée en prison, gardée comme otage pour contraindre son frère à convaincre votre père de vous donner en mariage. Celimus lui a dit que son ami et mentor, Gueryn Le Gant, avait été envoyé dans le nord où il avait dû être tué. Il craignait que le roi n'ait manigancé un piège contre Gueryn ; j'ai découvert depuis qu'il avait vu juste. En fait, Wyl avait toutes les raisons du monde de haïr Celimus. Après vous avoir rencontrés, votre père et vous, il lui a été facile d'embrasser la cause de Briavel, malgré sa loyauté à Morgravia.

» Après votre départ, à Fynch et vous, il m'a fait entrer et m'a tout raconté du piège. À cet instant, j'ai compris que j'avais moi-même été trahi et condamné. Il m'a demandé de combattre avec lui ; je n'avais déjà plus le choix.

» Votre père a été blessé, mais nous pensions avoir éliminé tous les assaillants. Wyl s'est alors ouvert à moi et m'a dit être tombé follement amoureux de vous. C'est à cet instant que l'un des hommes l'a mortellement touché.

Valentyna laissa échapper une petite plainte.

— Nous venions juste de partager un repas – rien de plus. Comment pouvait-il prétendre m'aimer ?

— Majesté, lorsque les flèches de l'amour ont frappé, il n'y a plus rien qui puisse être fait. Après, ce n'est pas une question de temps – parfois l'effet est instantané. Pour moi, le doute n'est pas permis ; Wyl m'a parlé en toute sincérité. Il était prêt à mourir pour vous – et c'est d'ailleurs ce qui est arrivé. Mais il m'a fait promettre par nos sangs mêlés de ne faire aucune allégeance à aucune couronne et de vous protéger – vous par mon épée et sa sœur par tous les moyens.

Wyl fit un effort sur lui-même pour ne pas se mordre les lèvres ou montrer le plus petit signe d'angoisse. Sa fable était habilement tissée, mais l'accepterait-elle ? Et voudrait-elle de lui ?

—Je mesure quel homme bon il a été, dit-elle en se tournant vers la fenêtre pour penser à tout ce qu'elle venait d'entendre. Je crois que mon père lui faisait confiance – quand bien même ils étaient ennemis jurés.

—Il peut y avoir de l'honneur même entre ennemis, Majesté. Mais je peux vous garantir que de l'honneur, Celimus n'en a point. Il vaut tellement moins que son père.

—Oh, vous connaissiez Magnus ?

—Euh, non, répondit-il en se traitant intérieurement d'idiot. Mais j'ai beaucoup entendu parler de lui et Wyl Thirsk m'a dit combien le vieux roi était tout ce que son fils n'est pas.

Valentyna eut un pauvre sourire.

—Mon père respectait Magnus, même s'il le haïssait – quelle logique… Et il tenait Fergys Thirsk en très haute estime. Ils s'étaient souvent combattus, dit-elle d'une voix pleine de nostalgie.

» Et sachez que mon père approuvait l'idée de ce mariage. L'union entre Briavel et Morgravia apportera la paix.

—Assurément, mais une paix presque exclusivement en faveur de Morgravia, répliqua Wyl.

Elle s'écarta de la fenêtre et posa sur lui un regard aigu.

—Poursuivez, je vous prie.

—Celimus veut s'emparer de Briavel. Lorsque vous aurez donné votre accord à ce mariage, vous n'aurez plus aucune voix dans le gouvernement de votre royaume.

—Je ne donnerai mon accord qu'à la condition que nous régnions ensemble, contra-t-elle.

Wyl haussa les épaules.

— Oui, et il vous promettra la terre entière jusqu'à ce que vous prononciez vos vœux. Prenez garde, Majesté, Celimus ne tient jamais parole. Il faut voir sous la surface – un serpent se cache en lui.

Valentyna se mit à marcher de long en large.

— Il sera bientôt là. Il ne fait aucun doute qu'il vient en personne pour demander ma main. Jusqu'ici, j'ai décliné ses avances, comme vous le suggériez, mais je ne peux plus l'éviter désormais. Je n'ai plus d'excuses… à moins d'accepter l'idée d'une guerre, à laquelle je me refuse. C'est trop tôt, mon peuple a soif de paix.

— Je suis sûr que le peuple de Morgravia pense de même, observa Wyl, en sachant combien il disait vrai.

— Que vais-je faire ? demanda-t-elle en marchant nerveusement.

Pour la première fois, Wyl voyait l'envers de la position de souverain ; il comprenait à quel point elle était seule.

Wyl s'approcha d'elle ; l'envie de l'embrasser lui vint, mais il lutta pour la dompter.

— Valentyna, m'accorderez-vous votre confiance ?

Elle posa sur lui le regard bleu, franc et direct de ses yeux qui ne cillaient pas. Comme il l'aimait pour ces yeux-là.

— Vous m'avez voué votre épée… votre vie. Je dois vous faire confiance parce que j'aime Fynch et que lui vous fait confiance… lui et ce chien étrange et mystérieux qui appartenait à Wyl. Vous êtes entouré de mystère, Romen Koreldy, ce qui me perturbe, mais oui je crois que vous êtes digne de ma confiance. Je dois le croire.

Wyl se pencha pour embrasser sa main ; le soulagement se répandait en lui.

— Je vous suis tout dévoué, Valentyna. Permettez-moi de réfléchir à la situation au sujet de Celimus. Nous parlerons plus tard, si tel est votre bon plaisir, Majesté.

Elle hocha la tête.

— Peut-être vous joindrez-vous à moi pour une promenade au crépuscule ? Nous parlerons à ce moment-là.

Il salua. Il n'avait aucune envie de la quitter ; il le fallait pourtant. Il avait eu de la chance cette fois, mais elle serait plus attentive à la prochaine. Il fallait qu'il réfléchisse à tête reposée, qu'il trouve une solution. Après tout, il était né pour devenir grand stratège – et jamais plus qu'en cet instant il n'allait avoir besoin de ce talent.

Il n'avait que quelques journées tout au plus pour déjouer le plan de Celimus.

Une jeune servante intimidée et balbutiante accompagna Wyl jusqu'à ses appartements : elle ouvrit la porte et poussa un cri horrifié au moment où un énorme chien noir se faufila entre ses jambes pour sauter littéralement sur le bel étranger qu'on lui avait confié. Wyl ne s'était pas attendu à ce salut démonstratif de Filou, mais il parvint à ne pas tomber.

— Par la colère de Shar ! Seigneur, je suis vraiment désolée, s'écria la jeune fille.

Comme de juste, le chien avait posé ses pattes avant sur les épaules de Wyl, qu'il tenait plaqué contre le mur.

— Ne crains rien, dit Wyl à la servante paniquée. Je connais ce chien – il me dit juste bonjour.

— Que Shar nous protège ! Cette bête sera notre perte à tous.

— Non, il est gentil. Ne t'inquiète pas, ça fait juste longtemps qu'on ne s'était pas vus. Au fait, est-ce que tu aurais aperçu Fynch par hasard ?

— Euh... oui, seigneur, répondit-elle sans oser détourner les yeux du chien.

Elle savait qu'on lui tiendrait rigueur si l'hôte de la reine était bousculé ou ses vêtements déchirés – encore que sa tenue aurait difficilement pu être dans plus piteux état.

— Il est sorti à cheval avec la reine ; je ne l'ai pas revu depuis, précisa-t-elle.

— Merci, ça va aller maintenant.

— Il y a de l'eau chaude dans la cuvette, seigneur. Et du linge propre. Sa Majesté a ordonné qu'on vous prépare des vêtements également. J'espère qu'ils seront à votre convenance. Je crois qu'on a affecté le jeune Stewyt à votre service. Demandez-lui tout ce dont vous aurez besoin.

Elle fit une courte révérence.

— Encore merci, dit Wyl.

Il se dégagea de l'étreinte de Filou pour entrer dans sa chambre ; le chien le suivit, au grand effroi de la jeune fille.

— Je le ferai sortir plus tard, indiqua-t-il.

Elle hocha la tête, puis s'en retourna à ses affaires. Wyl ferma la porte, pour se tourner vers le chien qui l'observait, assis sur son arrière-train.

— Qu'est-ce qui t'arrive, Filou ? Tu n'es vraiment pas un chien ordinaire, tu sais ?

Le chien eut un jappement débordant d'affection.

— Je fais une toilette et on part chercher notre jeune ami, dit Wyl.

Filou se laissa tomber lourdement au sol pour attendre.

Wyl plaça ses bottes devant la porte, espérant que Stewyt saisirait le message et leur redonnerait un peu d'éclat. La cuvette était en fait un large cuveau de métal. L'eau était chaude, parfumée et plus que tentante. En lieu et place des rapides ablutions prévues, il se plongea dans une eau savonneuse voluptueusement accueillante. Les tensions et les douleurs partirent avec la crasse accumulée au fil des jours sur les chemins ; lorsqu'il s'arracha des délices de la mousse bienfaisante, il se sentait un autre homme. L'idée lui fit venir un petit sourire – il *était* bel et bien un autre homme. Valentyna n'avait pas été insensible aux charmes de Romen ; il en était sûr. Pourtant, il ne restait plus grand-chose de Koreldy, hormis ce corps harmonieux et quelques traces évanescentes de son essence – tout le reste était intégralement Wyl Thirsk. Il sourit franchement. Peut-être pouvait-il nourrir l'espoir de devenir pour Valentyna plus qu'une épée loyale.

Il mit l'idée de côté et entreprit de se raser ; des élancements dans ses côtes lui arrachèrent quelques grimaces. Après avoir taillé sa barbiche et sa moustache, il peigna ses longs cheveux, heureux de les sentir propres de nouveau, avant de les nouer en catogan.

— Ah, je me sens mieux, Filou.

Le chien leva une oreille à son nom. Wyl émit un grognement. Il s'était dit que le chien entendait ses pensées, à quoi bon lui parler désormais.

Il inspecta les vêtements préparés pour lui, ravi de les découvrir de coupe simple et de teinte neutre ; Romen les aurait sûrement préférés plus chatoyants. Wyl sourit pour lui-même – lorsqu'on grandit avec des cheveux orange et un visage quelconque, on apprend à éviter les tenues voyantes. Ce n'était pas maintenant qu'il allait changer d'habitude, même avec une nouvelle apparence. Pendant qu'il barbotait dans le petit cabinet de toilette, ses bottes avaient été nettoyées et déposées dans sa chambre ; pile à l'instant où il se demandait où pouvait bien être le discret Stewyt, il y eut un coup frappé à la porte.

— Entrez, dit Wyl.

Un jeune garçon entra.

— Bonjour, je suis Stewyt.

— Merci pour les bottes, Stewyt.

Le page sourit.

— Y a-t-il quelque chose d'autre que je puisse faire ?

— As-tu aperçu Fynch récemment ?

— Oui, seigneur. Il m'a donné un message pour vous. Il demande que vous le rejoigniez près de la rivière.

Wyl hocha la tête tout en enfilant sa seconde botte ; ses cheveux humides gouttaient toujours.

— À ce qu'il m'a dit, le chien Filou vous servira de guide, ajouta le garçon en haussant les épaules.

— Il sait toujours où trouver Fynch, répondit Wyl d'un ton naturel.

Il ne tenait pas à ce qu'on associe Filou à une quelconque aura de mystère ; moins il y avait de gens qui le remarquaient, mieux c'était.

— Et Sa Majesté vous demande de la rejoindre dans le jardin aromatique un peu plus tard.

— Au crépuscule ?

— Après la cloche du soir de la chapelle.

Wyl se leva, martelant le sol de ses bottes.

— Parfait, Stewyt. J'en ai fini ici. Si tu peux t'occuper de la… cuvette, ce sera parfait.

Sur un salut de la tête, le jeune page se retira. Wyl avait vu que le garçon lançait partout des coups d'œil inquisiteurs pendant qu'ils parlaient. Stewyt n'espionnait probablement pas de son propre chef – le chancelier de Valentyna ne lui avait sûrement pas affecté par hasard le plus éveillé des serviteurs. On avait dû lui recommander d'ouvrir l'œil et de noter à tout hasard tout ce qui pouvait paraître intéressant. Dans le fond, Wyl ne s'en souciait pas. Il n'avait rien d'autre à cacher que son identité, mais pour ça il avait déjà la meilleure des couvertures. Filou attendait sur le palier en haut de l'escalier.

— Vas-y, je te suis.

Wyl apprécia la marche dans les bois magnifiques – là où Valentyna aimait à chevaucher. Il comprenait son goût pour le frais ombrage sous la voûte des ormes, en particulier depuis que les devoirs de sa charge pesaient sur elle de tout leur poids. Ses pensées revinrent à Fynch et il s'étonna de son choix d'un endroit si reculé pour leurs retrouvailles.

Peut-être était-il effrayé ou avait-il quelque information à lui communiquer discrètement. Quelle qu'en soit la raison, il n'avait en tout cas pas envie d'être accueilli fraîchement par son ami – l'un des seuls qu'il lui restait.

Le garçon était au bord de l'eau, en train de jeter des pierres dans la rivière. C'était la première fois que Wyl le voyait se comporter comme un enfant insouciant ; pourtant, lorsque Fynch se retourna, il n'y avait rien d'enfantin en lui.

— Fynch, je suis content de te voir.

Fynch ne répondit rien, se contentant de fixer sur lui un regard vide et tendu.

— J'aurais apprécié un accueil plus chaleureux, mais une poignée de main fera l'affaire, dit prudemment Wyl en s'approchant à petits pas.

L'attitude du garçon à son égard le déconcertait totalement. *Quelle équipe étrange*, songea Wyl. *Mes seuls alliés…*

Il s'agenouilla pour se porter à sa hauteur – peut-être était-ce la taille de Romen qui l'impressionnait ? Non, Fynch n'avait pas peur de lui. La raison de sa froideur apparaissait maintenant dans ses yeux – il n'avait pas confiance en lui.

— Fynch. Parle-moi… s'il te plaît.

— J'ai une question à vous poser, dit Fynch d'une voix lugubre.

— Vas-y.

— Allez-vous y répondre honnêtement ?

— Je te le promets, dit Wyl en hochant la tête.

— Jurez-le sur quelque chose qui vous est cher.

— Je le jure sur ma vie… Mais qu'est-ce que cela veut dire, Fynch ?

— Non, votre vie ne vaut rien. Jurez-le sur sa vie à elle.

Wyl était médusé ; le comportement du garçon était plus que simplement étrange. Quelque chose l'avait profondément perturbé – l'avait amené à douter de leur amitié.

— Qui ça « elle » ?

— Vous le savez bien. Jurez-le sur la vie de Valentyna.

Wyl soupira ; il comprenait maintenant ce que l'enfant allait lui demander. Son intuition lui disait que Fynch avait d'une manière ou d'une autre deviné son noir secret. Le garçon était intelligent et extrêmement réceptif – même si Wyl ne s'expliquait pas comment il avait bien pu coller ensemble tous les morceaux. Néanmoins, à voir son visage terrifié, Wyl savait qu'il allait devoir parler à cœur ouvert ; l'heure des demi-vérités était passée. D'ailleurs, Fynch méritait vraiment de tout savoir.

Wyl parla donc d'une voix claire et posée, de manière à bien lui faire comprendre qu'il le prenait au sérieux.

— Je jure sur la vie de la reine Valentyna de répondre honnêtement à ta question.

Fynch cessa de trembler, posa une main sur la tête du chien et prit une profonde inspiration.

— Je pense que vous n'êtes pas Romen Koreldy, même si vous lui ressemblez. Je pense que vous êtes Wyl Thirsk… et je dois savoir la vérité. Êtes-vous le général Thirsk ?

— Pourquoi me demandes-tu ça ? dit Wyl, de manière à ne pas répondre immédiatement.

— J'ai eu des visions.

Wyl digéra lentement l'information. *L'œuvre du don de Myrren ?*

— Ah ?

— Oui. Dont une ce matin.

— Et qu'as-tu vu ?

— Dans une première, je vous ai vu blessé, mais en train de couper la tête d'un homme avant que Filou vous traîne quelque part.

Alarme ! *Comment Fynch peut-il savoir ça ?*

— Est-ce que c'est vrai, Romen ?

Devait-il lui dire la vérité ? Quelles pouvaient être les conséquences pour Fynch, en particulier si Celimus suivait les traces de sa mère et permettait aux zerques de reprendre pied en Morgravia – à Shar ne plaise !

— Étonnant, dit Wyl.

— Répondez-moi !

Il y avait une note de désespoir dans la voix du jeune garçon ; Wyl en eut le cœur serré.

— Comment pourrais-tu me croire si je te disais la vérité ?

Wyl entendait la résignation dans sa propre voix.

— Filou m'aidera à comprendre. Dites-moi.

Les épaules de Wyl s'affaissèrent et il poussa un profond soupir. Il s'assit par terre, ramenant ses genoux contre sa poitrine.

— Tu étais là, n'est-ce pas, le jour où Myrren a été brûlée ?

Le garçon hocha gravement la tête.

— Et tu étais à côté de moi aussi lorsque j'ai perdu connaissance à l'instant de sa mort ?

Fynch se contraignit à rester calme en entendant les mots de Koreldy – le mercenaire parlait comme s'il était Wyl Thirsk. Sa question avait en partie trouvé sa réponse, mais la vérité allait maintenant lui être tout entière révélée ; il sentit sa gorge se serrer.

— J'ai donné un peu d'eau à votre ami Gueryn. Il était fou d'inquiétude.

Wyl hocha la tête, s'efforçant de rassembler ses souvenirs de ces instants confus.

— Je ne me rappelle pas grand-chose de ce moment, mais il faut d'abord que je remonte plus loin en arrière, dans la salle de torture où tout a commencé. Tu crois que tu peux entendre ça ?

Fynch s'assit à son tour, le visage figé. Filou s'allongea à côté de lui et la main du garçon vint tout naturellement se poser entre ses oreilles. En voyant ce geste, Wyl se souvint des paroles de la veuve Ilyk. Puis il raconta tout ce dont il se souvenait du procès et de son intervention face au confesseur Lymbert.

—Nous avons parlé avant que le feu soit allumé. Elle a dit qu'elle voulait me donner quelque chose et que je devais l'utiliser judicieusement; elle m'a ensuite demandé d'aller chez elle prendre son chiot et de l'élever.

—Et vous avez pensé que Filou était ce don, ajouta Fynch.

Ils partagèrent un instant de silence pendant lequel Fynch absorbait l'idée que l'homme en face de lui était Wyl et non Romen.

—Oui, je n'ai pas compris. Je n'étais alors qu'un adolescent qui luttait pour trouver son chemin, qui s'efforçait de devenir le général que sa naissance l'obligeait à être. J'ai simplement accepté ses mots, terrifié à l'idée que j'allais devoir assister à sa mort après de telles tortures.

—Et après?

—Après, elle s'est mise à crier, puis tout s'est brouillé. La première chose dont je me souvienne ensuite, c'est Gueryn penché sur moi avec l'air très inquiet. Je me souviens de toi aussi, à côté.

—J'ai vu vos yeux changer de couleur, affirma Fynch d'une voix décidée. Nous n'en avons jamais parlé, mais votre ami les a vus aussi. Ça l'a d'ailleurs fait crier.

—J'ai eu très peur lorsqu'il m'en a parlé – je ne savais quoi penser. Il n'a pas vraiment creusé la question et je pense qu'il ne savait plus lui-même ce qu'il avait vu. Je crois toutefois que ce souvenir n'a jamais cessé de l'inquiéter.

—C'était ça son véritable don?

L'évocation de ses souvenirs n'était pas sans douleur pour Wyl.

—Oui. On l'avait accusée d'être une sorcière uniquement à cause des couleurs étranges de ses yeux. Et selon Gueryn – et toi maintenant – mes yeux ont pris ces couleurs à l'instant de sa mort.

Fynch ne dit rien, mais son regard pesait sur l'homme en face de lui. Il voulait toute l'histoire – il savait qu'il y avait encore autre chose, mais il savait aussi que c'était difficile à dire. Il saurait se montrer patient jusqu'à avoir toutes les réponses à ses questions.

— Après cet événement, reprit Wyl, tout est redevenu normal – disons aussi normal que les choses peuvent l'être lorsqu'on est perpétuellement « taquiné » et tourné en ridicule par Celimus. Tu te souviens de ce que tu as entendu ce jour où tu étais dans le conduit des latrines ? Celimus n'a pas perdu de temps à mettre en place la situation où je devais être tué avec le roi Valor. Il m'a convoqué – Koreldy était présent – pour me confier une mission, que j'ai immédiatement acceptée ; c'était une vraie décision de roi qui voit loin et qui veut la paix. Toutefois, il m'imposait de faire le voyage avec des mercenaires ; j'ai flairé le piège et exigé que des hommes de la légion m'accompagnent. Pour me convaincre il m'a fait venir à la fenêtre, d'où j'ai assisté à la décapitation du capitaine Donal.

La nouvelle fut un choc pour Fynch. Il ne savait pas qu'Alyd était mort – même s'il se rappelait maintenant avoir été interloqué de voir Koreldy avec Ylena à Stoneheart. À présent, il comprenait.

— Mais il y a pire, Fynch. L'instant où j'ai vu mourir Alyd n'a fait que renforcer ma résolution à renverser cet homme qui se pare du titre de roi – mais il me connaît, aussi bien peut-être que je me connais moi-même. Il avait donc pris la précaution de s'emparer de ma sœur aussi. On l'a tirée dans la cour, devant le bourreau, à l'endroit même où son mari venait d'être assassiné ; il lui aurait fait trancher la tête si je n'avais pas capitulé. Son plan était parfait dans sa simplicité – utiliser ceux que j'aime pour me faire faire ce qu'il voulait, en l'occurrence conquérir Briavel pour lui, puis me faire assassiner ainsi que le roi Valor. Et ensuite éliminer l'assassin, Romen, pour ne rien dire des mercenaires et de tous ceux qui auraient pu tremper dans cette affaire. L'ironie dans tout cela, c'est que Romen et moi l'avons débarrassé des mercenaires.

» Vraiment parfait ! ajouta-t-il avec de l'amertume et de la sauvagerie dans la voix.

Fynch hocha la tête, toujours sous le coup de tout ce qu'il venait d'apprendre, puis parla d'une voix pleine de gravité.

— Je sais donc tout jusqu'au moment où Valentyna et moi avons fui du palais. Pour la suite, je n'ai que vos mensonges.

Wyl redressa la tête.

— Telle n'était pas mon intention, Fynch. Je devais te protéger.

— Vous êtes Wyl, assena fermement le garçon.

— Oui, admit Wyl comme s'il capitulait.

Il avait l'air épuisé. Un instant de silence s'installa entre eux. Ce fut Fynch qui finalement reprit la parole.

— Alors, c'était ça son don ? Le fait de ne pas mourir lorsque Koreldy vous a tué ?

La voix du garçon était sourde et étouffée – même s'il était intimement convaincu que les choses s'étaient passées comme il le disait, en recevoir la confirmation était une perspective terrifiante.

Wyl acquiesça.

— Nous avions fait un pacte. Si nous survivions à l'attaque des mercenaires, alors nous nous affronterions dans un duel honorable. À charge pour celui qui resterait de protéger Ylena et Valentyna, au péril de sa vie. Nous avons fait un pacte par le sang.

— Et c'est Koreldy qui *vous* a tué ? demanda Fynch, stupéfait.

Wyl eut une grimace.

— Un coup de chance. Koreldy est toutefois un escrimeur exceptionnel – mais bien sûr pas autant que moi.

Wyl accompagna sa remarque d'un sourire ; la confiance de Romen en lui-même était contagieuse. Il eut un haussement d'épaules et répondit à la question lisible sur le visage de Fynch.

— Je suppose que j'avais plus à perdre que lui, ce qui m'a amené à prendre plus de risques… Je l'ai payé au prix fort.

— Et ensuite, que s'est-il passé ?

— Ah, comment je suis devenu Romen ? C'est difficile à expliquer. Lui est entré dans mon corps mort – ou mourant, je ne sais pas. Pendant ce temps, je suis passé dans le sien, tout entier. Mon âme est ici ; la sienne est partie.

Les yeux de Fynch brillaient maintenant d'excitation. Il prononça un mot.

— Magie.

— Je crois bien.

À ces mots, Fynch se jeta dans ses bras. Wyl fut si surpris qu'il n'eut que le temps de l'attraper pour le serrer contre lui. Les larmes du petit garçon coulèrent dans son cou – puis lui aussi sentit monter les sanglots. C'était comme si les interrogations de Fynch avaient déverrouillé les écluses des émotions et de la mémoire. Serrés l'un contre l'autre, l'homme et l'enfant pleuraient.

Finalement, Fynch s'écarta un peu, mais ses bras restaient autour du cou de Romen.

— Et Filou ?

— Le chien le plus étrange qu'on ait jamais vu en Briavel et en Morgravia, dit Wyl avec un sourire.

— Il est magique lui aussi, n'est-ce pas ?

— Je ne sais pas, Fynch, répondit Wyl en toute honnêteté. Mais je crois qu'il fait partie de l'enchantement. Oui, nos vies sont liées par ce qu'a fait Myrren.

» Tu sais, la vision où tu m'as vu… Celle dont tu m'as parlé.

— Oui, c'était horrible.

— Mais c'était vrai aussi. Filou m'a sauvé la vie. C'était dans le nord, à Orkyld. Et je ne parviens toujours pas à comprendre comment il a pu parvenir jusqu'à moi, ni même savoir où me trouver.

— Il est resté parti trois jours.

— Dont un passé à mon chevet, à voir comment j'allais. Comment a-t-il pu couvrir pareille distance ? s'étonna Wyl.

— La magie, répondit Fynch.

» Et ces hommes avaient été envoyés par Celimus, n'est-ce pas ?

— Bien sûr. Son intention était de tuer Romen Koreldy – et elle l'est encore. Je ne le sais que trop, ces assassins ne seront pas les derniers à tenter de m'éliminer.

— Ce n'est pas tout, dit Fynch, avant de se lancer dans le récit de sa seconde vision.

— Valentyna mariée à Celimus ? s'écria Wyl, atterré.

— Non, ce n'est pas ce j'ai dit – je n'en ai pas vu assez pour savoir vraiment. Ce sont surtout les circonstances de l'exécution qui ont retenu mon attention.

— Et tu sais qui était la victime ?

Fynch secoua négativement la tête.

— C'est un homme grand et fort, le visage tanné par le soleil, avec des traits marqués. Valentyna ne le connaît pas.

Wyl ne voyait pas non plus.

— Bien des hommes correspondent à cette description, dit Wyl en pensant aux Montagnards. Ça m'en évoque au moins deux que je connais personnellement.

» En tout cas, une chose est sûre – je ne peux pas la laisser épouser Celimus. Il la détruirait.

Fynch haussa ses frêles épaules.

— Ce n'était qu'une vision, Wyl. Ça ne veut pas dire que les choses se passeront ainsi, dit-il en s'efforçant de puiser lui-même du réconfort dans ses propres paroles.

— Peut-être, mais tes visions ont une fâcheuse tendance à devenir réalité.

» Et, au fait, il faut que tu m'appelles Romen.

Le garçon sourit et Wyl fut stupéfait de voir comment ce simple élan spontané changeait son expression.

— Je préférerais vous appeler Wyl.

— Fais ça et vous auriez tôt fait de disparaître, le chien et toi !

— Que fait-on alors ? demanda Fynch en venant s'asseoir sur les genoux de Wyl.

Soudainement, il était redevenu un enfant qui sollicite l'avis d'une grande personne.

Wyl enserra son minuscule ami dans les bras puissants de Romen pour le tenir contre lui.

— Nous devons la protéger. Valentyna est le dernier rempart sur la route de Celimus. Et toi et moi seulement savons de quelles horreurs il est capable.

— Il arrive bientôt. Il ne faut pas que vous vous montriez.

— C'est vrai. C'est pour ça que nous allons rester ici jusqu'à ce que nous trouvions un plan. Nous seuls connaissons le secret du don fait par Myrren.

— Vous n'allez pas le dire à Valentyna ?

— Non ! Elle est la dernière personne au monde qui doive savoir. Sur la question de la magie, les gens de Briavel sont encore pires que ceux de Morgravia. Nous, elle nous fait peur parce que nous y croyons – ici, ils la nient purement et simplement. Si on le lui racontait, elle ne nous ferait plus confiance.

— Elle a confiance en Filou.

— Elle a confiance en toi, et en moi aussi j'espère. Mais Filou lui fait peur.

— Peut-être bien, mais elle admet qu'il est sûrement enchanté.

— C'est un bien grand mot, Fynch. Elle admet tout juste être un peu large d'esprit sur ce sujet. Lui faire admettre qu'une sorcière m'a fait le don d'une seconde vie et que Wyl Thirsk est désormais dans le corps de Romen Koreldy, ce serait vraiment trop lui demander. En l'état actuel, elle est déjà effrayée et en pleine confusion. Nous ne lui dirons rien.

» Je peux compter sur toi ? Tu garderas le secret ?

Fynch confirma de la tête.

— Est-ce que ça peut se produire de nouveau ?

— Non, s'exclama Wyl. Elle m'a offert une seconde vie – je dois maintenant à tout prix la protéger.

Soudain, le souvenir d'Elspyth et de Lothryn lui revint en mémoire.

— Fynch, pour être honnête, je dois te dire que j'ai également raconté mon histoire à deux autres personnes. L'une d'elles est sûrement morte à l'heure qu'il est. Si tout va bien, l'autre – une femme qui m'a beaucoup aidé ces dernières semaines – est maintenant avec Ylena. Son nom est Elspyth et elle est digne de confiance.

— Elle vous a cru ?

— Oui, Elspyth et l'autre personne – un Montagnard – croient très fortement à la vie de l'esprit. La magie fait partie de leur vie – du moins, ils acceptent son existence. Elspyth ne dira rien à personne.

— Il faut que vous me racontiez vos aventures dans le nord, Wyl.

— C'est une longue histoire – lorsque nous aurons le temps, c'est promis. Et maintenant, tu dois m'appeler Romen. Ne te trompe pas, mon jeune ami. Je suis Romen Koreldy – mais il faudra aussi prendre garde de ne pas dire ce nom en présence de Celimus.

Fynch hocha la tête avec solennité. Wyl serra la main du garçon dans la sienne.

— Merci de ta confiance et de ton amitié, Fynch.

Ils passèrent le reste de l'après-midi à échafauder des plans ; l'incroyable sens du détail de Fynch leur permit de parachever leur stratégie. Wyl allait maintenant présenter à la reine ce plan subtil et fragile à la fois, en espérant qu'elle accepte de le tenter.

Chapitre 36

Une brise légère apportait l'odeur de la menthe et du basilic, emplissant l'air doux du soir d'une subtile fragrance. Wyl adorait cette lumière incomparable produite par la rencontre du rideau sombre de la nuit et des derniers feux du couchant. Wyl savait qu'il associerait désormais à jamais la reine de Briavel au parfum des herbes et de la lavande.

— Excusez-moi, je suis en retard ? demanda Valentyna en approchant d'un pas tranquille.

Elle portait une robe toute simple de velours ras bleu foncé, qui rappelait ses yeux dans cette lumière.

Son corsage était très décolleté. Elle était magnifique.

Wyl sentit sa gorge s'assécher.

— Non, c'est moi qui étais en avance. J'étais ici bien avant que sonne la cloche.

Son œil amusé avait noté la longue foulée de la reine, que même sa robe habillée ne parvenait pas à dissimuler.

Elle arriva à sa hauteur et il la salua du buste.

— J'adore cet endroit à cette heure de la journée, dit-elle en lui laissant sa main à embrasser.

— Ce jardin est une splendeur.

— Mais moi je n'y suis pour rien, admit-elle d'un air penaud. Je ne réussis jamais rien en jardinage. Heureusement que ma pauvre mère n'est plus là pour voir ça, elle qui avait la main verte.

Elle se pencha sur un bosquet de lavande pour y cueillir une fleur qu'elle pressa entre ses mains pour en extraire l'arôme. Elle les lui tendit ensuite pour qu'il les sente.

Il s'exécuta sans lâcher son regard des yeux.

— Elle vous manque ?

— Pas vraiment, répondit-elle en s'engageant sur un chemin menant à un somptueux cadran solaire.

» Elle est morte quand j'étais toute petite. Et vous ? Avez-vous de la famille ?

Wyl mentit sans savoir pourquoi – à moins qu'il ait été parfaitement sincère ? Difficile à dire. Il voulait tellement être Wyl avec elle et non pas Romen.

— Mon père est mort assez récemment, mais ma mère est morte quand j'étais petit. Elle me manque toujours beaucoup.

— Vous devez avoir beaucoup de souvenirs d'elle, observa-t-elle, en devinant instantanément, à son port de tête teinté de chagrin, que c'était le cas.

» Vous avez des frères et sœurs ?

— Juste une sœur. Ma mère est morte en la mettant au monde.

C'était dangereux de raconter sa propre histoire et non pas celle de Romen.

— Cela nous fait bien des points communs, Romen. Nous avons tous deux connu les mêmes disparitions.

Il lui offrit le bras, qu'elle accepta à son grand plaisir.

— Avez-vous ressenti une certaine pression à être l'unique héritière royale ?

— Oui, bien sûr. Après la mort de ma mère et de mon frère, j'ai compris que je devais être un fils pour mon père, bien plus qu'une fille – quand bien même tout le monde paraissait décidé à me traiter comme la plus fine des porcelaines.

— Était-ce ça qu'il voulait ?... Je veux dire, aurait-il préféré un fils ?

— Non. Si mon frère avait vécu, je ne crois pas qu'il m'en aurait aimée moins pour autant – juste différemment peut-être. Je n'ai jamais cherché qu'à lui faire plaisir. Je voulais que mon père soit fier de moi.

» Et je le veux toujours, ajouta-t-elle d'une voix pleine de tristesse.

Elle avança un peu et prit quelques brins de romarin pour les entortiller autour de ses doigts.

— Au début, reprit-elle d'un ton plus léger, j'avais le sentiment de le décevoir parce que je n'étais pas un garçon – surtout du fait qu'il avait trop aimé ma mère pour songer à se remarier. Or, sans un nouveau mariage, il ne pouvait envisager d'avoir un héritier mâle.

— Il était immensément fier de vous... Vous le savez tout de même, non ?

Elle eut un petit haussement d'épaules un peu gêné.

— Oui, j'ai eu énormément de chance que mon père sache partager son amour et ses émotions. Chaque jour, il me disait la joie que j'apportais dans sa vie – mais je m'étonne qu'il en ait parlé à un étranger.

Wyl mesura combien il devait se montrer plus prudent.

— C'était un combat désespéré. Nous avons tous parlé à cœur ouvert...

Elle hocha gracieusement la tête, puis montra du doigt un taillis devant eux.

— Il y a là un magnifique petit chalet d'été que mon père a fait construire pour moi. J'aime toujours autant y aller. Irions-nous par là-bas ?

— Bien sûr. Je me sentirais très honoré de le découvrir. J'ai déjà eu le plaisir d'admirer vos bois aujourd'hui.

— Mes bois ? reprit-elle en riant. Oui, je suppose que j'ai dû finir par me les approprier...

» Vous avez vu Fynch là-bas ?

— Oui.

— Et ?

— Sachez que j'ai apaisé son esprit en lui assurant que j'étais venu ici pour rester.

Il espérait avoir dit ce qu'il fallait.

— C'est bien. Il m'a paru un peu sur la réserve ces derniers temps, dit-elle prudemment.

Elle n'avait aucune envie de faire état des visions du petit garçon – le secret qu'ils partageaient et qui n'avait de sens que pour eux deux.

— En tout cas, votre arrivée va sûrement lui redonner de l'allant, reprit-elle. Ce qui me permettra de ne plus me tourmenter à son sujet – pour m'inquiéter tout à loisir de l'arrivée du roi.

» En quoi est-il si venimeux ?

— Plus visqueux qu'une anguille, vous pouvez me croire.

Valentyna ne put s'empêcher de rire.

— Un serpent, et maintenant une anguille. Parlez-moi un peu de lui... À quoi ressemble-t-il ?

Wyl lui brossa un portrait sincère et fidèle.

— Quel gâchis, dit-elle. Mais s'il est aussi beau que vous le dites, il ne doit avoir que l'embarras du choix en matière de beaux partis...

» Bien sûr, les reines sont rares, ajouta-t-elle tristement, parfaitement consciente des enjeux politiques derrière la demande en mariage.

— Il veut Briavel plus encore qu'une épouse, Majesté. La seule union qui lui tienne à cœur, c'est celle des deux royaumes. Cela lui permettrait de contrôler toutes les terres au sud des Razors.

» D'ailleurs, il ne fait aucun doute qu'une fois le sud uni, il partira à la conquête du nord.

— Le mariage n'est donc rien d'autre qu'un moyen pour atteindre une fin, observa-t-elle, confirmant ce qu'elle savait déjà, mais regrettant qu'il en soit ainsi.

— Je parierais ma vie là-dessus. Celimus ne se soucie de rien ni de personne – il n'agit que pour satisfaire ses envies. Je n'oublierai jamais comment il a fait décapiter Alyd Donal sans le moindre remords. Et il aurait fait subir le même sort à la sœur de Thirsk si celui-ci n'avait capitulé à cet instant. N'oublions pas non plus qu'il a payé des hommes pour faire assassiner votre père.

— Oh, Romen, ne parlons plus de Celimus. Je sais quels sont mes devoirs. Laissez-moi goûter encore quelques instants de paix.

Ils venaient de pénétrer dans le bosquet.

— Le voilà, dit-elle pleine de nostalgie. N'est-il pas parfait ?

Elle s'assit sur un banc.

Wyl regardait de tous ses yeux la maisonnette de conte de fées, bâtie autour d'un gros tronc creux. Elle avait été si artistiquement conçue qu'elle se fondait parfaitement dans la forêt – sous la futaie qui tout à la fois la dissimulait et la décorait. Un paradis sûrement pour une petite fille – en particulier une petite princesse jouant toute seule et rêvant d'être l'égale d'un prince.

— C'est extraordinaire, dit-il.

Elle était heureuse de le voir impressionné. Valentyna n'avait jamais amené quiconque ici. C'était son jardin secret, son royaume à elle qu'elle ne partageait avec personne... Pas même son père. Elle s'était surprise elle-même de proposer à Koreldy de le découvrir. Elle sourit intérieurement au souvenir du temps inhabituellement long qu'elle avait passé à se préparer pour cette promenade – à hésiter devant le miroir entre différentes coiffures. Ces chichis étaient chose nouvelle pour elle. Malgré leur simplicité, les vêtements qu'elle portait étaient ce qu'elle avait mis de plus féminin depuis bien longtemps. Valentyna n'avait jamais fait grand cas des courbes de son corps ; elle ne s'observait que très rarement dans un miroir. Ce soir pourtant, elle y avait consacré du temps. Toujours aussi svelte et mince qu'à l'ordinaire, elle avait eu le plaisir de redécouvrir que ses hanches s'arrondissaient joliment au-dessus de ses longues jambes. Sa femme de chambre l'avait complimentée sur sa jolie silhouette dans sa robe. Elle appréciait aussi de voir comment sa tenue élégante mettait sa poitrine en valeur ; subitement, elle en éprouvait une véritable satisfaction.

Et plus que tout, elle espérait que Romen Koreldy était sensible lui aussi à ces détails.

— Excusez-moi, dit-elle soudain en se rendant compte qu'il venait de lui poser une question.

— Je demandais juste si je pouvais m'asseoir ?

— Mais bien sûr, je vous en prie. J'étais un peu absorbée.

Elle adorait quand ce sourire illuminait son beau visage d'homme.

— À quoi pensiez-vous ? demanda-t-il, en s'installant confortablement à côté d'elle.

Elle ressentit une pointe au cœur. *Comment pourrais-je jamais lui dire ?*

— Oh, je me souvenais juste des bons moments passés ici lorsque j'étais petite.

— Moi aussi, j'ai eu une enfance idyllique. Cela nous fait un autre point commun.

Un silence un peu étrange s'installa entre eux. Elle eut l'intuition que s'ils étaient amants, ils s'embrasseraient en cet instant ; mais ils n'étaient que des étrangers l'un pour l'autre. Elle détourna son regard de ses lèvres fascinantes et dissipa son trouble en revenant aux choses sérieuses.

— Alors, avez-vous établi un plan pour nous tirer de là, Romen ?

Il lui prit les mains et posa sur elle l'irrésistible intensité de ses yeux gris ; elle sentit son cœur s'envoler.

— Je crois que oui, Majesté. C'est risqué, mais Fynch est d'accord. Celimus ne saurait résister à un défi lancé à ses faiblesses « humaines » – faute d'un mot mieux approprié.

— Qu'avez-vous en tête ?

— Avant toute chose, je dois préciser que c'est notre jeune ami qui a proposé cette idée. Vous savez combien il est intelligent.

Elle rit, ce qui eut pour effet de la libérer de son trouble ; elle pouvait enfin être assise à côté de lui sans trembler.

— Il est si sérieux parfois… Mais oui, bien sûr, son esprit ne cesse de m'épater.

— Il est brillant, c'est certain, dit Wyl en amenant leurs mains unies près de son cœur.

Il sentit la tension monter en elle ; s'était-il montré trop présomptueux ?

— Fynch suggère que nous organisions un tournoi, poursuivit-il.

— Pour quoi faire ? demanda-t-elle, incapable quasiment d'articuler correctement.

Elle gardait la tête légèrement baissée, de crainte de plonger dans ces yeux gris argent qui cherchaient son regard.

— Parce que Celimus adorera ça. Nous l'organiserons en son honneur. Nous l'inviterons à y participer et nous le laisserons gagner toutes les épreuves… discrètement bien sûr, pour qu'il ne se doute de rien.

— Cela le mettra sûrement de bonne humeur, mais en quoi cela sert-il ma cause, messire le mercenaire ?

Valentyna se sentait devenir fébrile ; ses mains à elle posées sur sa poitrine à lui…

— C'est là toute la finesse de ce plan. Nous le laissons gagner jusqu'à ce qu'il soit opposé au mystérieux champion de la reine.

— Vous, je suppose ?

Il confirma d'un hochement de tête.

— Et ?

— Et je lui inflige la pire punition qu'on puisse imaginer. Voilà qui assurément gâtera son humeur. Celimus est prompt à faire la moue, Majesté.

— Comment savez-vous tout cela ? Vous n'êtes pas de Morgravia.

— Fynch remarque tout, répondit Wyl. Il m'a assuré que Celimus ne supporte pas d'être humilié – il perd tout son sang-froid.

— D'accord, nous avons donc un roi battu et en colère. Je ne vois toujours pas quel bien cela fait à ma cause.

— Lorsque Celimus est dans cet état d'esprit, il n'est plus bon à rien. Il se renferme et son comportement devient celui d'un détraqué. D'après Fynch, il aime alors faire du mal à quelqu'un. Lorsqu'il était jeune, ce sont les chats et les chiens de Stoneheart qui en faisaient les frais – même les enfants parfois. Plus tard, il a pris l'habitude de passer sa fureur sur les femmes.

Valentyna fit une moue dégoûtée.

— Si je l'humilie, il ne sera certainement pas d'humeur à faire une demande en mariage. Il faut juste prendre soin d'organiser le tournoi avant le début des négociations.

— Alors c'est ça... notre seul plan ?

— C'est la meilleure chose que l'on puisse faire. Je sais que ça a l'air risqué...

— Risqué ? Mais c'est un suicide. Si son humeur vire ainsi à l'aigre, pourquoi ne nous déclarerait-il tout simplement pas la guerre ?

— Mais parce qu'il n'est pas idiot, Majesté. Il est irascible, erratique, souvent dangereux, mais jamais idiot. Il ne risquera pas la prospérité de son royaume dans une guerre alors qu'il peut parvenir au même résultat par la diplomatie ou un rapprochement stratégique. Fynch m'a assuré que Celimus sait reconnaître en lui les stigmates de cet état d'esprit. Lorsque cela se produit, il ne paraît plus en public. Il ne voudra pas que vous voyiez cette face de lui-même, Majesté – son image à vos yeux en serait amoindrie.

— Si cela est encore possible, dit-elle avec dédain.

— Fynch pense – et je le crois aussi – que Celimus quittera alors Briavel avec toute sa troupe, sous quelque prétexte le rappelant d'urgence en Morgravia.

— Et ensuite, il reprendra ses demandes en mariage par le biais de ses ambassadeurs ?

La reine avait parlé d'un ton sarcastique, d'où toute trace de défiance avait disparu. Malgré ses réticences initiales, elle se faisait à l'idée.

— C'est probablement ce qui se passera, mais nous aurons obtenu du temps pour préparer autre chose à plus long terme. Pour l'heure, nous n'avons que quelques jours devant nous. Notre objectif est de décliner son offre sans que vous l'offensiez en quoi que ce soit.

— Vous êtes sûr de vous, Romen ? demanda-t-elle d'un ton suppliant en mordillant sa lèvre inférieure.

— Non, répondit-il, avant d'éclater de rire devant sa mine déconfite.

Il porta l'une de ses mains à ses lèvres et l'embrassa à la naissance du poignet, juste sous la paume. Ce ne fut qu'un bref baiser, mais d'une incroyable témérité. Wyl était littéralement enivré – l'audace ne venait pas de Romen Koreldy, mais entièrement de lui. Mais surtout, Valentyna n'avait pas retiré sa main.

— Je le tuerais si vous me le demandiez, poursuivit Wyl. Il n'aura pas l'occasion de s'approcher suffisamment de vous pour tenter de vous intimider. Il s'agit d'une visite diplomatique. Celimus ne prendra pas le risque de se montrer sous un mauvais jour – et ses conseillers l'en dissuaderont.

— Pourrait-il deviner la ruse ? demanda-t-elle en s'efforçant de son mieux de dissimuler le trouble dans sa voix devenue rauque sous son baiser.

— Non, Majesté, parce que vous vous montrerez sous un jour aimable et accueillant, amical même. Vous le complimenterez sans cesse, jusqu'à le persuader que vous avez succombé à son charme, à sa prestance, à sa richesse et à sa pompe. Sa vanité est incommensurable. D'ailleurs, il ne s'attendra pas à perdre, puisqu'il se considère comme le meilleur combattant à l'épée du continent depuis la mort de Wyl Thirsk.

— Mais vous êtes meilleur que lui, n'est-ce pas ? demanda-t-elle, partagée entre l'inquiétude et l'amusement.

Les yeux de Romen brillèrent d'une lueur mauvaise.

— Je suis infiniment meilleur, Majesté.

Valentyna avait perdu le contrôle d'elle-même. Sa proximité, son charme, sa confiance en lui la séduisaient. Lorsqu'il lui parlait ainsi, elle se sentait en sécurité… Elle n'était plus seule. Romen tuerait Celimus si elle le lui demandait – non pas qu'elle en ait l'intention d'ailleurs, mais la pensée en était réconfortante. Elle n'osait pas employer le mot « amour », mais jamais elle n'avait ressenti pour un homme, hormis son père bien sûr, le doux sentiment qu'elle éprouvait pour lui.

Sans penser à son geste une seule seconde, elle se pencha sur lui pour l'embrasser.

Wyl ne parvenait pas à croire ce qui lui arrivait jusqu'à ce qu'il sente le goût de ses lèvres sur les siennes. Déjà elle s'écartait de lui, mais il la prit dans ses bras et la serra contre lui pour lui rendre sa marque d'affection – et lui prouver que son cœur était incroyablement sensible dès qu'il s'agissait d'elle.

Valentyna l'avait embrassé spontanément, pour le remercier, même si elle savait parfaitement que son geste excédait le strict nécessaire. Toutefois, sous l'insistance de Romen, leur baiser prit une tournure bien plus ardente. Leurs lèvres restèrent unies de longs moments. Les criquets se turent et le crépuscule devint nuit noire.

L'amour lui avait parlé cette nuit-là. *La flèche de l'amour m'a touchée*, songea-t-elle en se rappelant les mots qu'il avait eus plus tôt. Valentyna savait en cet instant qu'il n'y aurait jamais dans sa vie d'autre homme que celui qu'elle tenait dans ses bras.

Fynch ne fut pas le seul à noter le changement d'attitude de Valentyna. Tout le monde – de la femme de chambre qui préparait ses vêtements au commandant Liryk lui-même – voyait bien que la reine marchait d'un pas si léger qu'on aurait dit qu'elle ne touchait plus le sol. Un sourire flottait perpétuellement sur ses lèvres. Elle paraissait distraite, évaporée et même – pour ceux qui osaient le penser – heureuse. Après tout, elle avait peut-être décidé de faire définitivement le deuil de son père pour renouer avec l'entrain et la joie de vivre qui étaient autrefois sa marque.

En tout cas, personne ne se plaignit de l'humeur enjouée de la reine. En fait, par contagion, tous se sentaient joyeux et certains commencèrent à dire que l'arrivée imminente d'un soupirant – un roi qui plus est – n'était peut-être pas étrangère à ce changement chez leur souveraine. Un mariage, la paix, des royaumes unifiés... autant de raisons pour lesquelles le peuple de Briavel redoublait d'ardeur dans les préparatifs à l'intention du roi Celimus.

Seul Fynch découvrit la vérité. Sans même s'en rendre compte, il prenait note du moindre coup d'œil, du plus petit sourire, des battements de cils, des plus infimes mouvements de Valentyna lorsque Romen était à proximité. À midi le lendemain, il avait trouvé à quelle conclusion menaient toutes ces informations. La confirmation lui vint de Wyl, qui précisément montrait les mêmes symptômes en présence de Valentyna. *Alors c'est donc vrai, ils sont amoureux. Est-ce que cela me choque ? Non. Est-ce finalement si étonnant ? Pas tant que ça. Valentyna ne sait même pas combien elle est jolie* – c'était d'ailleurs l'une des raisons pour lesquelles Fynch l'aimait tant – *et Wyl, maintenant dans le corps de Romen, est un homme irrésistible. Si moi je ne peux pas m'empêcher de l'aimer, pourquoi Valentyna le pourrait-elle ?* Maintenant que ses deux amis les plus chers éprouvaient de l'amour l'un pour l'autre, il se sentait protégé comme cela ne lui était pas arrivé depuis bien longtemps. La simplicité de tout ça plaisait à son esprit bien ordonné et à son cœur d'enfant.

Fynch voyait aussi à quelle allure Romen faisait la conquête des cœurs dans tout le palais. Il avait toujours une plaisanterie ou une amabilité à la bouche. Il ne rechignait jamais à donner un coup de main pour la préparation du tournoi. Il se liait instantanément d'amitié avec tout le monde – de son page au cuisinier. Et par-dessus tout, Filou semblait immensément apprécier ce rapprochement entre Wyl et Valentyna. Fynch aurait été bien incapable de dire comment il savait ça – il le sentait tout simplement au fond de lui. Le chien était moins sur le qui-vive ; plus joueur. Il ne tenait plus comme si souvent par le passé son regard étrange fixé sur Valentyna.

Bien sûr, Fynch ne se trompait pas. Filou savait des choses, voyait des choses, communiquait des choses… il en était persuadé maintenant. Était-ce lui aussi qui provoquait ses visions ? Il n'en avait aucune idée, ni aucun moyen de le savoir. En tout cas, ses migraines avaient disparu et il en était ravi ; l'arrivée de Wyl les avait fait cesser, sans doute.

Cela faisait trois jours que Wyl était à Werryl, totalement absorbé par Valentyna et les quantités de choses à faire pour préparer la venue de Celimus. Tout le personnel du palais, y compris les nombreux hommes de la garde de Briavel, avait travaillé d'arrache-pied. Le palais étincelait et les préparatifs du tournoi avançaient. Ce n'était bien sûr pas un événement de l'ampleur du tournoi royal annuel de Pearlis, mais la fête ne manquerait pas d'attirer une foule importante et excitée, qui déjà d'ailleurs emplissait les auberges et les tavernes de la ville.

À la demande de la reine, Wyl avait pris en charge toute l'organisation des activités en coulisse, tandis que Krell s'occupait de la communication plus officielle. Les seules personnes à entendre prononcer le nom de Koreldy étaient donc les plus proches collaborateurs de Valentyna et les manœuvres occupés à l'édification de nouvelles installations. Pour tous ceux amenés à passer en ville ou au palais, ce grand gaillard aux cheveux noirs n'était rien d'autre qu'un des maîtres artisans engagés par la reine pour ses travaux ; finalement, rares étaient ceux qui l'apercevaient et plus rares encore ceux qui entendaient son nom.

Deux jours plus tôt, l'escorte de soldats de Morgravia avait pénétré en territoire de Briavel ; l'arrivée du roi était attendue pour la fin d'après-midi du jour suivant.

—Juste le temps de l'apercevoir, de le faire installer confortablement dans sa suite, puis de vous en débarrasser au banquet, pensa Wyl à voix haute.

Il était allongé dans l'herbe, en compagnie des trois personnes qui lui tenaient le plus à cœur. Assis en tailleur, Fynch était adossé contre Filou ; Valentyna, de nouveau vêtue en cavalière, était assise près de Romen. *Suffisamment près pour qu'on voie la vibration entre eux*, songea Fynch, certain que s'il n'avait pas été là, Romen et Valentyna auraient été encore plus près l'un de l'autre.

—Vous ne serez pas là, n'est-ce pas ? demanda Valentyna avec une pointe d'inquiétude dans la voix.

—Vous vous en tirerez très bien, Majesté. Vous pouvez le faire, vous le savez. Ce ne sera que du protocole et vous serez entourée d'une cohorte de dignitaires. Avec les chants, les danses et les différentes attractions, la soirée passera en un clin d'œil. Je vous promets qu'il n'aura pas le temps d'entamer ses manœuvres.

—Mais s'il le fait quand même ? demanda-t-elle, bien décidée à devenir lugubre.

—Des précautions ont été prises.

—Vous êtes bien évasif.

—Non, je suis optimiste. Ne vous souciez que d'être charmante et irrésistible – qu'il n'ait aucun motif de se plaindre de l'hospitalité de la reine de Briavel. Laissez-moi m'occuper du reste.

Elle poussa un soupir en jetant un coup d'œil en direction de Fynch.

— J'avais failli oublier que vous non plus ne devez absolument pas être vus, dit-elle.

Fynch abandonna sa confortable position contre le poitrail massif du chien.

— Effectivement, Majesté. Nous ne pouvons pas courir le risque que Celimus ou l'un de ceux qui l'accompagnent nous reconnaissent, Filou et moi.

— Romen, comment allez-vous vous déguiser pour le duel face à lui ?

— Je me suis occupé de tout. Ne vous inquiétez de rien.

Elle arracha une petite touffe d'herbe pour la lancer sur lui.

— Oh, ce que vous êtes horripilant. Comment faites-vous pour être si sûr de vous ?

— Ainsi sont les soldats avant la bataille, Majesté, répondit-il en époussetant les brins d'herbe accrochés à sa chemise.

Il aurait donné le monde entier pour pouvoir rouler sur lui-même, l'attraper et la couvrir de baisers – mais Fynch était là.

Comme s'il avait capté un mystérieux signal, Filou se leva juste à cet instant, poussant Fynch du bout de la truffe avant de lâcher un jappement joyeux.

— L'heure de jouer, dit Fynch avec un haussement d'épaules fataliste. Il s'est senti délaissé ces derniers temps. Je vais aller le faire courir dans le verger. Courir après une pomme lui convient aussi bien qu'après une balle.

Fynch se mit debout, posa les yeux sur Wyl qui lui retourna un clin d'œil amical, puis s'élança aux trousses d'un Filou hystériquement joyeux.

— Qu'est-ce que c'était que ça ? demanda Valentyna avec un froncement de sourcils.

— Il sait.

— Pour nous ? Comment est-ce possible ?

Wyl hocha la tête en se redressant.

— N'oubliez pas combien il est intelligent. Il nous accorde du temps ensemble.

— Fynch, ou Filou ? C'est le chien qui a donné le signal du départ, observa-t-elle d'un ton moqueur.

Il fixa ses yeux sur elle, voyant qu'au-delà de son amusement elle était aux prises avec l'intuition que Filou était bien plus qu'un chien ordinaire.

— Les deux je suppose.

— Eh bien, ne gaspillons pas le temps précieux qui nous est offert. Telles que je vois les choses, vos lèvres ne rencontreront plus les miennes pendant au moins deux jours.

Comme elle posait sa tête sur son torse, le souvenir de la vision de Fynch revint à la mémoire de Wyl. Il enfouit son visage dans la masse de ses cheveux, chassant de son esprit l'image de Celimus embrassant la femme qu'il aimait.

Chapitre 37

Celimus ne s'était jamais senti plus sûr de lui-même. Il était en train de chevaucher en Briavel – le territoire ennemi – et partout on l'acclamait comme un sauveur.

Son rêve de devenir l'empereur régnant sur toutes les terres du sud commençait à prendre des allures de réalité possible. Sa tournée dans les villes de Morgravia avait été un immense succès. À l'initiative de Jessom, il avait annoncé avant son départ une réduction sensible des taxes pour les quatre prochaines lunes, histoire de marquer son couronnement. Le ventre bien plein, le peuple avait dignement fêté son souverain. Celimus avait même été jusqu'à lancer des pièces aux files de manants le long des routes vers Briavel qui lui souhaitaient bonne chance et lui demandaient de ramener une reine.

À chaque halte, la bière et la nourriture avaient été distribuées à quiconque venait saluer le nouveau roi. Sa générosité séduisait tout le monde. Comme Jessom l'avait fort justement fait observer, mieux valait qu'il se taille d'abord une réputation de bienveillance ; lorsque viendrait plus tard l'heure des décisions douloureuses – lorsqu'il faudrait augmenter de nouveau les taxes –, le peuple serait moins enclin à se rebeller, certain que le bon roi n'agirait pas ainsi sans de bonnes raisons.

— Vous avez conquis leurs cœurs, mon roi, observa Jessom avec ce qu'il fallait de flatterie dans la voix. Ils vous adorent.

Lorsque Jessom – un parfait étranger – avait été fait chancelier du roi, personne parmi les hautes personnalités du royaume n'avait compris le choix de Celimus. Aujourd'hui, il chevauchait à côté du roi, monté sur un magnifique destrier.

Le jeune roi de Morgravia eut un sourire ; lui aussi était impressionné. Ce voyage par les villes et les villages de son royaume l'enthousiasmait – l'idée du spectacle qu'il offrait à la populace le grisait. Jessom l'avait mis en garde contre ce mot, « populace », lui suggérant de dire plutôt « mes sujets » ou « mon peuple ». En son for intérieur, Celimus les tenait tous pour des paysans qui devraient lui savoir gré d'être un monarque si magnifique devant lequel ramper. Il voyait combien les excitait la perspective qu'il épouse la jeune reine du royaume voisin. Tout le monde pensait qu'ils étaient faits l'un pour l'autre – et que la paix allait enfin régner sur toute la région.

Bah! songeait-il. *Au diable la paix et l'unification. Toute cette mascarade n'a qu'un seul but : le pouvoir. Le pouvoir et la puissance. Lorsque Briavel sera à ma botte, j'irai au nord mettre au pas ce ramassis de barbares qui passent ma frontière et menacent mes soldats.*

Celimus oubliait fort à propos le fait que l'agression de Cailech n'était qu'une réponse à l'exécution des siens, et que lui-même avait envoyé une troupe dans l'espoir précisément qu'elle soit capturée et mise à mort.

Cailech ravalera ses mots. Non, je l'obligerai d'abord à s'humilier devant moi, se disait Celimus. *Je le coincerai et l'aurai à ma merci. Je serai l'empereur de tous ces territoires.*

Pendant tout le voyage à travers les plaines fertiles de Morgravia et les grasses prairies de Briavel, Celimus joua ainsi avec ses rêves de conquête et de grandeur. Ils ne s'évanouirent que lorsque la tension autour de lui devint palpable ; ils étaient en plein cœur du territoire ennemi.

—Avons-nous pris suffisamment d'hommes ? demanda-t-il.

— Oui, Sire. Une centaine d'hommes de la légion suffisent amplement à montrer de quel côté est la puissance. Lors de la dernière guerre, Briavel a perdu des milliers de jeunes gens. Votre père a littéralement puni Valor.

— Mon père était bien tendre – lui et ce vieil imbécile de Fergys Thirsk! dit Celimus en se raclant la gorge avant de cracher.

» Tout guerrier digne de ce nom aurait totalement démoralisé l'ennemi en lui infligeant des pertes bien plus terribles. À mon sens, Briavel était à genoux – Morgravia n'avait plus qu'à trancher sa gorge offerte… Et pourtant, pourtant mon père a cru bon de faire preuve de compassion. Pah!

» La seule chose qui soit arrivée de bien dans cette bataille, c'est la mort de Fergys Thirsk – que son âme pourrisse en enfer.

Voyant combien ce sujet était sensible pour le roi, Jessom dit quelques mots enrobés de miel pour faire comme un baume sur ses émotions à vif.

— Quoi qu'il en soit, Majesté, ils ont été humiliés et ne s'en sont toujours pas relevés. Ils ne sont pas en position de nous menacer en quoi que ce soit. D'ailleurs, vous incarnez leur avenir et leur salut. Vous allez apporter la paix et la prospérité à deux terres qui ont connu d'innombrables conflits.

Ces paroles d'encouragement eurent leur effet apaisant sur Celimus, qui notait avec plaisir la présence du peuple de Briavel sur les routes pour le saluer. Initialement, il avait redouté des marques d'hostilité, mais ses craintes étaient infondées; partout ce n'étaient que des visages réjouis et des vivats amicaux. Pourtant, il n'était pas totalement exonéré de la mort de Valor – les gens sûrement avaient leur petite idée sur la question. Apparemment, les conseillers de Valentyna avaient fait le choix subtil de l'apaisement.

Mieux encore, il tenait de plusieurs messagers que la reine de Briavel n'était pas la potiche joufflue et mal attifée dont il se souvenait, mais une belle femme grande et mince, que certains allaient même jusqu'à qualifier de rare beauté. Romen Koreldy avait donc dit vrai sur ce point. Voilà au moins qui rendrait moins déplaisante la tâche de lui faire un héritier.

Mettre au monde un mâle pouvant prétendre à la couronne des deux royaumes était son vœu le plus cher – une véritable obsession. S'il se lançait dans une guerre totale contre Cailech, il fallait d'abord qu'il consolide le trône de Morgravia, de préférence en l'alliant pour toujours à Briavel. Son fils régnerait sur les deux royaumes. Il aurait la puissance, la richesse et les hommes voulus pour ses ambitions. Par moments, il souhaitait presque que son vieil imbécile de père soit encore en vie pour lui montrer ce qu'un vrai roi peut accomplir.

—Combien de temps encore? demanda-t-il.

—Des cavaliers ont été dépêchés, Majesté. Le palais est d'ores et déjà prévenu de l'imminence de votre arrivée. Je dirais dans deux heures environ.

Le roi se détendit. Plus très longtemps à attendre. D'ici peu, il allait boire dans un cadre digne de ce nom, accepter les salutations de la foule, puis partir sans tarder à l'assaut de sa nouvelle conquête avec le tact et la flatterie nécessaires.

Comme s'il avait lu dans ses pensées, Jessom brisa là sa rêverie.

—À ce qui m'a été dit, il y aura un immense banquet ce soir, Majesté.

—Il faut vraiment que j'y assiste?

—J'en ai bien peur, Sire. Briavel met les petits plats dans les grands pour vous. C'est un grand honneur qu'elle vous fait – vous ne sauriez vous y soustraire.

—J'aurais bien besoin d'une bonne nuit plutôt, après pareille chevauchée.

—Je comprends, Sire. Vous pourrez certainement vous reposer ensuite, mais ils souhaitent d'abord honorer votre arrivée par ce geste.

— Et quand passerons-nous aux négociations ?

Jessom prit une profonde inspiration. Il espérait que le roi saurait refréner son tempérament.

— Après le tournoi, répondit-il.

Celimus se tourna pour braquer sur lui un regard noir.

— Vous plaisantez ?

— Non, Sire. Je n'en ai été informé que ce matin. La reine Valentyna a entendu vanter vos talents et elle veut vous permettre de briller dans un tournoi organisé en votre honneur. Dans sa lettre, elle souligne quel privilège ce sera pour le peuple de Briavel d'admirer vos exploits, mais aussi combien il est important pour ses sujets de voir en cette occasion leur reine et son prétendant côte à côte.

Il espérait avoir choisi les bons mots pour apaiser son souverain. En fait, Valentyna n'avait rien dit de tout ça, se contentant d'indiquer qu'un tournoi était organisé en son honneur.

Radouci, Celimus releva doucement le menton.

— Oui, je suppose que je peux bien leur montrer quelle chance a leur reine d'avoir attiré l'attention du roi de Morgravia.

Jessom eut un gloussement de conspirateur.

— Oui, Majesté, d'autant que cela sert aussi vos projets. Une fois qu'ils vous auront vu combattre, l'idée de partir en guerre contre vous ne leur paraîtra plus envisageable. Les hommes de la légion feront eux aussi une démonstration.

— Parfait. J'aimerais toutefois être prévenu à l'avance de toutes ces choses, Jessom.

C'était une remontrance amicale, mais une remontrance quand même. Jessom inclina la tête.

— Il en sera fait selon vos désirs, Sire. Je m'efforce simplement de vous épargner autant que possible les détails sans importance.

— Et la proposition de mariage ?

— L'après-midi après le tournoi, vous n'avez rien de prévu et Sa Majesté la reine non plus. Peut-être que ce sera le moment approprié pour lui faire part de… euh… l'affection qu'elle vous inspire dirons-nous. Les négociations interviendront en fin d'après-midi et j'ai bien l'intention que les papiers soient signés et les sceaux apposés avant le dîner, Majesté.

— Excellent, dit Celimus. Eh bien hâtons-nous. Je crois que je vais aller chevaucher seul en tête à partir de maintenant, Jessom.

— Bien sûr, Sire. Laissons-les vous découvrir dans toute votre splendeur, déclara le chancelier avec un petit sourire aux lèvres, qui n'éclairait aucunement son regard froid.

Le roi partit au galop se placer loin devant la colonne.

Valentyna était splendide. Même Liryk, accoutumé à sa beauté « au naturel », eut le souffle coupé en apercevant sa reine somptueusement parée en cette fin d'après-midi. Le teint de ses joues, qui avait encore l'éclat lumineux conféré par sa chevauchée du matin, était mis en valeur par la robe rose ajustée qu'elle avait choisi de porter pour l'occasion. Sa nuance délicate faisait ressortir le velouté de sa peau, le brillant soyeux de ses cheveux bruns et la douceur carminée de ses lèvres pleines. Debout sur le grand perron du palais, elle souriait aimablement, véritable statue vivante à la gloire de la beauté.

Liryk était impressionné ; elle rendait à Celimus un hommage exceptionnel. Nul monarque n'était tenu d'accueillir un hôte en personne, à l'extérieur de ses murs. C'était un geste à la fois habile et courageux pour faire sentir à Celimus l'importance émérite de son auguste personne. Liryk était fier d'elle et il savait que son père le roi Valor l'aurait été également.

Seule et majestueuse au sommet des marches, elle avait le maintien d'une véritable reine. Si seulement le défunt roi avait pu voir sa fille, aérienne et superbe, sur le point de jouer l'un des coups les plus illustres de l'histoire de Briavel. Si elle trouvait le courage d'oublier tout ce qui s'était passé auparavant pour manœuvrer finement avec Celimus, la paix serait assurément scellée bientôt par un éblouissant mariage.

Liryk jeta un regard en direction des créneaux où les meilleurs archers du royaume guettaient l'arrivée de la colonne. Les soldats de la garde de Briavel avaient été positionnés de façon à donner une impression de puissance. Ils étaient dix fois plus nombreux que les hommes formant le détachement de la légion ; ses yeux exercés évaluaient néanmoins toutes les combinaisons possibles en cas de problème. Il ne doutait pas un instant que cette visite soit placée sous le signe de la paix et de la diplomatie, dans la seule intention de conclure un mariage aussi brillant que stratégique, mais il voulait être sûr que chaque homme était à son poste, paré à tout. Il n'y aurait aucune mauvaise surprise cette fois-ci.

La colonne du roi de Morgravia approchait ; Valentyna lissa sa robe pour sécher ses mains devenues moites. Elle releva la tête pour un sourire radieux à l'intention exclusive de Celimus, roi de Morgravia, qui arrêtait son cheval tout près de l'endroit où elle se tenait.

Il était absolument merveilleux. Elle eut un sourire pour elle-même. *Arrête d'admirer son cheval et va l'accueillir !* se sermonna-t-elle. Romen aurait ri s'il avait su qu'elle s'extasiait sur le pur-sang bien plus que sur le cavalier.

D'un mouvement gracieux, Celimus mit pied à terre, avant de tendre les rênes à un serviteur empressé. Déroutée par ses yeux sombres et profonds qu'il tenait fixés sur sa personne, elle prit sur elle pour le saluer d'une charmante révérence. Celimus lui rendit la politesse, saluant avec une exquise déférence. Puis, sans avoir dit un seul mot, il lui prit la main pour y déposer un baiser.

—Votre Majesté, dit-il en se redressant, manifestement impressionné par la femme qui se tenait devant lui. Celimus, roi de Morgravia, pour vous servir.

Elle détailla son sourire lumineux et son regard impudent ; elle avait l'impression d'être une proie face à son prédateur.

—Tout l'honneur est pour nous, Majesté. Soyez le bienvenu en Briavel, mentit-elle.

Un rafraîchissement de jus de parillion sur de la glace pilée fut servi dans la roseraie à Celimus et à sa garde rapprochée – où figuraient en bonne place le chancelier Jessom et le nouveau général de légion, un homme d'âge mûr aux manières bourrues qui ne trouva rien à dire au-delà des salutations d'usage. Valentyna songea que Wyl Thirsk devait se retourner dans sa tombe. Les soldats de la légion avaient été conduits à leurs quartiers, leurs chevaux menés aux écuries, tandis qu'on montrait leurs chambres à trois autres dignitaires de moindre importance.

—Vous devez avoir des espions, Valentyna, pour connaître ainsi mon fruit préféré.

Elle nota qu'ils en étaient déjà à s'appeler familièrement par leur nom – deux souverains, deux égaux. *Il serait bien avisé de ne pas l'oublier*, songea-t-elle.

—Ah bon ? Comme c'est curieux. Le parillion est aussi mon fruit préféré, dit-elle avec autant de charme que d'aplomb.

Elle n'oubliait pas la consigne de Romen d'être aussi charmante que possible. En vérité, elle n'appréciait guère la chair douceâtre de ce fruit. Néanmoins, elle buvait son verre poliment.

—En saison, nous les cueillons chaque jour dans les vergers du palais.

—Je me ferais une joie de visiter ces vergers en votre compagnie, ma chère, dit-il avec une pointe de condescendance qui ne lui échappa pas.

— Bien sûr. Avec plaisir, répondit-elle d'un ton affable.
» Comment s'est passé votre voyage, Celimus ?

— Excellemment bien, merci. J'ai rarement eu l'occasion, même en tant que prince, de rencontrer le peuple de Morgravia dans les provinces reculées. Je suis d'autant plus fier d'être leur souverain.

Si ce n'est que leur sort ne t'importe pas, pensa-t-elle. À cet instant, elle comprit que les choses ne pouvaient pas continuer ainsi ; elle ne connaissait cet homme que par ce qu'on lui en avait dit. *Fais-lui au moins la grâce de converser avec lui en toute honnêteté. Impressionne-le et demain soir tout sera fini.*

— Je suis sûre qu'un peu de repos vous agréerait, dit-elle en manifestant délibérément de la déférence.

» Voulez-vous visiter votre suite et voir si tout est à votre convenance ?

Il hocha la tête, satisfait de la servilité qu'elle montrait. Il avait décidé de participer torse nu aux épreuves du lendemain, de façon que la reine et son peuple admirent son physique magnifique et ses prouesses à cheval, à l'épée, au tir à l'arc… à tout ce qu'ils voudraient. Il goûtait à l'avance le plaisir de les impressionner.

— Des cuvettes ont été montées – ou plutôt des cuveaux, comme on dit en Morgravia. Prenez votre temps, détendez-vous.

— C'est très aimable de votre part, dit Celimus. J'ai cru comprendre qu'il y avait un banquet ce soir ?

— En votre honneur, Celimus. C'est un immense privilège pour nous que vous soyez venu en personne en Briavel et nous voulons vous rendre hommage.

Romen serait fier de moi, songea-t-elle en battant joliment des cils avec un sourire.

— Alors à ce soir, ma dame, dit-il en se dressant devant elle de toute sa taille pour qu'elle puisse l'admirer.

Une nouvelle fois, il déposa un baiser sur sa main.

— Et merci pour votre charmant accueil.

Les deux autres hommes, qui s'étaient tenus en retrait jusque-là, rejoignirent leur roi pour la saluer. Elle leur fit la grâce d'un hochement de tête poli, puis ils se retirèrent.

Elle poussa un soupir de soulagement. Le premier obstacle venait d'être franchi, mais le plus dur restait à venir. Elle attendit que ses hôtes aient eu le temps de disparaître en haut du grand escalier avant de se précipiter dans ses propres appartements, par l'un des passages secrets du château. Romen et Fynch l'attendaient dans l'antichambre.

— Il ne faut pas qu'on vous voie ici, dit-elle, son cœur soudain emballé à la vue de Romen.

Elle adorait la sensation que lui procurait le fait d'être amoureuse. Elle se sentait invincible.

Wyl l'embrassa sur la bouche ; elle se dégagea immédiatement, avec un regard effaré en direction de Fynch.

— Ce n'est rien, Majesté, dit simplement le garçon.

— Je suis désolée, Fynch. Nous aurions dû te prévenir à notre sujet, expliqua Valentyna avec embarras.

Wyl serra sa main dans la sienne.

— Il savait déjà, mon amour. Et maintenant, il sera notre alibi. Si un serviteur me voit ici, il me verra avec Fynch, ce qui donne toute la respectabilité voulue à nos rendez-vous.

D'un autre de ses sourires irrésistibles, il fit fondre son cœur.

— Ne vous inquiétez pas. Dites-nous plutôt comment ça s'est passé.

— Exactement comme prévu, répondit-elle en se dirigeant vers sa chambre, les invitant d'un geste à la suivre. Il est comme vous me l'aviez décrit : arrogant, vaniteux, condescendant et absolument magnifique.

— Pas trop magnifique, j'espère ?

— Quiconque me dit « ma chère » sans être suffisamment âgé pour être mon père n'est pas si attirant à l'intérieur, déclara-t-elle en guise de réponse. En revanche, à l'extérieur, il est très beau, mais avec un petit quelque chose de mielleux et de rapace dans l'attitude que je trouve tout à fait répugnant. Est-ce que cela vous convient ?

— Absolument, répondit Wyl, feignant l'allégresse.

En réalité, il mourait d'envie d'aller planter son épée dans le corps de Celimus, si proche de lui en cet instant. Mieux, il pourrait utiliser les couteaux de Romen avec une précision mortelle. Il entendit un grognement approbateur en provenance du couloir. *Ce chien peut-il vraiment lire mes pensées ?* Si tel était le cas, il ne souscrivait pas au fond à l'idée d'éliminer Celimus d'une manière aussi évidente. Il ignora l'avis de Filou.

— Vous vous sentez bien ? demanda-t-il en lui prenant la main.

— Oui, ça va. Mais je dois encore affronter l'épreuve du banquet ce soir et cette perspective m'attriste.

— Vous serez magnifique, Majesté, dit Fynch d'un ton rassurant.

— J'aimerais tant que vous soyez là tous les deux, dit-elle en lui ébouriffant les cheveux.

— Nous y serons à notre manière, je vous le promets, dit Wyl. Et maintenant, on disparaît pour vous laisser vous préparer.

— Je vais faire de mon mieux pour être éblouissante. Je vous le promets aussi.

Wyl se retourna vers elle ; Valentyna adorait quand sa moustache frémissait ainsi.

— Valentyna, vous n'avez même pas besoin de faire quoi que ce soit – vous êtes toujours éblouissante. En particulier en tenue de cavalière, avec les cheveux dans le visage et les joues enflammées par le grand air. Vous êtes la femme la plus désirable que je connaîtrai ou que j'aurai la chance d'aimer jamais.

Elle ne parvenait plus à retenir les larmes qui lui montaient aux yeux.

— Vous m'aimez ?

— Depuis la seconde où je vous ai vue, répondit-il sans mentir le moins du monde.

— Romen…

Elle n'eut pas le temps d'ajouter quoi que ce soit ; ils s'étreignaient déjà pour le plus passionné des baisers. Fynch avait quitté la pièce, refermant discrètement la porte derrière lui. Il attendrait patiemment derrière la porte en compagnie de Filou, veillant à ce que personne n'entre.

— Partez, il le faut, dit-elle en s'arrachant à son étreinte, le souffle court.

Wyl acquiesça sans ajouter un mot. Il repartit vers la porte et sortit.

Malgré son sens du pouvoir, Valentyna ne s'était jamais sentie aussi vulnérable. Jamais elle n'avait eu quelque chose d'aussi précieux à perdre que l'amour de Romen Koreldy. Si elle le pouvait, elle l'épouserait dès demain, non, dès ce soir – mais elle devait d'abord assister à un banquet et décliner de la plus gracieuse des manières les avances d'un soupirant dangereux et imprévisible.

Chapitre 38

Des hérauts en grande tenue d'apparat embouchèrent joyeusement leurs instruments pour annoncer l'arrivée de leur reine. Valentyna retenait son souffle derrière la porte.

— Votre père serait si fier de vous, murmura Krell, incapable de dissimuler l'admiration dans sa voix.

C'était exactement ce qu'elle avait besoin d'entendre à cet instant ; elle le remercia d'un sourire timide avant de pénétrer par une double porte dans la grande salle de réception du palais. C'était la première fois qu'elle accueillait un événement officiel d'une telle importance – non seulement pour impressionner le roi de Morgravia, mais également pour séduire ses propres sujets anxieux de découvrir les qualités de leur nouvelle souveraine. Comme ses hôtes se retournaient vers elle, on entendit tous les hommes suspendre leur respiration à l'unisson. Sublime dans sa robe vert foncé et violet, aux couleurs de Briavel, elle était une reine incomparable. Immédiatement, toutes les têtes se courbèrent pour la saluer ; du regard, elle chercha la seule tête qui n'était pas tenue de lui rendre hommage, mais qu'elle espérait voir poliment baissée.

Il était là, lui aussi glorieux dans sa livrée pourpre, noir et or – les couleurs de Morgravia. Il esquissa une courte inclinaison du buste ; elle se sentit rassurée qu'il ait ce geste et qu'il n'y ait pas d'accroc dès les premiers instants.

Elle descendit la courte volée de marches menant à la salle. Sa robe produisait un doux bruissement soyeux et les joyaux cousus ici et là jetaient mille feux autour d'elle. C'était une robe qu'elle avait dessinée elle-même ; ses couturières avaient travaillé nuit et jour afin qu'elle soit prête pour la venue du roi. Le résultat était encore plus étincelant que ce qu'elle avait imaginé et c'était chose nouvelle pour elle que de paraître fièrement en grande tenue de cérémonie. Le fait de porter les couleurs de sa patrie lui faisait sentir combien elle appartenait à Briavel – et qu'elle soit damnée si un autre souverain pensait pouvoir s'emparer de son royaume.

La douce lumière dispensée par les torchères rendait son teint encore plus lumineux. À son cou, elle portait la Pierre de Briavel – une parure transmise de souverain en souverain depuis des générations. C'était une émeraude de taille carrée, sertie d'améthystes d'un beau violet profond, qui en cet instant reposait sur la gorge du plus précieux des joyaux de Briavel.

La foule s'écarta devant elle ; elle s'avança en glissant sur le sol, rétrospectivement reconnaissante envers ses professeurs de maintien qui pourtant naguère l'avaient tant irritée. Elle s'approcha du roi de Morgravia pour lui faire une aimable révérence.

— Majesté, salua Valentyna.

— Majesté, répondit Celimus d'une voix enrouée. Au nom de Shar, comment Briavel a-t-elle pu vous tenir au secret si longtemps ?

Elle ne put s'empêcher de sourire à cette flatterie.

— Je vous en prie, mon roi, joignez-vous à moi, dit-elle en lui présentant son bras.

Pour l'une des rares fois de son existence, Celimus restait à court d'inspiration, ne sachant quoi dire. Il prit le bras offert et l'accompagna jusqu'à l'estrade où les monarques de Briavel et de Morgravia allaient être assis côte à côte, pour la première fois de l'histoire. C'était un moment d'une intensité et d'une portée toutes particulières, dont l'importance n'échappait à personne. La musique démarra et tout le monde fut invité à s'asseoir. Les yeux se tournèrent vers des plateaux de boissons et petits fours qu'on apportait et le jeune roi et la jeune reine eurent un instant d'intimité.

— Valentyna, vous êtes magnifique, dit Celimus, qui finalement avait trouvé le mot juste.

— Merci, Celimus. Je dois dire que vous êtes vous-même très élégant ce soir.

— C'est dû à l'harmonie des couleurs de nos patries, répondit-il avec un sourire.

Son trait d'esprit la surprit agréablement ; elle ne s'était pas attendue à ce qu'il ait si subtile repartie.

— Des couleurs vives pour des nations fortes.

— Qui sauront, je l'espère, se mêler joliment pour former une nouvelle palette.

C'était une entrée en matière pour le moins directe, à laquelle elle ne savait que répondre.

— Le vert, le violet, le pourpre et l'or… un mélange un peu chargé peut-être ?

— Un mélange puissant, dont nous pourrions tous deux être fiers.

L'arrivée d'un serviteur la tira d'embarras.

— Ah, j'espère que vous allez aimer ce vin, Celimus. C'est un Bostrach sec, de nos vallées du sud.

Intelligemment, le roi de Morgravia laissa sa dernière remarque en suspens – inutile de brusquer les choses. Il goûta le vin et ses yeux s'arrondirent de plaisir sous l'effet des arômes sur ses papilles.

— Excellent ! J'espère que vous nous ferez bientôt l'honneur d'une visite en Morgravia, que je vous fasse goûter nos meilleurs crus.

Valentyna hocha poliment la tête et attendit que son verre soit rempli.

— À votre venue en Briavel, Majesté, qu'elle vous soit agréable, dit-elle en levant son verre.

— À vous, Valentyna… car vous seule pouvez me la rendre agréable.

Sa déclaration la laissa interdite ; il réorienta immédiatement la conversation vers un sujet moins sensible, interpellant Liryk qui venait rendre ses hommages.

— Ah, commandant Liryk ! Comment allez-vous ?

— Bien, Majesté, merci, répondit le soldat avec une courbette. J'ai cru comprendre que vous aimiez chasser ?

— J'adore la chasse. D'ailleurs, j'ai aperçu vos magnifiques forêts aux alentours.

— Depuis toujours, ces bois sont mon terrain de jeux, intervint Valentyna. Mon père y chassait le cerf et le sanglier.

— Le temps manquera sans doute pour chasser, Majesté, dit Liryk. Mais peut-être la reine vous fera-t-elle l'honneur d'une visite de son « terrain de jeux » ?

Valentyna songea à jeter un coup d'œil furibard au vieux soldat pour sa remarque intempestive, mais elle savait que ce serait en pure perte. Tout le monde autour d'elle, y compris ce bon vieux Krell, ne rêvait que de voir ce mariage se concrétiser. Tous avaient oublié que l'homme assis à côté d'elle – ce roi qui lui souriait naïvement – était à l'origine du meurtre du roi Valor. Elle maîtrisa ses émotions, ne sachant que trop bien pourquoi ses conseillers la poussaient à réaliser cette union. Briavel avait soif de paix – le royaume ne voulait plus voir mourir la fine fleur de sa jeunesse. Pour que sa patrie connaisse la prospérité, il suffisait qu'elle se sacrifie. À elle seule, Valentyna pouvait garantir tout cela d'un simple « oui » à l'homme assis à côté d'elle.

— Aimez-vous monter à cheval, Valentyna ? demanda Celimus, un peu surpris de l'invite du commandant Liryk.

Elle eut un petit rire et Liryk répondit pour elle.

— Majesté, vous pourriez croire que notre reine est née sur le dos d'un cheval.

Il n'alla pas plus loin dans sa description enthousiaste ; il venait de saisir une lueur peinée dans l'œil de sa souveraine.

Soudain embarrassé, il s'éclaircit la voix pour se donner une contenance.

—Euh... Faites-moi savoir si nous pouvons organiser quelque chose, Sire. Ce sera un plaisir.

Celimus accentua son sourire.

—Je n'y manquerai pas.

Ils regardèrent s'éloigner le vieux soldat, devenu rubicond.

—Il ne pensait pas à mal, Majesté, murmura Celimus en se penchant sur elle.

Valentyna n'était même pas agacée. Dans le fond, elle détestait ces discussions corsetées par l'usage et l'apparat, préférant de loin les paroles qu'elle échangeait en toute spontanéité avec les hommes de Liryk sur les chemins de ronde – quand bien même ils étaient tous béats devant elle.

—Je sais. Il me connaît depuis que je suis née. En tout cas, il est exact que je monte à cheval depuis que je sais marcher.

—Vraiment?

Elle confirma de la tête avec un petit air suffisant.

—Je pourrais encore chevaucher que vous auriez déjà les fesses en sang, Majesté.

Elle n'avait pas prémédité d'être si directe; les mots lui avaient échappé et elle les regrettait déjà. Son père lui avait toujours reproché ses manières abruptes. « Valentyna, tu fais ta coquette avec trop de familiarité, disait-il bien souvent. Cela t'attirera des ennuis. »

Valentyna attendit avec un frisson d'angoisse la réponse du roi. Elle vint, sonore et pleine de gaieté. Celimus reposa bruyamment son verre pour partir d'un grand éclat de rire, la tête renversée en arrière.

De la galerie supérieure où jouaient les musiciens, l'homme qu'elle aimait ne la quittait pas des yeux – du moins il observait tout ce qu'il pouvait, dissimulé derrière son masque.

—Messieurs, je pense que nous allons pouvoir attaquer une gigue, avant d'enchaîner par un *bombero* masqué, dit-il aux musiciens.

Le soliste hocha la tête.

—À votre signal, messire.

Wyl jeta un coup d'œil en direction de l'estrade où Celimus passait visiblement un excellent moment en compagnie de Valentyna. Le roi de Morgravia venait de rire à gorge déployée à une de ses plaisanteries et ils en étaient maintenant à se murmurer des choses, leurs visages tout près l'un de l'autre; Wyl sentit son cœur se serrer. Pourtant, lui seul était à blâmer – n'avait-il pas recommandé à Valentyna d'être coquette et charmeuse? Elle ne faisait que suivre son plan. Il décida subitement de changer sa tactique.

—Fynch?

—Oui?

—Va demander qu'on fasse servir maintenant le premier plat.

—Mais…

—S'il te plaît, dit-il avec fermeté.

Le garçon fila par l'escalier en direction des cuisines, où la chef cuisinière sous pression secouait déjà la tête.

—On ne réalise pas des miracles ici, s'exclama-t-elle.

Mais elle aimait suffisamment le garçon pour ne pas le gronder.

—D'accord, d'accord, dit-elle d'un ton fatigué.

Évacuant ses remerciements d'un geste de la main, elle se tourna vers l'équipe des oies et chapons affairée sur un angle de l'immense fourneau.

—Vous êtes prêts?

—Oui! répondirent en chœur les rôtisseurs et mitrons.

—Alors faites servir mes merveilles. Et assurez-vous que nos souverains aient les pièces de roi.

Valentyna devait bien admettre que Celimus était plus enjôleur qu'elle ne l'avait cru – et au moins aussi beau qu'elle l'avait d'abord pensé en l'apercevant. Il était bien cet homme au physique parfait, comme en attestaient les innombrables coups d'œil appuyés, et parfois émerveillés, que lui jetait l'assistance. Tout en lui respirait la perfection… tout. Un peintre se serait damné pour l'avoir comme modèle – nu de préférence, songea-t-elle en imaginant l'une des frises des bains du palais représentant le roi. Cette pensée lui fit venir un sourire, qu'elle contint bien vite tandis qu'il tournait la tête vers elle. Elle laissa ses yeux se noyer dans son regard aux reflets vert et or, en proie subitement à la perplexité. Pourquoi fallait-il qu'elle y voie de la chaleur et de la douceur ? Valentyna voulait détester Celimus – et elle y parvenait – mais son être ce soir-là n'était pas celui d'un homme avare, préoccupé de lui-même uniquement et capable de tout. Jusqu'alors il avait été en tout point ce *charmeur féerique* décrit par l'une des courtisanes du palais, dame Jane Breck.

Oui, il était tout ça, excepté en cet instant précis, alors que le froid calcul de ses pensées venait fugacement d'atténuer la chaleur de son sourire et qu'un éclat dur apparaissait dans ses yeux. Il n'y avait plus rien d'amical dans ses prunelles – son sourire ne s'y reflétait plus. Valentyna sentit alors que cet homme était sûrement capable de piétiner quiconque se mettrait sur sa route… elle-même y compris. Il voulait Briavel et elle était un obstacle.

Valentyna craignit que ses soupçons n'aient transparu sur son propre visage ; Celimus soudain fronçait des sourcils interrogateurs. Elle se ressaisit bien vite.

—Ah, voici les fameux chapons et oies rôtis du maître queux du palais, s'exclama-t-elle tandis que les serviteurs faisaient leur entrée dans la salle. Un mets de roi pour un roi.

Le regard de Celimus s'appesantit quelques secondes encore sur le sien, comme s'il la jaugeait. Puis il sourit.

— Mon plat préféré.

L'instant où il avait montré son âme était passé. Il était de nouveau tout charme et légèreté.

Valentyna avait délibérément inscrit au menu une dizaine de plats dignes d'un banquet royal. Aucun des convives de Morgravia ne pourrait quitter la table sans avoir été au minimum impressionné. Les oies, canards, chapons et autres volailles fondaient dans la bouche. Un bouillon de bœuf fut ensuite servi, avant le bœuf et le gibier. Sous un tonnerre d'applaudissements, des cerfs rôtis entiers furent apportés sur d'immenses plateaux soutenus par des hommes coiffés d'andouillers.

Celimus se pencha vers la reine.

— Magnifique spectacle, dit-il.

— En votre honneur, Majesté.

Il y eut ensuite du mouton, servi avec du pain frais et une sauce à la menthe, et accompagné de têtes de sangliers. Les cygnes rôtis – avec aussi une cigogne présentée ailes déployées et le bec farci de légumes – conclurent la première série de plats. La deuxième série comprenait de la gelée, du vin épicé et une délicieuse crème aux amandes, pour laquelle Celimus fit envoyer ses félicitations aux cuisines. Ensuite, on servit d'à peu près tous les oiseaux qu'on trouve dans le ciel – faisans, perdrix, pluviers, mouettes, pigeons, alouettes et même de petits moineaux. Puis vinrent les plats de poissons – julienne, lingue, brochet, saumon, haddock, perche et lamproie. La pièce maîtresse de cette série était un marsouin farci et rôti, servi entouré de pièces de phoque. L'enthousiasme des convives confina à l'exubérance. Enfin, des morceaux d'agneau et de chèvre attendris complétèrent le banquet, avant les tartes, gâteaux et fromages servis à profusion à tous ceux qui avaient encore suffisamment de forces pour avaler quelque chose.

Le défilé permanent de troubadours et ménestrels entre chaque plat interdit pratiquement à Celimus d'entretenir la conversation avec la reine de Briavel. Parler à cette femme qui l'intriguait – force lui était de l'admettre – était devenu impossible. Jusqu'alors, il n'avait absolument pas envisagé la possibilité qu'elle puisse le fasciner – obtenir son accord sans recourir à la guerre était sa seule intention. En fait, l'idée ne lui était même pas venue qu'il pourrait apprécier la femme qui devait lui donner Briavel.

L'une des spécialités de Briavel, le miel des abeilles Magurian, nappait bien des plats, au premier rang desquels le fabuleux fondant au pavot. Gorgé de sirop aromatique miellé, avec une pointe d'alcool et d'épices, ce gâteau était un délice servi dans les occasions exceptionnelles. Les graines de pavot qu'il contenait contribuaient amplement à l'allégresse ambiante ; Celimus en avait mangé plusieurs parts.

— Un petit faible pour le sucré, Celimus ? ne put-elle s'empêcher d'observer.

— C'est exquis. Il faut absolument que vous apportiez cette recette en Morgravia pour la faire découvrir à mon peuple. Votre table est faite pour les dieux, Valentyna. Pas uniquement pour les rois.

Elle inclina gracieusement la tête pour le remercier de ce compliment, qu'il avait déjà formulé un peu avant dans un petit discours en son honneur. Ses mots étaient tous parfaitement choisis pour gagner la noblesse de Briavel à sa cause – *Non pas qu'ils aient grand besoin d'être poussés*, songeait tristement Valentyna. Celimus avait un charisme indéniable – on aurait entendu une mouche voler pendant qu'il parlait, tant était grande leur soif de ne perdre aucune de ses paroles. Si seulement ils savaient que cet homme avait le sang de son père sur les mains.

Les tables furent poussées pour la danse et le couple royal invité à ouvrir le bal. Valentyna adorait danser et se réjouissait d'être au cœur de la fête. Romen avait vu juste : la première moitié de la soirée avait passé sans qu'elle s'en aperçoive. Elle dissimula sa jubilation en entendant les danses choisies ; Romen s'était occupé de tout, jusqu'au choix de la musique. Non seulement les gigues endiablées semaient la liesse dans les cœurs, mais elles donnaient soif aussi. Le vin et la bière coulaient à flots et les hommes peinaient à tenir bien longtemps la main de leurs cavalières. Cela suffisait à tenir le roi à distance.

Valentyna remarqua que Celimus s'amusait beaucoup lui aussi – sans compter qu'il était le centre de l'attention générale, chaque femme présente, mariée ou non, cherchant à capter son regard. Bien évidemment, il buvait du petit-lait, au point de ne pas remarquer que les musiciens ne jouaient aucune danse un tant soit peu langoureuse. En fait, alors qu'ils étaient tous à s'exclamer, bondir et taper dans leurs mains, Celimus paraissait tout à fait dans son élément. C'était un danseur accompli avec une telle grâce dans les mouvements que même Valentyna le trouvait irrésistible.

Jusqu'ici tout va bien, songea-t-elle au cours d'un des rares moments qu'elle s'accorda pour reprendre son souffle.

Liryk réclamait le silence. Les bruits de voix et les rires diminuèrent graduellement.

— Majestés, gentes dames et messires, veuillez s'il vous plaît choisir vos loups pour le *bombero* masqué.

Ses mots furent accueillis par des vivats et des cris de joie. Des serviteurs apportèrent d'immenses plateaux chargés de masques de toutes sortes, tous plus extraordinaires les uns que les autres. Comme les convives commençaient à choisir, deux masques spéciaux furent apportés à l'estrade.

— Majestés, murmurèrent les serviteurs en présentant leurs plateaux.

— C'est une coutume locale, Celimus, expliqua Valentyna en riant. Le *bombero* est notre danse la plus joyeuse – et la plus sensuelle aussi.

—Ah, très bien. Mais il faudra que vous me montriez, dit-il tout sourire, en tendant la main pour prendre son masque à tête de loup.

Valentyna s'abstint de regarder vers la galerie supérieure où elle aurait aperçu Romen qui la regardait. Elle prit le sien, se demandant néanmoins si le choix d'une tête de colombe pour elle n'était pas quelque peu imprudent.

La signification de ce choix n'échappa pas à Celimus, toujours prompt à saisir les choses.

—Quelqu'un dans votre suite a le sens de l'humour, Valentyna.

—Que voulez-vous dire ? demanda-t-elle ingénument en le prenant par la main sans lui laisser l'occasion de répondre.

» On commence en rangs, Celimus, mais ça se complique quelque peu ensuite. Vous n'aurez qu'à vous laisser mener par vos partenaires… De toute façon, elles brûlent toutes de vous toucher, ajouta-t-elle en riant sous son masque.

La musique démarra et Celimus fut happé par une folle sarabande de partenaires qui se succédaient. Dans la première rangée, les femmes évoluaient en rond sur un pas fort complexe, tandis que celles derrière tourbillonnaient plus lentement avec leur partenaire en attendant de revenir devant. Valentyna entendit l'homme qui venait de la prendre dans ses bras, le visage dissimulé sous une énorme tête de cheval, lui murmurer quelque chose d'une voix familière.

—Je t'aime.

La seconde suivante, il était reparti, la laissant pantelante, submergée par l'émotion et le rire au bord des lèvres. Elle avait aussi vu la subtilité de son masque, car personne au monde n'aimait plus les chevaux que Valentyna, reine de Briavel.

Non loin, Jessom envoyait des mimiques rassurantes à Celimus, qui disaient *Tout viendra à point, Majesté*. Le chancelier de Morgravia voyait la frustration de Celimus de ne pouvoir être plus près de la reine, mais c'était le jeu de la diplomatie et rien d'autre que la manière dont se traitent les affaires royales. Bientôt – dès le lendemain en fait – l'occasion leur serait donnée de converser dans l'intimité. Bien évidemment, toutes les personnes présentes savaient parfaitement à quoi s'en tenir sur le but de tout cela, mais le protocole imposait ses exigences – cette soirée en était une et le tournoi une seconde. Ensuite viendrait le temps où ils pourraient faire entendre à la jeune reine qu'un rapprochement matrimonial était l'unique solution pour épargner la dévastation à son royaume. D'une manière ou d'une autre, Morgravia allait unifier le sud – et le mariage était sûrement la moins douloureuse des options.

Jessom devinait que Valentyna n'avait pas entièrement succombé au charme pourtant dévastateur de Celimus ; il se demandait bien pourquoi. En revanche, il voyait également que le roi était plus qu'un peu intéressé par la reine – mais là les raisons en étaient évidentes. Intelligente, franche, spontanée, modeste en dépit de ses immenses qualités, jeune, royale et gracieuse, elle avait du style et du charisme – sans compter qu'elle était la riche souveraine d'un royaume fertile et peu densément peuplé. À dire vrai, elle était de la trempe de Celimus, capable peut-être de l'aider à bâtir l'empire dont rêvait le roi de Morgravia. Si elle acceptait de renoncer à Briavel, un avenir immensément glorieux l'attendait.

Il l'observait attentivement. À l'évidence, aucun autre homme présent ne recueillait ses faveurs, ce qui permettait de penser que son cœur n'avait pas d'attaches. Après tout, quel homme accepterait de la laisser paraître telle qu'elle était ce soir – courtisée qui plus est par un roi ? Pourtant, quelque chose en elle maintenait une distance. À aucun moment elle n'avait manqué à ses devoirs de politesse ou d'attention ; elle restait simplement éloignée de Celimus, ne quittant jamais les domaines balisés de la musique, de la nourriture ou du tournoi du lendemain, refusant obstinément d'aborder la vraie raison pour laquelle tous se livraient à cette mascarade.

Une accalmie succéda à la frénésie du *bombero*. Les convives retiraient leur masque, s'esclaffant en découvrant celui ou celle avec qui ils avaient terminé. Les musiciens cependant regagnaient leur place et les danseurs acharnés se préparaient pour la danse suivante. Valentyna s'excusa et vit que Celimus se retirait lui aussi pour la rejoindre sur l'estrade.

Valentyna savait que le moment était venu de se montrer particulièrement aimable.

— J'ai vu votre magnifique destrier, Majesté. Vous aimez monter assurément.

C'était une entrée en matière un peu pauvre – elle avait bien sûr abondamment entendu vanter ses exploits de cavalier –, mais c'était toujours une manière de renouer la conversation. À sa grande surprise, il ne fit qu'une réponse pleine de modestie.

— Oui, j'aime monter à cheval… même si depuis que je suis monté sur le trône je n'ai plus jamais l'occasion d'aller galoper seul. Il faut toujours qu'une cohorte m'accompagne.

Elle hocha la tête, la mine pleine de compréhension.

— Ah, l'intimité… C'est ce qui me manque le plus à moi aussi.

— Je suppose que vous ne montez que les meilleurs étalons, dit-il.

— Oh, j'ai plein de montures différentes. Mon père veillait à élever des bêtes d'exception – et il m'a toujours encouragée à les monter.

— Peut-être pourrions-nous aller faire cette promenade à cheval dont parlait le commandant Liryk ?

— Bien sûr, dit-elle poliment en regrettant instantanément sa réponse.

— Très bien. Et pourquoi pas demain matin ? Le tournoi ne commence qu'à la mi-journée et je suis un lève-tôt. J'imagine que vos bois doivent être somptueux au lever du soleil.

Elle était piégée. *Mais quelle idiote aussi*, se dit-elle. Comment avait-elle pu laisser ainsi une telle ouverture ? Dire que c'était précisément pour éviter cela qu'ils avaient tant œuvré.

Il prit sa main en un geste plein d'affection qui échappa à bien peu des convives présents. Celimus n'avait que faire des ragots ou de ce que pensaient les gens. Tout ce qu'il voulait, c'était du temps à passer seul avec elle – loin de Jessom et de ses autres conseillers. C'était lui et lui seul qui déciderait du lieu et de l'instant. Alors, elle le verrait dans toute sa splendeur.

— Cela signifierait beaucoup pour moi si vous acceptiez de m'accompagner, Valentyna.

Elle hésita un instant. *Ne l'offense surtout pas. Ce n'est qu'une promenade à cheval après tout.*

— Bien sûr, Celimus. Ce sera un plaisir de sortir à cheval en votre compagnie pour voir le soleil se lever. Je vais prendre les dispositions voulues.

Il sourit, manifestement aux anges.

Elle se sentait sur le point de défaillir.

— Je m'en fais déjà une joie, dit-elle, avant de mettre un terme à leur conversation.

» Et maintenant, Majesté, vous voudrez bien m'excuser, mais je dois aller remercier mes gens en cuisine pour l'excellence de leur travail ce soir. Je suis sûre que vous mourez de fatigue après cette longue journée – ne m'attendez donc pas.

Il fit une courte révérence, un peu surpris néanmoins par son subit changement d'attitude. Tant pis, il saurait être patient.

— À demain, Valentyna.

Elle fit une révérence à son tour avant de s'en aller d'un pas rapide, se demandant comment elle allait bien pouvoir expliquer la situation à Romen.

Allongée éveillée dans son lit, Valentyna était désespérée. Liryk avait placé deux gardes devant ses appartements et triplé la garde dans les couloirs et passages menant à l'aile du palais qu'elle occupait. Les bruits de pas et conversations étouffées des hommes devant sa porte contribuaient à la détourner du sommeil. Elle aurait volontiers passé une robe de chambre pour aller bavarder avec eux – tout plutôt que de rester seule à s'inquiéter. Elle n'avait eu aucune nouvelle de Romen depuis leur instant clandestin volé pendant le *bombero*. C'était une véritable folie qu'il avait commise là… mais elle ne l'en aimait que davantage. *Et il m'aime!*

Elle était dans la pénombre à compter les minutes, rêvant au jour où demain serait déjà du passé, mais effrayée à l'idée de l'aube prochaine où il lui faudrait se retrouver seule face au roi de Morgravia. Essaierait-il de l'embrasser? L'idée la faisait frémir.

C'est à cet instant qu'elle entendit le doux chuintement de la porte secrète pivotant sur ses gonds. Jamais elle ne saurait pour quelle raison elle pensa que c'était Celimus venant la demander en mariage au milieu de la nuit, mais grand bien lui prit d'attendre quelques secondes avant de se mettre à hurler; ce temps précieux sauva Romen Koreldy.

—Valentyna, c'est moi! souffla-t-il pour calmer sa frayeur qu'il avait perçue.

Tout son corps se détendit lorsqu'elle reconnut sa voix.

—J'ai cru que c'était *lui*, murmura-t-elle. Que faites-vous ici?

—Je ne supportais plus d'être séparé de vous.

Il entreprit de retirer ses bottes; elle remonta les draps jusqu'à son menton.

—Que faites-vous? demanda-t-elle d'une voix terrifiée.

Transformé par l'amour et un goût nouveau pour la témérité, Wyl éprouvait désormais la même confiance en lui qu'avait eue naguère Romen Koreldy.

—Je veux juste vous tenir dans mes bras, vous sentir contre moi. Je vous le promets, je ne…

— Arrêtez, ne parlez plus, dit-elle en montrant la porte du doigt pour l'avertir de la présence des gardes.

» Venez, murmura-t-elle en repoussant les draps, heureuse pour sa pudeur que la fraîcheur de la nuit l'ait incitée à passer une longue robe de nuit.

Il retira sa chemise en la faisant passer par-dessus sa tête. Elle restait fascinée par ce geste masculin – les femmes ôtent toujours les boutons – mais cette pensée se perdit dans le flot de sensations que faisait naître la présence de Romen presque nu à ses côtés. Wyl se glissa dans le lit, l'attirant doucement contre lui. Elle perdit tout contrôle sur elle-même. *Si ça doit arriver maintenant, qu'il en soit ainsi*, pensa-t-elle en se tournant vers lui pour sentir son corps dur et musclé contre le sien.

— Merci, murmura-t-il.

— Chut, répondit-elle.

Plus tard, étroitement serrée contre Romen, elle songeait qu'il allait lui falloir l'informer de la promenade à cheval prévue dans deux heures. Elle entendait déjà les premiers pépiements d'un oiseau solitaire en prélude au charivari que la faune fait à l'aube. Elle n'avait plus le temps d'hésiter.

— Au fait, comment as-tu trouvé le passage à cette chambre ?

— Fynch, répondit-il en caressant son visage.

» Valentyna, si je devais mourir aujourd'hui…

— Arrête !

— Non, écoute-moi, insista-t-il. Si je meurs aujourd'hui, je mourrai en étant le plus heureux des hommes des terres du sud parce que j'aurai eu le bonheur de te connaître et de t'aimer… de te tenir dans mes bras et de te toucher comme aucun autre homme.

Elle tremblait sous ses mots qui l'effrayaient.

— Ne parlons pas de la mort.

—Mais je parle de la vie – et de l'importance que la mienne a prise aujourd'hui à mes yeux grâce à toi.

—Ce n'était pas le cas avant?

—Pas avant que je te rencontre.

Elle prit une profonde inspiration et plongea ses yeux dans les siens.

—Romen, il faut que je te dise quelque chose.

—Quoi, mon amour?

—Au sujet de Celimus.

—Ne t'inquiète pas pour aujourd'hui. Je te promets…

—Ce n'est pas au sujet du tournoi. C'est au sujet de ce matin.

Il voyait soudain combien elle était anxieuse.

—Dis-moi.

Il faisait toujours courir ses longs doigts sur son bras, mais elle sentit la tension monter en lui; elle la voyait sur son visage.

—J'ai été obligée d'accepter une promenade à cheval à l'aube avec lui.

Il arrêta de la caresser et s'assit brutalement, grimaçant sous la douleur réveillée dans ses côtes.

—Ce n'est pas ce que nous avions prévu.

—Je n'avais pas d'autre solution. Il a fallu que j'accepte pour ne pas l'offenser. Tu m'avais demandé d'être amicale… enjôleuse même.

Wyl passait nerveusement ses mains dans ses cheveux, examinant la situation créée par ce nouveau coup du sort. Elle n'était pas responsable – il le lui dit –, mais elle pouvait sentir le désespoir en lui.

—Je ferai en sorte que ça ne dure pas et nous aurons une escorte – j'y veillerai. Je pourrai peut-être maintenir la conversation sur un terrain neutre.

Elle détesta le sourire qu'il eut à cet instant.

—Ça n'ira pas, Valentyna. Il va faire sa demande ce matin. Il veut être seul avec toi, sans ses courtisans et conseillers autour de lui – et il y a réussi. Ne le sous-estime jamais – ce serait ta perte.

Elle hocha la tête, ne sachant plus que dire ni que faire. Elle s'assit pour se pencher vers son corps puissant et accueillant.

— J'aurais voulu que tu prennes ma virginité, Romen. Nous aurions alors dit la vérité et tout serait fini.

Il lui sourit comme on sourit à un enfant.

— Pour toi, les choses sont ou blanches ou noires. Si nous avions fait cela, il n'en serait pas resté là – au contraire, cela aurait été le début de l'horreur. Une telle trahison à ses yeux l'aurait conduit à déclencher la guerre contre ton royaume. Il aurait lâché toute la puissance de la légion de Morgravia pour te détruire – et en l'état actuel, il y serait parvenu. Non, tu es la souveraine du royaume qu'il convoite, pure et immaculée comme il le veut. Tu es parfaite à ses yeux, surtout depuis qu'il t'a vue. Hier soir, personne dans la grande salle n'a pu se méprendre sur ses intentions. Il te veut. Et c'est pour ça que je me suis contenu, Valentyna. Je te désire autant qu'un homme peut désirer une femme, mais je ne peux pas t'avoir à moi. Je dois t'aimer dans l'ombre.

— Ce ne sera pas toujours comme ça. Dis-moi qu'il n'en sera pas toujours ainsi.

— Je ne le peux pas, Valentyna. Nous marchons au bord du précipice, mais seules comptent ta sécurité et la paix de ton royaume. Notre amour passe au second plan, tu le sais. Tu sais que ton père voudrait que tu penses à Briavel avant tout.

— Alors, il me pousserait à épouser Celimus.

— Peut-être, répondit Wyl. Mais en sachant ce que tu risques avec lui, peut-être pas. En tout cas, nous devons nous préoccuper de ce qui va se passer ce matin. Je vais réfléchir pendant que tu te prépares.

— Je pourrais dire que je suis souffrante.

— Non, tu dois y aller. Et il faut que je trouve quelque chose qui te permette de ne pas avoir à répondre « oui » à la demande en mariage qu'il te fera inévitablement.

Chapitre 39

Celimus était flatté de l'admiration sincère qu'elle manifestait pour son étalon. C'était un pur-sang issu des plus illustres lignées de chevaux de Grenadyne, pays renommé pour ses élevages.

— Il est encore plus joli de près, dit-elle sans pouvoir s'arrêter de caresser la magnifique bête, toute frémissante et piaffante. Quel âge a-t-il ?

— Deux ans, répondit Celimus, lui aussi émerveillé de voir combien Valentyna était désirable dans sa tenue toute simple de cavalière.

Dans sa robe somptueuse, elle l'avait époustouflé la veille ; ce matin, il la découvrait dénuée de toute sophistication et pourtant encore plus élégante.

— Vous n'êtes pas de ces femmes vouées corps et âme à la futilité, n'est-ce pas ? observa-t-il.

Elle jeta un coup d'œil en direction des quatre hommes qui les escortaient ; ils se tenaient à distance trop respectable pour entendre leur conversation. Le roi n'avait pas perdu de temps pour devenir son intime.

— Ces choses-là ne m'intéressent guère.

— C'est pour le moins inhabituel. Je ne crois pas que je connaisse une autre femme qui se soucie aussi peu de son apparence.

— C'est censé être un compliment, Majesté ? demanda-t-elle en riant, espérant mettre de la légèreté dans leur conversation.

— Le plus sincère qui soit, affirma-t-il, sans la moindre trace de condescendance dans la voix.

» À la cour de Morgravia, les femmes font toujours mille histoires avec leurs cheveux, ne s'intéressent qu'aux fanfreluches et colifichets et ne parlent que de ce qu'elles achètent et de qui elles vont épouser. Elles me fatiguent. Mais vous... j'ai l'impression que vous parleriez plus volontiers de chevaux que de ragots.

Elle voulut l'accuser d'hypocrisie – lui-même ayant bien plus de vanité que toute la cour réunie. Au lieu de quoi, elle expliqua qu'effectivement son apparence n'était pas sa préoccupation première.

— C'est vrai, je ne me soucie pas de ce que je porte et peu me chaut de me mettre du rouge aux joues. Je ne porte de beaux atours que lorsque les circonstances l'exigent, comme hier soir. Sinon, je suis la plus heureuse des femmes vêtue simplement comme vous me voyez – et plus heureuse encore sur mon cheval... Y allons-nous ? dit-elle, pressée de partir.

Elle n'avait aucune envie de poursuivre sur ce terrain.

— Lorsqu'on est aussi jeune, intelligente et jolie que vous, Valentyna, peut-être finalement est-il assez simple d'échapper au narcissisme.

Elle sourit à ces mots, mais ceux qu'il ajouta juste après la glacèrent jusqu'au sang.

— Vous apporterez un véritable bol d'air lorsque vous serez ma reine à la cour de Morgravia.

Valentyna ne répondit rien, continuant à monter en selle comme si elle n'avait rien entendu de sa dernière remarque.

— Venez, dit-elle, on peut piquer un galop le long des vergers – je crois que je vous avais promis de vous les montrer.

Celimus sourit pour lui-même de la distance qu'elle montrait. Plus Valentyna s'appliquait à rester évasive et lointaine et plus elle le fascinait. Elle était décidément une surprise ; il ne s'était tellement pas attendu à ça. Jusqu'à la veille, il n'avait pensé qu'à s'emparer de son royaume ; désormais, il voulait la conquérir elle aussi. Il la laissa partir devant, goûtant le plaisir de la voir monter. Son style était parfait – elle ne ménageait pas sa monture, chevauchant comme un homme le ferait. Depuis l'endroit où il se trouvait, il pouvait admirer également sa croupe superbe, qu'il était bien certain de posséder bientôt.

D'avoir pensé à la tenir contre lui, à se tenir en elle, l'avait instantanément mis en transe et il dut secouer la tête pour en chasser toute idée de la prendre là immédiatement – en la jetant à terre pour déchirer ses vêtements et la saillir par-derrière. Il prit une profonde inspiration et lança son cheval au galop. Elle rit avec indulgence du défi qu'il lui lançait.

— Voyons voir si vous pouvez me mettre les fesses en sang, Majesté.

Elle perçut la bravade dans sa voix.

Le cheval tranquille et doux qu'elle montait n'était absolument pas de taille à rivaliser avec son fier étalon, mais elle lui donna la réplique de son mieux, en veillant néanmoins à ce que l'escorte ne soit pas distancée.

Le temps imparti était presque écoulé – la troisième cloche marquant le milieu de la matinée était sur le point de sonner. Valentyna se dit qu'il n'était plus nécessaire pour elle de s'attarder et elle proposa poliment de rentrer au palais afin qu'elle se prépare pour le tournoi. Elle avait le sentiment d'avoir adroitement évité toute situation où elle se serait retrouvée en tête à tête avec lui, dérivant souvent délibérément vers l'escorte pour solliciter l'avis de ses hommes comme si elle ne savait que répondre à une question du roi. Cela les impliquait dans la conversation et la prémunissait contre les risques d'intimité.

Elle savait que Celimus comprenait parfaitement son petit jeu, mais elle n'en avait cure. En ces instants, Valentyna s'accrochait aux souvenirs de la nuit précédente, lorsqu'elle embrassait Romen, lorsqu'elle sentait le contact de sa peau nue sur la sienne, de sa bouche sur la sienne, de ses mains sur son corps… C'était ce qui lui avait permis de tenir ces quelques heures. La pensée de le serrer de nouveau dans ses bras le soir même lui donnait la force d'affronter la perspective de cette éprouvante journée.

Une grave erreur de jugement la ramena à la dure réalité. Valentyna s'était éloignée pour cueillir quelques pommes pour les chevaux et lorsque la voix de Celimus la fit se retourner, elle constata qu'ils étaient seuls.

— J'ai dit aux hommes d'aller se poster plus loin. Nous les rejoindrons dans quelques minutes pour rentrer.

Elle pria pour que son visage ne trahisse pas sa frayeur, avant de revenir vers un arbre chargé à mitraille.

— J'en prends encore une. Je suis sûre que votre cheval a bien mérité de croquer une pomme.

— Absolument, confirma Celimus en s'approchant à son tour – bien trop près à son goût.

» Moi aussi, je croquerais volontiers dans ce fruit.

Valentyna se tendit comme un arc – elle savait très bien ce que son trait d'esprit signifiait.

— Oh, prenez celle-ci, dit-elle en lui tendant la pomme, dans un effort désespéré pour esquiver son attaque. Excusez-moi, je n'ai pas pensé à vous en offrir.

— Je parlais plutôt de vous, répondit-il directement. Vous êtes mûre à point, prête à être cueillie, Valentyna. Et je veux être le premier à vous goûter. Vous savez pourquoi je suis ici – et je me félicite d'ailleurs d'être venu. J'ai vu quelle reine magnifique vous feriez à mes côtés, régnant sur Morgravia et Briavel.

— Majesté, peut-être devrions-nous parler de cela…

— Maintenant, je préfère. Juste nous deux. Je veux que vous soyez ma reine. Valentyna, voulez-vous m'épouser ?

Il reçut son rire comme un choc.

— Oui, répondit-elle. Je vous épouserai, Celimus, mais vous devez d'abord me gagner, ajouta-t-elle avec une petite pointe moqueuse dans la voix.

Elle ne savait absolument pas si son stratagème allait fonctionner, mais Romen lui avait expliqué quand et comment tendre cet ultime piège si besoin était.

— Vous gagner ? demanda Celimus, abasourdi.

— Oui, Majesté, répliqua-t-elle d'une voix ferme et tranchante, dont elle avait bien besoin pour cette délicate manœuvre dans laquelle elle s'était lancée. Je ne sais pas comment on fait en Morgravia, mais en Briavel les hommes doivent gagner le droit de prétendre à la femme qu'ils se sont choisie.

— Vraiment ? demanda-t-il, soudain plus guilleret, la suivant dans son jeu de séduction.

— Oui, c'est ainsi, dit-elle en rassemblant les pommes dans un linge dont elle noua les coins. Au tournoi de cet après-midi, vous combattrez pour moi.

Elle avait parlé d'un ton altier. La seconde suivante, elle feignit de trébucher pour se rattraper à lui, appuyant délibérément sa poitrine contre son bras.

Elle détesta ce contact.

Et lui l'adora. Un nouveau frisson de désir lui parcourut l'échine.

— Je combattrai pour votre main, Valentyna. Qui dois-je affronter ?

— La foule va adorer ça ! dit-elle en riant. Vous croiserez le fer avec le champion de la reine.

— Qui est-ce ?

Elle haussa les sourcils pour une mimique pleine de mystère.

— Un étranger vêtu de noir qui ne montre jamais son visage.

Celimus sourit avec fatuité, s'apercevant à cet instant seulement qu'elle l'avait ramené à portée des hommes de l'escorte.

— Et si je vaincs votre champion, vous serez à moi… C'est bien ça ?

Valentyna déglutit – c'était l'instant de tous les dangers.

— Oui, Majesté.

— Alors, amenez-le-moi ! s'exclama Celimus en fouettant l'air de son bras.

En voyant la confiance affichée par le roi de Morgravia, Valentyna regretta que Romen ait proposé ce plan. Ce n'était plus un jeu – elle voyait le péril dans le regard sombre et avide de Celimus.

Wyl avait l'impression que c'était le tournoi royal de Pearlis qui allait se rejouer. Certes, il y avait moins de pompe dans cette version improvisée en l'honneur du roi, mais il avait une nouvelle fois la sensation qu'il allait jouer son destin dans l'arène. La nervosité le gagnait à l'idée de se retrouver en face de Celimus – non pas qu'il ait peur de lui, bien au contraire. Non, ce qu'il craignait, c'était ce qu'il pouvait être amené à faire dans le feu du moment – surtout depuis que Valentyna avait fixé des règles très strictes pour cet affrontement entre le roi et le champion de la reine.

— Romen, quels que soient nos griefs contre lui, ceux-ci ne doivent pas interférer avec ce que nous essayons de faire.

Il resta silencieux ; elle n'appréciait pas le sourire figé sur ces lèvres qu'elle aimait pourtant plus que tout.

— Soyons clairs, reprit-elle. Tout ce que nous voulons, c'est qu'il reparte chez lui pour que nous puissions gagner du temps. C'est exactement ce que tu as dit.

Il ne répondit toujours rien, les yeux obstinément fixés sur son épée. Ils étaient dans un petit pavillon inutilisé dans le parc du château ; Valentyna tournait autour de lui, moitié effrayée moitié en colère contre lui. Pris entre deux feux, Fynch s'accrochait à Filou et ne perdait rien de l'escarmouche. Lui aussi avait peur – la tournure des événements ne lui disait rien qui vaille. Depuis l'aube, Romen et lui étaient restés cachés ici, non loin de l'enclos où se déroulerait bientôt le tournoi, et la tension n'avait cessé de monter, jusqu'à l'arrivée de Valentyna, de retour de sa promenade. Elle leur avait tout raconté ; jusqu'alors peu causant, Romen était désormais muré dans un silence glacé.

L'expression sur son visage était devenue sombre et distante ; d'ordinaire pétillants, ses yeux gris argent étaient comme deux puits sans fond. L'humour qu'il distillait autour de lui s'était évanoui.

Valentyna admettait que Romen soit perturbé, désespéré, rendu comme fou même par la situation. Elle aussi détestait que Celimus soit parvenu à lui parler seul à seule, mais c'était quelque chose qu'ils avaient envisagé et contre quoi ils avaient élaboré une parade. Certes, leur stratégie confinait au puéril dans sa simplicité, mais la mine grave et tendue de Romen n'était assurément pas celle d'un enfant. Une ombre sinistre planait sur lui. Que pouvait-il bien avoir en tête ?

— Romen ?

— Oui, répondit-il enfin, sans pour autant relever la tête.

— Je veux que tu me fasses une promesse, ici et tout de suite.

— Et que dois-je vous promettre, Majesté ?

Elle ne cessait de tourner en rond autour de lui, incapable de dire si elle le faisait ou non exprès pour l'ennuyer – pour qu'il la regarde, lui crie dessus, fasse enfin autre chose que d'aiguiser calmement son épée. *Enfin, « calmement » n'est peut-être pas le mot qui convient*, songea-t-elle. *Il est quelque part où je ne peux pas le rejoindre. Il s'isole délibérément de moi.*

— Premièrement, tu me promets de ne rien faire de stupide, comme mourir par exemple. Je veux ta parole.

— Je ne peux pas promettre une chose pareille, Majesté.

— Si, tu le peux ! aboya-t-elle d'une voix brisée. Je vais imposer qu'il n'y ait aucun mort dans le tournoi.

Fynch tremblait comme une feuille ; Filou pesait sur lui de tout son poids.

—Alors je promets de ne pas mourir aujourd'hui, dit Wyl d'une voix sourde.

—Pourquoi est-ce que je ne te crois pas ?

Elle fit un effort sur elle pour se reprendre, adoptant son ton le plus royal.

—J'ordonne que tu ne fasses rien d'autre que de faire couler un peu du sang de Celimus pendant le tournoi. Humilie-le autant que tu veux, Romen, mais personne de Morgravia ne doit mourir sur le sol de Briavel.

Wyl leva les yeux sur elle ; la résolution de Valentyna n'en fut que raffermie.

—Tu entends ce que je dis ?

—J'entends, ma reine. Et je vous donne ma parole.

Une nouvelle fois, elle ne le crut pas. Il mentait – elle le voyait dans le noir de son regard. Il avait d'autres intentions, c'était sûr. Mais que faire, sinon croire en sa promesse ?

—Très bien. Je te verrai donc dans l'arène.

Il se leva, salua du buste et s'apprêtait à faire demi-tour pour sortir quand elle bondit dans ses bras pour poser sa bouche sur ses lèvres serrées – oubliant que Fynch était là.

—Quelques heures encore, mon amour, et il sera parti.

Les sourcils froncés de Romen disaient combien il n'y croyait pas. Il s'écarta de la reine de Briavel, salua une nouvelle fois et sortit.

Chapitre 40

Liryk était ébahi ; une foule gigantesque était venue jusqu'à Werryl pour assister au tournoi – et bien sûr apercevoir ce roi jeune et beau qui courtisait la reine. Les cohortes joyeusement excitées ramenaient une atmosphère festive un peu oubliée depuis la fin tragique du roi Valor. Voilà qui ferait du bien au royaume, songea le vieux commandant, tout heureux de l'excellente sécurité assurée par ses hommes autour de la reine et de ses invités. Chaque personne entrée dans l'enceinte du tournoi avait été fouillée, y compris les hommes de la légion. Aucun d'eux ne s'était plaint ; tous s'étaient soumis volontiers à ces mesures de sécurité.

Jusque-là, l'après-midi avait offert son lot de divertissements. Valentyna avait suggéré quelques joutes amusantes rarement vues dans les tournois, comme le concours sur « billes de bois graissées » dans lequel les soldats de la garde de Briavel affrontaient les hommes de la légion de Morgravia. Un par un, les farouches guerriers tombèrent dans les douves du château, incapables de tenir en équilibre sur les troncs enduits de suif ; l'hilarité générale atteignit des sommets proches de l'hystérie.

L'échevin Belten avait accepté de prendre place en équilibre précaire sur un banc savamment édifié par des charpentiers au-dessus des eaux troubles. Pour une pièce de cuivre, on pouvait essayer de viser avec des balles de bois un point précis du dispositif qui plongerait l'édile dans les douves – l'argent récolté étant ensuite distribué en aumône aux nécessiteux de Werryl. Une somme rondelette fut récoltée avant que Belten fasse le grand plongeon.

Les rires, les chants et la joie étaient au menu, de même que la viande rôtie et la meilleure bière de Briavel, brassée dans le sud. Le roi Celimus captait l'attention générale ; malgré l'antagonisme immémorial entre les deux royaumes, les gens de Briavel paraissaient disposés à donner au monarque une chance de les séduire, de courtiser leur reine et de leur apporter la paix et l'harmonie qu'ils souhaitaient tant.

Valentyna, qui avait retrouvé son sourire, insista pour participer à une course de chevaux. Ni Liryk, ni Krell ne parvinrent à l'en dissuader ; son peuple applaudit à tout rompre en la voyant s'aligner parmi les soldats intimidés sur la ligne de départ.

— Elle est merveilleuse, murmura Liryk à un Krell contrarié.

— C'est vrai, mon ami. Notre reine est tout ça et plus encore – toute soie au-dehors avec la solidité du roc au-dedans. Elle est plus forte qu'un homme car elle sait transformer en armes ses charmes de femme.

Le vieux soldat hocha la tête d'un air pénétré.

Retenant leur respiration, ils la regardèrent prendre les couleurs de Briavel dans chacune de ses courses. La foule s'extasiait chaque fois, d'autant qu'elle s'alignait volontiers contre des soldats de Morgravia. Le roi refusa de se mesurer à elle, reconnaissant la supériorité de la reine sur ce terrain-là ; sa galanterie lui valut une approbation unanime.

— Elle est magnifique, souffla Celimus à Jessom debout à côté de lui.

» Elle sera mienne, ajouta-t-il en saluant tout sourire la foule qui l'acclamait.

Pour sa part, Celimus fit étalage de ses talents au tir à l'arc et à la lutte, face à une myriade d'adversaires qu'il surclassa de la tête et des épaules. La foule ne lui ménagea pas ses acclamations ; Jessom souriait avec bienveillance. Les choses se déroulaient à la perfection, songeait le chancelier de Morgravia. Celimus serait d'excellente humeur d'avoir remporté tant de rubans – tous remis par la reine. Chaque fois, il avait posé ses lèvres sur sa main.

Le maître de cérémonie s'avança sur l'estrade pour réclamer un silence qui mit plusieurs minutes à s'installer – la liesse de la foule était bien difficile à dompter. Tout le monde n'entendait pas ce qu'il disait, mais les premiers rangs passaient le message aux badauds massés derrière eux.

— Braves gens de Briavel, clama-t-il. Remercions notre royaume et celui de Morgravia de s'être enfin affrontés dans une lutte pacifique plutôt que sur le champ de bataille.

Il marqua une petite pause tandis que montait de la foule une formidable explosion d'allégresse.

— Nous accueillons nos amis de Morgravia – et je pèse mes mots – qui nous ont fait le grand honneur de venir en paix dans notre royaume et nous rendons grâce en particulier au roi Celimus.

Une nouvelle pause fut nécessaire pour que se calment les vivats débordant d'enthousiasme.

— Inutile de dire je suppose que nous décernons à l'auguste roi Celimus tous les rubans qu'il mérite pour cette visite parmi nous. Et j'ajoute que nous lui souhaitons tout le succès dans sa quête pour conquérir la main de notre reine Valentyna bien-aimée. Que la paix et la prospérité règnent enfin sur nos deux patries réunies.

À ces mots, l'exultation de la foule devint telle qu'il comprit qu'un grand moment serait nécessaire avant que revienne un semblant de silence. D'un coup d'œil à la reine, il vit qu'elle savait avoir amplement contribué au succès et à l'éclat de cette journée. Il patienta quelques instants avant de lever la main pour ramener le calme.

— Néanmoins, comme il est d'usage pour les soupirants en Briavel, notre charmant roi doit gagner le droit d'obtenir la main de sa promise.

Applaudissements et sifflets saluèrent ce rappel de la tradition locale.

— Peu importe qu'il soit roi, dit-il malicieusement, arrachant des larmes de rire à la foule, ou même souverain de notre puissant royaume voisin... Dans cette affaire, il est comme n'importe quel jeune homme qui rêve d'épouser la plus belle fille du pays.

À cette leste évocation, les joues de Valentyna rosirent légèrement. Elle n'avait jamais approuvé une trop grande familiarité, mais son peuple aimait ça et elle était heureuse de le voir si content après les épreuves subies. Néanmoins, elle ne manquerait pas de demander à Liryk de surveiller la consommation de boissons alcoolisées de ce maître de cérémonie.

— Celimus, le valeureux roi de Morgravia, a donc accepté de combattre pour conquérir le droit d'appeler notre reine « sa » reine.

Un long murmure s'éleva de la foule ; les choses devenaient plus intrigantes qu'on ne l'avait d'abord pensé.

— Pour la main de Valentyna, le roi va donc affronter en duel le champion de la reine. Merci d'accueillir les deux adversaires comme il se doit.

Wyl écoutait la présentation théâtrale du duel à venir ; chaque mot renforçait sa fureur. Lorsque Valentyna l'avait quitté à l'aube, il s'était soudain senti perdu. Celimus lui avait déjà tant pris – et voilà qu'il s'apprêtait à lui ravir Valentyna, la seule femme qu'il pourrait jamais aimer. Des pensées moroses, emplies de colère et de chagrin, s'étaient mises à tourner dans son esprit ; les visages d'Ylena, d'Alyd, de Gueryn, de Lothryn, d'Elspyth, de Valor et de son père étaient venus danser devant ses yeux, tous réclamant vengeance.

— Je n'aime pas ça, Wyl, dit Fynch en écoutant les vociférations de la foule.

— Ne m'appelle pas comme ça.

— Je sais, je sais. Quoi que ce soit qu'il y ait dans votre esprit, Filou n'aime pas ça non plus.

— Parce que Filou sait ce que j'ai dans la tête, répondit Wyl d'un ton sarcastique.

Ses yeux croisèrent ceux du garçon et il se sentit misérable d'avoir parlé ainsi. Rien de tout cela n'était la faute d'un Fynch aussi innocent que courageux ; il avait été entraîné dans ce tourbillon d'intrigues et de tromperies comme l'eau dans un égout. Et il souffrait lui aussi.

— Excuse-moi, Fynch. Je ne voulais pas me moquer. Je sais bien que Filou sait plus de choses que nous ne le pensons. Tu n'as plus eu de visions ?

Fynch secoua négativement la tête.

— Parfait.

Fynch n'entendait toutefois pas se taire sans avoir dit ce qu'il avait sur le cœur.

— Mon instinct me dit que c'est une erreur, Wyl.

Wyl s'assit par terre devant lui ; Fynch pouvait maintenant le voir dans les yeux, par la visière relevée de son heaume intégralement noir.

— Il n'y a pas d'autre solution. Tu dois me faire confiance.

— Je vous fais confiance, Wyl. C'est de Celimus dont je me défie, dit le garçon en enfouissant sa main dans la fourrure de Filou pour ne pas pleurer.

Ô comme il détesterait s'effondrer maintenant.

— Aie confiance, garçon.

Le discours s'achevait ; l'heure était venue d'aller affronter son adversaire.

Entièrement vêtu de noir, Wyl rabattit la visière qui achèverait de jeter un voile de mystère sur son identité.

— Vous deux, surtout ne vous montrez pas, dit-il en posant une main sur la tête du garçon. Je reviens vite, je vous le promets.

Comme Wyl sortait du pavillon, Fynch ressentit la terrible sensation qui lui devenait familière. Sa tête se mit à tourner et une nausée terrible monta en lui. Le monde qu'il connaissait s'évanouit et il vit Romen en sang, en train de mourir. Il y avait une voix de femme aussi – celle de Valentyna peut-être, mais il ne la distinguait pas. Une voix qui n'était pas effrayée, ni même émue – un simple murmure qui disait *L'heure est venue. Meurs en paix et bravement.*

Une autre voix retentit dans sa tête – une voix d'homme cette fois. *Il faut qu'il en soit ainsi.*

Fynch s'évanouit. Lorsqu'il reprit connaissance, il était déjà trop tard.

En pénétrant dans la lourde atmosphère de l'arène, Wyl vit Celimus qui testait son épée à grand renfort de mouvements dans l'air. Le roi de Morgravia l'aperçut et fit une profonde courbette pleine de moquerie. Wyl l'ignora ; il ne supportait pas la vue de cet homme qu'il haïssait plus que tout. Il regarda en direction de Valentyna dont il devinait la nervosité ; pourtant, aux yeux de la foule, elle n'était que sourires et beauté. En dépit de son humeur lugubre, Wyl éprouva de la fierté.

Il la salua.

— Un talisman porte-bonheur, ma reine ? demanda-t-il.

Elle tira de sa poche un magnifique carré de batiste brodé, qu'elle lui tendit.

— Il me vient de ma mère. Vous devez le chérir comme je l'ai chéri moi-même, dit-elle suffisamment fort pour être entendue de tous.

Les hurlements qui s'ensuivirent furent assourdissants.

En le prenant, il embrassa sa main tendue. Elle plongea son regard dans le noir de la visière, à la recherche de ses yeux – en quête d'un signe disant qu'il tiendrait la promesse qu'il lui avait faite.

— N'oublie pas ta parole, murmura-t-elle pour lui seul.

Il vit qu'elle luttait pour contenir ses larmes et s'éloigna bien vite ; inutile que l'attention de la foule reste sur elle.

Personne ne semblait pourtant avoir remarqué son trouble. Ou plus exactement, personne sauf Jessom – qui avait perçu son émotion et vu la brume dans ses yeux. Le chancelier mit cette information dans un coin de sa tête ; il ne pouvait s'empêcher de penser que c'était là peut-être la raison pour laquelle elle avait maintenu tant de distance avec Celimus.

— Champion de la reine, donc ? railla Celimus.

Tout à la joie de sa journée, il pensait que ce lascar en noir qu'on lui envoyait se battrait bravement en s'arrangeant pour perdre de manière théâtrale, dans une mise en scène destinée à confirmer l'union de Morgravia et de Briavel. *Non pas d'ailleurs que j'aie besoin d'aide pour te vaincre*, songea le roi, impatient maintenant d'en découdre.

Wyl ne répondit rien, se contentant de tirer de son fourreau sa lame qui émit un tintement cristallin. Légère et élégante, son épée à la teinte bleutée était comme un prolongement de sa main. Il aurait voulu pouvoir la plonger directement dans le ventre de Celimus, pour effacer ce sourire de son beau visage honni. Il ne fit aucun mouvement à vide pour en éprouver le poids ou l'équilibre ; il connaissait déjà sa perfection.

— Une bien belle arme, messire, observa Celimus.

Wyl ne dit toujours rien. Il ne voulait pas non plus se retourner vers Valentyna ; ses yeux étaient verrouillés sur le roi de Morgravia.

— Majesté, c'est un muet ! cria Celimus à Valentyna.

La foule rit obligeamment à sa plaisanterie.

— Non, Sire. Il parle une langue étrange, répondit-elle.

Comme elle avait hâte que tout soit fini.

— Peut-être comprend-il le langage de l'épée ? dit Celimus avant de se tourner comme un chat pour frapper.

Wyl l'attendait – il avait si souvent vu Celimus pratiquer cette feinte sur des adversaires trop confiants. Non seulement il était prêt à parer, mais il eut même le loisir d'esquiver avec une nonchalance parfaitement étudiée. Des sifflets et des cris dans la foule saluèrent la facilité du champion.

Au fond, Celimus préférait que les choses soient ainsi. Il porta une nouvelle attaque, rapidement enchaînée par un coup de taille en ligne de basse. Une nouvelle fois, Wyl était à la parade. Il avait trop croisé le fer avec lui pour se laisser prendre par une combinaison aussi simple.

Celimus hocha la tête à l'intention de la reine – alors comme ça on lui avait choisi un adversaire de valeur ? Après tout, tout cela n'était peut-être pas qu'une mise en scène ? Peut-être ne voulait-elle pas de lui et prenait-elle le prétexte de ce duel pour se refuser ? En ce cas, ils ne savaient à quel escrimeur ils avaient choisi d'envoyer ce guerrier noir. Personne ne l'avait jamais surclassé, à l'exception de Wyl Thirsk – mais cet imbécile n'était plus que cendres dans le vent. Il allait montrer son talent à la reine de Briavel, puis exiger son prix. Le véritable combat venait de commencer.

Valentyna avait cessé de respirer. Était-ce de crainte pour Romen ou de saisissement devant la beauté de l'assaut ? Elle n'aurait su le dire. Jamais elle n'avait vu pareil spectacle ; toutes les personnes présentes pensaient comme elle. La vitesse à laquelle les deux combattants s'adaptaient l'un à l'autre était confondante. Ce qui avait débuté comme une farce, sous les cris et les huées de la foule, était devenu un duel d'une telle intensité que plus personne n'osait même parler.

— On dirait des artistes, murmura Valentyna à Liryk à côté d'elle.

La manière dont les deux hommes bougeaient lui rappelait la grâce féline et sauvage de deux lynx que son père avait fait venir de terres lointaines.

— Ils sont de force égale, Majesté. Aucun ne prend l'ascendant sur l'autre, observa le vieux soldat, lui aussi sous le charme. Koreldy est époustouflant.

Seuls Liryk et Krell connaissaient l'identité du champion et Valentyna entendait que cela reste ainsi.

— Chut !

À sa grande joie, elle le vit tressaillir sous sa remontrance agacée. C'est d'un ton plus doux qu'elle poursuivit.

— C'est trop dangereux d'exposer Romen, précisa-t-elle à voix basse.

Le soldat hocha la tête, tout penaud.

Sous le soleil de l'après-midi et l'effort, le roi de Morgravia commençait à transpirer ; ce duel durait plus longtemps que prévu. Il avait pensé que ce serait une simple pantomime rapidement expédiée. Personne ne pouvait lui tenir tête une épée à la main – et pourtant, ce combattant masqué parait chacune de ses attaques.

Une pensée s'insinua en lui, mais il n'eut pas le temps de la creuser ; son adversaire avait pris l'initiative et lui imposait maintenant un rythme d'enfer. Cela aussi d'ailleurs lui rappelait quelque chose. *Mais qu'est-ce que c'est ?* Leur ballet avait pris une tournure plus sombre. Son adversaire silencieux combattait avec une concentration et un calme qu'il lui semblait bien reconnaître. *C'est ça !* Il avait déjà connu un escrimeur pareil – sous le style plus flamboyant, il revoyait les mouvements et les prises d'équilibre d'un autre.

Par l'enfer, pensa soudain Celimus. *Par instants, il se bat comme ce troll aux cheveux rouges de Wyl Thirsk.* Et si l'homme en face de lui n'avait pas été si grand et si mince, il aurait vraiment cru que c'était lui.

Wyl combattait avec hargne et détermination, cherchant l'ouverture. On lui avait interdit de faire couler le sang, mais peut-être pourrait-il désarmer le roi – envoyer son épée dans les airs. Quoi qu'il arrive, il allait l'humilier, le renvoyer chez lui la queue entre les jambes.

Celimus transpirait franchement à présent. Le champion de la reine était implacable ; il venait de hausser le tempo et ne lui laissait plus l'occasion de déployer l'éventail de ses coups avant de riposter. Son adversaire ne plaisantait vraiment pas – Celimus commença à éprouver les premiers symptômes de la peur. Fini les postures de guerrier, les arabesques de l'épée, les gestes complices avec la foule – un vrai duel. Le champion masqué voulait le battre à tout prix.

Celimus n'allait pas laisser faire ça.

Le silence tombé sur l'arène était presque palpable. À chaque coup, Celimus poussait un grognement désormais. Plus il songeait à ce bâtard aux cheveux orange qui l'avait tant fait souffrir au tournoi royal et plus son escrime devenait dure et saccadée.

Pendant ce temps, Wyl ne voyait plus rien d'autre que les éclairs bleutés de son épée ; à dire vrai, il n'avait même plus besoin de voir. Son arme savait où frapper et il ne faisait plus qu'un avec elle ; il pourrait tuer Celimus maintenant. Le roi était fatigué du banquet et de sa matinée – Wyl sentait sa frustration de ne plus pouvoir accélérer ou réagir. Il savait que le roi de Morgravia avait bu du vin et de la bière en quantité et qu'il avait dansé sans s'économiser ; les excès de la veille allaient devenir un autre ennemi pour lui dans la chaleur de l'après-midi. Wyl voyait tout ça alors que Celimus en était à suer à grosses gouttes. Oui, il pourrait le tuer, sauver Valentyna et Briavel et prendre la tête de la légion. Il n'y avait pas d'héritier au trône de Morgravia ; le royaume connaîtrait des troubles pendant quelque temps, jusqu'à ce que les familles nobles s'entendent pour une succession. Et pendant que Morgravia frôlerait le chaos, Briavel serait au calme ; Valentyna aurait le temps de se faire à sa charge et de devenir pleinement souveraine.

Oui ! Tue-le. Que s'arrête le cauchemar et advienne que pourra. Tue Celimus ! s'ordonna-t-il à lui-même. Sa fureur était devenue incandescente.

Wyl trouva un grand calme en lui ; son épée luisait, jetant des éclairs bleus. Il frappait de tous côtés, infligeant une vraie punition au roi déconfit. Il avait la force de deux hommes – la sienne et celle de Koreldy. Peut-être même de quatre, avec Valor et Gueryn.

Celimus n'était plus en mesure de détourner le coup fatal.

Wyl ne vit pas Valentyna descendre de l'estrade sur laquelle deux trônes avaient été installés. Il ne savait pas qu'elle venait vers eux en courant, terrifiée, absolument certaine que Romen allait manquer à sa promesse et répandre du sang de Morgravia sur la terre de Briavel.

Tout ce qu'il voyait à travers sa visière, c'était un Celimus à bout de souffle, les yeux écarquillés d'horreur à l'idée que le prochain coup était celui qui allait le tuer. Puis il l'eut à sa merci. Celimus avait tenté une nouvelle feinte que Wyl avait déjouée. Avec sa science du combat plus celle de Romen, il n'y avait aucun coup, aucune botte, qu'il n'aurait pu anticiper. D'un petit coup sec du poignet, Wyl fit sauter l'épée de la main de Celimus ; le roi de Morgravia s'effondra dans la poussière, ses beaux yeux sombres rendus fous de terreur.

Maintenant ! Wyl et Romen avaient hurlé cet ordre muet ensemble. Saisissant la garde à deux mains, Wyl s'apprêtait à plonger son épée bleue dans le cœur du traître, du meurtrier, de l'infâme créature assise sur le trône d'une grande nation. Wyl leva bien haut son arme, au-dessus de son ennemi recroquevillé qui hurlait comme un couard. Puis il perçut le cri hystérique d'une femme à côté de lui… La femme qu'il aimait, debout devant lui, une lueur sauvage dans les yeux, qui criait en pointant un index inflexible sur lui.

— Menteur ! hurla-t-elle. Traître ! Abaisse cette épée !

Sous la gifle de l'accusation, Wyl s'arrachait de sa transe. Il recula, laissant son bras retomber. Dans l'instant, Celimus fut sur pied. Valentyna ne se contrôlait plus ; les larmes dévalaient sur son visage ravagé par le chagrin. Celimus la toucha, la prit par les épaules pour s'assurer qu'elle allait bien.

Wyl le vit et le haït plus intensément qu'à aucun autre moment de sa vie. Tant d'attentions feintes, tant de sollicitude hypocrite, quelle magnifique initiative. Pourquoi lui n'avait-il pas tenté de la réconforter ? Mais parce qu'elle aurait repoussé ses mains ! Voilà pourquoi, se dit-il tandis que le regret s'emparait de toute sa personne. Wyl entendait sa respiration saccadée derrière la visière – il entendait son cœur cogner dans sa poitrine. Soudain, des gardes furent autour de lui, armes tirées. Deux lui saisirent les bras ; il ne résista pas. Il était vidé, sans force. Il ne menaçait plus personne. *Si seulement elle m'avait laissé finir.*

Malgré la peur et l'épuisement, Celimus avait les lèvres blanches de fureur.

— Il allait me tuer ! beugla-t-il encore terrorisé au chancelier et au commandant de Briavel qui arrivaient en courant.

Jessom se glissa aux côtés du roi.

Valentyna ravala ses larmes et puisa en elle, comme jamais auparavant, pour se ressaisir et agir comme la reine qu'elle était.

— J'ai vu l'agression qu'il a commise, répliqua-t-elle. Il sera puni pour cela.

— Agression ? Puni ? Mais je vais l'exécuter sur-le-champ, devant vous, hurla Celimus en rage.

Valentyna porta un regard glacial sur son hôte royal.

— Vous ne ferez rien de la sorte en mon royaume, roi Celimus. Aucun sang ne sera versé en Briavel aujourd'hui.

— Excepté le mien ! rugit Celimus en postillonnant à la ronde.

— Je ne vois pas de sang sur vous, Sire. Uniquement les traces que vous avez laissées en transpirant de peur.

— Il doit être exécuté ! persista Celimus, sans tenir compte de la pression qu'exerçait discrètement la main de Jessom sur son bras pour le calmer.

— Roi Celimus, moi seule ai autorité ici pour décider de son sort, dit Valentyna d'une voix glacée que personne ne lui avait jamais entendue. Je vous prie de ne pas insister.

— Alors je veux voir son visage, cria Celimus.

Un grand calme silencieux s'était emparé de Valentyna. Elle ne ressentait plus qu'une immense colère froide d'une profondeur qu'elle n'avait connue en une seule occasion : lorsqu'elle avait appris de quelle manière son père était mort. Romen l'avait trahie ; malgré l'amour qu'il disait lui vouer, malgré les sentiments qu'elle éprouvait pour lui, il n'avait voulu suivre que son propre chemin. Et ce chemin l'éloignait d'elle. Tout juste allumé, leur amour était déjà entaché ; le poison de la trahison se répandait dans ses veines et flétrissait son cœur.

— Relevez sa visière, exigea Celimus avec impatience.

Les deux gardes encadrant Wyl interrogèrent leur reine du regard. Elle n'avait déjà plus le choix désormais ; pour la sécurité de Briavel, il lui fallait apaiser la colère du dangereux roi de Morgravia. Romen allait devoir subir les conséquences de sa stupidité et de sa trahison.

Valentyna hocha la tête et le cœur de Wyl fut déchiré ; il l'avait perdue.

Chapitre 41

Celimus triomphait. Il s'avança d'un pas résolu pour relever la visière de son adversaire silencieux. Plus tard, Wyl se dirait que le choc horrifié sur le visage de son ennemi valait bien de perdre la femme qu'il aimait. Il s'efforça de croire qu'il avait vaincu et releva le menton pour que Celimus reconnaisse bien son visage – qu'il voie le sourire ironique qui lui venait si facilement.

— Bien le bonjour, Celimus.

— Toi ! rugit le roi, frappé de stupeur.

Ce qu'il fit ensuite surprit tout le monde, même Jessom qui pourtant se piquait de connaître ses humeurs mieux que personne : Celimus explosa d'un rire tonitruant et mauvais. Valentyna ne comprenait plus rien.

— Majesté, pourriez-vous nous faire partager votre hilarité ? demanda-t-elle d'un ton tranchant.

— Oh, Valentyna, ma pauvre enfant, dit-il en essuyant les larmes de rire qui coulaient de ses yeux.

Il dédaigna la mine hérissée qu'elle avait prise sous son ton condescendant à la limite de l'insulte, tout autant que l'air outré des dignitaires de Briavel.

— C'est impayable, vraiment, poursuivit-il. Votre champion – celui que vous vous êtes choisi pour protéger votre vie, votre virginité, votre couronne – n'est autre que le fieffé mercenaire qui a passé son épée dans le corps de votre père il n'y a pas si longtemps.

— Vous osez mêler mon père à tout ça ! siffla-t-elle.

— Uniquement pour vous sauver, innocente. Cet homme s'appelle Romen Koreldy. C'est un mercenaire qui est venu me voir les mains tendues pour me réclamer de l'or, se vantant d'avoir tué votre père et notre général Wyl Thirsk. Il a même ramené le corps de Thirsk en Morgravia pour faire bonne mesure – pour que nous puissions le voir de nos yeux.

— Menteur ! Espèce de serpent ! cria Wyl devant le terrible mensonge que le roi était en train de tisser.

Devant le visage défait de Valentyna, il vit impuissant le piège se refermer sur lui.

Valentyna sentait sur sa nuque le picotement annonciateur de la rage. Elle le reconnaissait alors même qu'elle ne l'avait que très rarement éprouvé.

— C'est la vérité, Majesté. Il a essayé de m'extorquer un sac d'or, en m'expliquant en riant comment il avait tué votre père pour affaiblir Briavel et l'offrir à Morgravia.

— Je te tuerai...

Ce que Wyl voulait dire ensuite fut bloqué dans sa gorge par un bras puissant passé autour de son cou.

Celimus avait retrouvé la parfaite maîtrise de lui-même. Son petit sourire flottait de nouveau sur ses lèvres tandis qu'il s'essuyait le visage d'un fin mouchoir de batiste.

— Je dis la vérité, Valentyna. Il a voulu me soustraire un or que bien sûr je ne lui ai pas donné. Je lui ai fait savoir que s'il remettait les pieds en Morgravia, je le ferais pendre, écarteler et écorcher. C'est bien triste, mais c'est le général Thirsk lui-même qui avait retenu Koreldy comme capitaine pour la mission en Briavel – il avait tenu à choisir lui-même ses hommes. Oui, j'avais bien trouvé cela étrange qu'il ne prenne pas des hommes de la légion, mais il avait insisté pour utiliser des mercenaires et fini par me convaincre que la présence de soldats de Morgravia ici même pourrait être mal comprise et provoquer la colère. Je le regrette bien aujourd'hui, mais qui étais-je pour mettre en doute les choix de mon général en matière de stratégie ? déclama-t-il avec un air de parfaite innocence.

» En tout cas, votre champion n'est qu'un félon. Il m'a trahi et a trahi Morgravia – et il vient de faire la même chose avec vous. Exécutez-le !

Elle l'avait écouté attentivement, avec un maintien apparemment plein de calme, sous lequel couvait pourtant la fureur. Malgré les efforts qu'il avait faits pour le dissimuler, Valentyna avait perçu le mensonge dans ses dires. Jamais elle ne pourrait croire à la déloyauté de Wyl Thirsk – elle l'avait rencontré et avait entendu le chagrin dans sa voix lorsqu'il leur avait parlé. Valentyna se redressa de toute sa taille, serrant ses mains l'une contre l'autre pour ne pas montrer son courroux.

— Puisqu'on en parle, Celimus, ce que je comprends, moi, c'est que vous avez ourdi un plan pour éliminer le général Thirsk.

Ses mots tombèrent entre eux comme des blocs de glace – Wyl regretta en cet instant qu'aucun soldat de la légion n'ait été à proximité pour les entendre. *Quel dommage*, songea-t-il. *Cela aurait pu tout changer.*

— Votre Majesté, répondit calmement Celimus en lui montrant toutes les attentions que cette nouvelle situation exigeait. Je suis surpris que vous soyez informée d'un tel fait – et je ne le nierai pas. Mais il faut que vous sachiez que Wyl Thirsk souffrait de folie. Il était sur le point de partir en guerre contre Briavel.

— Quoi ? s'exclamèrent en chœur Wyl et Valentyna.

Elle lança un regard à ses gardes qui raffermirent leur prise sur Wyl – pas question qu'il parle lorsque les souverains s'exprimaient.

— Parfaitement, Majesté, poursuivit Celimus, négligeant l'intervention de Romen. Wyl Thirsk était instable. Mon père m'avait mis en garde contre lui, mais les liens entre nos deux familles sont si anciens que j'ai dû garder ça pour moi. Malgré nos différences de vues, j'aimais Wyl, ajouta-t-il en haussant les épaules. J'ai grandi avec lui.

Wyl commença à ruer ; d'un signe, Valentyna ordonna qu'on l'emmène. Liryk n'eut d'autre choix que de le faire conduire dans la salle des gardes.

Valentyna ressentait douloureusement la trahison de Romen et cette nouvelle information jetait une lumière toute différente sur l'histoire qu'on lui avait racontée. Il fallait qu'elle l'entende dans sa totalité. Elle indiqua à ses gens d'entamer un nouveau concours de lancer de rochers, auquel tous les hommes forts de l'assistance étaient invités à participer. Son initiative produisit la diversion escomptée. Encore tout étonné de ce qui s'était passé – aucun doute désormais, le champion de la reine avait voulu attenter à la vie du roi de Morgravia –, le public passa néanmoins à autre chose. Le spectacle continuait et les murmures inquiets se turent.

Soulagée, Valentyna revint vers le groupe où se tenaient les dignitaires de Morgravia.

— Merci, commandant Liryk. Vous m'amènerez Koreldy lorsque je serai prête, dit-elle avant de se tourner vers Celimus.

» Allons poursuivre cette conversation dans mon jardin d'hiver.

Elle pivota sur elle-même et s'éloigna. Toujours écumant, Celimus la suivit, escorté de Jessom. Krell fermait la marche, mais il accéléra l'allure pour aller demander qu'on serve des rafraîchissements. À l'intérieur de la serre régnait un calme bienfaisant. On apporta des boissons.

Une fois les serviteurs retirés, Valentyna reprit sa conversation avec son hôte royal. Sa voix n'était pas devenue plus chaleureuse dans l'intervalle.

Celimus reprit le fil tortueux de sa fable.

— J'étais déterminé à offrir à Wyl une chance de prouver sa valeur en tant que général commandant la légion. Comme vous le savez, nous avions des désaccords, mais je respectais ses mérites et son rang. Je voulais que nous œuvrions ensemble comme nos pères avant nous. J'ai donc décidé de le charger de cette mission diplomatique en mon nom auprès de vous et de votre père… Telle était mon estime pour Wyl, malgré tout ce qui se disait.

Le roi sourit délicatement à la reine, avant de poursuivre doucement.

— Je savais que notre première rencontre dans notre enfance n'avait pas été une réussite et je voulais aborder cette question de la manière appropriée… en respectant votre sensibilité.

— Ce dont je vous sais gré, Sire, dit-elle d'un ton sec. Vous disiez donc au sujet du général Thirsk ?

— Eh bien, les choses se sont passées comme vous les avez comprises, Majesté. Selon Romen Koreldy – mais sur ce sujet, je n'ai que son récit – tout a été de mal en pis pendant le voyage. La folie de Wyl s'est amplifiée – au point qu'il commençait à dire qu'il voulait tuer le roi Valor avant qu'il soit trop tard.

Valentyna ne put retenir un grognement. Était-il possible que Fynch ait été un traître dans cette histoire, surgissant des lieux d'aisances à un moment convenu d'avance ?

Celimus était certain de l'avoir ferrée à présent.

— Il parlait sans cesse aux autres hommes qu'il avait emmenés avec lui.

— À ce sujet, pourquoi ne pas avoir mandé vos propres soldats ?

— Parce que j'avais le sentiment que cela ne ferait qu'envenimer les choses. Comme je l'ai dit, je n'oubliais pas que Morgravia et Briavel sont des ennemis de longue date et je voulais que rien ne se mette en travers de ce projet d'union – à commencer par l'étincelle qu'aurait pu être la présence de soldats de la légion en Briavel. À la fin, j'ai pensé que Thirsk avait pris une bonne décision en louant les services de mercenaires.

Elle hocha la tête ; il y avait du vrai dans ses dires.

— Il se trouve que Romen Koreldy nous avait déjà été signalé auparavant. C'est un excellent soldat et il a juré à Thirsk que les autres hommes de la troupe étaient dignes de confiance. Alors oui, j'ai envoyé Romen pour surveiller Wyl, avec ma permission de le « neutraliser » si d'aventure il venait à commettre quelque chose de dangereux ou susceptible de compromettre Morgravia. Mon père lui-même m'avait averti que Wyl Thirsk n'était pas fait pour commander notre armée. Il était gravement dérangé depuis un incident survenu au cours d'une exécution il y a de ça quelques années. Mais peut-être n'est-ce pas le moment de…

— Non, en effet, s'exclama-t-elle, parfaitement consciente qu'il faisait référence au jour où l'on avait brûlé Myrren.

La reine ne souhaitait pas poursuivre la digression ; il hocha la tête avec soumission.

— Et ? reprit Valentyna, bien décidée à aller jusqu'au fond de cette histoire.

Celimus haussa les épaules.

— Je n'ai pas la moindre idée de ce qui s'est dit entre Wyl, votre père et vous-même. À ce que je crois comprendre, Wyl aurait propagé des rumeurs selon lesquelles j'aurais exécuté son ami, le capitaine Donal, et menacé sa sœur du même sort, dit-il avant d'émettre un petit rire plein de dédain.

» C'est ridicule, Majesté. Ylena est comme ma propre sœur – elle doit d'ailleurs être dans sa famille à l'heure où nous parlons.

— Et le capitaine ?

— Donal ? Quelque part sur la frontière nord, je crois. Cela dit, je ne sais pas si cet interrogatoire est bien approprié…

Il y avait comme une pointe de menace dans sa voix.

Valentyna pinça les lèvres ; elle devait à tout prix garder le contrôle de cette conversation. De toute façon, comment savoir si Donal était en vie ou non ?

— Vous savez que Koreldy confirme les dires de Thirsk. Il m'a dit qu'il était présent dans vos appartements et qu'il a été témoin de l'exécution de Donal.

— Il ment, Majesté. Cet homme est un fourbe de la pire espèce. Savez-vous seulement d'où il vient ?

Elle secoua négativement la tête ; dans le fond, elle ne savait vraiment pas grand-chose de Romen.

— Eh bien, vous devriez vous y intéresser. Vous apprendriez ainsi que sa tête est mise à prix par le chef barbare, Cailech, et qu'en outre sa couardise a valu à son frère aîné et à sa sœur jumelle d'être exécutés à sa place – et de la pire des façons.

Valentyna déglutit péniblement. Qui croire ?

Elle blêmissait ; Celimus poursuivit.

— J'ai découvert tout ça en usant de relations en Grenadyne. Morgravia s'est ainsi procuré un témoignage selon lequel Koreldy aurait assisté au calvaire de son frère et de sa sœur, infligé pour prix de ses crimes à lui. Cailech les aurait épargnés, m'a-t-on dit, si Koreldy s'était livré – au lieu de quoi il les a regardés agoniser sur une croix, avant de filer sans même un remords. Il semblerait qu'il soit ensuite resté dans les Razors pendant un certain temps, avant de repasser en Morgravia, puis en Briavel où il vous a mise sous sa coupe.

— Vous aviez donc autorisé Koreldy à tuer Thirsk ?

— C'est exact. Quels que soient ses défauts par ailleurs, Koreldy est une fine lame et il commandait les autres mercenaires – sans lui, ce n'était qu'un ramassis de vulgaires canailles. Je l'ai autorisé à recourir à cette extrémité uniquement si Wyl agissait contre les intérêts de Morgravia – et c'est ce qui s'est passé. Il menaçait de tuer votre père à la première occasion. L'histoire selon laquelle les mercenaires auraient tué le roi Valor est de son cru uniquement.

— Comment pouvez-vous le savoir puisque vous n'y étiez pas ?

— Parce que l'un d'eux s'est échappé et m'a tout raconté, mentit-il hardiment sans montrer la moindre émotion.

— Première nouvelle. Et que vous a raconté cet homme ? Que sait-il ?

— Il a vu Koreldy tuer Thirsk, avant de tuer votre père pour semer le trouble entre nos deux royaumes. Son but était de nous soutirer de l'or à tous les deux. Il m'a fait chanter en me menaçant d'aller vous raconter une histoire que vous croiriez sans difficulté ; et vous, il vous a promis une protection imaginaire. Il a gagné des deux côtés, Majesté. Koreldy est impitoyable. Il n'a aucune loyauté, pas même envers Grenadyne. Je l'ai cru lorsqu'il m'a menacé – la situation était si délicate entre nous que je ne pouvais risquer qu'il vienne en Briavel raconter ses mensonges. Je l'ai payé – vous savez que je ne souhaite que la paix pour nos royaumes. Je ne pouvais pas non plus risquer de l'éliminer en Morgravia, ne sachant pas quelle histoire il pouvait vous avoir déjà racontée au sujet de la mission avec Thirsk. Ce n'est pas quelqu'un à qui on peut se fier, Majesté. C'est pour toutes ces raisons que j'ai décidé de venir en personne chez vous – je voulais vous prouver mon engagement et ma sincérité en faveur de la paix et de notre union.

Finement joué, songea Jessom. Un peu bavard, peut-être.

— Mais Koreldy est tout de même revenu en Briavel, dit-elle sèchement.

— Il s'est échappé et nous avons perdu sa trace dans le nord. J'ai envoyé un homme sur sa piste – un certain Jerico. Koreldy l'a tué et m'a envoyé sa tête pour me dire que je ne pourrais pas l'attraper. Il avait joint un message annonçant qu'il allait créer des problèmes entre Briavel et Morgravia – je ne pensais pas que cela viendrait aussi tôt. Je suis profondément désolé que vous ayez été dupée par cet homme. Il a tenté de me tuer aujourd'hui, pour mettre à exécution sa menace de fomenter une guerre entre nous.

— Mais pourquoi ferait-il cela ?

— Parce que j'ai arrêté de le payer, je suppose. Au début, je n'avais d'autre choix que de lui donner de l'or – il était dangereux. Puis ses exigences n'ont cessé d'augmenter et c'est là que j'ai décidé d'envoyer Jerico à ses trousses.

Elle prit une profonde inspiration. Tout cela était trop pour elle ; il fallait qu'elle réfléchisse.

— Roi Celimus, j'apprécie votre position dans cette histoire. Je vais maintenant vous demander de faire preuve de compréhension et de patience.

Il ne saisit pas ce qu'elle voulait dire.

— Que comptez-vous faire avec Koreldy ?

— Il faut que je réfléchisse à tout ce que vous m'avez dit avant de prendre une décision. Vous comprendrez également, Sire, que je ne suis plus en situation de poursuivre nos discussions diplomatiques. J'ai besoin de temps pour régler certaines affaires que ce dramatique événement a mises au jour. Je vous prie de bien vouloir accepter mes regrets les plus sincères de vous avoir occasionné ce voyage pour rien.

Celimus ne parvenait pas à croire qu'il l'avait perdue ; pourtant, il sentait bien qu'elle était fermement décidée. Quelque chose dans son ton et son attitude lui disait qu'il n'y aurait plus aucune discussion quant à leur mariage tant que cette affaire ne serait pas réglée. *Romen Koreldy, maudit sois-tu !* Il ne pouvait plus rien faire d'autre qu'accepter gracieusement ses excuses.

Jessom se pencha pour murmurer à son oreille un avis qui faisait écho au sien.

— Mieux vaut sa gratitude maintenant et sa main plus tard, que tout perdre.

Celimus hocha la tête et s'éclaircit la voix.

— Bien sûr, Majesté. On m'informe précisément que notre retour en Morgravia est souhaité – des problèmes dans le nord. Cailech s'enhardit et nous devons unir nos forces contre le barbare. Nous parlerons de tout cela une autre fois.

Puis il prit sa main et poursuivit d'un ton grave.

— Vous comprenez parfaitement que rien ne saurait garantir l'harmonie entre nos royaumes mieux qu'une union entre vous et moi. Nous seuls pouvons œuvrer à notre prospérité future et à la paix pour nos enfants.

Il avait raison bien sûr, mais elle était surtout soulagée qu'il parte sans récriminer.

— Merci, Sire.

— Nous allons nous préparer pour le départ, dit-il en saluant profondément. Peut-être aurez-vous l'obligeance de me tenir informé de vos décisions concernant Koreldy. S'il remet les pieds en Morgravia, il sera capturé et exécuté comme traître – je ne saurais trop vous recommander de faire de même en Briavel.

— Je vais réfléchir à tout ce que j'ai appris, Sire. Et soyez assuré que je vous avertirai de ce que j'aurai décidé.

» Vous avez été très compréhensif, ajouta-t-elle en lui laissant sa main à embrasser.

— Que Shar vous préserve, Valentyna. Je comprends votre dilemme, mais j'ai grand-hâte de connaître votre décision.

— Nous parlerons bientôt, dit-elle en hochant la tête, pressée qu'il parte avec sa suite, pressée d'être seule pour contempler le désastre qui menaçait.

» Je viendrai vous faire mes adieux.

Celimus sortit, escorté de Jessom. Dès qu'il fut sûr que la reine n'était plus à portée de voix, il cracha sa colère.

— Si Koreldy n'est pas exécuté, je veux que votre assassin le trouve et fasse le travail immédiatement ! Je veux son doigt portant sa chevalière d'ici une semaine, vous m'entendez ?

— Ce sera fait, Sire.

Lorsque Fynch revint à lui, déstabilisé et assoiffé, les bruits du tournoi s'étaient tus ; un silence sinistre régnait partout. Il secoua la tête pour s'éclaircir les idées, mais la migraine impérieuse était là – et avec elle le souvenir de la vision qu'il avait eue avant de s'évanouir. Cette évocation raviva ses inquiétudes ; il se précipita à l'extérieur du pavillon pour vomir dans les buissons.

Filou n'était nulle part. Il se précipita au puits du château pour s'asperger le visage et rincer sa bouche desséchée. Dégoulinant et toujours en pleine confusion, il se mit en quête de ses amis.

Ce fut l'un des pages finalement qui l'informa.

— Oh, Fynch ! Tout le monde t'a cherché.

— Qui ça ?

— Les gens de la reine. Je ne sais pas ce qu'ils te voulaient, mais les portes de l'enfer se sont ouvertes ici cet après-midi. Koreldy a été accusé d'être un traître, ajouta-t-il à voix basse.

— Quoi ?

Fynch sentit ses entrailles se nouer.

— Aussi vrai que je suis ici, dit le jeune garçon, les yeux tout illuminés par le récit de cette histoire. La reine est en train de prononcer la sentence. À ce qu'on dit, il aura de la chance s'il sauve sa tête.

Fynch ne s'attarda pas pour en écouter davantage. Il partit en courant, regrettant que Filou ne soit pas là ; lui savait toujours où trouver Wyl, et Fynch avait oublié de demander au page où il était.

En fait, Filou était déjà avec Wyl. Il était resté avec lui depuis l'instant où il avait été amené à la salle de garde, dans l'attente de connaître son destin. Wyl avait pensé devoir patienter longtemps, mais Valentyna avait semble-t-il rapidement pris sa décision. Un silence de plomb s'était abattu sur la grande salle du palais où on l'avait amené, les mains liées, jusqu'à une chaise placée devant le trône. Il était assis là, abattu, la tête basse, refusant de regarder les nobles, dignitaires et conseillers qui tous attendaient. L'atmosphère était sinistre et un sentiment de déprime l'envahissait. Pour le public, la tension n'était pas la même – dans un concert de petits bruits, chacun y allait de son pronostic chuchoté.

Liryk s'approcha pour poser une main sur son épaule.

— Désolé, Koreldy, murmura-t-il avant de s'éloigner.

Wyl se demandait bien de quoi il s'excusait – même s'il pouvait facilement le deviner.

Krell vint à son tour et eut la générosité de s'arrêter.

— Chancelier Krell, je…

— Chut, Koreldy. Nous ne sommes pas autorisés à vous parler. Toutes les personnes ici présentes sont là pour porter témoignage. Toutes ont été informées de ce qui s'est passé, mais la plupart l'ont vu directement.

Ses lèvres se serrèrent, ce qui ne fit que renforcer son air lugubre. Sur un hochement de tête, il s'éloigna à son tour ; il n'y avait rien de plus à dire.

Personne d'autre ne lui avait parlé, hormis les gardes pour lui donner des ordres. Il était heureux qu'on ait laissé Filou avec lui dans la salle de garde ; en revanche, il ne savait pas où était passé le chien depuis qu'on l'avait amené là. Avec Fynch, espérait-il. Il se demandait d'ailleurs où pouvait être Fynch lui aussi. Il espérait que le garçon ait pu aller plaider sa cause auprès de la reine. Les trompes sonnèrent, une voix dit « Levez-vous pour Sa Majesté ! » puis il vit son visage sévère et sut que ses espoirs étaient vains.

À son entrée, tous saluèrent. Lorsqu'il releva la tête, son regard se fixa sur ce visage qu'il aimait ; l'éloignement qu'il y vit lui glaça le cœur. Un instant, elle posa sur lui ses yeux bleus où il lut de la tristesse, des regrets, mais par-dessus tout de la colère. Il ne pouvait qu'imaginer les mensonges monstrueux que Celimus avait dû forger pour la dresser contre lui. Wyl se sentit défaillir et préféra tourner la tête. Il avait perdu Valentyna – c'était sûr ; plus rien ne comptait désormais.

Comme Krell l'avait indiqué, les nobles réunis avaient déjà été informés avant son arrivée. D'une voix claire et ferme, la reine lui demanda donc de se lever sans autre forme de préambule.

Wyl s'exécuta, le cœur déchiré, pour venir se tenir devant la reine de Briavel. Depuis son estrade, elle l'observait avec un détachement glacé.

Il salua du buste.

— Ma reine, dit-il, mais elle parut ne même pas l'entendre.

— Romen Koreldy, vous comparaissez devant nous accusé de trahison envers la confiance que vous manifestait la Couronne de Briavel. J'ai entendu des témoignages inquiétants au sujet de vos activités clandestines, et si aucun d'eux n'est étayé d'élément probant, ils me remplissent tous d'effroi. Pour autant, nous ne vous ferons pas exécuter, Romen Koreldy, comme le demande pourtant le souverain de Morgravia. Briavel vous accorde la vie sauve, car il n'est pas d'usage ici de condamner sans preuve. Pour autant, je ne peux pas autoriser votre présence sur notre territoire. Pour vos actes d'aujourd'hui, vous êtes donc banni de Briavel – ma garde vous reconduira à la frontière.

Elle marqua une pause, pour regarder dans sa direction, m[illegible] il tenait les yeux obstinément fixés au sol. Elle poursuiv[illegible]

— Vous pouvez choisir de retourner en Morgravi[illegible] partir par la mer au sud, dans les Razors au nord[illegible] l'inconnu à l'est. Ce choix vous appartient, ma[illegible] informe que le roi Celimus a ordonné que vous s[illegible] et exécuté à vue.

Cette fois-ci, elle maintint un long moment[illegible] fixé sur sa tête baissée.

— Que Shar vous emmène rapidement loin[illegible] Koreldy. Briavel se lave les mains de votre perso[illegible] vos fautes.

Wyl sentait son corps tituber sous l'effet du désespoir ; il n'y avait rien à dire, rien à gagner à se plaindre et gémir – au contraire. Une nouvelle fois, il se trouvait piégé par les mensonges du roi de Morgravia. Certes, pour se consoler il pouvait se dire que la reine n'adhérait pas entièrement à la version de Celimus, mais le désir qu'elle avait eu de lui l'avait désertée. Totalement.

Comme il cherchait quelque chose à dire, il y eut soudain un grand bruit. C'était Fynch qui déboulait par l'une des innombrables portes desservant la grande salle.

— Non, Majesté ! Non ! cria-t-il.

La foule s'exclama de réprobation. Qui était cet enfant qui osait perturber l'audience ? La main levée, la reine réclama le silence.

— Fynch, dit-elle d'une voix douce, piétinant plus encore le protocole en tolérant son intrusion. C'est trop tard.

— Non, Valentyna. Vous ne le comprenez pas.

Il se précipita vers elle, faisant fi des murmures outrés qui montaient.

— Non, effectivement, je ne le comprends pas.

Elle se pencha sur la frimousse inondée de larmes de celui qui était son ami. *Vais-je le perdre lui aussi ?*

— Il doit partir, poursuivit-elle. Il ne peut plus rester ici

inute de plus.

ajesté, implora Fynch. Ce n'est pas Romen Koreldy…

ch ! cria Wyl. Laisse…

ssistance avait les yeux braqués sur ce petit garçon.

ge passa toute une gamme d'émotions ; ses traits se

lement quelque part entre la haine et le désespoir.

s, mon garçon, murmura Liryk en s'avançant pour

ir de la grande salle.

ou ! appela Fynch. Viens, nous n'avons rien à

Fynch ne se retourna pas. Par la suite, il regretterait toujours de n'avoir pas dit un seul mot d'adieu à l'homme appelé Romen Koreldy.

Épilogue

Liryk se joignit aux quatre hommes de l'escorte chargés de le reconduire jusqu'à la frontière ; Wyl sentait que le vieux soldat éprouvait du regret. Un arbalétrier chevauchait derrière lui, prêt à tirer au besoin. Tous savaient que ces précautions étaient inutiles, mais ils étaient bien décidés à ne prendre aucun risque.

On ne lui avait pas permis de parler à Fynch – ni à quiconque d'ailleurs au palais, à l'exception de Stewyt qui avait rapidement rassemblé ses maigres affaires. Le cheval qu'il montait lui serait laissé ; on lui avait dit que la reine l'avait choisi elle-même, en un dernier geste envers lui. C'était une superbe jument à la robe fauve qu'il avait admirée aux écuries quelques jours auparavant – une éternité à ce qu'il lui paraissait. En tout cas, Valentyna n'avait pas oublié. Il aurait voulu pouvoir donner de l'importance à ce signe, mais le souvenir de l'ultime regard glacial qu'elle avait eu lui disait assez qu'ils n'étaient même plus amis. Elle voulait qu'il sorte au plus vite de son royaume et sa générosité n'était qu'un paiement pour les services rendus – au moins, ses fontes étaient-elles amplement pourvues en vêtements et nourriture. Pour l'heure, ses armes étaient sous la garde de Liryk, qui les conserverait jusqu'à ce qu'il juge bon de les rendre au banni.

Après avoir prononcé la sentence, la reine avait quitté la grande salle sans se retourner ; comme elle l'avait dit, Briavel s'était lavé les mains de lui.

Il chevauchait dans un morne silence, ignorant les hommes à ses côtés, avec ses noires pensées pour unique compagnie. Le soir était sur le point de tomber lorsqu'ils partirent, dans l'intention de s'éloigner de Werryl sans tarder, mais sans aller bien loin pour autant – Crowyll peut-être, à deux lieues environ. Ce qui comptait pour Valentyna, c'était qu'il quitte immédiatement le palais. Au fond, Wyl sentait que plus rien n'avait d'importance pour lui. Que le soldat derrière lâche sur lui son carreau et que disparaisse enfin son chagrin ! Deux choses seulement le poussaient à rester en vie : la sécurité de sa sœur et la volonté de faire amende honorable envers Fynch.

Il s'arracha à ses pensées. Les quatre cavaliers s'étaient laissé distancer, le laissant seul avec Liryk.

— Je ne l'ai pas tué, dit Wyl dans le silence. C'est un assassin nommé Arkol qui s'en est chargé – et c'est Celimus qui l'avait envoyé.

Le vieux soldat sut immédiatement de quoi il parlait.

— Mais vous ne pouvez pas le prouver, répondit Liryk. Et c'est bien là notre dilemme.

— Pourquoi croire alors ce que dit le roi de Morgravia ?

— En public, je n'ai pas le choix. Mais sachez, Koreldy, que je me refuse à croire que vous ayez pu tuer le roi Valor. Et pour votre tranquillité d'esprit – si cette chose vous est possible –, sachez que la reine ne le croit pas non plus.

— Alors pourquoi…

Le soldat ne le laissa pas poursuivre.

— Ce que vous avez fait dans l'arène aujourd'hui allait bien au-delà de ce que Briavel vous avait autorisé à faire. Cela revenait à déclencher la guerre entre nos deux royaumes. Et si nous ne vous punissions pas pour cela, la reine elle-même risquait d'encourir la colère de son hôte. Vous ne comprenez donc pas que nous ne sommes pas armés pour une autre guerre contre Morgravia ? Que nous sommes au bord du

précipice et que le moindre faux pas nous plongerait dans les plus noires ténèbres ?

Wyl savait que Liryk disait vrai. Avant même de pénétrer dans l'enceinte du duel, il avait su les conséquences de ses noirs desseins. Rétrospectivement, il songeait également que les rappels de Valentyna à sa promesse clamaient qu'elle-même savait ce qu'il comptait faire.

— Pourquoi ne m'a-t-elle pas dit qu'elle me croit innocent ? demanda-t-il d'une voix plaintive.

— Parce qu'elle n'est toujours pas convaincue que vous n'avez pas tué Wyl Thirsk de sang-froid... et franchement, moi non plus. Malgré tout ce qu'il pouvait être, Thirsk restait en tout point honorable – tout comme l'était son père que j'ai bien connu. Ennemi ou pas, le meurtre n'est pas tolérable en Briavel – d'autant plus que Thirsk était venu en paix.

La sensation d'être piégé était complète à présent. Briavel le bannissait à cause de Wyl Thirsk. Si seulement ils savaient...

— Par les temps qui courent, le meurtre est très à la mode en Morgravia. La reine et vous allez devoir rapidement apprendre à combattre le feu par le feu... ou c'en sera fait de vous, dit Wyl avec colère.

— Laissez-nous nous occuper de cela, Koreldy. Estimez-vous heureux de garder la vie sauve – le roi avait demandé votre tête.

— Je n'ai que faire de ses menaces. Tout ce que je sais, c'est qu'il a empoisonné l'esprit de Valentyna. Dites-le-lui bien de ma part. Qu'elle ne lui fasse pas confiance. Qu'elle refuse de l'épouser !

— Je ne ferai pas ça. Je suis favorable à ce mariage pour la paix.

— Vous ne comprenez pas ! Celimus veut Briavel, pas la paix. Il vous plongera dans la guerre contre Cailech.

— Comment le savez-vous ?

— Parce que je le connais bien mieux que vous ne pouvez l'imaginer, répondit Wyl exaspéré. Il l'épousera et la traitera avec mépris. Il la détruira… et détruira Briavel.

— Arrêtez, Koreldy ! Je ne veux plus rien entendre. Nous approchons de Crowyll où nous allons passer la nuit. Je vous recommande de bien profiter de votre lit. Ensuite, vous n'aurez que la nature comme matelas, jusqu'à la frontière.

Wyl ne dit rien, submergé par son sentiment d'impuissance.

— Vous avez une préférence, pour l'auberge ? demanda Liryk d'un ton redevenu amical.

Wyl n'en avait pas après Liryk – un bien brave homme au fond.

— Pourquoi pas le Fruit défendu, suggéra-t-il facétieusement, en songeant à la belle Hildyth.

— Aah, ça vous avait donc intéressé, s'exclama le vieux soldat réjoui. Pourquoi pas après tout. Je suis sûr que nous pouvons offrir au banni une dernière nuit de plaisir.

» Au fait, dans quelle direction partirons-nous demain ?

— Morgravia, bien sûr, répondit Wyl d'une voix redevenue tranchante.

Liryk rappela à Wyl qu'il était sous bonne garde.

— Ne vous inquiétez pas, je ne tenterai rien.

— Parfait. Je parle pour votre bien car mes hommes ont ordre de tirer. Cela ne me ferait aucun plaisir de vous voir mort quand cela nous a tant coûté de vous garder en vie.

— Nous allons tous rester ici ?

— Oui, ils louent des chambres aussi. Mais rassurez-vous, tout le monde n'aura pas droit aux spécialités. Pour votre part, faites à votre convenance – disons que c'est un cadeau d'adieu de ma part. J'espère que vous apprécierez.

Wyl sourit ; c'était vraiment difficile de ne pas apprécier l'homme charmant qu'était Liryk.

— Et vous ?

— Pas ce soir, mon ami, répondit-il en cherchant du regard une personne derrière Wyl.

» Ah, la voilà. Je suis sûr que vous ne laisserez pas passer une seconde fois votre chance, Koreldy.

Wyl se retourna, ayant déjà deviné qu'Hildyth approchait. Un air de franche surprise, qu'il ne parvenait pas à déchiffrer complètement, était plaqué sur son visage. Il ne s'en soucia pas outre mesure, attiré malgré lui – malgré le poids de la vie sur ses épaules – par son irrésistible silhouette qui se devinait à travers le fin tissu blanc de sa robe. Suggérant tout en dissimulant, sa toilette mettait bien vite au supplice de la tentation tous ceux qui la regardaient. Ses cheveux coupés plus court que ceux de la plupart des femmes le surprirent de nouveau ; pourtant, ils mettaient parfaitement en valeur son visage volontaire, au-dessus d'épaules carrées largement découvertes.

Elle lui sourit et l'image du chat lui revint en mémoire – un chat qui aurait enfin attrapé sa souris. Ses yeux donnaient l'impression de tout savoir ; la confusion fugacement apparue sur ses traits avait totalement disparu. Elle avait la parfaite maîtrise d'elle-même.

— Romen Koreldy, dit-elle en exécutant une révérence gracieuse et tout à fait féminine.

— Vous vous souvenez donc, répondit Wyl, impressionné.

— Comment aurais-je pu oublier un visage tel que le vôtre ? roucoula-t-elle.

» Et ce cher commandant Liryk. C'est un plaisir de vous revoir.

Elle vint reposer ses yeux ardents sur Romen.

— Je savais que je pouvais vous faire confiance, dit-elle.

— Me faire confiance pour quoi ?

Cette fois-ci, ni le sourire ravageur ni le goût des femmes de Romen ne lui faisaient défaut.

— Pour revenir. C'est bien ce que vous m'aviez promis.

— C'est exact, dit-il en hochant la tête.

— Et j'espère que vous me choisirez pour un moment de détente ce soir.

— D'après ce que vous me dites, il semblerait que je vous ai fait une promesse.

— Pas avec des mots. Mais je l'ai prise comme telle.

— Eh bien allons-y, dit Wyl, submergé par une bouffée de désir qui montait en lui comme pour contrebalancer ses humeurs.

» Messires, dit Wyl en saluant du buste Liryk et l'officier qui l'avait accompagné.

Hildyth lui offrit son bras.

— À bientôt, Koreldy, dit Liryk avec un clin d'œil. Et n'oubliez pas ce que je vous ai dit !

Wyl savait qu'il avait besoin d'aimer une femme pour pouvoir apprécier l'intimité avec elle. Il se souvenait de sa nuit avec Arlyn à Orkyld comme d'un moment béni de détente physique, enrichie par l'affection qu'ils se portaient mutuellement. Mais Valentyna lui avait ouvert des horizons immenses dont la combinaison du désir mêlé à l'amour était le sésame. Ce n'est que dans les bras de Valentyna qu'il avait goûté à l'ivresse sans pareille de cette alchimie. Depuis, ce doux poison courait dans ses veines et envahissait ses rêves et ses pensées ; il n'y avait plus rien qu'il puisse faire désormais.

Valentyna ! cria-t-il silencieusement en suivant Hildyth.

La nuit précédente, il lui avait dû mobiliser jusqu'à la dernière parcelle de sa volonté pour refréner son ardeur lorsqu'il s'était retrouvé allongé à côté de son aimée ; il regrettait maintenant de n'avoir pas pleinement joui des fruits de leur amour. C'est lui et lui seul qui avait imposé cette limite. C'était certes la chose à faire, mais c'était très injuste – le prochain homme dans son lit serait certainement son ennemi. Pourtant, tandis qu'il cheminait dans les couloirs doucement éclairés et suavement parfumés du Fruit défendu,

il savait qu'elle ne l'en aurait que plus haï s'ils avaient sauté le pas. En l'état actuel, il ne pouvait même pas imaginer qu'elle pose sur lui un regard – si d'aventure elle le voyait de nouveau – avec quelque chose ressemblant à de l'affection.

Hildyth n'avait rien de la beauté parfaite de Valentyna, mais il y avait assurément en elle quelque chose qu'il voulait posséder – ne serait-ce que pour quelques heures. Il allait prendre son corps dur et musclé et relâcher toute cette agressivité qu'il avait en lui. Ensuite, il partirait.

Pas d'amour. Juste du plaisir pour de l'argent.

Hildyth le fit pénétrer dans une chambre où brûlaient d'innombrables chandelles posées sur une fine tablette courant tout le long du mur. La pièce embaumait le miel et le jasmin. Il y avait là un grand bassin d'eau chaude, d'où montaient des volutes aux parfums de menthe et de citron ; tout était fait pour créer une atmosphère propice à la décontraction. Du vin et des choses à grignoter étaient disposés sur un coffre bas ; la table de massage était contre un mur.

— Comment veux-tu que je t'appelle ? demanda-t-elle, les yeux luisants.

— Romen, ce sera très bien.

— Viens, Romen, laisse-moi te déshabiller.

Il fut plus rapide, dégrafant dans son dos l'attache qui tenait sa robe. Doucement, le vêtement glissa au sol, la révélant dans sa splendide nudité. Avec une lenteur étudiée, elle enjamba la boule de tissu à ses pieds ; tous ses gestes étaient calculés pour permettre aux yeux de Romen de découvrir tout son corps. Il avait vu juste, elle était toute en muscles – ce qui d'ailleurs n'ôtait rien à sa voluptueuse silhouette. Ses seins n'étaient pas vraiment gros, mais hauts et fermes, délicatement surmontés d'une pointe brune dressée.

Elle se retourna pour ramasser sa robe au sol, manière de lui offrir un point de vue imprenable sur ses fesses rondes joliment

dessinées. Il songea qu'elle avait la forme d'un instrument de musique magnifique ; sa pensée s'enfuit à l'instant où elle se tourna vers lui. Ses yeux s'arrêtèrent sur le triangle sombre posé à la croisée de ses cuisses puissantes et fuselées – c'était là qu'il voulait trouver le réconfort et la paix.

— J'espère que ton choix te convient, dit-elle, amusée de voir où ses yeux s'attardaient.

— Parfaitement. J'ai fait le bon choix, répondit-il avec le sourire ironique de Romen.

Il entreprit de retirer ses vêtements.

— Laisse-moi faire, dit-elle.

Être déshabillé par cette femme intrigante se révéla une expérience langoureusement excitante. Tout en le débarrassant de ses habits, elle s'attardait délibérément sur certaines parties de son corps. À sa grande surprise, Wyl se laissa totalement aller, au point qu'il avait perdu conscience de lui-même au moment où elle ôta ses braies pour mettre au jour son désir dressé.

Elle laissa remonter ses yeux des genoux jusqu'à son regard gris argent ; le petit sourire était là. Il savait qu'elle songeait à lui accorder immédiatement le relâchement dont il avait tant besoin, mais elle en décida autrement. Tout doucement, elle se redressa de toute sa hauteur, en veillant toutefois à ce que sa peau nue soit au contact de la sienne ; un long frisson lui parcourut tout le corps.

Par gestes, Hildyth l'invita à plonger dans le bassin, puis lui servit un verre de vin. Elle le rejoignit dans l'eau pour lui tendre son verre, puis vint s'asseoir sur le rebord derrière lui. Confortablement installé dans la fourche de ses cuisses, il se laissa savonner ; sous la caresse experte de ses doigts, Wyl sentit le bien-être l'envahir. C'était un plaisir immense que d'être lavé ainsi. Tandis qu'elle faisait mousser ses cheveux, il dégustait l'excellent Kurshor des vallées ensoleillées du sud, dont la douce chaleur irradiait en lui.

Tandis qu'elle le rinçait, elle l'invita à la caresser à son tour, puis proposa qu'il la laisse le sécher. Wyl rechignait à quitter ce bassin où cette somme de petits plaisirs lui avait permis d'oublier pendant une heure ses pensées pleines de fureur et de bruit.

— Viens, je vais te faire un massage comme tu n'en as jamais eu, feula-t-elle d'une voix grave.

Il hocha la tête et se laissa faire. Le lent passage des serviettes chaudes sur ses fesses et ses jambes raviva son désir. Il se rendit compte qu'ils étaient restés silencieux jusqu'alors. Elle ne paraissait pas curieuse d'apprendre quoi que ce soit sur lui ; c'était agréable et il apprécia qu'elle ne passe pas son temps à jacasser comme tant de filles dans les bordels. Hildyth paraissait à l'aise dans le silence et pas un instant il n'eut la sensation qu'elle distillait ses attentions d'une manière mécanique. Il lui semblait soudain qu'un lien invisible le rattachait à elle – comme s'ils avaient été deux âmes sœurs échouées dans ce lieu confortable où ne flottait aucune parole.

Elle sourit et lui désigna la table de massage, sur laquelle il s'allongea à plat ventre.

— Sur le dos, s'il te plaît, demanda-t-elle à voix basse.

C'était une façon inhabituelle d'entamer un massage, mais il n'en était plus à se soucier des détails.

— Je vais poser une poche d'orge chaude sur tes yeux. Cela va t'aider à te détendre.

Wyl acquiesça ; il connaissait cette pratique. Elle posa la poche qui avait exactement la température voulue – il soupira d'aise. Il l'entendit ouvrir une armoire et manipuler des flacons.

— L'huile à la lavande te conviendra, Romen ?

— Oui, murmura-t-il, conscient pourtant du danger, car l'odeur de la fleur violette allait lui rappeler Valentyna – le soir où ils s'étaient embrassés, l'instant où leur amour avait pris son envol.

En l'entendant frotter ses mains l'une contre l'autre, il imagina la sensation de ses cuisses autour de lui. Après le massage, elle l'emmènerait dans la pièce à côté – une chambre – et lui prodiguerait du plaisir de toutes les manières qu'il pourrait souhaiter. En fait, il ne désirait guère plus que le contact d'une femme accrochée à lui pendant qu'il bougerait en elle. Absorbé dans ses pensées pleines de désir et de lubricité, il glissa ses mains sous sa nuque et se laissa aller.

Il était dans la position parfaite.

Une main douce et chaude vint se poser sur sa poitrine ; il ne remarqua pas qu'elle n'était pas du tout huilée. Puis, comme il devait s'en souvenir par la suite, il ne sentit même pas la lame à l'instant où elle pénétrait entre ses côtes. En revanche, il rua dès l'instant suivant, tandis qu'elle poursuivait son voyage mortel vers son cœur. Les petites poches d'orge tombèrent de ses yeux à la seconde même où la lame tranchait le fil de sa vie.

Wyl était fort, mais Hildyth ne l'était pas moins. Elle pesa de tout son poids sur son corps crispé, tendu et déjà faiblissant, plongeant ses yeux dans le regard gris argent empli de terreur.

— Chut, Romen. C'est fini, roucoula-t-elle en caressant tendrement son érection défaillante.

» L'heure est venue. Meurs en paix et bravement. Le roi de Morgravia t'envoie aux bons soins de Shar.

Il ne luttait plus et ne pouvait même plus parler ; la mort venait le chercher. Il sentit les lèvres d'Hildyth se poser sur les siennes tandis qu'elle enfonçait encore la lame, toujours plus loin, pour s'assurer que le contrat de Jessom était bien rempli.

Ils étaient pareils à deux amants enlacés – pour un baiser sanglant. À l'instant où il mourut, Wyl ressentit une sensation à la fois terrifiante et familière. Ses paupières se fermèrent ; il acceptait sa mort. Puis elles se rouvrirent pour montrer deux yeux étranges aux couleurs différentes.

Comme Romen avant elle, Hildyth le regardait, en état de choc. L'horrible douleur se répandait en elle également et elle ne savait absolument pas ce qui se passait. Son corps s'arqua tandis qu'elle expirait un long souffle d'agonie. Wyl, lui, savait ce qui se passait – même s'il parvenait difficilement à le croire... Même s'il détestait ça.

Ils partagèrent l'expérience de la mort, mais un seul conserva la vie. Wyl sentit son âme s'envoler, flotter librement. Tout ce qui était lui et Romen avait quitté le corps meurtri de Koreldy ; l'âme pleine de colère et de noirceur d'Hildyth vint s'y loger. Pour y mourir.

Wyl tituba dans le corps d'Hildyth, secoué de haut-le-corps et d'élancements atroces. Des larmes d'incrédulité coulaient sur ses joues.

Encore ! Cela venait encore d'arriver !

Il posa son visage contre le marbre du sol et se mit à pleurer... D'énormes sanglots d'un chagrin absolu.

Plus tard, lorsqu'il fut capable de se lever de nouveau, il contempla longuement le corps de Romen Koreldy... Son dernier corps. Puis il se regarda, effrayé et perdu, dans le corps d'Hildyth la putain.

Non... pas Hildyth.

Mon nom est Faryl et je suis une assassine.

Il vomit.

Finalement, il parvint à se ressaisir ; et à penser. *Voyons, depuis quand suis-je ici avec elle ?* Un coup d'œil aux chandelles. Deux heures environ. Liryk devait lui avoir accordé quatre heures. Peut-être moins – trois. Ses yeux tombèrent sur ses mains – ses mains de femme couvertes de sang. Sans réfléchir, il sauta dans le bassin pour ôter la mort qui l'imprégnait.

Après s'être séché, il enfila tant bien que mal les vêtements d'Hildyth ; ses doigts ne parvenaient pas à nouer les rubans, à remettre les attaches. Il était d'une gaucherie sans nom ; un

juron lui échappa. Il était dans un tel état de choc qu'il dut s'arrêter un instant pour prendre une profonde inspiration.

Plusieurs minutes lui furent nécessaires pour parvenir à s'habiller ; ce n'est qu'après qu'il trouva le courage de regarder le corps de Romen – triste et misérable, avec une expression étonnée.

Il élabora un plan. Comme d'habitude, c'était un peu juste, mais c'était tout ce qu'il avait.

En s'appuyant sur le savoir-faire de Faryl, il retira la dague du corps de Romen pour trancher le doigt auquel était passée la chevalière armoriée de Romen. Avec une grimace de dégoût, il la replongea ensuite dans le corps sans vie.

Il enveloppa le doigt dans un linge, pour le cacher derrière l'une des plus grosses bougies – notant soigneusement l'emplacement. Ensuite, il fracassa la carafe de vin sur le sol, en veillant à ce que le liquide mordoré s'écoule dans le couloir, puis ouvrit la porte et commença à hurler. La puissance de son cri féminin le surprit, mais il la laissa s'exprimer. On se précipitait de partout. Le commandant Liryk arrivait en courant ; Wyl propulsa délibérément son corps de femme dans ses bras.

— Il est mort ! Assassiné !

— Quoi ? s'exclama Liryk en se dépêtrant des bras d'Hildyth pour la repousser dans la chambre.

Ce qu'il vit alors le fit s'affaisser contre le mur, en état de choc.

— Comment ? coassa-t-il d'une voix blanche.

Wyl se mit à pleurer de manière hystérique ; son propre état de nerfs conféra à sa détresse une dimension plus que convaincante. Il parvenait à peine à parler entre ses sanglots. Les soldats de la garde dispersèrent rapidement les curieux et ils fermèrent la porte pour se faire expliquer comment pareille tragédie avait pu survenir sous leur nez. Pleurant et parlant tour à tour, elle leur dit qu'elle s'était absentée quelques

minutes pour aller chercher du vin et qu'un assassin en avait profité pour venir tuer Koreldy dans sa chambre.

—Il avait ça sur les yeux, précisa Wyl en montrant les poches d'orge. Il n'aura pas vu qui entrait.

—Et vous ? Avez-vous vu l'assassin ?

—Non... Enfin pas vraiment. Je ne me suis pas absentée bien longtemps, mais j'ai vu un homme descendre l'escalier en courant. Cela m'a paru étrange, mais je n'y ai pas prêté attention.

Liryk passa un bras autour de ses épaules.

—Hildyth, vous devez nous dire tout ce dont vous vous souvenez.

—Mais c'est tout, commandant Liryk. Je... je suis désolée. Je sais qu'il était votre ami. Je n'ai fait qu'apercevoir le dos de l'assassin. J'en ai fait tomber le vin. C'était un homme grand aux cheveux bruns. C'est tout ce que je sais. Pauvre Koreldy.

Wyl savait que ses propos étaient crédibles et son ton sincère. Il se sentait lui-même durement éprouvé.

—Comment était-il habillé ? Rien de particulier dans sa tenue ?

—Non, messire. Juste l'air d'un quidam de Briavel... comme n'importe qui ici.

À cet instant, Liryk s'aperçut qu'un doigt avait été coupé.

—Par les couilles de Shar ! dit-il à ses hommes. C'est un assassinat commandé.

—Comment le savez-vous ? bafouilla Wyl.

—Koreldy portait une chevalière à ce doigt – il m'avait dit qu'elle lui venait de sa famille. Elle servira sûrement de preuve pour celui qui a commandé ce meurtre.

Hildyth se remit à gémir doucement.

—Avez-vous encore besoin de moi, messire ? Je ne me sens pas très bien.

—Non, rentrez chez vous, jeune fille. Je vais vous faire

escorter par l'un de mes hommes. Mais ne quittez pas la ville, nous pourrions encore avoir besoin de vous.

— Ça va aller, commandant Liryk, gardez vos hommes. Quelqu'un d'ici va pouvoir me ramener, murmura Wyl, l'esprit en ébullition.

Il n'avait pas la moindre idée de l'endroit où Hildyth pouvait loger.

— Vous allez attraper l'assassin, n'est-ce pas ? dit-il en serrant la main du vieux soldat dans la sienne. Vous l'aimiez, je le sais. Et moi aussi…

— C'est vrai, je l'aimais bien. Je suis tellement désolé que les choses aient tourné ainsi pour lui.

Liryk chargea l'un de ses hommes de trouver quelqu'un pour la raccompagner. Il revint bientôt avec une aimable femme, répondant au nom de Remy, qui prit sous son aile une Hildyth éplorée.

— Viens, ma pauvre enfant. Je vais te ramener chez toi.

Apaisé par le doux babil et le bras protecteur de Remy, Wyl se laissa guider jusqu'au petit logement de deux pièces qu'Hildyth avait occupé dans le quartier le plus populeux de Crowyll, tout près du marché. Wyl remercia la brave femme, referma la porte aussi vite que la politesse le lui permettait, puis s'adossa contre elle, inspirant avidement l'air dans ses poumons pour calmer son esprit.

Le don que lui avait fait Myrren était plus généreux qu'il ne l'avait pensé. Et voici qu'il n'était plus Romen, mais Faryl. *Une femme !* Il fallait absolument qu'il s'éloigne d'ici. *Que faire en premier ?*

Wyl apaisa son esprit comme Gueryn le lui avait enseigné depuis sa plus tendre enfance. Peu à peu, le tourbillon de ses pensées se calma. Ensuite, il concentra sa conscience sur lui-même pour examiner le problème. Son âme de stratège procédait avec ordre et objectivité.

Tout d'abord, récupérer mes armes et mon cheval. Puis reprendre le doigt. Quitter ensuite Crowyll à la faveur de la nuit. Mais pour aller où ?

Trouver le sorcier.

Trouver les réponses au Dernier Souffle.

Pour maman et papa – 50 ans!
... hallucinant.

Remerciements

L'histoire de l'éprouvant voyage de Wyl Thirsk m'est venue un jour que je roulais en voiture avec mon amie Di, parmi les magnifiques coteaux de la vallée de Clare dans le Sud de l'Australie. Nous nous racontions nos dernières histoires et Di m'a confié avoir rendu visite à une voyante qui lui avait affirmé que son âme avait déjà vécu de très nombreuses vies. À ces mots, j'ai immédiatement visualisé une scène dans laquelle un jeune homme serait assis face à une telle femme en train de lui révéler un terrible secret sur sa propre vie. C'était parti ! Je n'avais pas encore la moindre idée de ce que pouvait bien être le don fait par Myrren, mais tout était là – et le frisson était si délicieux que je n'ai pu faire autrement que me mettre à écrire *Le Dernier Souffle*.

Et tout comme les histoires semblent venir naturellement aux écrivains, des personnes généreuses surviennent pour les aider. Dans mon cas, ce fut le soutien extraordinaire de Pip Klimentou, qui aura vraiment tout fait – de m'aider à la relecture à m'appeler tôt le matin pour s'assurer que j'étais en mesure d'amener les enfants à l'école après une nuit presque entièrement passée à écrire – mais aussi de Gary Habelberg et Sonya Caddy, dont les travaux de recherche m'ont été si précieux.

Les encouragements de Robin Hobb au bon moment ont également joué un rôle déterminant, tout comme le soutien des membres du Heartwood Bulletin Board sur mon site Internet.

J'adresse aussi des remerciements tout particuliers à Stéphane Marsan et Alain Névant de Bragelonne pour avoir choisi de faire figurer *Le Dernier Souffle* à leur fantastique catalogue. C'est un véritable enchantement que de faire partie de cette famille.

Merci également à Justin Klimentou pour m'avoir permis de m'inspirer de son anatomie pour créer le personnage de Fynch.

Enfin, tous mes sentiments vont à la trilogie des hommes McIntosh de ma vie – Ian, Will et Jack – pour leur patience et leur amour.

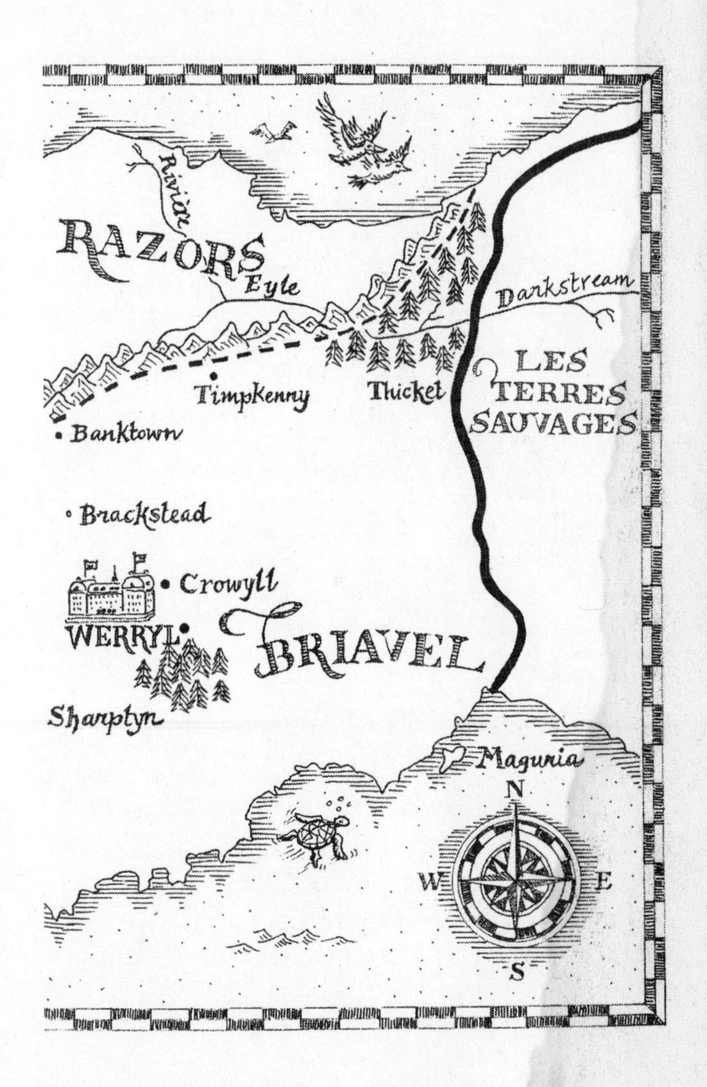

Rivière
RAZORS
Eyle
Darkstream
Timpkenny
Thicket
LES TERRES SAUVAGES
Banktown
Brackstead
Crowyll
WERRYL
BRIAVEL
Sharptyn
Maguria
N
W
E
S

GRENADYNE
LES
Racklaryon
LA FORTERESSE
DE CAILECH
Yentro
Straplyn
Brightstone
Deakyn
Orkyld
Fetrawthy
Rittylworth
Rostrovo
Renkyn
Tague
Farnswyth
PEARLIS
STONEHEART
Baelup
Sheryngham
MORGRAVIA
Argorn
Ramon